개념

해결의 법칙

최용준, 해법수학연구회

고등 **수학** Ⅱ

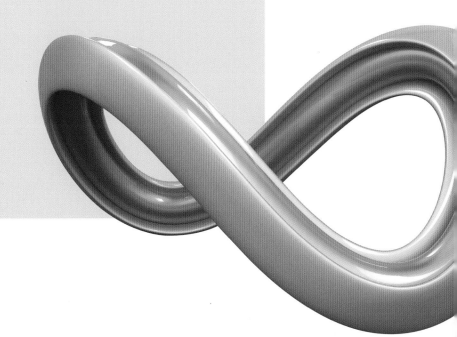

개념

해결의 법칙

www.chunjae.co.kr

도움을 주신 선생님

김성우 서울대 수학교육과 졸 / (현) 용인외대부고 교사
이한주 서울대 수학교육과 졸 / (현) 정의여고 교사
서미경 고려대 수학교육과 졸 / (현) 영동일고 교사

개념 해결의 법칙

머리말

Introduction

이 책은 기초 실력을 다지고 교과서 수준을 마스터하려는 학생들에게 적합한 교재입니다.
수학을 처음으로 시작하는 학생이나 수학에 기초가 닦여 있지 않은 학생은
나도 수학을 잘 할 수 있다! 는 자신감을 가지고 다음과 같은 방법으로 학습하기를 바랍니다.

첫째 , 쉬운 문제부터 풀어나가자.
어려운 문제와 씨름하는 것이 수학을 잘하는 길은 아닙니다.

둘째 , 기본 원리를 확실하게 익히자.
무작정 문제만 많이 푼다고 해서 실력이 느는 것은 아닙니다.

셋째 , 반복 연습을 통해 개념을 익히자.
문제 풀이에 대한 연습 없이는 수학을 정복할 수 없습니다.

수학은 투자하는 시간에 비례해서 실력이 향상된다.

수학은 단계적인 학문이기 때문에 빠른 시간 안에 성적을 끌어올리기는 쉽지 않습니다.
비록 거북이 걸음이라 할지라도 꾸준하게 노력하는 사람만이 수학에서 승리할 수 있습니다.
개념 해결의 법칙은 쉽고 빠르게 기본 실력을 다지는데 그 목표를 두었습니다.
이 책을 사용하는 학생 모두가 수학에 자신감을 갖게 되기를 바랍니다.

구성과 특징
Structure

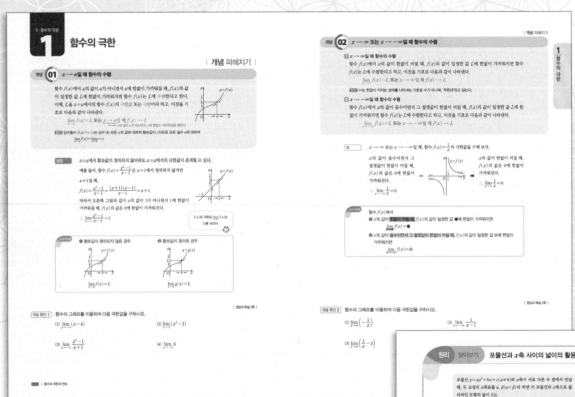

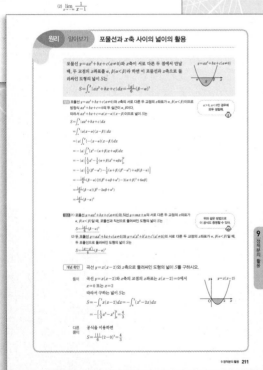

개념 파헤치기

기존 개념 설명과는 다른 방식인 '예'를 통해 직관적으로 개념을
이해, 적용할 수 있도록 하였습니다.
또한 Lecture를 통해 중요 내용은 다시 한번 정리하였습니다.

원리 알아보기

조금 어려운 개념이나 보충설명이 필요
한 개념을 원리 알아보기로 별도 구성하
였습니다.
또, 확인 문제로 공부한 개념을 바로 확
인할 수 있습니다.

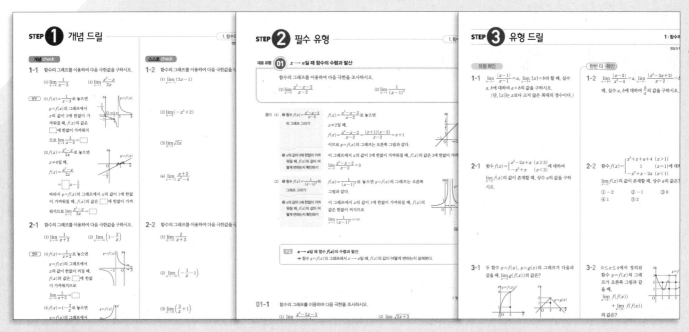

STEP ❶ 개념 드릴

단원에서의 필수 핵심 개념을 반복 연습을 통해 익힐 수 있습니다.

개념 check에서 필수 개념을 간단히 확인해 보고 스스로 check를 통해 한번 더 개념을 익힐 수 있습니다.

STEP ❷ 필수 유형

교과서, 학교 시험에 나오는 필수 개념들을 문제를 통해 익히고, 그 해결 방법을 단계로 제시하여 개념 적용 방법을 한눈에 볼 수 있게 정리하였습니다. 또한 해법에서는 그 문제에 쓰인 개념과 원리를 요약·정리하였습니다.

STEP ❸ 유형 드릴

필수 유형에서 학습한 개념과 유사한 문제들로 구성하였습니다. '한번 더 확인'을 통해 비슷한 유형의 문제를 다시 풀어 보면서 개념을 한번 더 다지고, 창의력 문제를 통해 새로운 문제에 대한 적응력을 기를 수 있습니다.

정답과 해설

자세하고 친절한 해설!

해결 전략 문제를 접근할 수 있는 실마리를 제공하였습니다.

다른 풀이 일반적인 풀이 방법도 중요하지만 다른 원리나 개념으로도 풀 수 있음을 제시하였습니다.

Lecture 풀이를 이해하는 데 도움이 되는 내용, 풀이 과정에서 범할 수 있는 실수들, 주의할 내용들을 짚어줍니다.

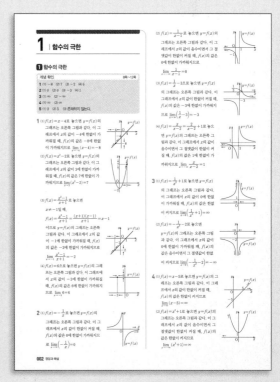

이 책의 차례
Contents

1 함수의 극한

개념 & 유형 map

1. 함수의 극한

개념 01 　$x \to a$일 때 함수의 수렴 ─── 유형 01 　$x \to a$일 때 함수의 수렴과 발산

개념 02 　$x \to \infty$ 또는 $x \to -\infty$일 때 함수의 수렴 ─── 유형 02 　$x \to \infty$ 또는 $x \to -\infty$일 때 함수의 수렴과 발산

개념 03 　$x \to a$일 때 함수의 발산

개념 04 　$x \to \infty$ 또는 $x \to -\infty$일 때 함수의 발산

개념 05 　좌극한과 우극한 ─── 유형 03 　함수의 극한값의 존재

2. 함수의 극한에 대한 성질

개념 01 　함수의 극한에 대한 성질 ─── 유형 01 　함수의 극한에 대한 성질

개념 02 　함수의 극한값의 계산 ─── 유형 02 　$\dfrac{0}{0}$ 꼴의 극한

유형 03 　$\dfrac{\infty}{\infty}$ 꼴의 극한

유형 04 　$\infty - \infty$ 꼴의 극한

유형 05 　$\infty \times 0$ 꼴의 극한

3. 함수의 극한의 응용

개념 01 　극한값을 이용한 미정계수의 결정 ─── 유형 01 　극한값을 이용한 미정계수의 결정

유형 02 　극한값을 이용한 다항함수의 결정

개념 02 　함수의 극한의 대소 관계 ─── 유형 03 　함수의 극한의 대소 관계

1 함수의 극한

개념 01 $x \longrightarrow a$일 때 함수의 수렴

함수 $f(x)$에서 x의 값이 a가 아니면서 a에 한없이 가까워질 때, $f(x)$의 값이 일정한 값 L에 한없이 가까워지면 함수 $f(x)$는 L에 수렴한다고 한다. 이때, L을 $x=a$에서의 함수 $f(x)$의 극한값 또는 극한이라 하고, 이것을 기호로 다음과 같이 나타낸다.

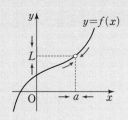

$$\lim_{x \to a} f(x) = L \text{ 또는 } x \longrightarrow a\text{일 때 } f(x) \longrightarrow L$$

x의 값이 a가 아니면서 a에 한없이 가까워짐을 뜻한다.

참고 상수함수 $f(x)=c$ (c는 상수)는 모든 x의 값에 대하여 함숫값이 c이므로 모든 실수 a에 대하여

$$\lim_{x \to a} f(x) = \lim_{x \to a} c = c$$

설명 $x=a$에서 함숫값이 정의되지 않더라도 $x=a$에서의 극한값이 존재할 수 있다.

예를 들어, 함수 $f(x)=\dfrac{x^2-1}{x-1}$은 $x=1$에서 정의되지 않지만

$x \neq 1$일 때,

$$f(x)=\dfrac{x^2-1}{x-1}=\dfrac{(x+1)(x-1)}{x-1}=x+1$$

따라서 오른쪽 그림과 같이 x의 값이 1이 아니면서 1에 한없이 가까워질 때, $f(x)$의 값은 2에 한없이 가까워진다.

$$\therefore \lim_{x \to 1} \dfrac{x^2-1}{x-1} = 2$$

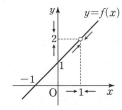

$f(a)$와 극한값 $\lim\limits_{x \to a} f(x)$는 다른 의미야.

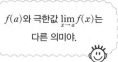

Lecture

❶ 함숫값이 정의되지 않은 경우

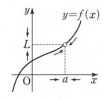

$$\lim_{x \to a} f(x) = L$$

❷ 함숫값이 정의된 경우

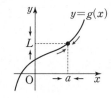

$$\lim_{x \to a} g(x) = L$$

| 정답과 해설 2쪽 |

개념 확인 1 함수의 그래프를 이용하여 다음 극한값을 구하시오.

(1) $\lim\limits_{x \to -4} (x-4)$

(2) $\lim\limits_{x \to 3} (x^2-2)$

(3) $\lim\limits_{x \to -1} \dfrac{x^2-1}{x+1}$

(4) $\lim\limits_{x \to -3} 6$

개념 02 $x \longrightarrow \infty$ 또는 $x \longrightarrow -\infty$일 때 함수의 수렴

1 $x \longrightarrow \infty$일 때 함수의 수렴

함수 $f(x)$에서 x의 값이 한없이 커질 때, $f(x)$의 값이 일정한 값 L에 한없이 가까워지면 함수 $f(x)$는 L에 수렴한다고 하고, 이것을 기호로 다음과 같이 나타낸다.

$$\lim_{x \to \infty} f(x) = L \text{ 또는 } x \longrightarrow \infty일 때 f(x) \longrightarrow L$$

참고 ∞는 한없이 커지는 상태를 나타내는 기호로 수가 아니며, '무한대'라고 읽는다.

2 $x \longrightarrow -\infty$일 때 함수의 수렴

함수 $f(x)$에서 x의 값이 음수이면서 그 절댓값이 한없이 커질 때, $f(x)$의 값이 일정한 값 L에 한없이 가까워지면 함수 $f(x)$는 L에 수렴한다고 하고, 이것을 기호로 다음과 같이 나타낸다.

$$\lim_{x \to -\infty} f(x) = L \text{ 또는 } x \longrightarrow -\infty일 때 f(x) \longrightarrow L$$

예

$x \longrightarrow \infty$ 또는 $x \longrightarrow -\infty$일 때, 함수 $f(x) = \dfrac{1}{x}$의 극한값을 구해 보자.

x의 값이 음수이면서 그 절댓값이 한없이 커질 때, $f(x)$의 값은 0에 한없이 가까워진다.

$$\therefore \lim_{x \to -\infty} \frac{1}{x} = 0$$

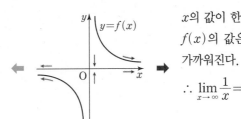

x의 값이 한없이 커질 때, $f(x)$의 값은 0에 한없이 가까워진다.

$$\therefore \lim_{x \to \infty} \frac{1}{x} = 0$$

Lecture

함수 $f(x)$에서

1 x의 값이 한없이 커질 때, $f(x)$의 값이 일정한 값 ●에 한없이 가까워지면

$$\lim_{x \to \infty} f(x) = ●$$

2 x의 값이 음수이면서 그 절댓값이 한없이 커질 때, $f(x)$의 값이 일정한 값 ■에 한없이 가까워지면

$$\lim_{x \to -\infty} f(x) = ■$$

| 정답과 해설 2쪽 |

개념 확인 2 함수의 그래프를 이용하여 다음 극한값을 구하시오.

(1) $\displaystyle\lim_{x \to \infty} \left(-\frac{1}{x} \right)$

(2) $\displaystyle\lim_{x \to -\infty} \frac{1}{x-1}$

(3) $\displaystyle\lim_{x \to \infty} \left(\frac{1}{x} - 3 \right)$

(4) $\displaystyle\lim_{x \to -\infty} \frac{x}{x-2}$

개념 03 $x \longrightarrow a$일 때 함수의 발산

1 양의 무한대로 발산

함수 $f(x)$에서 x의 값이 a가 아니면서 a에 한없이 가까워질 때, $f(x)$의 값이 한없이 커지면 함수 $f(x)$는 양의 무한대로 발산한다고 하고, 이것을 기호로 다음과 같이 나타낸다.

$$\lim_{x \to a} f(x) = \infty \ \text{또는} \ x \longrightarrow a일 때 \ f(x) \longrightarrow \infty$$

참고 $\lim_{x \to a} f(x) = \infty$에서 ∞는 특정한 값이 아니라 한없이 커지는 상태를 의미한다.

2 음의 무한대로 발산

함수 $f(x)$에서 x의 값이 a가 아니면서 a에 한없이 가까워질 때, $f(x)$의 값이 음수이면서 그 절댓값이 한없이 커지면 함수 $f(x)$는 음의 무한대로 발산한다고 하고, 이것을 기호로 다음과 같이 나타낸다.

$$\lim_{x \to a} f(x) = -\infty \ \text{또는} \ x \longrightarrow a일 때 \ f(x) \longrightarrow -\infty$$

예

1. $f(x) = \dfrac{1}{x^2}$이고 $x \longrightarrow 0$인 경우

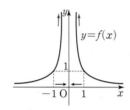

➡ $x \longrightarrow 0$일 때, $f(x)$의 값은 한없이 커진다.

➡ $\lim_{x \to 0} \dfrac{1}{x^2} = \infty$

2. $f(x) = -\dfrac{1}{x^2}$이고 $x \longrightarrow 0$인 경우

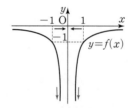

➡ $x \longrightarrow 0$일 때, $f(x)$의 값은 음수이면서 그 절댓값이 한없이 커진다.

➡ $\lim_{x \to 0} \left(-\dfrac{1}{x^2} \right) = -\infty$

Lecture

함수 $f(x)$에서 x의 값이 a가 아니면서 a에 한없이 가까워질 때

❶ $f(x)$의 값이 **한없이 커지면** ➡ 양의 무한대로 발산

➡ $\lim_{x \to a} f(x) = \boxed{\infty}$

❷ $f(x)$의 값이 **음수이면서 그 절댓값이 한없이 커지면** ➡ 음의 무한대로 발산

➡ $\lim_{x \to a} f(x) = -\infty$

| 정답과 해설 2쪽 |

개념 확인 3 함수의 그래프를 이용하여 다음 극한을 조사하시오.

(1) $\lim_{x \to 0} \left(\dfrac{1}{x^2} + 1 \right)$

(2) $\lim_{x \to 0} \left(-\dfrac{1}{x^2} - 2 \right)$

개념 04 $x \longrightarrow \infty$ 또는 $x \longrightarrow -\infty$일 때 함수의 발산

함수 $f(x)$에서 $x \longrightarrow \infty$ 또는 $x \longrightarrow -\infty$일 때, $f(x)$의 값이 양의 무한대 또는 음의 무한대로 발산하면 이것을 기호로 다음과 같이 나타낸다.

$$\lim_{x \to \infty} f(x) = \infty, \ \lim_{x \to \infty} f(x) = -\infty, \ \lim_{x \to -\infty} f(x) = \infty, \ \lim_{x \to -\infty} f(x) = -\infty$$

예

1. $f(x) = x^2$일 때

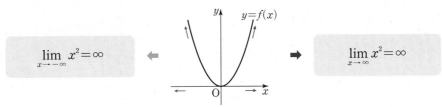

$$\lim_{x \to -\infty} x^2 = \infty \qquad \Longleftarrow \qquad \Longrightarrow \qquad \lim_{x \to \infty} x^2 = \infty$$

2. $f(x) = -x^2$일 때

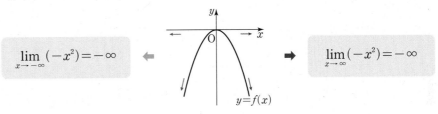

$$\lim_{x \to -\infty} (-x^2) = -\infty \qquad \Longleftarrow \qquad \Longrightarrow \qquad \lim_{x \to \infty} (-x^2) = -\infty$$

Lecture

함수 $f(x)$에서

❶ x의 값이 한없이 커질 때

$\begin{cases} f(x)\text{의 값이 한없이 커지면} \Rightarrow \lim\limits_{x \to \infty} f(x) = \infty \\ f(x)\text{의 값이 음수이면서 그 절댓값이 한없이 커지면} \Rightarrow \lim\limits_{x \to \infty} f(x) = -\infty \end{cases}$

❷ x의 값이 음수이면서 그 절댓값이 한없이 커질 때

$\begin{cases} f(x)\text{의 값이 한없이 커지면} \Rightarrow \lim\limits_{x \to -\infty} f(x) = \infty \\ f(x)\text{의 값이 음수이면서 그 절댓값이 한없이 커지면} \Rightarrow \lim\limits_{x \to -\infty} f(x) = -\infty \end{cases}$

| 정답과 해설 2쪽 |

개념 확인 4 함수의 그래프를 이용하여 다음 극한을 조사하시오.

(1) $\lim\limits_{x \to \infty} (x - 5)$

(2) $\lim\limits_{x \to -\infty} (x^2 + 1)$

개념 **05** 좌극한과 우극한

1 좌극한과 우극한

(1) 함수 $f(x)$에서 x의 값이 a보다 작으면서 a에 한없이 가까워질 때, $f(x)$의 값이 일정한 값 L에 한없이 가까워지면 L을 $x=a$에서의 함수 $f(x)$의 좌극한이라 하고, 이것을 기호로 다음과 같이 나타낸다.

$$\lim_{x \to a-} f(x) = L \text{ 또는 } x \longrightarrow a- \text{일 때 } f(x) \longrightarrow L$$

(2) 함수 $f(x)$에서 x의 값이 a보다 크면서 a에 한없이 가까워질 때, $f(x)$의 값이 일정한 값 M에 한없이 가까워지면 M을 $x=a$에서의 함수 $f(x)$의 우극한이라 하고, 이것을 기호로 다음과 같이 나타낸다.

$$\lim_{x \to a+} f(x) = M \text{ 또는 } x \longrightarrow a+ \text{일 때 } f(x) \longrightarrow M$$

> **참고** $x \longrightarrow a-$는 x의 값이 a보다 작으면서 a에 한없이 가까워짐을 뜻하고,
> $x \longrightarrow a+$는 x의 값이 a보다 크면서 a에 한없이 가까워짐을 뜻한다.

2 극한값의 존재

함수 $f(x)$에 대하여 $x=a$에서의 좌극한과 우극한이 모두 존재하고 그 값이 L로 같으면 $\lim\limits_{x \to a} f(x)$의 값이 존재하고 그 극한값은 L이다. 또, 그 역도 성립한다.

$$\lim_{x \to a-} f(x) = \lim_{x \to a+} f(x) = L \Longleftrightarrow \lim_{x \to a} f(x) = L$$

> **설명** 좌극한과 우극한이 모두 존재하더라도 그 값이 서로 같지 않으면 극한값이 존재하지 않는다.
>
> 예를 들어, 함수 $f(x) = \begin{cases} x & (x \geq 1) \\ -x & (x < 1) \end{cases}$ 의 그래프에서
>
> $x \longrightarrow 1-$일 때, $f(x)$의 값은 -1에 한없이 가까워지므로
> $\lim\limits_{x \to 1-} f(x) = -1$
>
> 또, $x \longrightarrow 1+$일 때, $f(x)$의 값은 1에 한없이 가까워지므로
> $\lim\limits_{x \to 1+} f(x) = 1$
>
> 따라서 $\lim\limits_{x \to 1-} f(x) \neq \lim\limits_{x \to 1+} f(x)$이므로 $\lim\limits_{x \to 1} f(x)$의 값은 존재하지 않는다.

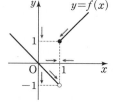

> **Lecture** 함수 $f(x)$에 대하여 $x=a$에서의 좌극한과 우극한이 모두 존재하고 그 값이 같을 때 $\lim\limits_{x \to a} f(x)$의 값이 존재한다.

| 정답과 해설 2쪽 |

 개념 확인 5 함수 $y=f(x)$의 그래프가 오른쪽 그림과 같을 때, 다음 극한을 조사하시오.

(1) $\lim\limits_{x \to -1-} f(x)$

(2) $\lim\limits_{x \to -1+} f(x)$

(3) $\lim\limits_{x \to -1} f(x)$

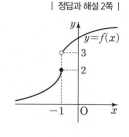

개념 check

1-1 함수의 그래프를 이용하여 다음 극한값을 구하시오.

(1) $\lim\limits_{x \to 2} \dfrac{1}{x-3}$ (2) $\lim\limits_{x \to 1} \dfrac{x^2-x}{2x}$

연구 (1) $f(x) = \dfrac{1}{x-3}$ 로 놓으면

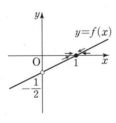

$y = f(x)$의 그래프에서 x의 값이 2에 한없이 가까워질 때, $f(x)$의 값은 ☐에 한없이 가까워지

므로 $\lim\limits_{x \to 2} \dfrac{1}{x-3} = $ ☐

(2) $f(x) = \dfrac{x^2-x}{2x}$ 로 놓으면

$x \neq 0$일 때,

$f(x) = \dfrac{x^2-x}{2x}$

$= \boxed{} x - \dfrac{1}{2}$

따라서 $y = f(x)$의 그래프에서 x의 값이 1에 한없이 가까워질 때, $f(x)$의 값은 ☐에 한없이 가까워지므로 $\lim\limits_{x \to 1} \dfrac{x^2-x}{2x} = $ ☐

2-1 함수의 그래프를 이용하여 다음 극한값을 구하시오.

(1) $\lim\limits_{x \to \infty} \dfrac{1}{x+2}$ (2) $\lim\limits_{x \to -\infty} \left(1 - \dfrac{2}{x}\right)$

연구 (1) $f(x) = \dfrac{1}{x+2}$ 로 놓으면

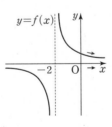

$y = f(x)$의 그래프에서 x의 값이 한없이 커질 때, $f(x)$의 값은 ☐에 한없이 가까워지므로

$\lim\limits_{x \to \infty} \dfrac{1}{x+2} = $ ☐

(2) $f(x) = 1 - \dfrac{2}{x}$ 로 놓으면

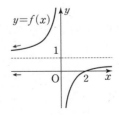

$y = f(x)$의 그래프에서 x의 값이 음수이면서 그 절댓값이 한없이 커질 때, $f(x)$의 값은 ☐에 한없이 가까워지므로

$\lim\limits_{x \to -\infty} \left(1 - \dfrac{2}{x}\right) = $ ☐

스스로 check

1-2 함수의 그래프를 이용하여 다음 극한값을 구하시오.

(1) $\lim\limits_{x \to -1} (2x-1)$

(2) $\lim\limits_{x \to 0} (-x^2+2)$

(3) $\lim\limits_{x \to 1} \sqrt{2x}$

(4) $\lim\limits_{x \to -2} \dfrac{x+2}{x^2-4}$

2-2 함수의 그래프를 이용하여 다음 극한값을 구하시오.

(1) $\lim\limits_{x \to \infty} \dfrac{2}{x+3}$

(2) $\lim\limits_{x \to -\infty} \left(-\dfrac{1}{x} - 1\right)$

(3) $\lim\limits_{x \to \infty} \left(\dfrac{3}{x} + 1\right)$

(4) $\lim\limits_{x \to -\infty} \dfrac{2x}{x+1}$

개념 check

3-1 함수의 그래프를 이용하여 다음 극한을 조사하시오.

(1) $\displaystyle\lim_{x \to 0} \frac{1}{|x|}$ (2) $\displaystyle\lim_{x \to \infty} (-2x-3)$

연구 (1) $f(x) = \dfrac{1}{|x|}$ 로 놓으면

$y = f(x)$의 그래프에서 x의 값이 □에 한없이 가까워질 때, $f(x)$의 값은 한없이 커지므로

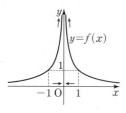

$$\lim_{x \to 0} \frac{1}{|x|} = \boxed{}$$

(2) $f(x) = -2x-3$으로 놓으면 $y = f(x)$의 그래프에서 x의 값이 한없이 커질 때, $f(x)$의 값은 □이면서 그 절댓값이 한없이 커지므로

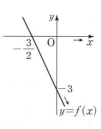

$$\lim_{x \to \infty} (-2x-3) = \boxed{}$$

4-1 함수 $y = f(x)$의 그래프가 오른쪽 그림과 같을 때, 다음 극한을 조사하시오.

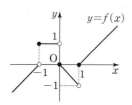

(1) $\displaystyle\lim_{x \to -1-} f(x)$

(2) $\displaystyle\lim_{x \to 0+} f(x)$

(3) $\displaystyle\lim_{x \to 1} f(x)$

연구 (1) x의 값이 -1보다 작으면서 -1에 한없이 가까워질 때, $f(x)$의 값은 □에 한없이 가까워지므로

$$\lim_{x \to -1-} f(x) = \boxed{}$$

(2) x의 값이 0보다 크면서 0에 한없이 가까워질 때, $f(x)$의 값은 □에 한없이 가까워지므로

$$\lim_{x \to 0+} f(x) = \boxed{}$$

(3) $\displaystyle\lim_{x \to 1-} f(x) = \boxed{}$, $\displaystyle\lim_{x \to 1+} f(x) = \boxed{}$ 이므로

$$\lim_{x \to 1-} f(x) \neq \lim_{x \to 1+} f(x)$$

따라서 $\displaystyle\lim_{x \to 1} f(x)$의 값은 $\boxed{}$

스스로 check

3-2 함수의 그래프를 이용하여 다음 극한을 조사하시오.

(1) $\displaystyle\lim_{x \to 0} \left(-\frac{1}{|x|} \right)$

(2) $\displaystyle\lim_{x \to -\infty} (-x^2 + 1)$

4-2 함수 $y = f(x)$의 그래프가 오른쪽 그림과 같을 때, 다음 극한을 조사하시오.

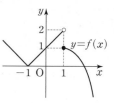

(1) $\displaystyle\lim_{x \to -1-} f(x)$

(2) $\displaystyle\lim_{x \to -1+} f(x)$

(3) $\displaystyle\lim_{x \to -1} f(x)$

(4) $\displaystyle\lim_{x \to 1-} f(x)$

(5) $\displaystyle\lim_{x \to 1+} f(x)$

(6) $\displaystyle\lim_{x \to 1} f(x)$

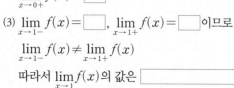

대표 유형 01 $x \longrightarrow a$일 때 함수의 수렴과 발산

함수의 그래프를 이용하여 다음 극한을 조사하시오.

(1) $\lim\limits_{x \to 2} \dfrac{x^2 - x - 2}{x - 2}$

(2) $\lim\limits_{x \to 1} \dfrac{1}{(x-1)^2}$

풀이 (1) ❶ 함수 $f(x) = \dfrac{x^2 - x - 2}{x - 2}$ 의 그래프 그리기

$f(x) = \dfrac{x^2 - x - 2}{x - 2}$ 로 놓으면

$x \neq 2$일 때,

$f(x) = \dfrac{x^2 - x - 2}{x - 2} = \dfrac{(x+1)(x-2)}{x-2} = x + 1$

이므로 $y = f(x)$의 그래프는 오른쪽 그림과 같다.

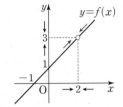

❷ x의 값이 2에 한없이 가까워질 때, $f(x)$의 값이 어떻게 변하는지 확인하기

이 그래프에서 x의 값이 2에 한없이 가까워질 때, $f(x)$의 값은 3에 한없이 가까워지므로

$\lim\limits_{x \to 2} \dfrac{x^2 - x - 2}{x - 2} = 3$

(2) ❶ 함수 $f(x) = \dfrac{1}{(x-1)^2}$의 그래프 그리기

$f(x) = \dfrac{1}{(x-1)^2}$ 로 놓으면 $y = f(x)$의 그래프는 오른쪽 그림과 같다.

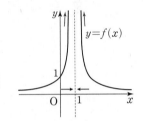

❷ x의 값이 1에 한없이 가까워질 때, $f(x)$의 값이 어떻게 변하는지 확인하기

이 그래프에서 x의 값이 1에 한없이 가까워질 때, $f(x)$의 값은 한없이 커지므로

$\lim\limits_{x \to 1} \dfrac{1}{(x-1)^2} = \infty$

답 (1) 3 (2) ∞

해법 $x \longrightarrow a$일 때 함수 $f(x)$의 수렴과 발산

➡ 함수 $y = f(x)$의 그래프에서 $x \longrightarrow a$일 때, $f(x)$의 값이 어떻게 변하는지 살펴본다.

| 정답과 해설 4쪽 |

01-1 함수의 그래프를 이용하여 다음 극한을 조사하시오.

(1) $\lim\limits_{x \to -1} \dfrac{x^2 - 2x - 3}{x + 1}$

(2) $\lim\limits_{x \to -1} \sqrt{2x + 3}$

(3) $\lim\limits_{x \to 0} \left(\dfrac{1}{x^2} - 3 \right)$

(4) $\lim\limits_{x \to 2} \left(-\dfrac{1}{|x-2|} \right)$

대표 유형 02 $x \longrightarrow \infty$ 또는 $x \longrightarrow -\infty$일 때 함수의 수렴과 발산

함수의 그래프를 이용하여 다음 극한을 조사하시오.

(1) $\lim\limits_{x \to \infty} \sqrt{x-3}$

(2) $\lim\limits_{x \to -\infty} \left(\dfrac{1}{x-1} + 2 \right)$

풀이 (1) ❶ 함수 $f(x) = \sqrt{x-3}$의 그래프 그리기

❷ x의 값이 한없이 커질 때, $f(x)$의 값이 어떻게 변하는지 확인하기

$f(x) = \sqrt{x-3}$으로 놓으면 $y = f(x)$의 그래프는 오른쪽 그림과 같다.

이 그래프에서 x의 값이 한없이 커질 때, $f(x)$의 값은 한없이 커지므로

$$\lim_{x \to \infty} \sqrt{x-3} = \infty$$

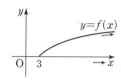

(2) ❶ 함수 $f(x) = \dfrac{1}{x-1} + 2$의 그래프 그리기

❷ x의 값이 음수이면서 그 절댓값이 한없이 커질 때, $f(x)$의 값이 어떻게 변하는지 확인하기

$f(x) = \dfrac{1}{x-1} + 2$로 놓으면 $y = f(x)$의 그래프는 오른쪽 그림과 같다.

이 그래프에서 x의 값이 음수이면서 그 절댓값이 한없이 커질 때, $f(x)$의 값은 2에 한없이 가까워지므로

$$\lim_{x \to -\infty} \left(\dfrac{1}{x-1} + 2 \right) = 2$$

탑 (1) ∞ (2) 2

해법 함수 $y = f(x)$의 그래프에서 $x \longrightarrow \infty$ 또는 $x \longrightarrow -\infty$일 때, $f(x)$의 값이 어떻게 변하는지에 따라 함수 $f(x)$의 수렴과 발산은 다음과 같다.

$f(x)$ x	일정한 값 L에 한없이 가까워진다.	양의 무한대로 발산한다.	음의 무한대로 발산한다.
$x \longrightarrow \infty$일 때	$\lim\limits_{x \to \infty} f(x) = L$	$\lim\limits_{x \to \infty} f(x) = \infty$	$\lim\limits_{x \to \infty} f(x) = -\infty$
$x \longrightarrow -\infty$일 때	$\lim\limits_{x \to -\infty} f(x) = L$	$\lim\limits_{x \to -\infty} f(x) = \infty$	$\lim\limits_{x \to -\infty} f(x) = -\infty$

| 정답과 해설 4쪽 |

02-1 함수의 그래프를 이용하여 다음 극한을 조사하시오.

(1) $\lim\limits_{x \to \infty} (-x^2 + x)$

(2) $\lim\limits_{x \to -\infty} \left(-\dfrac{1}{x+1} - 1 \right)$

(3) $\lim\limits_{x \to -\infty} \sqrt{2-x}$

(4) $\lim\limits_{x \to \infty} \left(2 - \dfrac{1}{x^2} \right)$

대표 유형 03 **함수의 극한값의 존재**

↻ 유형 해결의 법칙 12쪽 유형 01

함수의 그래프를 이용하여 다음 극한을 조사하시오.

(1) $\displaystyle\lim_{x \to 2} \frac{|x-2|}{x-2}$

(2) $\displaystyle\lim_{x \to 1} \frac{x^2-1}{|x-1|}$

풀이 (1) ❶ 함수 $y=\dfrac{|x-2|}{x-2}$의 그래프 그리기

❷ 좌극한과 우극한을 각각 구하기

❸ 극한 조사하기

함수 $y=\dfrac{|x-2|}{x-2}=\begin{cases} 1 & (x>2) \\ -1 & (x<2) \end{cases}$ 의 그래프는 오른쪽 그림과 같다.

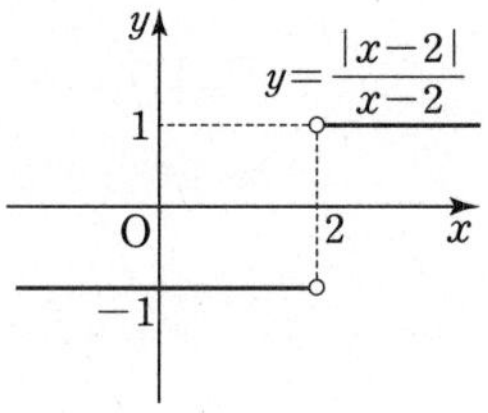

$\therefore \displaystyle\lim_{x \to 2-} \frac{|x-2|}{x-2}=-1, \ \lim_{x \to 2+} \frac{|x-2|}{x-2}=1$

따라서 $\displaystyle\lim_{x \to 2-} \frac{|x-2|}{x-2} \neq \lim_{x \to 2+} \frac{|x-2|}{x-2}$ 이므로

$\displaystyle\lim_{x \to 2} \frac{|x-2|}{x-2}$ 의 값은 존재하지 않는다.

좌극한과 우극한이 서로 같은지 확인하면 돼.

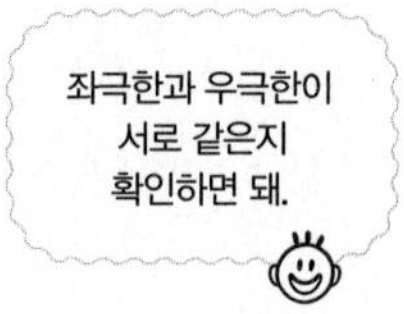

(2) ❶ 함수 $y=\dfrac{x^2-1}{|x-1|}$의 그래프 그리기

❷ 좌극한과 우극한을 각각 구하기

❸ 극한 조사하기

함수 $y=\dfrac{x^2-1}{|x-1|}=\begin{cases} x+1 & (x>1) \\ -x-1 & (x<1) \end{cases}$ 의 그래프는 오른쪽 그림과 같다.

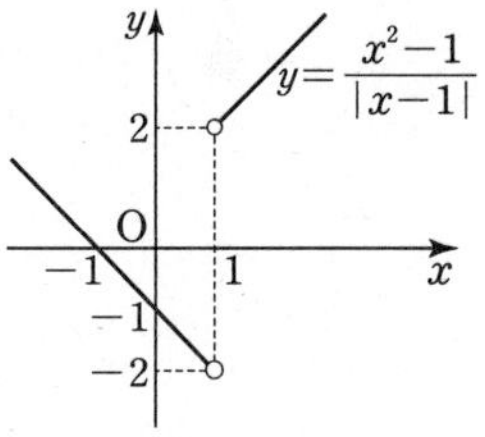

$\therefore \displaystyle\lim_{x \to 1-} \frac{x^2-1}{|x-1|}=-2, \ \lim_{x \to 1+} \frac{x^2-1}{|x-1|}=2$

따라서 $\displaystyle\lim_{x \to 1-} \frac{x^2-1}{|x-1|} \neq \lim_{x \to 1+} \frac{x^2-1}{|x-1|}$ 이므로

$\displaystyle\lim_{x \to 1} \frac{x^2-1}{|x-1|}$ 의 값은 존재하지 않는다.

🔑 (1) 존재하지 않는다. (2) 존재하지 않는다.

해법
$$\lim_{x \to a-} f(x) = \lim_{x \to a+} f(x) = L \Longleftrightarrow \lim_{x \to a} f(x) = L$$
└→ $x=a$에서의 $f(x)$의 좌극한
└→ $x=a$에서의 $f(x)$의 우극한

| 정답과 해설 4쪽 |

03-1 함수의 그래프를 이용하여 다음 극한을 조사하시오.

(1) $\displaystyle\lim_{x \to -1} \frac{|x+1|}{x+1}$

(2) $\displaystyle\lim_{x \to 2} \frac{|x-2|}{x^2-2x}$

2 함수의 극한에 대한 성질

개념 01 함수의 극한에 대한 성질

두 함수 $f(x)$, $g(x)$에 대하여 $\lim\limits_{x \to a} f(x) = L$, $\lim\limits_{x \to a} g(x) = M$ (L, M은 실수)일 때

(1) $\lim\limits_{x \to a} cf(x) = c\lim\limits_{x \to a} f(x) = cL$ (단, c는 상수)

(2) $\lim\limits_{x \to a} \{f(x) + g(x)\} = \lim\limits_{x \to a} f(x) + \lim\limits_{x \to a} g(x) = L + M$

(3) $\lim\limits_{x \to a} \{f(x) - g(x)\} = \lim\limits_{x \to a} f(x) - \lim\limits_{x \to a} g(x) = L - M$

(4) $\lim\limits_{x \to a} f(x)g(x) = \lim\limits_{x \to a} f(x) \times \lim\limits_{x \to a} g(x) = LM$

(5) $\lim\limits_{x \to a} \dfrac{f(x)}{g(x)} = \dfrac{\lim\limits_{x \to a} f(x)}{\lim\limits_{x \to a} g(x)} = \dfrac{L}{M}$ (단, $M \neq 0$)

참고 함수의 극한에 대한 성질은 $x \to a-$, $x \to a+$, $x \to \infty$, $x \to -\infty$일 때도 성립한다.

주의 함수의 극한에 대한 성질은 극한값이 존재할 때만 성립한다.

예 두 함수 $f(x)$, $g(x)$에 대하여 $\lim\limits_{x \to 0} f(x) = 2$, $\lim\limits_{x \to 0} g(x) = -3$일 때

(1) $\lim\limits_{x \to 0} 2f(x) = 2\lim\limits_{x \to 0} f(x) = 2 \times 2 = 4$

(2) $\lim\limits_{x \to 0} \{f(x) + g(x)\} = \lim\limits_{x \to 0} f(x) + \lim\limits_{x \to 0} g(x) = 2 + (-3) = -1$

(3) $\lim\limits_{x \to 0} \{f(x) - g(x)\} = \lim\limits_{x \to 0} f(x) - \lim\limits_{x \to 0} g(x) = 2 - (-3) = 5$

(4) $\lim\limits_{x \to 0} f(x)g(x) = \lim\limits_{x \to 0} f(x) \times \lim\limits_{x \to 0} g(x) = 2 \times (-3) = -6$

(5) $\lim\limits_{x \to 0} \dfrac{f(x)}{g(x)} = \dfrac{\lim\limits_{x \to 0} f(x)}{\lim\limits_{x \to 0} g(x)} = \dfrac{2}{-3} = -\dfrac{2}{3}$

Lecture 함수의 극한에 대한 성질을 이용하면 그래프를 이용하지 않고도 극한값을 간편하게 구할 수 있다.

| 정답과 해설 5쪽 |

개념 확인 1 두 함수 $f(x)$, $g(x)$에 대하여 $\lim\limits_{x \to 1} f(x) = -1$, $\lim\limits_{x \to 1} g(x) = 5$일 때, 다음 극한값을 구하시오.

(1) $\lim\limits_{x \to 1} \{f(x) + 3g(x)\}$

(2) $\lim\limits_{x \to 1} \{2f(x) - g(x)\}$

(3) $\lim\limits_{x \to 1} 3f(x)g(x)$

(4) $\lim\limits_{x \to 1} \dfrac{f(x)}{2g(x)}$

개념 **02** 함수의 극한값의 계산

1 $\dfrac{0}{0}$ 꼴의 극한

(1) 분모, 분자가 모두 다항식인 경우: 분모, 분자를 각각 인수분해하여 약분한다.

(2) 분모, 분자 중 무리식이 있는 경우: 근호가 있는 쪽을 유리화한다.

$\longrightarrow$ 근호가 포함되지 않도록 고치는 것!
$(\sqrt{a}-\sqrt{b})(\sqrt{a}+\sqrt{b})=a-b$를 이용

2 $\dfrac{\infty}{\infty}$ 꼴의 극한

분모의 최고차항으로 분모, 분자를 각각 나눈다.

3 $\infty-\infty$ 꼴의 극한

(1) 다항식인 경우: 최고차항으로 묶는다.

(2) 무리식이 있는 경우: 분모를 1로 보고 분자를 유리화한다.

4 $\infty\times0$ 꼴의 극한

통분하거나 유리화하여 $\dfrac{0}{0}$, $\dfrac{\infty}{\infty}$, $\infty\times c$, $\dfrac{c}{\infty}$ (c는 상수) 꼴로 변형한다.

주의 $\dfrac{0}{0}$ 꼴과 $\infty\times0$ 꼴에서 0은 숫자 0이 아니라 0에 한없이 가까워지는 것을 의미한다.

예

인수분해　　약분

1. $\dfrac{0}{0}$ 꼴 $\displaystyle\lim_{x\to3}\dfrac{x^3-9x}{x-3}=\lim_{x\to3}\dfrac{x(x+3)(x-3)}{x-3}=\lim_{x\to3}x(x+3)=3(3+3)=18$

분모의 최고차항 x^2으로 나눈다.

2. $\dfrac{\infty}{\infty}$ 꼴 $\displaystyle\lim_{x\to\infty}\dfrac{2x^2+1}{3x^2-2x+1}=\lim_{x\to\infty}\dfrac{2+\dfrac{1}{x^2}}{3-\dfrac{2}{x}+\dfrac{1}{x^2}}=\dfrac{2+0}{3-0+0}=\dfrac{2}{3}$

최고차항 x^2으로 묶는다.

3. $\infty-\infty$ 꼴 $\displaystyle\lim_{x\to\infty}(2x^2-3x)=\lim_{x\to\infty}x^2\left(2-\dfrac{3}{x}\right)=\infty$

4. $\infty\times0$ 꼴 $\displaystyle\lim_{x\to0}\dfrac{1}{x}\left(1-\dfrac{1}{x+1}\right)=\lim_{x\to0}\left(\dfrac{1}{x}\times\dfrac{x}{x+1}\right)=\lim_{x\to0}\dfrac{1}{x+1}=1$

Lecture 함수의 극한값을 계산할 때는 식의 형태에 따라 함수의 식을 적절히 변형하여 그 극한값을 구한다.

| 정답과 해설 5쪽 |

개념 확인 2 다음 극한을 조사하시오.

(1) $\displaystyle\lim_{x\to-1}\dfrac{x^2-x-2}{x^2-1}$

(2) $\displaystyle\lim_{x\to\infty}\dfrac{2x^2}{x^2+3}$

(3) $\displaystyle\lim_{x\to\infty}(x^2-x)$

(4) $\displaystyle\lim_{x\to0}\dfrac{1}{x}\left(\dfrac{2}{x+2}-1\right)$

개념 check

1-1 다음 극한값을 구하시오.

(1) $\lim\limits_{x \to 2}(2x^2 - 3)$

(2) $\lim\limits_{x \to 1}\dfrac{x-3}{x+1}$

연구 (1) $\lim\limits_{x \to 2}(2x^2 - 3) = \lim\limits_{x \to 2}2x^2 - \lim\limits_{x \to 2}3$

$= \boxed{}\lim\limits_{x \to 2}x^2 - \lim\limits_{x \to 2}3$

$= \boxed{} \times 2^2 - 3 = \boxed{}$

(2) $\lim\limits_{x \to 1}\dfrac{x-3}{x+1} = \dfrac{\lim\limits_{x \to 1}(x-3)}{\lim\limits_{x \to 1}(\boxed{})}$

$= \dfrac{\lim\limits_{x \to 1}x - \lim\limits_{x \to 1}3}{\lim\limits_{x \to 1}\boxed{} + \lim\limits_{x \to 1}1}$

$= \dfrac{1 - \boxed{}}{1+1} = \boxed{}$

스스로 check

1-2 다음 극한값을 구하시오.

(1) $\lim\limits_{x \to -1}(-2x^2 + x)$

(2) $\lim\limits_{x \to 3}(x+3)(x-2)$

(3) $\lim\limits_{x \to 1}\dfrac{2x+1}{x-2}$

(4) $\lim\limits_{x \to -2}\dfrac{x}{x^2+2}$

2-1 다음 극한값을 구하시오.

(1) $\lim\limits_{x \to 2}\dfrac{x^2+3x-10}{x^2-4}$

(2) $\lim\limits_{x \to 1}\dfrac{x^2-1}{\sqrt{x}-1}$

연구 (1) $\lim\limits_{x \to 2}\dfrac{x^2+3x-10}{x^2-4} = \lim\limits_{x \to 2}\dfrac{(x+5)(x-2)}{(x+2)(x-2)}$

$= \lim\limits_{x \to 2}\dfrac{\boxed{}}{x+2}$

$= \dfrac{2+5}{\boxed{}+2} = \boxed{}$

(2) $\lim\limits_{x \to 1}\dfrac{x^2-1}{\sqrt{x}-1} = \lim\limits_{x \to 1}\dfrac{(x^2-1)(\sqrt{x}+1)}{(\sqrt{x}-1)(\sqrt{x}+1)}$

$= \lim\limits_{x \to 1}\dfrac{(x+1)(x-1)(\sqrt{x}+1)}{\boxed{}}$

$= \lim\limits_{x \to 1}(\boxed{})(\sqrt{x}+1)$

$= (\boxed{}+1)(\sqrt{1}+1) = \boxed{}$

2-2 다음 극한값을 구하시오.

(1) $\lim\limits_{x \to 1}\dfrac{x^2+2x-3}{x^2-1}$

(2) $\lim\limits_{x \to -1}\dfrac{x+1}{x^3+1}$

(3) $\lim\limits_{x \to 9}\dfrac{\sqrt{x}-3}{x-9}$

(4) $\lim\limits_{x \to 0}\dfrac{x}{\sqrt{x+1}-1}$

개념 check

3-1 다음 극한값을 구하시오.

(1) $\lim\limits_{x \to \infty} \dfrac{2x}{1-x}$

(2) $\lim\limits_{x \to \infty} \dfrac{x^2-x}{2x^2+x+1}$

연구 (1) $\lim\limits_{x \to \infty} \dfrac{2x}{1-x} = \lim\limits_{x \to \infty} \dfrac{2}{\boxed{}-1}$

$= \boxed{}$

(2) $\lim\limits_{x \to \infty} \dfrac{x^2-x}{2x^2+x+1} = \lim\limits_{x \to \infty} \dfrac{1-\dfrac{1}{x}}{2+\dfrac{1}{x}+\boxed{}}$

$= \boxed{}$

4-1 다음 극한을 조사하시오.

(1) $\lim\limits_{x \to \infty} (x^3-x^2+3x)$

(2) $\lim\limits_{x \to \infty} (\sqrt{x+1}-\sqrt{x})$

연구 (1) $\lim\limits_{x \to \infty} (x^3-x^2+3x) = \lim\limits_{x \to \infty} x^3\left(1-\dfrac{1}{x}+\boxed{}\right)$

$= \boxed{}$

(2) $\lim\limits_{x \to \infty} (\sqrt{x+1}-\sqrt{x})$

$= \lim\limits_{x \to \infty} \dfrac{(\sqrt{x+1}-\sqrt{x})(\sqrt{x+1}+\sqrt{x})}{\sqrt{x+1}+\sqrt{x}}$

$= \lim\limits_{x \to \infty} \dfrac{\boxed{}}{\sqrt{x+1}+\sqrt{x}}$

$= \boxed{}$

5-1 $\lim\limits_{x \to 0} \dfrac{1}{x}\left(\dfrac{1}{x-1}+1\right)$의 값을 구하시오.

연구 $\lim\limits_{x \to 0} \dfrac{1}{x}\left(\dfrac{1}{x-1}+1\right) = \lim\limits_{x \to 0}\left(\dfrac{1}{x} \times \dfrac{x}{\boxed{}}\right)$

$= \lim\limits_{x \to 0} \dfrac{1}{\boxed{}}$

$= \boxed{}$

스스로 check

3-2 다음 극한값을 구하시오.

(1) $\lim\limits_{x \to \infty} \dfrac{5x}{x-6}$

(2) $\lim\limits_{x \to \infty} \dfrac{4x-3}{3x-5}$

(3) $\lim\limits_{x \to \infty} \dfrac{3x^2-x+1}{x^2+5}$

(4) $\lim\limits_{x \to \infty} \dfrac{x^3-1}{6x^3+x+1}$

4-2 다음 극한을 조사하시오.

(1) $\lim\limits_{x \to \infty} (x^4-x^2+1)$

(2) $\lim\limits_{x \to \infty} (\sqrt{x^2+4}-x)$

5-2 $\lim\limits_{x \to 0} \dfrac{1}{x}\left(\dfrac{1}{x+2}-\dfrac{1}{2}\right)$의 값을 구하시오.

대표 유형 01 함수의 극한에 대한 성질

↪ 유형 해결의 법칙 14쪽 유형 05

두 함수 $f(x), g(x)$에 대하여 $\lim\limits_{x \to 1} f(x) = 2$, $\lim\limits_{x \to 1} \{2f(x) + g(x)\} = 9$일 때, $\lim\limits_{x \to 1} \dfrac{f(x) + g(x)}{3f(x) - g(x)}$의 값을 구하시오.

풀이

❶ $2f(x) + g(x) = h(x)$로 놓고 $g(x)$를 $f(x), h(x)$를 사용하여 나타내기

$2f(x) + g(x) = h(x)$로 놓으면 $g(x) = -2f(x) + h(x)$이고
$\lim\limits_{x \to 1} h(x) = 9$이다.

❷ 주어진 식에 위 ❶의 식을 대입하여 극한값 구하기

$\therefore \lim\limits_{x \to 1} \dfrac{f(x) + g(x)}{3f(x) - g(x)} = \lim\limits_{x \to 1} \dfrac{f(x) + \{-2f(x) + h(x)\}}{3f(x) - \{-2f(x) + h(x)\}}$

$= \lim\limits_{x \to 1} \dfrac{-f(x) + h(x)}{5f(x) - h(x)}$

$= \dfrac{-2 + 9}{5 \times 2 - 9} = 7$

> 두 함수 $f(x), h(x)$가 수렴하므로 함수의 극한에 대한 성질을 이용할 수 있어.

답 7

다른 풀이

❶ $2f(x) + g(x) = h(x)$로 놓고 $\lim\limits_{x \to 1} g(x)$의 값 구하기

$2f(x) + g(x) = h(x)$로 놓으면 $g(x) = -2f(x) + h(x)$이고 $\lim\limits_{x \to 1} h(x) = 9$이므로

$\lim\limits_{x \to 1} g(x) = \lim\limits_{x \to 1} \{-2f(x) + h(x)\} = -2 \times 2 + 9 = 5$

❷ 주어진 극한값 구하기

$\therefore \lim\limits_{x \to 1} \dfrac{f(x) + g(x)}{3f(x) - g(x)} = \dfrac{2 + 5}{3 \times 2 - 5} = 7$

해법 두 함수 $f(x), g(x)$에 대하여 $\lim\limits_{x \to a} f(x) = L$, $\lim\limits_{x \to a} \{f(x) - g(x)\} = M$ (L, M은 실수)일 때
$\lim\limits_{x \to a} \{f(x), g(x)$에 대한 식$\}$의 값을 구하려면
➡ $f(x) - g(x) = h(x)$로 놓고 $g(x) = f(x) - h(x)$, $\lim\limits_{x \to a} h(x) = M$임을 이용한다.

| 정답과 해설 6쪽 |

01-1 두 함수 $f(x), g(x)$에 대하여 $\lim\limits_{x \to 2} f(x) = 3$, $\lim\limits_{x \to 2} \{2f(x) - g(x)\} = 4$일 때, $\lim\limits_{x \to 2} \dfrac{f(x)g(x)}{2f(x) + g(x)}$의 값을 구하시오.

01-2 함수 $f(x)$에 대하여 $\lim\limits_{x \to 0} \dfrac{f(x)}{x} = 2$일 때, $\lim\limits_{x \to 0} \dfrac{f(x) + 2x}{2f(x) - x}$의 값을 구하시오.

대표 유형 **02** $\dfrac{0}{0}$ 꼴의 극한

↻ 유형 해결의 법칙 15쪽 유형 06, 07

다음 극한값을 구하시오.

(1) $\displaystyle\lim_{x\to 3}\dfrac{x^3-27}{x-3}$

(2) $\displaystyle\lim_{x\to 2}\dfrac{x^3+x^2-7x+2}{x^2-x-2}$

(3) $\displaystyle\lim_{x\to 0}\dfrac{\sqrt{1+x}-\sqrt{1-x}}{x}$

(4) $\displaystyle\lim_{x\to 1}\dfrac{x^2-1}{\sqrt{x+8}-3}$

풀이

(1) 분자 인수분해
$$\lim_{x\to 3}\frac{x^3-27}{x-3}\overset{\downarrow}{=}\lim_{x\to 3}\frac{(x-3)(x^2+3x+9)}{x-3}=\lim_{x\to 3}(x^2+3x+9)$$
$$=3^2+3\times 3+9=27$$

(2) 분모, 분자 인수분해
$$\lim_{x\to 2}\frac{x^3+x^2-7x+2}{x^2-x-2}\overset{\downarrow}{=}\lim_{x\to 2}\frac{(x-2)(x^2+3x-1)}{(x+1)(x-2)}=\lim_{x\to 2}\frac{x^2+3x-1}{x+1}$$
$$=\frac{2^2+3\times 2-1}{2+1}=3$$

(3) 분자 유리화
$$\lim_{x\to 0}\frac{\sqrt{1+x}-\sqrt{1-x}}{x}\overset{\downarrow}{=}\lim_{x\to 0}\frac{(\sqrt{1+x}-\sqrt{1-x})(\sqrt{1+x}+\sqrt{1-x})}{x(\sqrt{1+x}+\sqrt{1-x})}=\lim_{x\to 0}\frac{2x}{x(\sqrt{1+x}+\sqrt{1-x})}$$
$$=\lim_{x\to 0}\frac{2}{\sqrt{1+x}+\sqrt{1-x}}=\frac{2}{1+1}=1$$

(4) 분모 유리화
$$\lim_{x\to 1}\frac{x^2-1}{\sqrt{x+8}-3}\overset{\downarrow}{=}\lim_{x\to 1}\frac{(x+1)(x-1)(\sqrt{x+8}+3)}{(\sqrt{x+8}-3)(\sqrt{x+8}+3)}=\lim_{x\to 1}\frac{(x+1)(x-1)(\sqrt{x+8}+3)}{x-1}$$
$$=\lim_{x\to 1}(x+1)(\sqrt{x+8}+3)=(1+1)(\sqrt{9}+3)=12$$

답 (1) 27 (2) 3 (3) 1 (4) 12

> $\dfrac{0}{0}$ 꼴의 극한은 인수분해하거나 유리화한 후 $\dfrac{0}{0}$ 꼴이 되도록 하는 식을 약분하여 그 극한값을 구하면 돼.

해법 $\displaystyle\lim_{x\to a}f(x)=0$, $\displaystyle\lim_{x\to a}g(x)=0$일 때, $\displaystyle\lim_{x\to a}\dfrac{f(x)}{g(x)}$의 값은

❶ $f(x)$, $g(x)$가 모두 다항식이면 ➡ 분모, 분자를 각각 인수분해한다.

❷ $f(x)$, $g(x)$ 중 무리식이 있으면 ➡ 근호가 있는 쪽을 유리화한다.

| 정답과 해설 6쪽 |

02-1 다음 극한값을 구하시오.

(1) $\displaystyle\lim_{x\to -2}\dfrac{x^3+8}{x+2}$

(2) $\displaystyle\lim_{x\to 1}\dfrac{x^3-2x+1}{x^2+2x-3}$

(3) $\displaystyle\lim_{x\to 0}\dfrac{\sqrt{3+x}-\sqrt{3}}{\sqrt{3}x}$

(4) $\displaystyle\lim_{x\to 1}\dfrac{x^2-4x+3}{\sqrt{x^2+3}-2}$

대표 유형 **03** $\dfrac{\infty}{\infty}$ 꼴의 극한

↻ 유형 해결의 법칙 16쪽 유형 08

다음 극한을 조사하시오.

(1) $\displaystyle\lim_{x \to \infty} \dfrac{x^2+2x+4}{x-2}$

(2) $\displaystyle\lim_{x \to \infty} \dfrac{2x-3}{x^2+x+1}$

(3) $\displaystyle\lim_{x \to \infty} \dfrac{6x}{\sqrt{x^2+3}-1}$

(4) $\displaystyle\lim_{x \to -\infty} \dfrac{x}{\sqrt{4x^2+x}-x}$

풀이 (1) 분모, 분자를 x로 각각 나누면

$$\lim_{x \to \infty} \frac{x^2+2x+4}{x-2} = \lim_{x \to \infty} \frac{x+2+\dfrac{4}{x}}{1-\dfrac{2}{x}} = \infty$$

(2) 분모, 분자를 x^2으로 각각 나누면

$$\lim_{x \to \infty} \frac{2x-3}{x^2+x+1} = \lim_{x \to \infty} \frac{\dfrac{2}{x}-\dfrac{3}{x^2}}{1+\dfrac{1}{x}+\dfrac{1}{x^2}} = 0$$

(3) 분모, 분자를 x로 각각 나누면

$$\lim_{x \to \infty} \frac{6x}{\sqrt{x^2+3}-1} = \lim_{x \to \infty} \frac{6}{\sqrt{1+\dfrac{3}{x^2}}-\dfrac{1}{x}} = 6$$

(4) $x=-t$로 놓으면 $x \to -\infty$일 때 $t \to \infty$이므로

$$\lim_{x \to -\infty} \frac{x}{\sqrt{4x^2+x}-x} = \lim_{t \to \infty} \frac{-t}{\sqrt{4t^2-t}+t} = \lim_{t \to \infty} \frac{-1}{\sqrt{4-\dfrac{1}{t}}+1} = \frac{-1}{\sqrt{4}+1} = -\frac{1}{3}$$

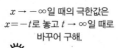
근호 안을 x^2으로 나눌 때, 근호 밖은 x로 나누어야 돼.

$x \to -\infty$일 때의 극한값은 $x=-t$로 놓고 $t \to \infty$일 때로 바꾸어 구해.

📋 (1) ∞ (2) 0 (3) 6 (4) $-\dfrac{1}{3}$

해법 $\displaystyle\lim_{x \to \infty} f(x) = \infty$, $\displaystyle\lim_{x \to \infty} g(x) = \infty$일 때, $\displaystyle\lim_{x \to \infty} \dfrac{f(x)}{g(x)}$의 값은 다음 순서로 구한다.

❶ 분모, 분자를 분모의 최고차항으로 각각 나눈다.

❷ $\displaystyle\lim_{x \to \infty} \dfrac{c}{x^n} = 0$ (n은 자연수, c는 상수)임을 이용한다.

| 정답과 해설 7쪽 |

03-1 다음 극한을 조사하시오.

(1) $\displaystyle\lim_{x \to \infty} \dfrac{x+1}{x^2-x+2}$

(2) $\displaystyle\lim_{x \to -\infty} \dfrac{2x^3-3}{x^2-1}$

(3) $\displaystyle\lim_{x \to \infty} \dfrac{\sqrt{x^2+4x}-4}{x-2}$

(4) $\displaystyle\lim_{x \to -\infty} \dfrac{2x+1}{\sqrt{x^2+x}-1}$

대표 유형 04 ∞−∞ 꼴의 극한

🔁 유형 해결의 법칙 16쪽 유형 09

다음 극한값을 구하시오.

(1) $\displaystyle\lim_{x\to\infty}(\sqrt{x^2+x}-x)$

(2) $\displaystyle\lim_{x\to-\infty}\dfrac{1}{\sqrt{x^2-3x+5}+x}$

풀이

(1) $\displaystyle\lim_{x\to\infty}(\sqrt{x^2+x}-x)=\lim_{x\to\infty}\dfrac{(\sqrt{x^2+x}-x)(\sqrt{x^2+x}+x)}{\sqrt{x^2+x}+x}$ ← $\sqrt{x^2+x}-x$의 분모를 1로 보고 분자를 유리화한다.

$=\displaystyle\lim_{x\to\infty}\dfrac{x}{\sqrt{x^2+x}+x}$

$=\displaystyle\lim_{x\to\infty}\dfrac{1}{\sqrt{1+\dfrac{1}{x}}+1}$ ← 분모, 분자를 x로 각각 나눈다.

$=\dfrac{1}{1+1}=\dfrac{1}{2}$

> ∞는 수가 아니니까 ∞−∞=0이라고 할 수 없어.

(2) $x=-t$로 놓으면 $x\to-\infty$일 때 $t\to\infty$이므로

$\displaystyle\lim_{x\to-\infty}\dfrac{1}{\sqrt{x^2-3x+5}+x}=\lim_{t\to\infty}\dfrac{1}{\sqrt{t^2+3t+5}-t}$

$=\displaystyle\lim_{t\to\infty}\dfrac{\sqrt{t^2+3t+5}+t}{(\sqrt{t^2+3t+5}-t)(\sqrt{t^2+3t+5}+t)}$ ← 분모를 유리화한다.

$=\displaystyle\lim_{t\to\infty}\dfrac{\sqrt{t^2+3t+5}+t}{3t+5}$

$=\displaystyle\lim_{t\to\infty}\dfrac{\sqrt{1+\dfrac{3}{t}+\dfrac{5}{t^2}}+1}{3+\dfrac{5}{t}}$ ← 분모, 분자를 t로 각각 나눈다.

$=\dfrac{1+1}{3}=\dfrac{2}{3}$

답 (1) $\dfrac{1}{2}$ (2) $\dfrac{2}{3}$

해법 $\displaystyle\lim_{x\to\infty}f(x)=\infty$, $\displaystyle\lim_{x\to\infty}g(x)=\infty$일 때, $\displaystyle\lim_{x\to\infty}\{f(x)-g(x)\}$의 값은

❶ $f(x)-g(x)$가 다항식이면 ➡ 최고차항으로 묶는다.

❷ $f(x)-g(x)$가 무리식이면 ➡ 근호가 있는 쪽을 유리화한 후 분모, 분자를 분모의 최고차항으로 각각 나눈다.

| 정답과 해설 7쪽 |

04-1 다음 극한을 조사하시오.

(1) $\displaystyle\lim_{x\to-\infty}(-2x^2-x+1)$

(2) $\displaystyle\lim_{x\to\infty}\dfrac{1}{\sqrt{x^2+x}-x}$

(3) $\displaystyle\lim_{x\to\infty}(\sqrt{4x^2+2x-1}-2x)$

(4) $\displaystyle\lim_{x\to-\infty}(\sqrt{x^2+2x}+x)$

대표 유형 **05** $\infty \times 0$ 꼴의 극한

🔎 유형 해결의 법칙 17쪽 유형 10

다음 극한값을 구하시오.

(1) $\displaystyle\lim_{x \to 2} \frac{1}{x-2}\left(\frac{1}{x+2}-\frac{1}{4}\right)$

(2) $\displaystyle\lim_{x \to \infty} x\left(2-\frac{\sqrt{4x-1}}{\sqrt{x+1}}\right)$

풀이

(1) $\displaystyle\lim_{x \to 2} \frac{1}{x-2}\left(\frac{1}{x+2}-\frac{1}{4}\right)=\lim_{x \to 2}\left\{\frac{1}{x-2}\times\frac{-(x-2)}{4(x+2)}\right\}$ ← $\frac{1}{x+2}-\frac{1}{4}$을 통분한다.

$\displaystyle =\lim_{x \to 2}\frac{-1}{4(x+2)}$

$\displaystyle =\frac{-1}{4\times(2+2)}=-\frac{1}{16}$

(2) $\displaystyle\lim_{x \to \infty} x\left(2-\frac{\sqrt{4x-1}}{\sqrt{x+1}}\right)=\lim_{x \to \infty}\left(x\times\frac{2\sqrt{x+1}-\sqrt{4x-1}}{\sqrt{x+1}}\right)$ ← $2-\frac{\sqrt{4x-1}}{\sqrt{x+1}}$을 통분한다.

$\displaystyle =\lim_{x \to \infty}\left\{x\times\frac{(2\sqrt{x+1}-\sqrt{4x-1})(2\sqrt{x+1}+\sqrt{4x-1})}{\sqrt{x+1}(2\sqrt{x+1}+\sqrt{4x-1})}\right\}$ ← 분자를 유리화한다.

$\displaystyle =\lim_{x \to \infty}\frac{5x}{\sqrt{x+1}(2\sqrt{x+1}+\sqrt{4x-1})}$

$\displaystyle =\lim_{x \to \infty}\frac{5x}{2x+2+\sqrt{4x^2+3x-1}}$

$\displaystyle =\lim_{x \to \infty}\frac{5}{2+\frac{2}{x}+\sqrt{4+\frac{3}{x}-\frac{1}{x^2}}}$ ← 분모, 분자를 x로 각각 나눈다.

$\displaystyle =\frac{5}{2+\sqrt{4}}=\frac{5}{4}$

답 (1) $-\frac{1}{16}$ (2) $\frac{5}{4}$

해법 $\displaystyle\lim_{x \to a}f(x)=\infty$, $\displaystyle\lim_{x \to a}g(x)=0$일 때, $\displaystyle\lim_{x \to a}f(x)g(x)$의 값은

➡ 통분하거나 유리화하여 $\frac{0}{0}$, $\frac{\infty}{\infty}$, $\infty\times c$, $\frac{c}{\infty}$ (c는 상수) 꼴로 변형한다.

| 정답과 해설 8쪽 |

05-1 다음 극한값을 구하시오.

(1) $\displaystyle\lim_{x \to -1} \frac{1}{x+1}\left(\frac{1}{x-2}+\frac{1}{3}\right)$

(2) $\displaystyle\lim_{x \to 0} \frac{1}{x}\left(\frac{1}{\sqrt{x+9}}-\frac{1}{3}\right)$

(3) $\displaystyle\lim_{x \to \infty} 2x\left(1-\frac{\sqrt{x-1}}{\sqrt{x+1}}\right)$

(4) $\displaystyle\lim_{x \to -\infty} x\left(\frac{x}{\sqrt{x^2+2x}}+1\right)$

3 함수의 극한의 응용

| **개념** 파헤치기 |

개념 01 극한값을 이용한 미정계수의 결정

두 함수 $f(x)$, $g(x)$에 대하여

(1) $\lim\limits_{x \to a} \dfrac{f(x)}{g(x)} = L$ (L은 실수)일 때, $\lim\limits_{x \to a} g(x) = 0$이면 $\lim\limits_{x \to a} f(x) = 0$

(2) $\lim\limits_{x \to a} \dfrac{f(x)}{g(x)} = L$ ($L \neq 0$인 실수)일 때, $\lim\limits_{x \to a} f(x) = 0$이면 $\lim\limits_{x \to a} g(x) = 0$

설명

(1) $\lim\limits_{x \to a} \dfrac{f(x)}{g(x)} = L$ (L은 실수)이고 $\lim\limits_{x \to a} g(x) = 0$이면 함수의 극한에 대한 성질에 의하여

$$\lim\limits_{x \to a} f(x) = \lim\limits_{x \to a} \left\{ \dfrac{f(x)}{g(x)} \times g(x) \right\} = \lim\limits_{x \to a} \dfrac{f(x)}{g(x)} \times \lim\limits_{x \to a} g(x) = L \times 0 = 0$$

(2) $\lim\limits_{x \to a} \dfrac{f(x)}{g(x)} = L$ ($L \neq 0$인 실수)이고 $\lim\limits_{x \to a} f(x) = 0$이면 함수의 극한에 대한 성질에 의하여

$$\lim\limits_{x \to a} g(x) = \lim\limits_{x \to a} \left\{ f(x) \div \dfrac{f(x)}{g(x)} \right\} = \lim\limits_{x \to a} f(x) \div \lim\limits_{x \to a} \dfrac{f(x)}{g(x)} = \dfrac{0}{L} = 0$$

예

다음 등식이 성립할 때, 상수 a의 값을 구해 보자.

(1) $\lim\limits_{x \to 1} \dfrac{x^2 - a}{x - 1} = 2$	(2) $\lim\limits_{x \to 2} \dfrac{x^2 - 4}{x - a} = 4$
$\lim\limits_{x \to 1} \dfrac{x^2 - a}{x - 1} = 2$에서 $\lim\limits_{x \to 1} (x - 1) = 0$이므로 $\lim\limits_{x \to 1} (x^2 - a) = 0$ 즉, $1 - a = 0$이므로 $a = 1$	$\lim\limits_{x \to 2} \dfrac{x^2 - 4}{x - a} = 4$에서 $4 \neq 0$이고 $\lim\limits_{x \to 2} (x^2 - 4) = 0$이므로 $\lim\limits_{x \to 2} (x - a) = 0$ 즉, $2 - a = 0$이므로 $a = 2$

Lecture

❶ $\lim\limits_{x \to a} \dfrac{f(x)}{g(x)}$의 값이 존재하고, $x \longrightarrow a$일 때 (분모) $\longrightarrow$ 0이면 (분자) $\longrightarrow$ 0이다.

❷ $\lim\limits_{x \to a} \dfrac{f(x)}{g(x)}$의 값이 0이 아닌 실수이고, $x \longrightarrow a$일 때 (분자) $\longrightarrow$ 0이면 (분모) $\longrightarrow$ 0이다.

| 정답과 해설 8쪽 |

개념 확인 1 다음 등식이 성립하도록 하는 상수 a의 값을 구하시오.

(1) $\lim\limits_{x \to 2} \dfrac{ax + 4}{x - 2} = -2$

(2) $\lim\limits_{x \to -1} \dfrac{x + 1}{x^2 + 3x + a} = 1$

개념 02 함수의 극한의 대소 관계

두 함수 $f(x)$, $g(x)$에 대하여 $\lim_{x \to a} f(x) = L$, $\lim_{x \to a} g(x) = M$ (L, M은 실수)일 때, a에 가까운

모든 실수 x에 대하여

(1) $\underline{f(x) \leq g(x)}$이면 $L \leq M$ ──→ $f(x) < g(x)$일 때도 성립한다.

(2) 함수 $h(x)$에 대하여 $\underline{f(x) \leq h(x) \leq g(x)}$이고 $L = M$이면 $\lim_{x \to a} h(x) = L$ ──→ $f(x) < h(x) < g(x)$일 때도 성립한다.

참고 함수의 극한의 대소 관계는 $x \to a-$, $x \to a+$, $x \to \infty$, $x \to -\infty$일 때도 성립한다.

주의 두 함수 $f(x)$, $g(x)$에 대하여 $f(x) < g(x)$이지만 $L = M$인 경우가 있다.

예를 들어, $f(x) = x^2$, $g(x) = 2x^2$이면 0에 가까운 모든 실수 x에 대하여

$f(x) < g(x)$이지만 $\lim_{x \to 0} f(x) = \lim_{x \to 0} g(x) = 0$이다.

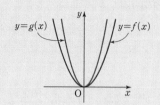

예 함수 $f(x)$가 모든 실수 x에 대하여 $2x \leq f(x) \leq x^2 + 1$을 만족시킬 때, $\lim_{x \to 1} f(x)$의 값은 다음과 같은 순서로 구할 수 있다.

❶ $\lim_{x \to 1} 2x$의 값 구하기	$\lim_{x \to 1} 2x = 2$

⬇

❷ $\lim_{x \to 1} (x^2 + 1)$의 값 구하기	$\lim_{x \to 1} (x^2 + 1) = 2$

⬇

❸ $\lim_{x \to 1} f(x)$의 값 구하기	$\therefore \lim_{x \to 1} f(x) = 2$

Lecture

$f(x) \leq h(x) \leq g(x)$에서 $\lim_{x \to a} f(x) = \bigstar$, $\lim_{x \to a} g(x) = \bigstar$이면

➡ $\lim_{x \to a} h(x) = \bigstar$

| 정답과 해설 8쪽 |

개념 확인 2 함수 $f(x)$가 모든 양의 실수 x에 대하여 $\dfrac{x-1}{3x} < f(x) < \dfrac{x+1}{3x}$을 만족시킬 때, $\lim_{x \to \infty} f(x)$의 값을 구하시오.

개념 check

1-1 다음 등식이 성립하도록 하는 상수 a의 값을 구하시오.

(1) $\lim\limits_{x \to 1} \dfrac{2x^2 + ax + 1}{x - 1} = 1$

(2) $\lim\limits_{x \to -1} \dfrac{x + 1}{2x^2 - 3x + a} = -\dfrac{1}{7}$

[연구] (1) $\lim\limits_{x \to 1} \dfrac{2x^2 + ax + 1}{x - 1} = 1$ 에서

$\lim\limits_{x \to 1} (x - 1) = \boxed{}$ 이므로

$\lim\limits_{x \to 1} (2x^2 + ax + 1) = \boxed{}$

즉, $2 + a + 1 = \boxed{}$ 이므로 $a = \boxed{}$

(2) $\lim\limits_{x \to -1} \dfrac{x + 1}{2x^2 - 3x + a} = -\dfrac{1}{7}$ 에서 $-\dfrac{1}{7} \neq 0$ 이고

$\lim\limits_{x \to -1} (x + 1) = \boxed{}$ 이므로

$\lim\limits_{x \to -1} (2x^2 - 3x + a) = \boxed{}$

즉, $2 + 3 + a = \boxed{}$ 이므로 $a = \boxed{}$

스스로 check

1-2 다음 등식이 성립하도록 하는 상수 a의 값을 구하시오.

(1) $\lim\limits_{x \to -1} \dfrac{ax - 3}{x + 1} = -3$

(2) $\lim\limits_{x \to 3} \dfrac{x^2 - 7x + a}{x - 3} = -1$

(3) $\lim\limits_{x \to 2} \dfrac{x - 2}{x^2 - x + a} = \dfrac{1}{3}$

(4) $\lim\limits_{x \to 1} \dfrac{x - 1}{x^2 + ax - 3} = \dfrac{1}{4}$

2-1 함수 $f(x)$가 모든 양의 실수 x에 대하여

$$\dfrac{2x^2 + 1}{x^2} < f(x) < \dfrac{2x^2 + 3x + 1}{x^2}$$

을 만족시킬 때, $\lim\limits_{x \to \infty} f(x)$의 값을 구하시오.

[연구] 모든 양의 실수 x에 대하여

$\dfrac{2x^2 + 1}{x^2} < f(x) < \dfrac{2x^2 + 3x + 1}{x^2}$ 이고

$\lim\limits_{x \to \infty} \dfrac{2x^2 + 1}{x^2} = \lim\limits_{x \to \infty} \dfrac{2x^2 + 3x + 1}{x^2} = \boxed{}$ 이므로

$\lim\limits_{x \to \infty} f(x) = \boxed{}$

2-2 다음 물음에 답하시오.

(1) 함수 $f(x)$가 모든 실수 x에 대하여

$$4x - 1 \leq f(x) \leq x^2 + 3$$

을 만족시킬 때, $\lim\limits_{x \to 2} f(x)$의 값을 구하시오.

(2) 함수 $f(x)$가 모든 양의 실수 x에 대하여

$$5 - \dfrac{1}{x} < f(x) < 5 + \dfrac{1}{x}$$

을 만족시킬 때, $\lim\limits_{x \to \infty} f(x)$의 값을 구하시오.

대표 유형 01 극한값을 이용한 미정계수의 결정

↻ 유형 해결의 법칙 17, 18쪽 유형 11, 12

다음 등식이 성립하도록 하는 상수 a, b의 값을 각각 구하시오.

(1) $\displaystyle\lim_{x \to 2} \frac{x^2+ax+b}{x-2}=3$

(2) $\displaystyle\lim_{x \to 1} \frac{x-1}{\sqrt{x+a}+b}=2$

풀이 (1)

❶ 극한값이 존재하고 (분모) → 0이면 (분자) → 0임을 이용하여 b를 a로 나타내기

$\displaystyle\lim_{x \to 2} \frac{x^2+ax+b}{x-2}=3$에서 $\displaystyle\lim_{x \to 2}(x-2)=0$이므로

$\displaystyle\lim_{x \to 2}(x^2+ax+b)=4+2a+b=0$ $\therefore b=-2a-4$ ······㉠

❷ 주어진 등식에 위 ❶의 식을 대입하여 a, b의 값 구하기

㉠을 주어진 등식에 대입하면

$\displaystyle\lim_{x \to 2} \frac{x^2+ax-2a-4}{x-2}=\lim_{x \to 2}\frac{(x-2)(x+a+2)}{x-2}$

$=\displaystyle\lim_{x \to 2}(x+a+2)=a+4=3$

$\therefore a=-1, b=-2$

(2)

❶ 0이 아닌 극한값이 존재하고 (분자) → 0이면 (분모) → 0임을 이용하여 b를 a로 나타내기

$\displaystyle\lim_{x \to 1} \frac{x-1}{\sqrt{x+a}+b}=2$에서 $2 \neq 0$이고 $\displaystyle\lim_{x \to 1}(x-1)=0$이므로

$\displaystyle\lim_{x \to 1}(\sqrt{x+a}+b)=\sqrt{1+a}+b=0$ $\therefore b=-\sqrt{1+a}$ ······㉠

❷ 주어진 등식에 위 ❶의 식을 대입하여 a, b의 값 구하기

㉠을 주어진 등식에 대입하면

$\displaystyle\lim_{x \to 1} \frac{x-1}{\sqrt{x+a}-\sqrt{1+a}}=\lim_{x \to 1}\frac{(x-1)(\sqrt{x+a}+\sqrt{1+a})}{(\sqrt{x+a}-\sqrt{1+a})(\sqrt{x+a}+\sqrt{1+a})}$

$=\displaystyle\lim_{x \to 1}\frac{(x-1)(\sqrt{x+a}+\sqrt{1+a})}{x-1}$

$=\displaystyle\lim_{x \to 1}(\sqrt{x+a}+\sqrt{1+a})=2\sqrt{1+a}=2$

$\therefore a=0, b=-1$

답 (1) $a=-1, b=-2$ (2) $a=0, b=-1$

해법 $\displaystyle\lim_{x \to a} \frac{f(x)}{g(x)}=L$ (L은 실수)일 때

❶ $\displaystyle\lim_{x \to a} g(x)=0$이면 $\displaystyle\lim_{x \to a} f(x)=0$

❷ $L \neq 0$이고 $\displaystyle\lim_{x \to a} f(x)=0$이면 $\displaystyle\lim_{x \to a} g(x)=0$

| 정답과 해설 9쪽 |

01-1 다음 등식이 성립하도록 하는 상수 a, b의 값을 각각 구하시오.

(1) $\displaystyle\lim_{x \to -1} \frac{x^2+ax+b+1}{x+1}=2$

(2) $\displaystyle\lim_{x \to 2} \frac{x-2}{\sqrt{2x+a}+b}=3$

대표 유형 02 극한값을 이용한 다항함수의 결정

↻ 유형 해결의 법칙 18쪽 유형 13

다항함수 $f(x)$가 다음 조건을 만족시킬 때, $f(2)$의 값을 구하시오.

(가) $\displaystyle\lim_{x\to\infty}\frac{f(x)}{x^2+2x-1}=2$ $\qquad$ (나) $\displaystyle\lim_{x\to 1}\frac{f(x)}{x-1}=3$

풀이

❶ 주어진 조건을 이용하여 $f(x)$를 x에 대한 다항함수로 나타내기

조건 (가)에서 $f(x)$는 이차항의 계수가 2인 이차함수임을 알 수 있다.

또, 조건 (나)에서 $\displaystyle\lim_{x\to 1}(x-1)=0$이므로

$\displaystyle\lim_{x\to 1}f(x)=0 \qquad \therefore f(1)=0$ ⟶ $f(x)$는 $x-1$을 인수로 갖는다.

즉, $f(x)=2(x-1)(x-a)$ (a는 상수)로 놓을 수 있으므로

❷ $f(x)$를 구하여 $f(2)$의 값 구하기

$\displaystyle\lim_{x\to 1}\frac{f(x)}{x-1}=\lim_{x\to 1}\frac{2(x-1)(x-a)}{x-1}$

$\displaystyle\qquad\qquad=\lim_{x\to 1}2(x-a)=2(1-a)=3$

$\therefore a=-\dfrac{1}{2}$

따라서 $f(x)=2(x-1)\left(x+\dfrac{1}{2}\right)=2x^2-x-1$이므로

$f(2)=8-2-1=5$

답 5

해법 두 다항함수 $f(x), g(x)$에 대하여 $\displaystyle\lim_{x\to\infty}\frac{f(x)}{g(x)}=L$ ($L\neq 0$인 실수)이면

➡ $f(x)$와 $g(x)$의 차수가 같고, 최고차항의 계수의 비는 L이다.

| 정답과 해설 9쪽 |

02-1 다항함수 $f(x)$가 $\displaystyle\lim_{x\to\infty}\frac{f(x)}{x^2-x-1}=1$, $\displaystyle\lim_{x\to -1}\frac{f(x)}{x+1}=4$를 만족시킬 때, $f(1)$의 값을 구하시오.

02-2 삼차함수 $f(x)$가 $\displaystyle\lim_{x\to 0}\frac{f(x)}{x}=1$, $\displaystyle\lim_{x\to 1}\frac{f(x)}{x-1}=2$를 만족시킬 때, $f(x)$를 구하시오.

대표 유형 **03** 함수의 극한의 대소 관계

↻ 유형 해결의 법칙 19쪽 유형 14

> 함수 $f(x)$가 모든 양의 실수 x에 대하여 $2x^2-x-2<f(x)<2x^2+4x+1$을 만족시킬 때,
> $\displaystyle\lim_{x\to\infty}\frac{f(x)}{2x^2+x}$의 값을 구하시오.

풀이

❶ 주어진 부등식의 각 변을 $2x^2+x$로 나누기

모든 양의 실수 x에 대하여 $2x^2+x>0$이므로

→ $2x^2+x>0$이므로 각 변을 $2x^2+x$로 나누면 부등호의 방향이 바뀌지 않는다.

$2x^2-x-2<f(x)<2x^2+4x+1$의 <u>각 변을 $2x^2+x$로 나누면</u>

$$\frac{2x^2-x-2}{2x^2+x}<\frac{f(x)}{2x^2+x}<\frac{2x^2+4x+1}{2x^2+x}$$

주어진 부등식을 변형하여 $\dfrac{f(x)}{2x^2+x}$의 범위를 구해 봐.

❷ $\displaystyle\lim_{x\to\infty}\frac{f(x)}{2x^2+x}$의 값 구하기

이때, $\displaystyle\lim_{x\to\infty}\frac{2x^2-x-2}{2x^2+x}=\lim_{x\to\infty}\frac{2x^2+4x+1}{2x^2+x}=1$이므로

$$\lim_{x\to\infty}\frac{f(x)}{2x^2+x}=1$$

답 1

해법 세 함수 $f(x), g(x), h(x)$에 대하여

$f(x)\le h(x)\le g(x)$이고 $\displaystyle\lim_{x\to a}f(x)=\lim_{x\to a}g(x)=L$ (L은 실수)이면 $\displaystyle\lim_{x\to a}h(x)=L$

| 정답과 해설 9쪽 |

03-1 함수 $f(x)$가 모든 양의 실수 x에 대하여 $x^3-x^2-2x+1<f(x)<x^3+x^2-x+2$를 만족시킬 때, $\displaystyle\lim_{x\to\infty}\frac{f(x)}{x^3+1}$의 값을 구하시오.

03-2 함수 $f(x)$가 $x>1$인 모든 실수 x에 대하여 $2x-1<f(x)<2x+3$을 만족시킬 때, $\displaystyle\lim_{x\to\infty}\frac{\{f(x)\}^2}{x^2+x+1}$의 값을 구하시오.

1-1 $\lim\limits_{x \to 1-} \dfrac{|x-1|}{x-1} = a$, $\lim\limits_{x \to 3+} [x] = b$라 할 때, 실수 a, b에 대하여 $a+b$의 값을 구하시오.

(단, $[x]$는 x보다 크지 않은 최대의 정수이다.)

1-2 $\lim\limits_{x \to 2+} \dfrac{|x-2|}{x^2-4} = a$, $\lim\limits_{x \to 2-} \dfrac{|x^2-3x+2|}{x-2} = b$라 할 때, 실수 a, b에 대하여 $\dfrac{b}{a}$의 값을 구하시오.

2-1 함수 $f(x) = \begin{cases} x^2-2x+a & (x \geq 3) \\ -x^2+x & (x < 3) \end{cases}$에 대하여 $\lim\limits_{x \to 3} f(x)$의 값이 존재할 때, 상수 a의 값을 구하시오.

2-2 함수 $f(x) = \begin{cases} x^3+x+a+4 & (x > 1) \\ 1 & (x=1) \\ -x^2+x-2a & (x < 1) \end{cases}$에 대하여 $\lim\limits_{x \to 1} f(x)$의 값이 존재할 때, 상수 a의 값은?

① -2 ② -1 ③ 0
④ 1 ⑤ 2

3-1 두 함수 $y=f(x)$, $y=g(x)$의 그래프가 다음과 같을 때, $\lim\limits_{x \to 2} g(f(x))$의 값은?

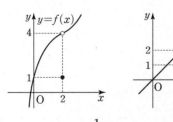

① 0 ② $\dfrac{1}{2}$ ③ 1
④ $\dfrac{3}{2}$ ⑤ 2

3-2 $0 \leq x \leq 4$에서 정의된 함수 $y=f(x)$의 그래프가 오른쪽 그림과 같을 때,
$$\lim\limits_{x \to 2-} f(f(x)) + \lim\limits_{x \to 3-} f(f(x))$$
의 값은?

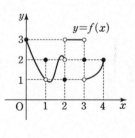

① 1 ② 2 ③ 3
④ 4 ⑤ 5

유형 확인

4-1 두 함수 $f(x)$, $g(x)$가 $\lim\limits_{x \to 1} f(x) = \infty$, $\lim\limits_{x \to 1} \{2f(x) + g(x)\} = 2$를 만족시킬 때, $\lim\limits_{x \to 1} \dfrac{f(x) + 2g(x)}{2f(x) - g(x)}$의 값을 구하시오.

한번 더 확인

4-2 두 함수 $f(x)$, $g(x)$가 $\lim\limits_{x \to 2} f(x) = 4$, $\lim\limits_{x \to 2} \{f(x) - g(x)\} = \infty$를 만족시킬 때, $\lim\limits_{x \to 2} \dfrac{f(x) + g(x)}{3f(x) + g(x)}$의 값을 구하시오.

5-1 $\lim\limits_{x \to -1} \dfrac{x^3 + x + 2}{x^2 - 1} = a$, $\lim\limits_{x \to 1} \dfrac{\sqrt{x + 3} - 2}{x - 1} = b$라 할 때, 실수 a, b에 대하여 ab의 값을 구하시오.

5-2 $\lim\limits_{x \to 2} \dfrac{x^3 - x - 6}{x^2 - 4} = a$, $\lim\limits_{x \to 1} \dfrac{\sqrt{x^2 + x + 2} - \sqrt{x + 3}}{x - 1} = b$라 할 때, 실수 a, b에 대하여 $\dfrac{a}{b}$의 값을 구하시오.

6-1 $\lim\limits_{x \to \infty} \dfrac{x^2 + x - 1}{x^3 + 1} = a$, $\lim\limits_{x \to \infty} \dfrac{x + 1}{\sqrt{x^2 + x + 1} + x} = b$, $\lim\limits_{x \to -\infty} \dfrac{3x^3 + 2x^2 - 1}{x^3 + x + 1} = c$라 할 때, 실수 a, b, c의 대소 관계를 바르게 나타낸 것은?

① $a < b < c$ ② $a < c < b$
③ $b < a < c$ ④ $b < c < a$
⑤ $c < a < b$

6-2 $\lim\limits_{x \to \infty} \dfrac{3x^3 + 2x}{x^3 - x - 1} = a$, $\lim\limits_{x \to -\infty} \dfrac{\sqrt{x^2 + 1}}{x + 1} = b$, $\lim\limits_{x \to \infty} \dfrac{3x - 1}{\sqrt{x^2 + 1} + 2x} = c$라 할 때, 실수 a, b, c에 대하여 $a - b + c$의 값을 구하시오.

7-1 $\lim\limits_{x \to \infty} (\sqrt{x^2 - 2x + 2} - x) = a$, $\lim\limits_{x \to -\infty} (\sqrt{x^2 - 4x} + x) = b$라 할 때, 실수 a, b에 대하여 $a + b$의 값을 구하시오.

7-2 $\lim\limits_{x \to -\infty} \dfrac{\sqrt{x^2 - 3} + 3x}{x - \sqrt{x^2 + 2x}} = a$, $\lim\limits_{x \to \infty} (\sqrt{x^2 + x} - \sqrt{x^2 - x}) = b$라 할 때, 실수 a, b에 대하여 $2a - b$의 값을 구하시오.

8-1 $\lim\limits_{x \to 2} \dfrac{x^3+x^2+ax+b+2}{x-2}=4$가 성립하도록 하는

상수 a, b에 대하여 $a+b$의 값을 구하시오.

8-2 $\lim\limits_{x \to 1} \dfrac{x-1}{ax^2+x+b}=\dfrac{1}{5}$일 때, $\lim\limits_{x \to -1} \dfrac{x^2-ax+b}{x+1}$의 값을 구하시오. (단, a, b는 상수)

9-1 다항함수 $f(x)$가 다음 조건을 만족시킬 때, $f(1)$의 값을 구하시오.

> (가) $\lim\limits_{x \to \infty} \dfrac{x^2+x+2}{f(x)}=1$
>
> (나) $\lim\limits_{x \to 2} \dfrac{f(x)}{x-2}=-1$

9-2 다항함수 $f(x)$가 다음 조건을 만족시킬 때, $f(2)$의 값을 구하시오.

> (가) 모든 양의 실수 x에 대하여
> $x^2-2x-2 < f(x) < x^2+x-1$이다.
>
> (나) $\lim\limits_{x \to 1} \dfrac{f(x)}{x-1}=3$

10-1 오른쪽 그림과 같이 직선 $y=x+2$ 위에 두 점 $A(-2, 0)$, $P(a, a+2)$가 있다. 점 P를 지나고 직선 $y=x+2$에 수직인 직선이 y축과 만나는 점을 Q라 할 때, $\lim\limits_{a \to \infty} \dfrac{\overline{AQ}^2}{\overline{AP}^2}$의 값은?

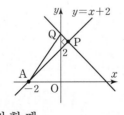

① 1　　　② 2　　　③ 3

④ 4　　　⑤ 5

10-2 오른쪽 그림과 같이 함수 $y=\sqrt{x}$의 그래프 위에 점 $P(t, \sqrt{t})$, x축 위에 점 $A(2, 0)$이 있다. 점 P에서 y축에 내린 수선의 발을 H라 할 때, $\lim\limits_{t \to \infty} (\overline{PA}-\overline{PH})$의 값은?

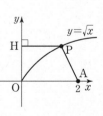

① $-\dfrac{9}{2}$　　　② $-\dfrac{7}{2}$　　　③ $-\dfrac{5}{2}$

④ $-\dfrac{3}{2}$　　　⑤ $-\dfrac{1}{2}$

2 함수의 연속

개념 & 유형 map

1. 함수의 연속

개념 **01** 함수의 연속	유형 **01** 함수의 연속과 불연속
개념 **02** 구간	유형 **02** 함수의 그래프와 연속
개념 **03** 연속함수	유형 **03** 함수가 연속일 조건

2. 연속함수의 성질

개념 **01** 연속함수의 성질	유형 **01** 연속함수의 성질
개념 **02** 최대 · 최소 정리	유형 **02** 최대 · 최소 정리
개념 **03** 사잇값의 정리	유형 **03** 사잇값의 정리

1 함수의 연속

| 개념 파헤치기 |

개념 01 함수의 연속

 39쪽 원리 알아보기

1 함수의 연속

→ 함수 $y=f(x)$의 그래프가 $x=a$에서 끊어지지 않고 이어져 있다.

함수 $f(x)$가 실수 a에 대하여 다음 세 조건을 모두 만족시킬 때, 함수 $f(x)$는 $x=a$에서 연속이라 한다.

> (i) 함수 $f(x)$가 $x=a$에서 정의되어 있다. ← 함숫값 존재
> (ii) 극한값 $\lim\limits_{x \to a} f(x)$가 존재한다. ← 극한값 존재
> (iii) $\lim\limits_{x \to a} f(x)=f(a)$ ← (극한값)=(함숫값)

2 함수의 불연속

함수 $f(x)$가 $x=a$에서 연속이 아닐 때, 즉 위 세 조건 중 어느 하나라도 만족시키지 않으면 함수 $f(x)$는 $x=a$에서 불연속이라 한다.

→ 함수 $y=f(x)$의 그래프가 $x=a$에서 끊어져 있다.

예 함수 $f(x)=\begin{cases} x^2+1 & (x \neq 1) \\ 0 & (x=1) \end{cases}$ 이 $x=0$, $x=1$에서 연속인지 불연속인지 조사해 보자.

세 조건 중 하나라도 만족시키지 않으면 불연속이야.

$x=0$에서 연속인가?
(i) $f(0)=1$
(ii) $\lim\limits_{x \to 0} f(x)=\lim\limits_{x \to 0}(x^2+1)=1$
(iii) $\lim\limits_{x \to 0} f(x)=f(0)$
➡ 함수 $f(x)$는 $x=0$에서 연속

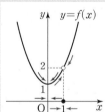

$x=1$에서 연속인가?
(i) $f(1)=0$
(ii) $\lim\limits_{x \to 1} f(x)=\lim\limits_{x \to 1}(x^2+1)=2$
(iii) $\lim\limits_{x \to 1} f(x) \neq f(1)$
➡ 함수 $f(x)$는 $x=1$에서 불연속

참고 함수 $f(x)$가 $x=a$에서 불연속인 경우를 그래프로 살펴보면 다음과 같다.

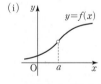

(i) ➡ $f(a)$가 정의되어 있지 않다.

(ii) ➡ $\lim\limits_{x \to a} f(x)$의 값이 존재하지 않는다.

(iii) ➡ $\lim\limits_{x \to a} f(x) \neq f(a)$

Lecture

함수 $f(x)$가 $x=a$에서 연속이면
❶ $f(a)$가 존재   ❷ $\lim\limits_{x \to a} f(x)$가 존재   ❸ $\lim\limits_{x \to a} f(x)=f(a)$

| 정답과 해설 14쪽 |

개념 확인 1 함수 $y=f(x)$의 그래프가 오른쪽 그림과 같을 때, 함수 $f(x)$가 $x=2$에서 불연속인 이유를 말하시오.

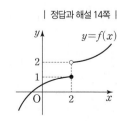

두 함수로 이루어진 함수의 연속성

두 함수 $f(x)$, $g(x)$가 모두 $x=a$에서 불연속이더라도 함수 $f(x)+g(x)$, $f(x)-g(x)$, $f(x)g(x)$, $\dfrac{f(x)}{g(x)}$는 $x=a$에서 연속일 수도 있고 불연속일 수도 있다.

예 두 함수 $y=f(x)$, $y=g(x)$의 그래프가 오른쪽 그림과 같을 때

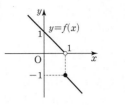 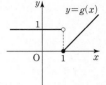

(i) $f(1)g(1)=-1\times 0=0$

(ii) $\displaystyle\lim_{x\to 1-}f(x)g(x)=0\times 1=0$

　　$\displaystyle\lim_{x\to 1+}f(x)g(x)=-1\times 0=0$

　　$\therefore \displaystyle\lim_{x\to 1}f(x)g(x)=0$

(iii) $\displaystyle\lim_{x\to 1}f(x)g(x)=f(1)g(1)$

➡ 함수 $f(x)$, $g(x)$가 모두 $x=1$에서 불연속이지만 함수 $f(x)g(x)$는 $x=1$에서 연속이다.

또, 두 함수 $f(x)$, $g(x)$가 모두 $x=a$에서 연속이더라도 합성함수 $f(g(x))$가 $x=a$에서 항상 연속인 것은 아니다.

예 두 함수 $y=f(x)$, $y=g(x)$의 그래프가 오른쪽 그림과 같을 때

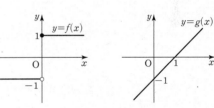

(i) $f(g(1))=f(0)=1$

(ii) $\displaystyle\lim_{x\to 1-}f(g(x))=\lim_{g(x)\to 0-}f(g(x))=-1$

　　$\displaystyle\lim_{x\to 1+}f(g(x))=\lim_{g(x)\to 0+}f(g(x))=1$

　　즉, $\displaystyle\lim_{x\to 1-}f(g(x))\neq\lim_{x\to 1+}f(g(x))$이므로 $\displaystyle\lim_{x\to 1}f(g(x))$의

　　값이 존재하지 않는다.

➡ 함수 $f(x)$, $g(x)$가 모두 $x=1$에서 연속이지만 함수 $f(g(x))$는 $x=1$에서 불연속이다.

따라서 두 함수로 이루어진 함수의 $x=a$에서의 연속성은 함수의 연속의 정의를 이용하여 다음 조건을 모두 만족시키는지 조사한 후 판단한다.

(i) $x=a$에서의 함숫값이 정의되어 있다.

(ii) $x=a$에서의 극한값이 존재한다.

(iii) $x=a$에서의 극한값과 함숫값이 같다.

Lecture

두 함수 $f(x)$, $g(x)$에 대하여

❶ 함수 $f(x)g(x)$가 $x=a$에서 연속이다.

$\iff \displaystyle\lim_{x\to a-}f(x)g(x)=\lim_{x\to a+}f(x)g(x)=f(a)g(a)$

❷ 함수 $f(g(x))$가 $x=a$에서 연속이다.

$\iff \displaystyle\lim_{x\to a-}f(g(x))=\lim_{x\to a+}f(g(x))=f(g(a))$

개념 **02** 구간

두 실수 $a, b(a<b)$에 대하여 아래 집합을 **구간**이라 하며, 각각 기호와 수직선으로 나타내면 다음과 같다.

구간	기호	수직선
$\{x\|a\leq x\leq b\}$	$[a, b]$	a b
$\{x\|a< x< b\}$	(a, b)	a b
$\{x\|a\leq x< b\}$	$[a, b)$	a b
$\{x\|a< x\leq b\}$	$(a, b]$	a b

이때, $[a, b]$를 **닫힌구간**, (a, b)를 **열린구간**, $[a, b), (a, b]$를 **반닫힌 구간** 또는 **반열린 구간**이라 한다.

참고 (1) 실수 a에 대하여 다음 집합도 구간이라 한다.

$\{x\|x\leq a\} \Rightarrow (-\infty, a] \Rightarrow$ ⟵————•——→ a

$\{x\|x< a\} \Rightarrow (-\infty, a) \Rightarrow$ ⟵————○——→ a

$\{x\|x\geq a\} \Rightarrow [a, \infty) \Rightarrow$ ⟵——•————→ a

$\{x\|x> a\} \Rightarrow (a, \infty) \Rightarrow$ ⟵——○————→ a

(2) 실수 전체의 집합도 하나의 구간으로 보고 기호로 $(-\infty, \infty)$와 같이 나타낸다.

예 집합을 구간의 기호로 나타내어 보자.

$\|x\|<3$인 실수 x의 집합	함수 $f(x)=\sqrt{x-1}$의 정의역
$\Rightarrow \{x\|-3< x<3\}$	$\Rightarrow \{x\|x\geq 1\}$
$\Rightarrow (-3, 3)$	$\Rightarrow [1, \infty)$

> 등호가 들어갈 때는
> [또는]를 사용하고,
> 등호가 들어가지 않을 때는
> (또는)를 사용해.
> ☺

Lecture

❶ $\{x\|a\leq x\leq b\} \Rightarrow [a, b] \rightarrow$ 닫힌구간

❷ $\{x\|a< x< b\} \Rightarrow (a, b) \rightarrow$ 열린구간

❸ $\{x\|a\leq x< b\} \Rightarrow [a, b)$ ⎤
❹ $\{x\|a< x\leq b\} \Rightarrow (a, b]$ ⎦ 반닫힌 구간 또는 반열린 구간

| 정답과 해설 14쪽 |

개념 확인 2 다음 함수의 정의역을 구간의 기호로 나타내시오.

(1) $f(x)=x^2-1$　　　　　　　　　　　　　　(2) $f(x)=\sqrt{2x-3}$

개념 03 연속함수

(1) 함수 $f(x)$가 어떤 구간에 속하는 모든 실수에 대하여 연속일 때, $f(x)$는 그 구간에서 연속이라 한다. 또, 어떤 구간에서 연속인 함수를 연속함수라 한다.

(2) 함수 $f(x)$가 다음 조건을 모두 만족시킬 때, 함수 $f(x)$는 닫힌구간 $[a, b]$에서 연속이라 한다.

　(i) 열린구간 (a, b)에서 연속이다.

　(ii) $\lim\limits_{x \to a+} f(x) = f(a)$, $\lim\limits_{x \to b-} f(x) = f(b)$

설명

어떤 구간에서 연속인 함수의 그래프는 그 구간에서 끊어지지 않고 이어져 있다. 따라서 함수의 그래프를 그려 보면 연속인 구간을 알 수 있다.

여러 가지 함수에 대하여 함수가 연속인 구간을 정리하면 다음과 같다.

함수	예	
(1) 다항함수 ➡ 열린구간 $(-\infty, \infty)$에서 연속	함수 $y = x^2$ ➡ 열린구간 $(-\infty, \infty)$에서 연속	
(2) 유리함수 $y = \dfrac{g(x)}{f(x)}$ ➡ $f(x) \neq 0$인 x에서 연속	함수 $y = \dfrac{1}{x}$ ➡ 열린구간 $(-\infty, 0)$, $(0, \infty)$에서 연속	
(3) 무리함수 $y = \sqrt{f(x)}$ ➡ $f(x) \geq 0$인 x에서 연속	함수 $y = \sqrt{x+3}$ ➡ 반닫힌 구간 $[-3, \infty)$에서 연속	

Lecture

함수 $y = f(x)$의 그래프가

❶ 끊어지지 않고 이어져 있으면 ➡ 연속

❷ 끊어져 있으면 ➡ 불연속

| 정답과 해설 14쪽 |

개념 확인 3 다음 함수가 연속인 구간을 구하시오.

(1) $f(x) = 2x + 1$

(2) $f(x) = \dfrac{x}{x+1}$

개념 check

1-1 다음 함수가 $x=1$에서 연속인지 불연속인지 조사하시오.

(1) $f(x)=x+2$

(2) $f(x)=\begin{cases} x+1 & (x \geq 1) \\ x & (x<1) \end{cases}$

연구 (1) $f(1)=\boxed{}$, $\displaystyle\lim_{x \to 1} f(x)=\boxed{}$이고

$\displaystyle\lim_{x \to 1} f(x)=f(1)$이므로 함수 $f(x)$는 $x=1$에서 $\boxed{}$이다.

(2) $\displaystyle\lim_{x \to 1-} f(x)=\lim_{x \to 1-} x=\boxed{}$

$\displaystyle\lim_{x \to 1+} f(x)=\lim_{x \to 1+} (x+1)=\boxed{}$

$\therefore \displaystyle\lim_{x \to 1-} f(x) \neq \lim_{x \to 1+} f(x)$

따라서 $\displaystyle\lim_{x \to 1} f(x)$의 값이 존재하지 않으므로 함수 $f(x)$는 $x=1$에서 $\boxed{}$이다.

스스로 check

1-2 다음 함수가 $x=1$에서 연속인지 불연속인지 조사하시오.

(1) $f(x)=|x-1|$

(2) $f(x)=\dfrac{1}{x-1}$

(3) $f(x)=\sqrt{x+1}$

(4) $f(x)=\begin{cases} x-2 & (x \neq 1) \\ 1 & (x=1) \end{cases}$

2-1 다음 함수가 연속인 구간을 구하시오.

(1) $f(x)=x^2-x$

(2) $f(x)=\sqrt{3-x}$

연구 (1) 함수 $f(x)=x^2-x$는 모든 실수 x에서 연속이므로 함수 $f(x)$가 연속인 구간은 $\boxed{}$이다.

(2) 함수 $f(x)=\sqrt{3-x}$는 $3-x \geq \boxed{}$, 즉 $x \leq \boxed{}$인 모든 실수 x에서 연속이므로 함수 $f(x)$가 연속인 구간은 $\boxed{}$이다.

2-2 다음 함수가 연속인 구간을 구하시오.

(1) $f(x)=2$

(2) $f(x)=\dfrac{2x+1}{x+3}$

(3) $f(x)=\sqrt{x+4}$

(4) $f(x)=|x|$

STEP 필수 유형

대표 유형 01 함수의 연속과 불연속 ↻ 유형 해결의 법칙 29쪽 유형 01

다음 함수가 $x=1$에서 연속인지 불연속인지 조사하시오.

(1) $f(x)=\begin{cases} \dfrac{x^2-4x+3}{x-1} & (x \neq 1) \\ -2 & (x=1) \end{cases}$

(2) $f(x)=\begin{cases} \dfrac{2|x-1|}{x^2-1} & (x \neq 1) \\ 1 & (x=1) \end{cases}$

풀이 (1) ❶ $f(1)$의 값 구하기

$x=1$에서의 함숫값은 $f(1)=-2$

❷ $\lim\limits_{x \to 1} f(x)$의 값이 존재하는지 조사하기

$$\lim_{x \to 1} f(x) = \lim_{x \to 1} \frac{x^2-4x+3}{x-1} = \lim_{x \to 1} \frac{(x-1)(x-3)}{x-1}$$
$$= \lim_{x \to 1}(x-3) = -2$$

❸ 연속성 조사하기

따라서 $\lim\limits_{x \to 1} f(x) = f(1)$이므로 함수 $f(x)$는 $x=1$에서 연속이다.

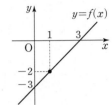

(2) ❶ $f(1)$의 값 구하기

$x=1$에서의 함숫값은 $f(1)=1$

❷ $\lim\limits_{x \to 1} f(x)$의 값이 존재하는지 조사하기

$$\lim_{x \to 1-} f(x) = \lim_{x \to 1-} \frac{2|x-1|}{x^2-1} = \lim_{x \to 1-} \frac{-2(x-1)}{(x+1)(x-1)}$$
$$= \lim_{x \to 1-} \frac{-2}{x+1} = -1$$
$$\lim_{x \to 1+} f(x) = \lim_{x \to 1+} \frac{2|x-1|}{x^2-1} = \lim_{x \to 1+} \frac{2(x-1)}{(x+1)(x-1)}$$
$$= \lim_{x \to 1+} \frac{2}{x+1} = 1$$

$\lim\limits_{x \to 1-} f(x) \neq \lim\limits_{x \to 1+} f(x)$이므로 $\lim\limits_{x \to 1} f(x)$의 값이 존재하지 않는다.

❸ 연속성 조사하기

따라서 함수 $f(x)$는 $x=1$에서 불연속이다.

🔒 (1) 연속 (2) 불연속

해법 함수 $f(x)$가 $x=a$에서 연속 $\iff \lim\limits_{x \to a} f(x) = f(a)$

| 정답과 해설 14쪽 |

01-1 다음 함수가 $x=-1$에서 연속인지 불연속인지 조사하시오.

(1) $f(x)=\begin{cases} \dfrac{x^2+3x+2}{x+1} & (x \neq -1) \\ 2 & (x=-1) \end{cases}$

(2) $f(x)=\begin{cases} \dfrac{x^2+x}{|x+1|} & (x \neq -1) \\ -1 & (x=-1) \end{cases}$

(3) $f(x)=x|x+1|$

(4) $f(x)=\begin{cases} -x^2+2x & (x \geq -1) \\ -x+2 & (x < -1) \end{cases}$

대표 유형 **02** **함수의 그래프와 연속**

↪ 유형 해결의 법칙 30쪽 유형 02

열린구간 $(-1, 3)$에서 함수 $y=f(x)$의 그래프가 오른쪽 그림과 같다. 이 구간에서 함수 $f(x)$의 극한값이 존재하지 않는 x의 값의 개수를 a, 함수 $f(x)$가 불연속이 되는 x의 값의 개수를 b라 할 때, a, b의 값을 각각 구하시오.

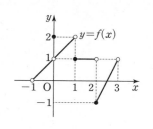

풀이

❶ $x=0$에서 연속인지 불연속인지 조사하기

(ⅰ) $x=0$에서의 함숫값은 $f(0)=2$
$$\lim_{x \to 0-} f(x)=1, \ \lim_{x \to 0+} f(x)=1$$이므로
$$\lim_{x \to 0} f(x)=1$$
따라서 $\lim_{x \to 0} f(x) \neq f(0)$이므로 $f(x)$는 $x=0$에서 불연속이다.

❷ $x=1$에서 연속인지 불연속인지 조사하기

(ⅱ) $\lim_{x \to 1-} f(x)=2, \ \lim_{x \to 1+} f(x)=1$이므로
$$\lim_{x \to 1-} f(x) \neq \lim_{x \to 1+} f(x)$$
따라서 $\lim_{x \to 1} f(x)$의 값이 존재하지 않으므로 $f(x)$는 $x=1$에서 불연속이다.

> (좌극한)≠(우극한)이면
> 극한값이 존재하지 않아.

❸ $x=2$에서 연속인지 불연속인지 조사하기

(ⅲ) $\lim_{x \to 2-} f(x)=1, \ \lim_{x \to 2+} f(x)=-1$이므로
$$\lim_{x \to 2-} f(x) \neq \lim_{x \to 2+} f(x)$$
따라서 $\lim_{x \to 2} f(x)$의 값이 존재하지 않으므로 $f(x)$는 $x=2$에서 불연속이다.

❹ a, b의 값 구하기

(ⅰ), (ⅱ), (ⅲ)에서 극한값이 존재하지 않는 x의 값은 $x=1$, $x=2$이고, 불연속이 되는 x의 값은 $x=0$, $x=1$, $x=2$이므로
$$a=2, b=3$$

🔒 $a=2, b=3$

> **해법** 함수 $y=f(x)$의 그래프가 $x=a$에서 끊어져 있으면
> ➡ $f(x)$는 $x=a$에서 불연속

| 정답과 해설 15쪽 |

02-1 열린구간 $(-2, 3)$에서 함수 $y=f(x)$의 그래프가 오른쪽 그림과 같다. 이 구간에서 함수 $f(x)$의 극한값이 존재하지 않는 x의 값의 개수를 a, 함수 $f(x)$가 불연속이 되는 x의 값의 개수를 b라 할 때, a, b의 값을 각각 구하시오.

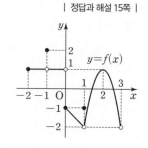

대표 유형 함수가 연속일 조건   ↻ 유형 해결의 법칙 31쪽 유형 04

함수 $f(x)=\begin{cases} \dfrac{x^2-4x+a}{x-1} & (x\neq 1) \\ b & (x=1) \end{cases}$ 가 $x=1$에서 연속일 때, 상수 a, b의 값을 각각 구하시오.

풀이

❶ 함수 $f(x)$가 $x=1$에서 연속일 조건을 이용하여 식 세우기

함수 $f(x)$가 $x=1$에서 연속이므로

$\lim\limits_{x\to 1} f(x)=f(1)$ ∴ $\lim\limits_{x\to 1}\dfrac{x^2-4x+a}{x-1}=b$ ……㉠

❷ $x\to 1$일 때 (분모) → 0 이면 (분자) → 0임을 이용하여 a의 값 구하기

㉠에서 $\lim\limits_{x\to 1}(x-1)=0$이므로

$\lim\limits_{x\to 1}(x^2-4x+a)=1-4+a=0$ ∴ $a=3$

❸ a의 값을 위 ❶의 식에 대입하여 b의 값 구하기

$a=3$을 ㉠에 대입하면

$\lim\limits_{x\to 1}\dfrac{x^2-4x+3}{x-1}=\lim\limits_{x\to 1}\dfrac{(x-1)(x-3)}{x-1}$
$=\lim\limits_{x\to 1}(x-3)=-2$

∴ $b=-2$

🖺 $a=3$, $b=-2$

해법 함수 $f(x)=\begin{cases} g(x) & (x\neq a) \\ k & (x=a) \end{cases}$ (k는 상수)가 $x=a$에서 연속이면

➡ $\lim\limits_{x\to a}g(x)=k$

| 정답과 해설 15쪽 |

03-1 함수 $f(x)=\begin{cases} \dfrac{2x^2+ax+2}{x+2} & (x\neq -2) \\ b & (x=-2) \end{cases}$ 가 $x=-2$에서 연속일 때, 상수 a, b의 값을 각각 구하시오.

03-2 함수 $f(x)=\begin{cases} \dfrac{a\sqrt{x-1}+b}{x-2} & (x\neq 2) \\ 1 & (x=2) \end{cases}$ 이 $x=2$에서 연속일 때, 상수 a, b의 값을 각각 구하시오.

2 연속함수의 성질

개념 01 연속함수의 성질

두 함수 $f(x)$, $g(x)$가 $x=a$에서 연속이면 다음 함수도 $x=a$에서 연속이다.

(1) $cf(x)$ (단, c는 상수)   (2) $f(x)+g(x)$ (3) $f(x)-g(x)$

(4) $f(x)g(x)$ (5) $\dfrac{f(x)}{g(x)}$ (단, $g(a)\neq0$)

참고 (1) 상수함수와 함수 $y=x$가 모든 실수에서 연속이므로 다항함수는 모든 실수에서 연속이다.

(2) 두 다항함수 $f(x)$, $g(x)$에 대하여 유리함수 $\dfrac{f(x)}{g(x)}$는 $g(x)\neq0$인 모든 실수에서 연속이다.

설명 두 함수 $f(x)$, $g(x)$가 $x=a$에서 연속이면 $\lim\limits_{x \to a}f(x)=f(a)$, $\lim\limits_{x \to a}g(x)=g(a)$이므로

함수의 극한에 대한 성질에 의하여 다음이 성립한다.

(1) $\lim\limits_{x \to a}cf(x)=c\lim\limits_{x \to a}f(x)=cf(a)$ (단, c는 상수)

(2) $\lim\limits_{x \to a}\{f(x)+g(x)\}=\lim\limits_{x \to a}f(x)+\lim\limits_{x \to a}g(x)=f(a)+g(a)$

(3) $\lim\limits_{x \to a}\{f(x)-g(x)\}=\lim\limits_{x \to a}f(x)-\lim\limits_{x \to a}g(x)=f(a)-g(a)$

(4) $\lim\limits_{x \to a}f(x)g(x)=\lim\limits_{x \to a}f(x)\times\lim\limits_{x \to a}g(x)=f(a)g(a)$

(5) $\lim\limits_{x \to a}\dfrac{f(x)}{g(x)}=\dfrac{\lim\limits_{x \to a}f(x)}{\lim\limits_{x \to a}g(x)}=\dfrac{f(a)}{g(a)}$ (단, $g(a)\neq0$)

따라서 함수 $cf(x)$, $f(x)+g(x)$, $f(x)-g(x)$, $f(x)g(x)$, $\dfrac{f(x)}{g(x)}$도 $x=a$에서 연속이다.

Lecture

❶ 다항함수 $y=f(x)$ ➡ 모든 실수에서 연속

❷ 유리함수 $y=\dfrac{f(x)}{g(x)}$ ➡ $g(x)\neq0$인 모든 실수에서 연속

| 정답과 해설 15쪽 |

개념 확인 1 다음 함수가 연속인 구간을 구하시오.

(1) $f(x)=2x^2-2x-1$ (2) $f(x)=(x+3)(3x+4)$

(3) $f(x)=\dfrac{x+1}{x-1}$ (4) $f(x)=\dfrac{x}{x^2-1}$

개념 **02** 최대·최소 정리

함수 $f(x)$가 닫힌구간 $[a, b]$에서 연속이면 함수 $f(x)$는 이 구간에서 반드시 최댓값과 최솟값을 갖는다.

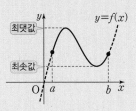

설명

(1) 닫힌구간이 아닌 구간에서 정의된 연속함수는 최댓값과 최솟값을 갖지 않을 수도 있다.

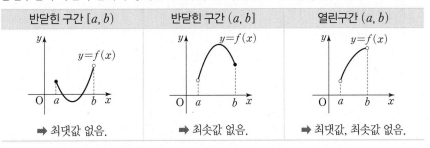

반닫힌 구간 $[a, b)$	반닫힌 구간 $(a, b]$	열린구간 (a, b)
➡ 최댓값 없음.	➡ 최솟값 없음.	➡ 최댓값, 최솟값 없음.

(2) 함수 $f(x)$가 연속이 아니면 닫힌구간 $[a, b]$에서도 최댓값 또는 최솟값을 갖지 않을 수 있다.

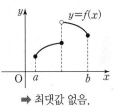

➡ 최댓값 없음.

예

연속함수 $f(x)=x^2$의 최댓값과 최솟값을 다음 구간에서 각각 구해 보자.

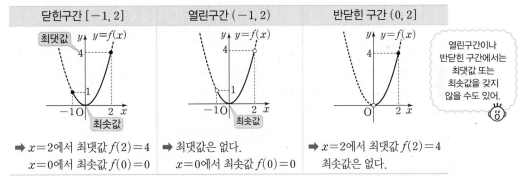

닫힌구간 $[-1, 2]$	열린구간 $(-1, 2)$	반닫힌 구간 $(0, 2]$
➡ $x=2$에서 최댓값 $f(2)=4$ $x=0$에서 최솟값 $f(0)=0$	➡ 최댓값은 없다. $x=0$에서 최솟값 $f(0)=0$	➡ $x=2$에서 최댓값 $f(2)=4$ 최솟값은 없다.

> 열린구간이나 반닫힌 구간에서는 최댓값 또는 최솟값을 갖지 않을 수도 있어.

Lecture 닫힌구간에서 연속인 함수 ➡ 반드시 최댓값, 최솟값을 갖는다.

| 정답과 해설 15쪽 |

개념 확인 2 함수 $y=f(x)$의 그래프가 오른쪽 그림과 같을 때, 다음 구간에서 최댓값 또는 최솟값을 구하시오.

(1) $[0, 2]$　　　　　　(2) $[2, 3]$

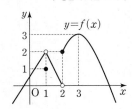

개념 **03** 사잇값의 정리

1 사잇값의 정리

함수 $f(x)$가 닫힌구간 $[a, b]$에서 연속이고 $f(a) \neq f(b)$이면
$f(a)$와 $f(b)$ 사이의 임의의 값 k에 대하여
$$f(c) = k$$
인 c가 열린구간 (a, b)에 적어도 하나 존재한다.

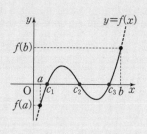

2 사잇값의 정리의 활용

함수 $f(x)$가 닫힌구간 $[a, b]$에서 연속이고 <u>$f(a)$와 $f(b)$의 부호가
서로 다르면</u> ⟶ $f(a)f(b) < 0$
$$f(c) = 0$$
인 c가 열린구간 (a, b)에 적어도 하나 존재한다.
즉, 방정식 $f(x) = 0$은 열린구간 (a, b)에서 적어도 하나의 실근을
갖는다.

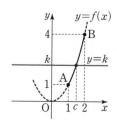

참고 $f(a)f(b) > 0$이면 방정식 $f(x) = 0$은 열린구간 (a, b)에서 실근을 가질 수도 있고 갖지 않을 수도 있으므로 함수
$y = f(x)$의 그래프를 그려 보아야 방정식 $f(x) = 0$의 실근의 개수를 알 수 있다.

예

함수 $f(x) = x^2$은 닫힌구간 $[1, 2]$에서 연속이고 $f(1) \neq f(2)$이므
로 $f(1) < k < f(2)$인 임의의 값 k에 대하여 $f(c) = k$가 되는 c가
열린구간 $(1, 2)$에 적어도 하나 존재한다.

Lecture

함수 $f(x)$가 닫힌구간 $[a, b]$에서 연속이고 $f(a) \neq f(b)$이면
➡ $f(a)$와 $f(b)$ 사이의 임의의 값 k에 대하여
$$f(c) = k$$
인 c가 열린구간 (a, b)에 적어도 하나 존재한다.

| 정답과 해설 15쪽 |

개념 확인 3 다음은 함수 $f(x) = x^2 - x$에 대하여 $f(c) = \sqrt{2}$인 c가 열린구간 $(1, 2)$에 적어도 하나 존재함을 증명한 것이다.
㈎, ㈏에 알맞은 것을 써넣으시오.

⊢ 증명 ⊦

함수 $f(x) = x^2 - x$는 열린구간 $(-\infty, \infty)$에서 ㈎ 이므로 닫힌구간 $[1, 2]$에서 ㈎ 이다.
또, $f(1) \neq f(2)$이고 $f(1) < \sqrt{2} < f(2)$이므로 ㈏ 에 의하여 $f(c) = \sqrt{2}$인 c가 열린구간 $(1, 2)$에 적어도 하
나 존재한다.

개념 check

1-1 주어진 닫힌구간에서 다음 함수의 최댓값과 최솟값을 각각 구하시오.

(1) $f(x)=x^2-2x$ [0, 3]

(2) $f(x)=\dfrac{2}{x}$ [1, 3]

연구 (1) 함수 $f(x)=x^2-2x$는 닫힌구간 [0, 3]에서 □이고, 닫힌구간 [0, 3]에서 $y=f(x)$의 그래프는 오른쪽 그림과 같다.

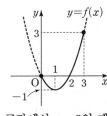

따라서 함수 $f(x)$는 주어진 구간에서 $x=3$일 때 최댓값 □, $x=1$일 때 최솟값 □을 갖는다.

(2) 함수 $f(x)=\dfrac{2}{x}$는 닫힌구간 [1, 3]에서 □이고, 닫힌구간 [1, 3]에서 $y=f(x)$의 그래프는 오른쪽 그림과 같다.

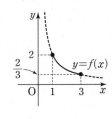

따라서 함수 $f(x)$는 주어진 구간에서 $x=1$일 때 최댓값 □, $x=3$일 때 최솟값 □를 갖는다.

스스로 check

1-2 주어진 닫힌구간에서 다음 함수의 최댓값과 최솟값을 각각 구하시오.

(1) $f(x)=-3x$ [0, 1]

(2) $f(x)=-x^2+x$ [−1, 1]

(3) $f(x)=\dfrac{1}{x-1}$ [2, 3]

(4) $f(x)=\sqrt{x+1}$ [0, 3]

2-1 방정식 $x^2+x-3=0$은 열린구간 (1, 4)에서 적어도 하나의 실근을 가짐을 보이시오.

연구 $f(x)=x^2+x-3$이라 하면 함수 $f(x)$는 닫힌구간 [1, 4]에서 연속이고

$f(1)=$□<0, $f(4)=$□>0

이므로 사잇값의 정리에 의하여 $f(c)=0$인 c가 열린구간 (1, 4)에 적어도 하나 존재한다.

즉, 방정식 $x^2+x-3=0$은 열린구간 (1, 4)에서 적어도 하나의 실근을 갖는다.

2-2 방정식 $x^2-3x+1=0$은 열린구간 (1, 3)에서 적어도 하나의 실근을 가짐을 보이시오.

2 함수의 연속

대표 유형 01 연속함수의 성질

↪ 유형 해결의 법칙 34쪽 유형 08

두 함수 $f(x)=x^2-1$, $g(x)=2x-1$에 대하여 다음 함수가 연속인 구간을 구하시오.

(1) $f(x)+3g(x)$ (2) $f(x)g(x)$

(3) $\dfrac{f(x)}{g(x)}$ (4) $\dfrac{f(x)+g(x)}{f(x)-g(x)}$

풀이

(1) $f(x)+3g(x)=(x^2-1)+3(2x-1)=x^2+6x-4$

즉, 함수 $f(x)+3g(x)$는 다항함수이므로 모든 실수 x에서 연속이다.

따라서 연속인 구간은 $(-\infty, \infty)$이다.

(2) $f(x)g(x)=(x^2-1)(2x-1)=2x^3-x^2-2x+1$

즉, 함수 $f(x)g(x)$는 다항함수이므로 모든 실수 x에서 연속이다.

따라서 연속인 구간은 $(-\infty, \infty)$이다.

> 모든 실수에서 연속이라는 것은 열린구간 $(-\infty, \infty)$에서 연속이라는 뜻이야.

(3) 함수 $\dfrac{f(x)}{g(x)}=\dfrac{x^2-1}{2x-1}$은 유리함수이므로 $2x-1\neq0$, 즉 $x\neq\dfrac{1}{2}$인 모든 실수 x에서 연속이다.

따라서 연속인 구간은 $\left(-\infty, \dfrac{1}{2}\right)$, $\left(\dfrac{1}{2}, \infty\right)$이다.

(4) 함수 $\dfrac{f(x)+g(x)}{f(x)-g(x)}=\dfrac{(x^2-1)+(2x-1)}{(x^2-1)-(2x-1)}=\dfrac{x^2+2x-2}{x^2-2x}=\dfrac{x^2+2x-2}{x(x-2)}$는 유리함수이므로

$x(x-2)\neq0$, 즉 $x\neq0$이고 $x\neq2$인 모든 실수 x에서 연속이다.

따라서 연속인 구간은 $(-\infty, 0)$, $(0, 2)$, $(2, \infty)$이다.

답 (1) $(-\infty, \infty)$ (2) $(-\infty, \infty)$ (3) $\left(-\infty, \dfrac{1}{2}\right)$, $\left(\dfrac{1}{2}, \infty\right)$ (4) $(-\infty, 0)$, $(0, 2)$, $(2, \infty)$

해법 두 함수 $f(x)$, $g(x)$가 $x=a$에서 연속이면

➡ $f(x)$, $g(x)$의 합, 차, 곱, 몫도 $x=a$에서 연속 (단, $g(a)\neq0$)

| 정답과 해설 16쪽 |

01-1 두 함수 $f(x)=x^2+1$, $g(x)=x^2-2x$에 대하여 다음 **보기** 중 모든 실수 x에서 연속함수인 것을 있는 대로 고르시오.

┤ 보기 ├

ㄱ. $2f(x)-g(x)$ ㄴ. $\dfrac{g(x)}{f(x)}$

ㄷ. $\{f(x)\}^2$ ㄹ. $f(g(x))$

대표 유형 **02** **최대·최소 정리**

🔁 유형 해결의 법칙 34쪽 유형 09

주어진 닫힌구간에서 다음 함수의 최댓값과 최솟값을 각각 구하시오.

(1) $f(x) = |x|$ $[-1, 2]$

(2) $f(x) = \dfrac{x}{x+2}$ $[0, 3]$

풀이

(1) 함수 $f(x) = |x|$는 닫힌구간 $[-1, 2]$에서 연속이고, 닫힌구간 $[-1, 2]$에서
$y = f(x)$의 그래프는 오른쪽 그림과 같다.
따라서 $x = 2$일 때 최댓값 2, $x = 0$일 때 최솟값 0을 갖는다.

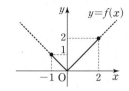

(2) 함수 $f(x) = \dfrac{x}{x+2}$는 닫힌구간 $[0, 3]$에서 연속이고, 닫힌구간 $[0, 3]$에서
$y = f(x)$의 그래프는 오른쪽 그림과 같다.
따라서 $x = 3$일 때 최댓값 $\dfrac{3}{5}$, $x = 0$일 때 최솟값 0을 갖는다.

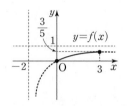

📋 (1) 최댓값: 2, 최솟값: 0   (2) 최댓값: $\dfrac{3}{5}$, 최솟값: 0

해법 함수 $f(x)$가 **닫힌구간** $[a, b]$에서 **연속**이면
➡ 함수 $f(x)$는 이 구간에서 반드시 최댓값과 최솟값을 갖는다.

| 정답과 해설 16쪽 |

 02-1 주어진 닫힌구간에서 다음 함수의 최댓값과 최솟값을 각각 구하시오.

(1) $f(x) = x^2 + 2x - 3$ $[-1, 2]$

(2) $f(x) = \sqrt{4-x}$ $[0, 3]$

(3) $f(x) = \dfrac{5}{x+2} - 1$ $[-1, 3]$

(4) $f(x) = |x| + 1$ $[-3, 1]$

대표 유형 **03** 사잇값의 정리

↻ 유형 해결의 법칙 35쪽 유형 10

다음 방정식은 주어진 열린구간에서 적어도 하나의 실근을 가짐을 보이시오.

(1) $x^3 + x - 4 = 0$ (1, 2)

(2) $x^4 + x^3 + 2x - 7 = 0$ (−2, 2)

풀이

(1) $f(x) = x^3 + x - 4$라 하면 함수 $f(x)$는 닫힌구간 [1, 2]에서 연속이고

$f(1) = -2 < 0, f(2) = 6 > 0$

이므로 사잇값의 정리에 의하여 $f(c) = 0$인 c가 열린구간 (1, 2)에 적어도 하나 존재한다.

즉, 방정식 $x^3 + x - 4 = 0$은 열린구간 (1, 2)에서 적어도 하나의 실근을 갖는다.

(2) $f(x) = x^4 + x^3 + 2x - 7$이라 하면 함수 $f(x)$는 닫힌구간 [−2, 2]에서 연속이고

$f(-2) = -3 < 0, f(2) = 21 > 0$

이므로 사잇값의 정리에 의하여 $f(c) = 0$인 c가 열린구간 (−2, 2)에 적어도 하나 존재한다.

즉, 방정식 $x^4 + x^3 + 2x - 7 = 0$은 열린구간 (−2, 2)에서 적어도 하나의 실근을 갖는다.

🗒 풀이 참조

해법 **사잇값의 정리**

➡ 함수 $f(x)$가 닫힌구간 $[a, b]$에서 연속이고 $f(a)f(b) < 0$이면

방정식 $f(x) = 0$은 열린구간 (a, b)에서 적어도 하나의 실근을 갖는다.

➡ 방정식 $f(x) = 0$의 실근이 존재하는 것을 보일 때 이용

| 정답과 해설 17쪽 |

03-1 다음 방정식은 주어진 열린구간에서 적어도 하나의 실근을 가짐을 보이시오.

(1) $x^3 - 2x - 6 = 0$ (0, 3)

(2) $x^4 + 2x^2 - 5 = 0$ (−1, 2)

03-2 연속함수 $f(x)$에 대하여

$f(0) = -4, f(1) = 1, f(2) = -3, f(3) = 4$

일 때, 방정식 $f(x) = 0$은 열린구간 (0, 3)에서 적어도 몇 개의 실근을 갖는지 구하시오.

유형 확인

1-1 함수 $f(x)=\begin{cases} 2x & (x \geq a) \\ x^2-3 & (x < a) \end{cases}$ 가 $x=a$에서 연속일 때, 모든 실수 a의 값의 합을 구하시오.

한번 더 확인

1-2 $x \neq 1$에서 정의된 함수 $f(x)=\dfrac{x^3-1}{x-1}$이 $x=1$에서 연속일 때, $f(1)$의 값을 구하시오.

2-1 열린구간 $(-2, 3)$에서 함수 $y=f(x)$의 그래프가 오른쪽 그림과 같다. 이 구간에서 함수 $f(x)$의 극한값이 존재하지 않는 x의 값의 개수를 a, 함수 $f(x)$가 불연속이 되는 x의 값의 개수를 b라 할 때, $a+b$의 값을 구하시오.

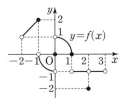

2-2 닫힌구간 $[-2, 2]$에서 함수 $y=f(x)$의 그래프가 오른쪽 그림과 같을 때, 다음 **보기** 중 옳은 것을 있는 대로 고르시오.

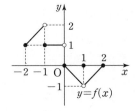

┤ 보기 ├

ㄱ. $\lim\limits_{x \to -1} f(x)=-1$

ㄴ. 극한값이 존재하지 않는 x의 값의 개수는 2이다.

ㄷ. 불연속이 되는 x의 값의 개수는 3이다.

3-1 두 함수 $y=f(x)$, $y=g(x)$의 그래프가 다음 그림과 같을 때, **보기** 중 옳은 것을 있는 대로 고르시오.

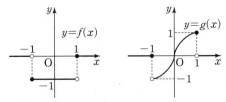

┤ 보기 ├

ㄱ. $\lim\limits_{x \to 1-} f(g(x))=-1$

ㄴ. 함수 $f(x)g(x)$는 $x=1$에서 연속이다.

ㄷ. 함수 $g(f(x))$는 $x=-1$에서 불연속이다.

3-2 다음은 $-2 \leq x \leq 2$에서 정의된 두 함수 $y=f(x)$, $y=g(x)$의 그래프이다. **보기** 중 $x=0$에서 연속함수인 것을 있는 대로 고르시오.

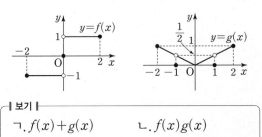

┤ 보기 ├

ㄱ. $f(x)+g(x)$ ㄴ. $f(x)g(x)$

ㄷ. $g(f(x))$

4-1 두 함수 $f(x)=\begin{cases} -x+1 & (x\geq 2) \\ -x^2+1 & (x<2) \end{cases}$,

$g(x)=x^2-ax+1$에 대하여 함수 $f(x)g(x)$가 $x=2$에서 연속이 되도록 하는 상수 a의 값을 구하시오.

4-2 두 함수 $f(x)=\begin{cases} -1 & (x\geq 1) \\ 1 & (x<1) \end{cases}$,

$g(x)=\begin{cases} 2x+a & (x\geq 1) \\ -x+a & (x<1) \end{cases}$에 대하여 함수 $\dfrac{g(x)}{f(x)}$

가 $x=1$에서 연속일 때, 상수 a의 값을 구하시오.

5-1 함수 $f(x)=\begin{cases} x+3 & (|x|\geq 1) \\ x^2+ax+b & (|x|<1) \end{cases}$가 모든 실

수 x에서 연속일 때, 상수 a, b에 대하여 ab의 값을 구하시오.

5-2 함수 $f(x)=\begin{cases} -1 & (|x|\geq 1) \\ 1 & (|x|<1) \end{cases}$과 이차항의 계수가

1인 이차함수 $g(x)$에 대하여 함수 $f(x)g(x)$가 모든 실수 x에서 연속일 때, $g(x)$를 구하시오.

6-1 함수 $f(x)=\begin{cases} \dfrac{x^2-3x+a}{x-b} & (x\neq b) \\ 5 & (x=b) \end{cases}$가 $x=b$에서

연속일 때, 상수 a, b에 대하여 $a+b$의 값을 구하시오.

6-2 함수 $f(x)=\begin{cases} \dfrac{\sqrt{x-2}+a}{x-b} & (x\neq b) \\ 1 & (x=b) \end{cases}$이 $x=b$에서

연속일 때, 상수 a, b에 대하여 $a+b$의 값을 구하시오.

7-1 열린구간 $(0, 3)$에서 정의된 함수

$f(x)=[x]+[-x]$의 연속인 구간에서의 함숫값을 구하시오.

(단, $[x]$는 x보다 크지 않은 최대의 정수이다.)

7-2 함수 $f(x)=a[x^2]-5[x]-4$가 $x=3$에서 연속일 때, 상수 a의 값을 구하시오.

(단, $[x]$는 x보다 크지 않은 최대의 정수이다.)

2 함수의 연속

유형 확인

8-1 모든 실수 x에서 연속인 함수 $f(x)$가
$$(x+1)f(x)=x^2+4x+3$$
을 만족시킬 때, $f(-1)$의 값을 구하시오.

9-1 두 함수 $f(x)$, $g(x)$에 대하여 다음 **보기** 중 옳은 것을 있는 대로 고르시오.

┤ 보기 ├

ㄱ. $f(x)$, $g(x)$가 모두 $x=a$에서 연속이면 $\dfrac{1}{f(x)g(x)}$도 $x=a$에서 연속이다.

ㄴ. $f(x)+g(x)$, $f(x)g(x)$가 모두 $x=a$에서 연속이면 $\{f(x)+1\}\{g(x)+1\}$도 $x=a$에서 연속이다.

ㄷ. $f(x)$, $g(x)$가 모두 $x=a$에서 연속이면 $\dfrac{f(x)}{|g(x)|+1}$도 $x=a$에서 연속이다.

10-1 방정식 $x^3+3x-5=0$이 오직 하나의 실근을 가질 때, 다음 중 이 방정식의 실근이 존재하는 구간은?

① $(-2, -1)$ ② $(-1, 0)$ ③ $(0, 1)$
④ $(1, 2)$ ⑤ $(2, 3)$

한번 더 확인

8-2 $x \geq -4$인 모든 실수 x에서 연속인 함수 $f(x)$가
$$(\sqrt{x+4}-2)f(x)=3x$$
를 만족시킬 때, $f(0)$의 값을 구하시오.

9-2 두 함수 $f(x)$, $g(x)$에 대하여 다음 **보기** 중 옳은 것을 있는 대로 고르시오.

┤ 보기 ├

ㄱ. $f(x)$, $f(x)+g(x)$가 $x=a$에서 연속이면 $g(x)$도 $x=a$에서 연속이다.

ㄴ. $f(x)+g(x)$, $f(x)g(x)$가 모두 $x=a$에서 연속이면 $\dfrac{1}{f(x)}+\dfrac{1}{g(x)}$도 $x=a$에서 연속이다.

ㄷ. $f(x)$, $g(x)$가 모두 $x=a$에서 연속이면 $\dfrac{1}{|f(x)|+|g(x)|}$도 $x=a$에서 연속이다.

10-2 연속함수 $f(x)$에 대하여
$$f(1)=-4, f(2)=-2, f(3)=3,$$
$$f(4)=-15$$
일 때, 방정식 $f(x)+3x=0$이 열린구간 $(1, 4)$에서 가질 수 있는 실근의 최소 개수는?

① 1 ② 2 ③ 3
④ 4 ⑤ 5

3 미분계수와 도함수

개념 & 유형 map

1. 미분계수

| 개념 01 | 평균변화율 |
| 개념 02 | 미분계수 |

유형 01 평균변화율과 미분계수
유형 02 미분계수를 이용한 극한값의 계산 (1)
유형 03 미분계수를 이용한 극한값의 계산 (2)

| 개념 03 | 미분계수의 기하적 의미 |

유형 04 미분계수의 기하적 의미

| 개념 04 | 미분가능성과 연속성 |

유형 05 미분가능성과 연속성 – 식
유형 06 미분가능성과 연속성 – 그래프

2. 도함수

개념 01	도함수
개념 02	함수 $f(x)=x^n$ (n은 양의 정수)과 상수함수의 도함수
개념 03	함수의 실수배, 합, 차의 미분법
개념 04	함수의 곱의 미분법

유형 01 미분법
유형 02 미분계수를 이용한 극한값의 계산 (3)
유형 03 미분계수를 이용한 미정계수의 결정
유형 04 미분가능할 조건
유형 05 관계식이 주어질 때 도함수 구하기
유형 06 미분법과 다항식의 나눗셈

1 미분계수

개념 01 평균변화율

1 평균변화율

함수 $y=f(x)$에서 x의 값이 a에서 b까지 변할 때, 평균변화율은 다음
과 같다.

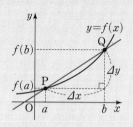

$$\frac{\varDelta y}{\varDelta x}=\frac{f(b)-f(a)}{b-a}=\frac{f(a+\varDelta x)-f(a)}{\varDelta x}$$

참고 $\varDelta x$: x의 증분 (x의 값의 변화량), $\varDelta y$: y의 증분 (y의 값의 변화량)

2 평균변화율과 직선의 기울기

평균변화율은 두 점 $P(a, f(a))$, $Q(b, f(b))$를 지나는 직선 PQ의 기울기와 같다.

예

1. 함수 $f(x)=x^2-1$에서 x의 값이 2에서 4까지 변할 때의 평균변화율은

$$\frac{\varDelta y}{\varDelta x}=\frac{f(4)-f(2)}{4-2}=\frac{(4^2-1)-(2^2-1)}{2}=6$$

2. 함수 $f(x)=x^2+2$에서 x의 값이 1에서 $1+\varDelta x$까지 변할 때의 평균변화율은

$$\frac{\varDelta y}{\varDelta x}=\frac{f(1+\varDelta x)-f(1)}{(1+\varDelta x)-1}=\frac{\{(1+\varDelta x)^2+2\}-(1^2+2)}{\varDelta x}$$
$$=\frac{2\varDelta x+(\varDelta x)^2}{\varDelta x}=2+\varDelta x$$

Lecture

함수 $y=f(x)$에서 x의 값이 a에서 b까지 변할 때의 평균변화율

➡ $\dfrac{\varDelta y}{\varDelta x}=\dfrac{f(b)-f(a)}{b-a}=\dfrac{f(a+\varDelta x)-f(a)}{\varDelta x}$

| 정답과 해설 21쪽 |

개념 확인 1 함수 $f(x)=x^2+3x-1$에서 x의 값이 다음과 같이 변할 때의 평균변화율을 구하시오.

(1) 1에서 3까지 변할 때

(2) 1에서 $1+\varDelta x$까지 변할 때

개념 **02** 미분계수

(1) 함수 $y=f(x)$의 $x=a$에서의 순간변화율 또는 미분계수는 다음과 같다.

$$f'(a)=\lim_{\Delta x \to 0}\frac{\Delta y}{\Delta x}=\lim_{\Delta x \to 0}\frac{f(a+\Delta x)-f(a)}{\Delta x}=\lim_{x \to a}\frac{f(x)-f(a)}{x-a}$$

참고 Δx 대신 h를 사용하여 $f'(a)=\lim_{h \to 0}\frac{f(a+h)-f(a)}{h}$로 나타내기도 한다.

(2) 함수 $y=f(x)$의 $x=a$에서의 미분계수 $f'(a)$가 존재할 때, $f(x)$는 $x=a$에서 미분가능하다고 한다.

예 함수 $f(x)=x^2+3$의 $x=3$에서의 미분계수를 구해 보자.

[방법 1] $f'(3)=\lim_{\Delta x \to 0}\frac{f(3+\Delta x)-f(3)}{\Delta x}$ ← $f'(a)=\lim_{\Delta x \to 0}\frac{f(a+\Delta x)-f(a)}{\Delta x}$

$$=\lim_{\Delta x \to 0}\frac{\{(3+\Delta x)^2+3\}-(3^2+3)}{\Delta x}$$

$$=\lim_{\Delta x \to 0}\frac{6\Delta x+(\Delta x)^2}{\Delta x}$$

$$=\lim_{\Delta x \to 0}(6+\Delta x)=6$$

[방법 2] $f'(3)=\lim_{x \to 3}\frac{f(x)-f(3)}{x-3}$ ← $f'(a)=\lim_{x \to a}\frac{f(x)-f(a)}{x-a}$

$$=\lim_{x \to 3}\frac{(x^2+3)-(3^2+3)}{x-3}$$

$$=\lim_{x \to 3}\frac{x^2-9}{x-3}$$

$$=\lim_{x \to 3}\frac{(x+3)(x-3)}{x-3}$$

$$=\lim_{x \to 3}(x+3)=6$$

Lecture 함수 $y=f(x)$의 $x=a$에서의 미분계수

➡ $f'(a)=\lim_{\Delta x \to 0}\frac{f(a+\Delta x)-f(a)}{\Delta x}=\lim_{x \to a}\frac{f(x)-f(a)}{x-a}$

| 정답과 해설 21쪽 |

개념 확인 **2** 함수 $f(x)=x^2-3x+2$의 $x=1$에서의 미분계수를 구하시오.

개념 **03** 미분계수의 기하적 의미

함수 $y=f(x)$가 $x=a$에서 미분가능할 때, $x=a$에서의 미분계수 $f'(a)$는 곡선 $y=f(x)$ 위의 점 $\mathrm{P}(a, f(a))$에서의 접선의 기울기와 같다.

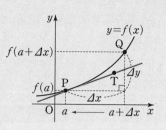

설명

함수 $y=f(x)$에서 x의 값이 a에서 $a+\varDelta x$까지 변할 때의 평균변화율

$$\frac{\varDelta y}{\varDelta x} = \frac{f(a+\varDelta x)-f(a)}{\varDelta x}$$

는 곡선 $y=f(x)$ 위의 두 점 $\mathrm{P}(a, f(a))$, $\mathrm{Q}(a+\varDelta x, f(a+\varDelta x))$를 지나는 직선 PQ의 기울기와 같다. 여기서 $\varDelta x \longrightarrow 0$이면 점 Q는 곡선 $y=f(x)$ 위를 움직이면서 점 P에 한없이 가까워지고, 직선 PQ는 점 P를 지나는 일정한 직선 PT에 한없이 가까워진다. 이때, 직선 PT를 곡선 $y=f(x)$ 위의 점 P에서의 접선이라 하고, 점 P를 접점이라 한다.

따라서 함수 $y=f(x)$의 $x=a$에서의 미분계수

$$f'(a) = \lim_{\varDelta x \to 0} \frac{f(a+\varDelta x)-f(a)}{\varDelta x}$$

는 곡선 $y=f(x)$ 위의 점 $\mathrm{P}(a, f(a))$에서의 접선의 기울기와 같다.

예

곡선 $y=x^2+2x$ 위의 점 $(1, 3)$에서의 접선의 기울기를 구해 보자.
$f(x)=x^2+2x$라 하면 구하는 접선의 기울기는 $f'(1)$이므로

(미분계수)
=(접선의 기울기)

$$\begin{aligned}
f'(1) &= \lim_{\varDelta x \to 0} \frac{f(1+\varDelta x)-f(1)}{\varDelta x} \\
&= \lim_{\varDelta x \to 0} \frac{\{(1+\varDelta x)^2+2(1+\varDelta x)\}-(1^2+2\times 1)}{\varDelta x} \\
&= \lim_{\varDelta x \to 0} \frac{4\varDelta x+(\varDelta x)^2}{\varDelta x} = \lim_{\varDelta x \to 0} (4+\varDelta x) = 4
\end{aligned}$$

Lecture

함수 $y=f(x)$의 $x=a$에서의 미분계수 $f'(a)$
➡ 곡선 $y=f(x)$ 위의 점 $(a, f(a))$에서의 접선의 기울기

| 정답과 해설 21쪽 |

개념 확인 3 다음 곡선 위의 주어진 점에서의 접선의 기울기를 구하시오.

(1) $y=5x^2$ $(1, 5)$

(2) $y=-x^2+1$ $(2, -3)$

개념 **04** 미분가능성과 연속성

함수 $f(x)$가 $x=a$에서 미분가능하면 $f(x)$는 $x=a$에서 연속이다.

그러나 그 역은 성립하지 않는다.

→ 함수 $f(x)$가 $x=a$에서 불연속이면 $x=a$에서 미분가능하지 않다.

→ 함수 $f(x)$가 $x=a$에서 연속이라고 해서 반드시 $x=a$에서 미분가능한 것은 아니다.

참고 함수 $f(x)$가 $x=a$에서 미분가능하면

$$\lim_{x \to a} \frac{f(x)-f(a)}{x-a} = f'(a) \text{이므로}$$

$$\lim_{x \to a} \{f(x)-f(a)\} = \lim_{x \to a} \left\{ \frac{f(x)-f(a)}{x-a} \times (x-a) \right\}$$

$$= \lim_{x \to a} \frac{f(x)-f(a)}{x-a} \times \lim_{x \to a} (x-a)$$

$$= f'(a) \times 0 = 0$$

즉, $\lim_{x \to a} f(x) = f(a)$이므로 함수 $f(x)$는 $x=a$에서 연속이다.

예) 함수 $f(x) = |x|$의 $x=0$에서의 연속성과 미분가능성을 조사해 보자.

연속성 → (i) $f(0)=0$이고 $\lim_{x \to 0} f(x) = \lim_{x \to 0} |x| = 0$이므로
조사하기

$$\lim_{x \to 0} f(x) = f(0)$$

따라서 함수 $f(x)$는 $x=0$에서 연속이다.

미분가능성 → (ii) $\lim_{h \to 0-} \frac{f(0+h)-f(0)}{h} = \lim_{h \to 0-} \frac{|h|}{h} = \lim_{h \to 0-} \frac{-h}{h} = -1$
조사하기

$$\lim_{h \to 0+} \frac{f(0+h)-f(0)}{h} = \lim_{h \to 0+} \frac{|h|}{h} = \lim_{h \to 0+} \frac{h}{h} = 1$$

따라서 $\lim_{h \to 0} \frac{f(0+h)-f(0)}{h}$이 존재하지 않으므로

함수 $f(x)$는 $x=0$에서 미분가능하지 않다.

(i), (ii)에서 함수 $f(x) = |x|$는 $x=0$에서 연속이지만 미분가능하지 않다.

함수 $f(x)$가 $x=a$에서 미분가능함을 보이려면 $f'(a)$가 존재함을 보이면 돼.

Lecture 함수 $f(x)$가 $x=a$에서

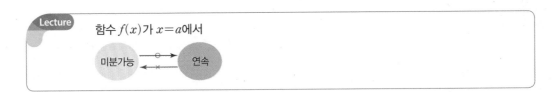

미분가능 ⇄ 연속

| 정답과 해설 21쪽 |

개념 확인 **4** 함수 $f(x) = x + |x|$는 $x=0$에서 연속이지만 미분가능하지 않음을 보이시오.

3 미분계수와 도함수

개념 check

1-1 함수 $f(x)=3x^2$에서 x의 값이 다음과 같이 변할 때의 평균변화율을 구하시오.

(1) 2에서 5까지 변할 때

(2) 1에서 $1+\Delta x$까지 변할 때

연구 (1) $\dfrac{\Delta y}{\Delta x}=\dfrac{f(\boxed{})-f(2)}{5-2}$

$=\dfrac{(3\times\boxed{})-(3\times 2^2)}{3}$

$=\boxed{}$

(2) $\dfrac{\Delta y}{\Delta x}=\dfrac{f(\boxed{})-f(1)}{(\boxed{})-1}$

$=\dfrac{\{3(1+\Delta x)^2\}-(3\times 1^2)}{\Delta x}$

$=\dfrac{\boxed{}}{\Delta x}$

$=\boxed{}$

스스로 check

1-2 함수 $f(x)=x^2-2x$에서 x의 값이 다음과 같이 변할 때의 평균변화율을 구하시오.

(1) -1에서 2까지 변할 때

(2) 3에서 $3+\Delta x$까지 변할 때

2-1 다음 함수의 $x=2$에서의 미분계수를 구하시오.

(1) $f(x)=x^2+5$

(2) $f(x)=3x^2-x$

연구 (1) $f'(2)=\lim\limits_{\Delta x\to 0}\dfrac{f(\boxed{})-f(2)}{\Delta x}$

$=\lim\limits_{\Delta x\to 0}\dfrac{\{(\boxed{})^2+5\}-(2^2+5)}{\Delta x}$

$=\lim\limits_{\Delta x\to 0}\dfrac{\boxed{}+(\Delta x)^2}{\Delta x}$

$=\lim\limits_{\Delta x\to 0}(\boxed{})=4$

(2) $f'(2)=\lim\limits_{x\to 2}\dfrac{f(x)-f(2)}{x-2}$

$=\lim\limits_{x\to 2}\dfrac{(\boxed{})-(3\times 2^2-2)}{x-2}$

$=\lim\limits_{x\to 2}\dfrac{3x^2-x-10}{x-2}=\lim\limits_{x\to 2}\dfrac{(x-2)(\boxed{})}{x-2}$

$=\lim\limits_{x\to 2}(\boxed{})=11$

2-2 다음 함수의 $x=-1$에서의 미분계수를 구하시오.

(1) $f(x)=2x^2+x$

(2) $f(x)=x^2-x+7$

3-1 곡선 $y=-x^2$ 위의 점 $(-2, -4)$에서의 접선의 기울기를 구하시오.

연구 $f(x)=-x^2$이라 하면 구하는 접선의 기울기는

$f'(\boxed{})$이므로

$$f'(\boxed{})=\lim_{\Delta x \to 0}\frac{f(-2+\Delta x)-f(-2)}{\Delta x}$$

$$=\lim_{\Delta x \to 0}\frac{-(-2+\Delta x)^2-\{-(-2)^2\}}{\Delta x}$$

$$=\lim_{\Delta x \to 0}\frac{\boxed{}-(\Delta x)^2}{\Delta x}$$

$$=\lim_{\Delta x \to 0}(\boxed{}-\Delta x)=\boxed{}$$

3-2 곡선 $y=2x^2+3x-1$ 위의 점 $(0, -1)$에서의 접선의 기울기를 구하시오.

4-1 함수 $f(x)=|x-2|$의 $x=2$에서의 연속성과 미분가능성을 조사하시오.

연구 (i) $f(2)=0$이고

$$\lim_{x \to 2}f(x)=\lim_{x \to 2}|x-2|=\boxed{}$$이므로

$$\lim_{x \to 2}f(x)=f(2)$$

따라서 함수 $f(x)$는 $x=2$에서 연속이다.

(ii) $\lim\limits_{h \to 0-}\dfrac{f(2+h)-f(2)}{h}=\lim\limits_{h \to 0-}\dfrac{|h|}{h}$

$$=\lim_{h \to 0-}\frac{\boxed{}}{h}=-1$$

$$\lim_{h \to 0+}\frac{f(2+h)-f(2)}{h}=\lim_{h \to 0+}\frac{|h|}{h}$$

$$=\lim_{h \to 0+}\frac{\boxed{}}{h}=1$$

따라서 $\lim\limits_{h \to 0}\dfrac{f(2+h)-f(2)}{h}$가 존재하지 않으므로

함수 $f(x)$는 $x=2$에서 미분가능하지 않다.

(i), (ii)에서 함수 $f(x)=|x-2|$는 $x=2$에서 연속이지만 미분가능하지 않다.

4-2 다음 함수의 $x=-1$에서의 연속성과 미분가능성을 조사하시오.

(1) $f(x)=|x+1|$

(2) $f(x)=\begin{cases} 2x & (x \geq -1) \\ -2x & (x < -1) \end{cases}$

대표 유형 01 평균변화율과 미분계수

↻ 유형 해결의 법칙 45쪽 유형 01, 02

함수 $f(x)=x^2+1$에 대하여 다음 물음에 답하시오.

(1) 함수 $f(x)$에서 x의 값이 0에서 4까지 변할 때의 평균변화율을 구하시오.

(2) 함수 $f(x)$의 $x=a$에서의 미분계수 $f'(a)$와 위 (1)에서 구한 평균변화율이 같을 때, 상수 a의 값을 구하시오.

풀이 (1) 평균변화율의 정의를 이용하여 평균변화율 구하기

$$\frac{\Delta y}{\Delta x}=\frac{f(4)-f(0)}{4-0}=\frac{17-1}{4}=4$$

(2) ❶ 미분계수의 정의를 이용하여 $f'(a)$를 a로 나타내기

$$f'(a)=\lim_{h\to 0}\frac{f(a+h)-f(a)}{h}=\lim_{h\to 0}\frac{\{(a+h)^2+1\}-(a^2+1)}{h}$$
$$=\lim_{h\to 0}\frac{2ah+h^2}{h}=\lim_{h\to 0}(2a+h)=2a$$

❷ a의 값 구하기

$f'(a)$와 위 (1)의 평균변화율이 같으므로 $2a=4$

$\therefore a=2$

답 (1) 4 (2) 2

해법 ❶ 함수 $f(x)$에서 x의 값이 a에서 b까지 변할 때의 평균변화율

➡ $\dfrac{\Delta y}{\Delta x}=\dfrac{f(b)-f(a)}{b-a}$

❷ 함수 $f(x)$의 $x=a$에서의 미분계수

➡ $f'(a)=\lim\limits_{h\to 0}\dfrac{f(a+h)-f(a)}{h}$

| 정답과 해설 23쪽 |

01-1 함수 $f(x)=x^2+3x+1$에 대하여 x의 값이 0에서 k까지 변할 때의 평균변화율과 $x=2$에서의 미분계수가 같을 때, 상수 k의 값을 구하시오.

01-2 함수 $f(x)=x^2+x+5$에 대하여 x의 값이 a에서 b까지 변할 때의 평균변화율과 $x=c$에서의 미분계수가 같을 때, c를 a, b에 대한 식으로 나타내시오. (단, a, b, c는 상수)

대표 유형 **02** **미분계수를 이용한 극한값의 계산**(1)

🔁 유형 해결의 법칙 45쪽 유형 03

> 미분가능한 함수 $f(x)$에 대하여 $f'(1)=3$, $f'(2)=3$일 때, 다음 극한값을 구하시오.
>
> (1) $\displaystyle\lim_{h\to 0}\frac{f(1+h)-f(1-h)}{h}$
>
> (2) $\displaystyle\lim_{h\to 0}\frac{f(2+3h)-f(2-2h)}{5h}$

풀이

(1) $\displaystyle\lim_{h\to 0}\frac{f(1+h)-f(1-h)}{h}$

$\displaystyle =\lim_{h\to 0}\frac{f(1+h)-f(1)+f(1)-f(1-h)}{h}$

$\displaystyle =\lim_{h\to 0}\frac{f(1+h)-f(1)}{h}+\lim_{h\to 0}\frac{f(1-h)-f(1)}{-h}$

$\displaystyle =f'(1)+f'(1)=2f'(1)=2\times 3=6$

> $\displaystyle\lim_{\blacksquare\to 0}\frac{f(a+\blacksquare)-f(a)}{\blacksquare}$ 와 같이 ■가 모두 같아지도록 변형하면 그 값은 $f'(a)$야. 😊

> $-h=t$로 놓으면 $h\to 0$일 때 $t\to 0$이므로
> $\displaystyle\lim_{h\to 0}\frac{f(1-h)-f(1)}{-h}=\lim_{t\to 0}\frac{f(1+t)-f(1)}{t}=f'(1)$

(2) $\displaystyle\lim_{h\to 0}\frac{f(2+3h)-f(2-2h)}{5h}$

$\displaystyle =\lim_{h\to 0}\frac{f(2+3h)-f(2)+f(2)-f(2-2h)}{5h}$

$\displaystyle =\lim_{h\to 0}\frac{f(2+3h)-f(2)}{5h}+\lim_{h\to 0}\frac{f(2-2h)-f(2)}{-5h}$

$\displaystyle =\lim_{h\to 0}\frac{f(2+3h)-f(2)}{3h}\times\frac{3}{5}+\lim_{h\to 0}\frac{f(2-2h)-f(2)}{-2h}\times\frac{2}{5}$

$\displaystyle =f'(2)\times\frac{3}{5}+f'(2)\times\frac{2}{5}=f'(2)=3$

답 (1) 6 (2) 3

해법 미분계수를 이용하여 극한값을 계산할 때, 분모의 항이 1개이면

➡ $\displaystyle\lim_{\blacksquare\to 0}\frac{f(a+\blacksquare)-f(a)}{\blacksquare}=f'(a)$와 같이 가 모두 같아지도록 변형한다.

| 정답과 해설 23쪽 |

02-1 미분가능한 함수 $f(x)$에 대하여 $f'(2)$의 값이 존재할 때, 등식

$$\lim_{h\to 0}\frac{f(2+4h)-f(2-3h)}{kh}=f'(2)$$

가 성립하기 위한 상수 k의 값을 구하시오. (단, $f'(2)\neq 0$)

3
미분계수와 도함수

대표 유형 **03** 미분계수를 이용한 극한값의 계산 (2)

↻ 유형 해결의 법칙 46쪽 유형 04

> 미분가능한 함수 $f(x)$에 대하여 $f'(1)=1$, $f'(2)=4$일 때, 다음 극한값을 구하시오.
>
> (1) $\displaystyle\lim_{x\to 2}\frac{f(x)-f(2)}{x^2-4}$
>
> (2) $\displaystyle\lim_{x\to 1}\frac{f(x^3)-f(1)}{x-1}$

풀이

(1) $\displaystyle\lim_{x\to 2}\frac{f(x)-f(2)}{x^2-4}=\lim_{x\to 2}\frac{f(x)-f(2)}{(x-2)(x+2)}$

$\displaystyle\qquad\qquad\qquad\quad=\lim_{x\to 2}\frac{f(x)-f(2)}{x-2}\times\lim_{x\to 2}\frac{1}{x+2}$

$\displaystyle\qquad\qquad\qquad\quad=f'(2)\times\frac{1}{4}=4\times\frac{1}{4}=1$

(2) $\displaystyle\lim_{x\to 1}\frac{f(x^3)-f(1)}{x-1}=\lim_{x\to 1}\left\{\frac{f(x^3)-f(1)}{(x-1)(x^2+x+1)}\times(x^2+x+1)\right\}$

$\displaystyle\qquad\qquad\qquad\quad=\lim_{x\to 1}\frac{f(x^3)-f(1)}{x^3-1}\times\lim_{x\to 1}(x^2+x+1)$

$\displaystyle\qquad\qquad\qquad\quad=f'(1)\times 3=1\times 3=3$

$\displaystyle\lim_{▲\to a}\frac{f(▲)-f(a)}{▲-a}$와 같이 변형하면 그 값은 $f'(a)$야.

답 (1) 1 (2) 3

> 해법 미분계수를 이용하여 극한값을 계산할 때, 분모의 항이 2개이면
>
> ➡ $\displaystyle\lim_{▲\to●}\frac{f(▲)-f(●)}{▲-●}=f'(●)$와 같이 ▲는 ▲끼리, ●는 ●끼리 각각 같아지도록 변형한다.

| 정답과 해설 23쪽 |

03-1 미분가능한 함수 $f(x)$에 대하여 $f'(1)=2$일 때, $\displaystyle\lim_{x\to 1}\frac{x-1}{f(\sqrt{x})-f(1)}$의 값을 구하시오.

03-2 미분가능한 함수 $f(x)$에 대하여 $f(1)=4$, $f'(1)=3$일 때, $\displaystyle\lim_{x\to 1}\frac{x^2 f(1)-f(x^2)}{x-1}$의 값을 구하시오.

대표 유형 04 미분계수의 기하적 의미

🔁 유형 해결의 법칙 46쪽 유형 05

다음 보기의 함수 $y=f(x)$의 그래프 중에서 $f'(a)<f'(b)<f'(c)$를 만족시키는 것만을 있는 대로 고르시오.

| 보기 |

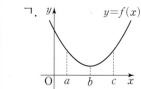 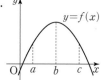 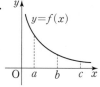

풀이

❶ 미분계수의 기하적 의미 이해하기

미분계수 $f'(a), f'(b), f'(c)$는 각각 곡선 $y=f(x)$ 위의 점 $(a, f(a))$, $(b, f(b))$, $(c, f(c))$에서의 접선의 기울기이다.

❷ 각 점에서의 접선 그리기

각 그래프의 $x=a$, $x=b$, $x=c$인 점에서의 접선을 그려 보면 다음과 같다.

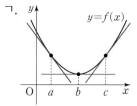 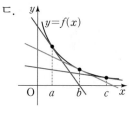

❸ 접선의 기울기를 이용하여 $f'(a)<f'(b)<f'(c)$를 만족시키는 그래프 찾기

ㄱ. $f'(a)<f'(b)<f'(c)$
ㄴ. $f'(a)>f'(b)>f'(c)$
ㄷ. $f'(a)<f'(b)<f'(c)$

따라서 $f'(a)<f'(b)<f'(c)$를 만족시키는 그래프는 ㄱ, ㄷ이다.

🔲 ㄱ, ㄷ

해법 곡선 $y=f(x)$ 위의 점 $(a, f(a))$에서의 접선의 기울기
➡ $x=a$에서의 미분계수 $f'(a)$

| 정답과 해설 24쪽 |

04-1 곡선 $y=3x^2-x+1$ 위의 $x=a$인 점에서의 접선의 기울기가 17일 때, a의 값을 구하시오.

3 미분계수와 도함수

대표 유형 **05** 미분가능성과 연속성 – 식

유형 해결의 법칙 47쪽 유형 06

함수 $f(x)=x|x-2|$는 $x=2$에서 연속이지만 미분가능하지 않음을 보이시오.

풀이

❶ $x=2$에서의 연속성 조사 하기

(i) $f(2)=0$이고 $\lim\limits_{x\to 2} f(x)=\lim\limits_{x\to 2}(x|x-2|)=0$이므로 $\lim\limits_{x\to 2} f(x)=f(2)$

따라서 함수 $f(x)$는 $x=2$에서 연속이다.

❷ $x=2$에서의 미분가능성 조사하기

(ii) $\lim\limits_{h\to 0-}\dfrac{f(2+h)-f(2)}{h}=\lim\limits_{h\to 0-}\dfrac{(2+h)|h|}{h}$

$=\lim\limits_{h\to 0-}\dfrac{-(2+h)h}{h}$

$=\lim\limits_{h\to 0-}\{-(2+h)\}=-2$

$\lim\limits_{h\to 0+}\dfrac{f(2+h)-f(2)}{h}=\lim\limits_{h\to 0+}\dfrac{(2+h)|h|}{h}$

$=\lim\limits_{h\to 0+}\dfrac{(2+h)h}{h}$

$=\lim\limits_{h\to 0+}(2+h)=2$

$\lim\limits_{h\to 0}\dfrac{f(a+h)-f(a)}{h}$가
존재하려면
$\lim\limits_{h\to 0-}\dfrac{f(a+h)-f(a)}{h}$
$=\lim\limits_{h\to 0+}\dfrac{f(a+h)-f(a)}{h}$
이어야 해.

따라서 $\lim\limits_{h\to 0}\dfrac{f(2+h)-f(2)}{h}$가 존재하지 않으므로 함수 $f(x)$는 $x=2$에서 미분가

능하지 않다.

❸ 연속성과 미분가능성 확 인하기

(i), (ii)에서 함수 $f(x)=x|x-2|$는 $x=2$에서 연속이지만 미분가능하지 않다.

📋 풀이 참조

해법 **❶** $\lim\limits_{x\to a} f(x)=f(a)$ ➡ 함수 $f(x)$는 $x=a$에서 연속

❷ $\lim\limits_{h\to 0}\dfrac{f(a+h)-f(a)}{h}$ 가 존재 ➡ 함수 $f(x)$는 $x=a$에서 미분가능

| 정답과 해설 24쪽 |

05-1 함수 $f(x)=|x^2-2x|$는 $x=2$에서 연속이지만 미분가능하지 않음을 보이시오.

05-2 함수 $f(x)$가 $x=0$에서 연속일 때, 함수 $g(x)=xf(x)$의 $x=0$에서의 미분가능성을 조사하시오.

대표 유형 **06** **미분가능성과 연속성 – 그래프**

↻ 유형 해결의 법칙 47쪽 유형 07

함수 $y=f(x)$의 그래프가 오른쪽 그림과 같을 때, 열린구간 $(0, e)$에서 함수 $f(x)$가 불연속인 x의 값의 개수는 a, 미분가능하지 않은 x의 값의 개수는 b이다. 이때, a, b의 값을 각각 구하시오.

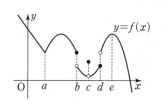

풀이

❶ a의 값 구하기

함수의 그래프가 끊어진 점에서 불연속이므로 함수 $f(x)$는 $x=b$, $x=c$, $x=d$에서 불연속이다.

$\therefore a=3$

❷ b의 값 구하기

함수 $f(x)$가 $x=b$, $x=c$, $x=d$에서 불연속이므로 함수 $f(x)$는 $x=b$, $x=c$, $x=d$에서 미분가능하지 않다.
또, 함수 $f(x)$가 $x=a$에서 연속이지만 그래프가 꺾이는 점이므로 미분가능하지 않다.
즉, 함수 $f(x)$는 $x=a$, $x=b$, $x=c$, $x=d$에서 미분가능하지 않다.

$\therefore b=4$

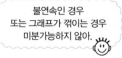

불연속인 경우
또는 그래프가 꺾이는 경우
미분가능하지 않아.

답 $a=3$, $b=4$

해법 함수 $f(x)$가 $x=a$에서 미분가능하지 않은 경우
➡ ❶ $x=a$에서 불연속인 경우
   ❷ $x=a$에서 연속이지만 그래프가 꺾이는 경우

| 정답과 해설 24쪽 |

06-1 함수 $y=f(x)$의 그래프가 오른쪽 그림과 같을 때, 열린구간 $(0, 5)$에서 함수 $f(x)$에 대한 설명으로 옳은 것은?

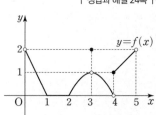

① $f'\left(\dfrac{1}{2}\right)>0$

② $f'(x)=0$인 점은 오직 2개뿐이다.

③ 함수 $f(x)$가 불연속인 점은 4개이다.

④ $\lim\limits_{x \to 3} f(x)=2$

⑤ 함수 $f(x)$가 미분가능하지 않은 점은 4개이다.

3
미분계수와 도함수

2 도함수

개념 01 도함수

미분가능한 함수 $y=f(x)$의 정의역의 각 원소 x에 미분계수 $f'(x)$를 대응시켜 만든 새로운 함수를 함수 $y=f(x)$의 도함수라 하며, 이것을 기호로

$$f'(x), \ y', \ \frac{dy}{dx}, \ \frac{d}{dx}f(x)$$

와 같이 나타낸다.

$$f'(x)=\lim_{\Delta x \to 0}\frac{f(x+\Delta x)-f(x)}{\Delta x}=\lim_{h \to 0}\frac{f(x+h)-f(x)}{h}$$

참고 함수 $f(x)$의 $x=a$에서의 미분계수 $f'(a)$는 도함수 $f'(x)$의 $x=a$에서의 함숫값이다.

예 도함수의 정의를 이용하여 함수 $f(x)=3x^2+2$의 도함수와 $x=2$에서의 미분계수를 구해 보자.

$$\begin{aligned}
f'(x)&=\lim_{h \to 0}\frac{f(x+h)-f(x)}{h}\\
&=\lim_{h \to 0}\frac{\{3(x+h)^2+2\}-(3x^2+2)}{h}\\
&=\lim_{h \to 0}\frac{6xh+3h^2}{h}\\
&=\lim_{h \to 0}(6x+3h)\\
&=6x\\
\therefore \ f'(2)&=6\times2=12
\end{aligned}$$

도함수 $f'(x)$ $\xrightarrow[\text{대입}]{x=a\text{를}}$ 미분계수 $f'(a)$

Lecture 미분가능한 함수 $f(x)$의 도함수

$$\Rightarrow f'(x)=\lim_{h \to 0}\frac{f(x+h)-f(x)}{h}$$

| 정답과 해설 25쪽 |

개념 확인 1 도함수의 정의를 이용하여 다음 함수의 도함수를 구하고, $x=3$에서의 미분계수를 구하시오.

(1) $f(x)=7$

(2) $f(x)=3x+2$

(3) $f(x)=2x^2-3$

(4) $f(x)=x^2-x+2$

개념 02 함수 $f(x)=x^n$ (n은 양의 정수)과 상수함수의 도함수

(1) $f(x)=x^n$ ($n\geq2$인 정수)이면 ➡ $f'(x)=nx^{n-1}$

(2) $f(x)=x$이면 ➡ $f'(x)=1$

(3) $f(x)=c$ (c는 상수)이면 ➡ $f'(x)=0$

설명

1. 함수 $f(x)=x^n$ (n은 양의 정수)의 도함수를 구해 보자.

(i) $n\geq2$일 때

$$f'(x)=\lim_{h\to0}\frac{f(x+h)-f(x)}{h}=\lim_{h\to0}\frac{(x+h)^n-x^n}{h}$$

$$=\lim_{h\to0}\frac{\{(x+h)-x\}\{(x+h)^{n-1}+(x+h)^{n-2}x+\cdots+x^{n-1}\}}{h}$$

$\leftarrow a^n-b^n$
$=(a-b)(a^{n-1}+a^{n-2}b+\cdots+b^{n-1})$

$$=\lim_{h\to0}\{(x+h)^{n-1}+(x+h)^{n-2}x+\cdots+x^{n-1}\}$$

$$=\underbrace{x^{n-1}+x^{n-1}+\cdots+x^{n-1}}_{n개}=nx^{n-1}$$

(ii) $n=1$일 때

$$f'(x)=\lim_{h\to0}\frac{f(x+h)-f(x)}{h}=\lim_{h\to0}\frac{(x+h)-x}{h}=\lim_{h\to0}\frac{h}{h}=1$$

2. 함수 $f(x)=c$ (c는 상수)에 대하여

$$f'(x)=\lim_{h\to0}\frac{f(x+h)-f(x)}{h}=\lim_{h\to0}\frac{c-c}{h}=0$$

예

$f(x)$	➡	$f'(x)$
$f(x)=x^4$		$f'(x)=4x^{4-1}=4x^3$
$f(x)=x^2$		$f'(x)=2x^{2-1}=2x$
$f(x)=x^5$		$f'(x)=5x^{5-1}=5x^4$
$f(x)=5$		$f'(x)=0$

Lecture

$$f(x)=x^n \Rightarrow f'(x)=nx^{n-1}$$

그대로

| 정답과 해설 25쪽 |

개념 확인 2 다음 함수의 도함수를 구하시오.

(1) $f(x)=x^9$ 　　　　　　　　　　　　　(2) $f(x)=x^7$

(3) $f(x)=x^{100}$ 　　　　　　　　　　　(4) $f(x)=2019$

개념 **03** 함수의 실수배, 합, 차의 미분법

두 함수 $f(x)$, $g(x)$가 미분가능할 때
(1) $\{cf(x)\}'=cf'(x)$ (단, c는 상수)
(2) $\{f(x)+g(x)\}'=f'(x)+g'(x)$
(3) $\{f(x)-g(x)\}'=f'(x)-g'(x)$

설명

(1) $y=cf(x)$ (c는 상수)라 하면

$$y'=\lim_{h\to 0}\frac{cf(x+h)-cf(x)}{h}$$
$$=c\lim_{h\to 0}\frac{f(x+h)-f(x)}{h}$$
$$=cf'(x)$$

(2) $y=f(x)+g(x)$라 하면

$$y'=\lim_{h\to 0}\frac{\{f(x+h)+g(x+h)\}-\{f(x)+g(x)\}}{h}$$
$$=\lim_{h\to 0}\frac{\{f(x+h)-f(x)\}+\{g(x+h)-g(x)\}}{h}$$
$$=\lim_{h\to 0}\frac{f(x+h)-f(x)}{h}+\lim_{h\to 0}\frac{g(x+h)-g(x)}{h}$$
$$=f'(x)+g'(x)$$

(3) $y=f(x)-g(x)$라 하면 (2)와 같은 방법으로

$$y'=f'(x)-g'(x)$$

예

실수배	$y=5x^2 \Rightarrow y'=5(x^2)'=5\times 2x=10x$
합	$y=x^2+x+1 \Rightarrow y'=(x^2)'+(x)'+(1)'=2x+1$
차	$y=x^2-x-1 \Rightarrow y'=(x^2)'-(x)'-(1)'=2x-1$
실수배, 합, 차	$y=3x^2-2x+3 \Rightarrow y'=3(x^2)'-2(x)'+(3)'$ $=3\times 2x-2=6x-2$

함수의 합, 차의
미분법은 세 개 이상의
함수에서도 성립해.

Lecture

두 함수 $f(x)$, $g(x)$가 미분가능할 때
$h(x)=af(x)\pm bg(x)$ (a, b는 상수)이면
$\Rightarrow h'(x)=af'(x)\pm bg'(x)$ (복호동순)

| 정답과 해설 25쪽 |

개념 확인 3 다음 함수를 미분하시오.

(1) $y=2020x$

(2) $y=-7x^2+3$

(3) $y=4x^3+x^2-2x-1$

(4) $y=-x^5+5x^3-4x^2+3$

개념 **04** 함수의 곱의 미분법

세 함수 $f(x),\ g(x),\ h(x)$가 미분가능할 때
(1) $\{f(x)g(x)\}'=f'(x)g(x)+f(x)g'(x)$
(2) $\{f(x)g(x)h(x)\}'=f'(x)g(x)h(x)+f(x)g'(x)h(x)+f(x)g(x)h'(x)$

설명

$y=f(x)g(x)$라 하면

$y'=\lim_{h\to 0}\dfrac{f(x+h)g(x+h)-f(x)g(x)}{h}$ ← 분자에서 $f(x)g(x+h)$를 빼고 더한다.

$=\lim_{h\to 0}\dfrac{f(x+h)g(x+h)-f(x)g(x+h)+f(x)g(x+h)-f(x)g(x)}{h}$

$=\lim_{h\to 0}\left\{\dfrac{f(x+h)g(x+h)-f(x)g(x+h)}{h}+\dfrac{f(x)g(x+h)-f(x)g(x)}{h}\right\}$

$=\lim_{h\to 0}\dfrac{f(x+h)-f(x)}{h}\times\lim_{h\to 0}g(x+h)+\lim_{h\to 0}f(x)\times\lim_{h\to 0}\dfrac{g(x+h)-g(x)}{h}$

$=f'(x)g(x)+f(x)g'(x)$ └─ 함수 $g(x)$가 미분가능하면 연속이므로 $\lim_{h\to 0}g(x+h)=g(x)$

예

(1) $y=(x-3)(5x+1) \Rightarrow y'=(x-3)'(5x+1)+(x-3)(5x+1)'$
$\qquad\qquad\qquad\qquad =1\times(5x+1)+(x-3)\times 5$
$\qquad\qquad\qquad\qquad =10x-14$

$\{f(x)g(x)\}'$
$\neq f'(x)g'(x)$
임을 명심해.

(2) $y=(x-2)(3x+1)(x^2+x)$
$\Rightarrow y'=(x-2)'(3x+1)(x^2+x)+(x-2)(3x+1)'(x^2+x)$
$\qquad\qquad\qquad\qquad\qquad\qquad +(x-2)(3x+1)(x^2+x)'$
$=1\times(3x+1)(x^2+x)+(x-2)\times 3\times(x^2+x)+(x-2)(3x+1)(2x+1)$
$=(3x^3+4x^2+x)+(3x^3-3x^2-6x)+(6x^3-7x^2-9x-2)$
$=12x^3-6x^2-14x-2$

Lecture 함수의 곱의 꼴을 미분할 때는 각각의 함수를 번갈아가며 미분한다.
$\Rightarrow \{f(x)g(x)\}'=\underline{f'(x)}\,\underline{g(x)}+\underline{f(x)}\,\underline{g'(x)}$
$\qquad\qquad\qquad\quad$ 미분 그대로 그대로 미분

| 정답과 해설 25쪽 |

개념 확인 4 다음 함수를 미분하시오.

(1) $y=(x^2-2)(3x+1)$
(2) $y=(-x^2+3)(-x-1)$

(3) $y=(x+3)(x^2-7x+5)$
(4) $y=(x+2)(x^2-1)(5x-4)$

함수 $y=\{f(x)\}^n$의 도함수

함수 $f(x)$가 미분가능할 때, 함수 $y=\{f(x)\}^n$ ($n\geq2$인 정수)의 도함수를 다음 두 가지 방법으로 구해 보자.

곱의 미분법 이용

$y=\{f(x)\}^2=f(x)f(x)$일 때

➡ $y'=f'(x)f(x)+f(x)f'(x)=2f(x)f'(x)$

$y=\{f(x)\}^3=\{f(x)\}^2f(x)$일 때

➡ $y'=[\{f(x)\}^2]'f(x)+\{f(x)\}^2f'(x)$
$\quad=2f(x)f'(x)f(x)+\{f(x)\}^2f'(x)$
$\quad=3\{f(x)\}^2f'(x)$

마찬가지 방법으로 함수 $y=\{f(x)\}^4$의 도함수는

➡ $y'=4\{f(x)\}^3f'(x)$

이와 같이 미분가능한 함수 $f(x)$에 대하여

$\{f(x)\}^n=f(x)\times f(x)\times\cdots\times f(x)$

이므로 함수 $y=\{f(x)\}^n$ ($n\geq2$인 정수)의 도함수는 곱의 미분법을 적용하면

$y'=n\{f(x)\}^{n-1}f'(x)$

임을 알 수 있다.

도함수의 정의 이용

$y=\{f(x)\}^n$ ($n\geq2$인 정수)일 때

$y'=\lim\limits_{h\to0}\dfrac{\{f(x+h)\}^n-\{f(x)\}^n}{h}$

$\quad=\lim\limits_{h\to0}\dfrac{\{f(x+h)-f(x)\}[\{f(x+h)\}^{n-1}+\{f(x+h)\}^{n-2}f(x)+\cdots+f(x+h)\{f(x)\}^{n-2}+\{f(x)\}^{n-1}]}{h}$

$\quad=\lim\limits_{h\to0}\dfrac{f(x+h)-f(x)}{h}$

$\qquad\times\lim\limits_{h\to0}[\{f(x+h)\}^{n-1}+\{f(x+h)\}^{n-2}f(x)+\cdots+f(x+h)\{f(x)\}^{n-2}+\{f(x)\}^{n-1}]$

$\quad=f'(x)\times[\underbrace{\{f(x)\}^{n-1}+\{f(x)\}^{n-1}+\cdots+\{f(x)\}^{n-1}+\{f(x)\}^{n-1}}_{n개}]$

$\quad=f'(x)\times n\{f(x)\}^{n-1}$

$\quad=n\{f(x)\}^{n-1}f'(x)$

> **Lecture**
>
> 함수 $f(x)$가 미분가능할 때, 함수 $y=\{f(x)\}^n$ ($n\geq2$인 정수)의 도함수
> ➡ $y'=n\{f(x)\}^{n-1}f'(x)$

개념 check

1-1 도함수의 정의를 이용하여 다음 함수의 도함수를 구하고, $x=1$에서의 미분계수를 구하시오.

(1) $f(x)=2x-5$

(2) $f(x)=x^2-7$

연구 (1) $f'(x)=\lim\limits_{h\to 0}\dfrac{f(x+h)-f(x)}{h}$

$=\lim\limits_{h\to 0}\dfrac{\{2(x+h)-5\}-(2x-5)}{h}$

$=\lim\limits_{h\to 0}\dfrac{\boxed{}}{h}$

$=\boxed{}$

$\therefore f'(1)=\boxed{}$

(2) $f'(x)=\lim\limits_{h\to 0}\dfrac{f(x+h)-f(x)}{h}$

$=\lim\limits_{h\to 0}\dfrac{\{(x+h)^2-7\}-(x^2-7)}{h}$

$=\lim\limits_{h\to 0}\dfrac{\boxed{}+h^2}{h}$

$=\lim\limits_{h\to 0}(2x+h)$

$=\boxed{}$

$\therefore f'(1)=\boxed{}$

스스로 check

1-2 함수 $f(x)=-x^2+x+1$에 대하여 다음 물음에 답하시오.

(1) 도함수의 정의를 이용하여 함수 $f(x)$의 도함수를 구하시오.

(2) 함수 $f(x)$의 $x=1$에서의 미분계수를 구하시오.

2-1 함수 $f(x)=x^n$에 대하여 $f'(1)=17$일 때, 양의 정수 n의 값을 구하시오.

연구 함수 $f(x)=x^n$에 대하여 $f'(x)=\boxed{}x^{n-1}$이므로

$f'(1)=\boxed{}$

이때, 주어진 조건에서 $f'(1)=17$이므로

$n=\boxed{}$

2-2 함수 $f(x)=x^n$에 대하여 $f'(1)=109$일 때, 양의 정수 n의 값을 구하시오.

개념 check

3-1 다음 함수를 미분하시오.

(1) $y = 3x^2 + 6x + 5$

(2) $y = -\dfrac{1}{3}x^3 - x^2 + 2x$

연구   (1) $y' = 3(x^2)' + 6(x)' + (5)'$

$= 3 \times \boxed{} + 6 \times 1$

$= \boxed{}$

(2) $y' = \boxed{}(x^3)' - (x^2)' + 2(\boxed{})'$

$= -\dfrac{1}{3} \times \boxed{} - \boxed{} + \boxed{}$

$= \boxed{}$

스스로 check

3-2 다음 함수를 미분하시오.

(1) $y = x^2 + 9x - 4$

(2) $y = -3x^2 - 7x$

(3) $y = \dfrac{3}{2}x^2 + x - 3$

(4) $y = -\dfrac{5}{3}x^3 - x^2 + 5x - 5$

4-1 다음 함수를 미분하시오.

(1) $y = (4x - 1)(x^2 + 6)$

(2) $y = -x^2(-x + 5)(x - 2)$

연구   (1) $y' = (4x - 1)'(x^2 + 6) + (4x - 1)(x^2 + 6)'$

$= \boxed{} \times (x^2 + 6) + (4x - 1) \times \boxed{}$

$= (4x^2 + 24) + (8x^2 - 2x)$

$= \boxed{}$

(2) $y' = (-x^2)'(-x + 5)(x - 2)$

$\qquad - x^2(-x + 5)'(x - 2) - x^2(-x + 5)(x - 2)'$

$= \boxed{}(-x + 5)(x - 2)$

$\qquad - x^2 \times (-1) \times (\boxed{}) - \boxed{}(-x + 5) \times 1$

$= (2x^3 - 14x^2 + 20x) + (x^3 - 2x^2) + (x^3 - 5x^2)$

$= \boxed{}$

4-2 다음 함수를 미분하시오.

(1) $y = (2x + 3)(3x - 4)$

(2) $y = (-x^2 + 2)(3x + 3)$

(3) $y = x^2(x - 1)(x + 2)$

(4) $y = (x + 3)(x - 1)(x + 2)$

대표 유형 01 미분법 ⟳ 유형 해결의 법칙 48, 49쪽 유형 09, 10

> 두 함수 $f(x)=2x^2-x+7$, $g(x)=(x^2+x+1)^2$에 대하여 함수 $h(x)$를 $h(x)=f(x)+g(x)$라 하자.
> 이때, 함수 $h(x)$의 $x=1$에서의 미분계수를 구하시오.

 풀이

❶ $f'(x), g'(x)$ 구하기

$$f'(x)=2(x^2)'-(x)'+(7)'$$
$$=2\times 2x-1$$
$$=4x-1$$
$$g'(x)=2(x^2+x+1)^{2-1}(x^2+x+1)'$$
$$=2(x^2+x+1)(2x+1)$$

❷ $f'(1), g'(1)$의 값 구하기

$$\therefore f'(1)=3, \ g'(1)=18$$

❸ $h'(1)$의 값 구하기

이때, 함수 $h(x)=f(x)+g(x)$에서 $h'(x)=f'(x)+g'(x)$이므로
함수 $h(x)$의 $x=1$에서의 미분계수는
$$h'(1)=f'(1)+g'(1)=3+18=21$$

답 21

해법 두 함수 $f(x), g(x)$가 미분가능할 때
❶ $y=af(x)\pm bg(x)$ (a, b는 상수) ➡ $y'=af'(x)\pm bg'(x)$ (복호동순)
❷ $y=\{f(x)\}^n$ ($n\geq 2$인 정수) ➡ $y'=n\{f(x)\}^{n-1}f'(x)$

| 정답과 해설 26쪽 |

01-1 두 함수 $f(x)=1+\dfrac{x^2}{2}+\dfrac{x^3}{3}+\dfrac{x^4}{4}$, $g(x)=(1+x^2+3x^3)^3$에 대하여 다음 함수 $h(x)$의 $x=-1$에서의 미분계수를 구하시오.

(1) $h(x)=f(x)+g(x)$

(2) $h(x)=f(x)g(x)$

3 | 미분계수와 도함수

대표 유형 02 미분계수를 이용한 극한값의 계산 (3)

↻ 유형 해결의 법칙 50쪽 유형 11

함수 $f(x)=(x^2+x+1)^2$에 대하여 다음 극한값을 구하시오.

(1) $\lim\limits_{h\to 0}\dfrac{f(2+h)-f(2-h)}{h}$ (2) $\lim\limits_{x\to 1}\dfrac{f(x^2)-f(1)}{x-1}$

풀이

$f'(x)$ 구하기

$$f'(x)=2(x^2+x+1)^{2-1}(x^2+x+1)'$$
$$=2(x^2+x+1)(2x+1) \quad\cdots\cdots\bigcirc$$

(1) ❶ 주어진 식을 미분계수 형태로 변형하기

$$\lim_{h\to 0}\frac{f(2+h)-f(2-h)}{h}=\lim_{h\to 0}\frac{f(2+h)-f(2)+f(2)-f(2-h)}{h}$$
$$=\lim_{h\to 0}\frac{f(2+h)-f(2)}{h}+\lim_{h\to 0}\frac{f(2-h)-f(2)}{-h}$$
$$=f'(2)+f'(2)=2f'(2)$$

❷ 도함수 $f'(x)$를 이용하여 극한값 구하기

$\bigcirc$에서 $f'(2)=2\times 7\times 5=70$이므로

$$\lim_{h\to 0}\frac{f(2+h)-f(2-h)}{h}=2f'(2)=2\times 70=140$$

(2) ❶ 주어진 식을 미분계수 형태로 변형하기

$$\lim_{x\to 1}\frac{f(x^2)-f(1)}{x-1}=\lim_{x\to 1}\left\{\frac{f(x^2)-f(1)}{(x-1)(x+1)}\times(x+1)\right\}$$
$$=\lim_{x\to 1}\frac{f(x^2)-f(1)}{x^2-1}\times\lim_{x\to 1}(x+1)$$
$$=f'(1)\times 2=2f'(1)$$

❷ 도함수 $f'(x)$를 이용하여 극한값 구하기

$\bigcirc$에서 $f'(1)=2\times 3\times 3=18$이므로

$$\lim_{x\to 1}\frac{f(x^2)-f(1)}{x-1}=2f'(1)=2\times 18=36$$

📋 (1) 140 (2) 36

해법 $f'(a)=\lim\limits_{h\to 0}\dfrac{f(a+h)-f(a)}{h}=\lim\limits_{x\to a}\dfrac{f(x)-f(a)}{x-a}$를 이용할 수 있도록 주어진 식을 변형한다.

| 정답과 해설 27쪽 |

02-1 함수 $f(x)=(x^2+1)(x^3+x^2-1)$일 때, $\lim\limits_{h\to 0}\dfrac{13h}{f(1)-f(1+h)}$의 값을 구하시오.

대표 유형 03 미분계수를 이용한 미정계수의 결정

↻ 유형 해결의 법칙 50쪽 유형 12

> 함수 $f(x)=x^2+ax+b$에 대하여 $f(1)=3$, $f'(1)=4$일 때, $f(2)$의 값을 구하시오. (단, a, b는 상수)

풀이

❶ a의 값 구하기

$f(x)=x^2+ax+b$에서 $f'(x)=2x+a$

$f'(1)=4$이므로 $2+a=4$ $\therefore a=2$

❷ b의 값 구하기

또한, $f(1)=3$이므로 $1+a+b=1+2+b=3$ $\therefore b=0$

❸ $f(2)$의 값 구하기

따라서 $f(x)=x^2+2x$이므로

$f(2)=4+4=8$

답 8

 해법 함수 $f(x)$에 대하여 $f'(a)$의 값은

➡ $f'(x)$를 구한 후 x 대신 a를 대입하여 구한다.

| 정답과 해설 27쪽 |

03-1 함수 $f(x)=x^2+ax-5$에 대하여 함수 $g(x)=(x-1)f(x)$라 하자. $f'(2)=g'(2)$일 때, $f(-2)$의 값을 구하시오. (단, a는 상수)

03-2 함수 $f(x)=x^4+ax^3+bx+a$가

$$\lim_{x\to 1}\frac{f(x^3)-f(1)}{x^2-1}=3, \quad \lim_{x\to 2}\frac{f(x)-f(2)}{x-2}=57$$

을 만족시킬 때, 상수 a, b에 대하여 $a+b$의 값을 구하시오.

대표 유형 **04** 미분가능할 조건

⤷ 유형 해결의 법칙 52쪽 유형 15

함수 $f(x)=\begin{cases} x^2+ax & (x\geq 1) \\ -x+b & (x<1) \end{cases}$ 가 $x=1$에서 미분가능할 때, 상수 a, b에 대하여 $a+b$의 값을 구하시오.

풀이

❶ $x=1$에서 연속임을 이용하여 a, b 사이의 관계식 찾기

함수 $f(x)$가 $x=1$에서 미분가능하므로 $x=1$에서 연속이다.

즉, $\displaystyle\lim_{x\to 1-} f(x)=\underline{f(1)}$ → $\displaystyle\lim_{x\to 1+} f(x)$의 값과 같다.

$\displaystyle\lim_{x\to 1-} f(x)=\lim_{x\to 1-}(-x+b)=-1+b$, $f(1)=1+a$이므로

$-1+b=1+a$ $\therefore b=a+2$ ……㉠

❷ $x=1$에서 미분계수가 존재함을 이용하여 a, b의 값 구하기

또, 함수 $f(x)$가 $x=1$에서 미분가능하므로 $f'(1)$이 존재한다.

$\displaystyle\lim_{x\to 1-}\frac{f(x)-f(1)}{x-1}=\lim_{x\to 1-}\frac{(-x+b)-(1+a)}{x-1}$

$\displaystyle=\lim_{x\to 1-}\frac{(-x+a+2)-(1+a)}{x-1}$ ($\because$ ㉠)

$\displaystyle=\lim_{x\to 1-}\frac{-x+1}{x-1}=-1$

$\displaystyle\lim_{x\to 1+}\frac{f(x)-f(1)}{x-1}=\lim_{x\to 1+}\frac{(x^2+ax)-(1+a)}{x-1}$

$\displaystyle=\lim_{x\to 1+}\frac{(x^2-1)+a(x-1)}{x-1}$

$\displaystyle=\lim_{x\to 1+}\frac{(x+1)(x-1)+a(x-1)}{x-1}$

$\displaystyle=\lim_{x\to 1+}(x+1+a)=2+a$

따라서 $2+a=-1$이므로 $a=-3$

$a=-3$을 ㉠에 대입하면 $b=-1$

❸ $a+b$의 값 구하기

$\therefore a+b=(-3)+(-1)=-4$

답 -4

해법 다항함수 $f(x)$, $g(x)$에 대하여 함수 $h(x)=\begin{cases} f(x) & (x\geq a) \\ g(x) & (x<a) \end{cases}$ 가 $x=a$에서 미분가능하면

❶ 함수 $h(x)$는 $x=a$에서 연속이므로 $\displaystyle\lim_{x\to a-}g(x)=f(a)$

❷ $x=a$에서의 함수 $h(x)$의 미분계수가 존재하므로 $\displaystyle\lim_{x\to a+}\frac{f(x)-f(a)}{x-a}=\lim_{x\to a-}\frac{g(x)-g(a)}{x-a}$

| 정답과 해설 27쪽 |

04-1 함수 $f(x)=\begin{cases} ax^2+2x+b & (x\geq 0) \\ 3x^2+ax+1 & (x<0) \end{cases}$ 이 $x=0$에서 미분가능할 때, $f(1)+f'(-1)$의 값을 구하시오.

(단, a, b는 상수)

대표 유형 **05** 관계식이 주어질 때 도함수 구하기   ↻ 유형 해결의 법칙 52쪽 유형 16

> 미분가능한 함수 $f(x)$가 모든 실수 x, y에 대하여 $f(x+y)=f(x)+f(y)+xy$를 만족시킬 때, 다음 물음에 답하시오.
>
> (1) $f(0)$의 값을 구하시오.
> (2) $f'(0)=3$일 때, $f'(x)$를 구하시오.

풀이 (1) 주어진 식의 양변에 $x=0$, $y=0$을 대입하여 $f(0)$의 값 구하기

모든 실수 x, y에 대하여 $f(x+y)=f(x)+f(y)+xy$이므로
$f(x+y)=f(x)+f(y)+xy$의 양변에 $x=0$, $y=0$을 대입하면
$f(0)=f(0)+f(0)$
$\therefore f(0)=0$

(2) ❶ 미분계수의 정의 이용하기

(1)에서 $f(0)=0$이므로
$$f'(0)=\lim_{h \to 0}\frac{f(0+h)-f(0)}{h}=\lim_{h \to 0}\frac{f(h)}{h}=3 \qquad \cdots\cdots \text{㉠}$$

❷ 주어진 식에 y 대신 h를 대입한 식을 이용하여 $f'(x)$ 구하기

또, $f'(x)$를 구하기 위하여 주어진 식에 y 대신 h를 대입하면
$f(x+h)=f(x)+f(h)+xh$이므로
$$f'(x)=\lim_{h \to 0}\frac{f(x+h)-f(x)}{h}=\lim_{h \to 0}\frac{f(x)+f(h)+xh-f(x)}{h}$$
$$=\lim_{h \to 0}\frac{f(h)+xh}{h}=\lim_{h \to 0}\left\{\frac{f(h)}{h}+x\right\}$$
$$=x+3 \ (\because \text{㉠})$$

답 (1) 0   (2) $f'(x)=x+3$

해법 x, y에 대한 관계식이 주어질 때
❶ 주어진 관계식의 x, y에 적당한 수를 대입하여 $f(0)$의 값 구하기
❷ 주어진 관계식을 $f'(x)=\lim_{h \to 0}\dfrac{f(x+h)-f(x)}{h}$에 대입하여 $f'(x)$ 구하기

| 정답과 해설 27쪽 |

05-1   미분가능한 함수 $f(x)$가 모든 실수 x, y에 대하여 $f(x+y)=f(x)+f(y)-2xy$를 만족시킨다. $f'(0)=0$일 때, $f'(x)$를 구하시오.

대표 유형 06 미분법과 다항식의 나눗셈

↻ 유형 해결의 법칙 53쪽 유형 18

다항식 $x^3-6ax+b$가 $(x+a)^2$으로 나누어떨어질 때, 상수 a, b의 값을 각각 구하시오. (단, $a>0$)

풀이

❶ a, b 사이의 관계식 구하기

다항식 $x^3-6ax+b$를 $(x+a)^2$으로 나누었을 때의 몫을 $Q(x)$라 하면

$x^3-6ax+b=(x+a)^2Q(x)$ $\qquad$ ……㉠

㉠의 양변에 $x=-a$를 대입하면

$-a^3+6a^2+b=0$ $\qquad \therefore b=a^3-6a^2$ $\qquad$ ……㉡

❷ 미분을 이용하여 a의 값 구하기

㉠의 양변을 x에 대하여 미분하면

$3x^2-6a=2(x+a)Q(x)+(x+a)^2Q'(x)$

위 식의 양변에 $x=-a$를 대입하면

$3a^2-6a=0$ $\qquad \therefore a=2 \, (\because a>0)$

❸ b의 값 구하기

$a=2$를 ㉡에 대입하면 $b=8-24=-16$

답 $a=2, \, b=-16$

해법 다항식 $f(x)$가 $(x-a)^2$으로 나누어떨어지면
➡ $f(x)=(x-a)^2Q(x)$로 놓고 $f(a)=0, \, f'(a)=0$임을 이용한다.

| 정답과 해설 28쪽 |

06-1 다항식 $2x^3+3ax+b$가 $(x-1)^2$으로 나누어떨어질 때, 상수 a, b에 대하여 ab의 값을 구하시오.

06-2 다항식 x^5+ax^2+bx를 $(x+1)^2$으로 나누었을 때의 나머지가 $2x+3$일 때, 상수 a, b에 대하여 $a+b$의 값을 구하시오.

유형 확인

1-1 미분가능한 함수 $y=f(x)$의 그래프 위의 점 P$(2, 5)$에서의 접선의 기울기가 -2일 때,
$\displaystyle\lim_{h \to 0} \frac{f(2-3h)-5}{h}$의 값을 구하시오.

한번 더 **확인**

1-2 미분가능한 함수 $y=f(x)$의 그래프 위의 점 P$(3, -2)$에서의 접선의 기울기가 2이고,
$\displaystyle\lim_{h \to 0} \frac{f(3+ah)-f(3-bh)}{h}=10$일 때, 상수 a, b
에 대하여 $a+b$의 값을 구하시오.

2-1 미분가능한 함수 $f(x)$에 대하여 $f(1)=4$, $f'(1)=3$일 때, $\displaystyle\lim_{x \to 1} \frac{(x^2-1)f(1)-f(x^2)+f(1)}{x-1}$
의 값을 구하시오.

2-2 미분가능한 함수 $f(x)$에 대하여 $f(2) \neq 0$이고,
$\displaystyle\lim_{x \to 4} \frac{\{f(\sqrt{x})\}^2+f(\sqrt{x})}{x^2-16}=1$일 때, $f'(2)$의 값을
구하시오.

3-1 함수 $y=f(x)$의 그래프가 오른쪽 그림과 같을 때, 열린구간 $(-2, 3)$에서 함수 $f(x)$가 불연속인
x의 값은 m개, 미분가능하지 않은 x의 값은 n개이다. 이때, $m+n$의 값을 구하시오.

3-2 함수 $y=f(x)$의 그래프가 오른쪽 그림과 같을 때, 열린구간 $(0, 6)$에서 함수 $f(x)$에 대한 설명으로 옳은 것은?

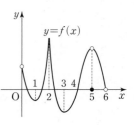

① $\displaystyle\lim_{x \to 5} f(x)=f(5)$이다.

② $f'(x)=0$인 점은 4개이다.

③ 함수 $f(x)$가 불연속인 점은 3개이다.

④ $\displaystyle\lim_{x \to 4} \frac{f(x)-f(4)}{x-4}>0$이다.

⑤ 함수 $f(x)$가 미분가능하지 않은 점은 1개이다.

3
미분계수와 도함수

유형 확인

4-1 함수 $f(x)$가 미분가능할 때, 도함수의 정의를 이용하여 함수 $y=\sqrt{f(x)}$의 도함수를 구하시오.

한번 더 확인

4-2 함수 $f(x)$가 미분가능할 때, 도함수의 정의를 이용하여 함수 $y=\dfrac{1}{f(x)}$의 도함수를 구하고, 이를 이용하여 함수 $g(x)=\dfrac{1}{x^2+1}$에 대하여 $g'(1)$의 값을 구하시오.

5-1 두 다항함수 $f(x)$, $g(x)$가
$$\lim_{x\to 2}\frac{f(x)-3}{x-2}=2,\quad \lim_{h\to 0}\frac{g(2+h)+5}{h}=1$$
을 만족시킬 때, 함수 $y=f(x)g(x)$의 $x=2$에서의 미분계수를 구하시오.

5-2 두 다항함수 $f(x)$, $g(x)$에 대하여 $g(1)=2f(1)$, $f'(1)=f(1)-1$, $g'(1)-f'(1)=2$이고, 함수 $y=\{f(x)\}^2 g(x)$의 $x=1$에서의 미분계수가 0일 때, $f(1)$의 값을 구하시오. (단, $f(1)\neq 0$)

6-1 함수 $f(x)=(x^3-x^2+x)^3$일 때,
$$\lim_{n\to\infty}n\left\{f\left(1+\frac{1}{n}\right)-f(1)\right\}$$
의 값을 구하시오.

6-2 함수 $f(x)=x^3-2x+1$에 대하여
$$\lim_{n\to\infty}n\left\{f\left(2+\frac{a}{n}\right)-5\right\}=20$$
일 때, 상수 a의 값을 구하시오.

7-1 함수 $f(x)=x^3+ax^2+bx$가 $\lim\limits_{x\to 1}\dfrac{f(x)-3}{x-1}=3$을 만족시킬 때, 두 상수 a, b에 대하여 $a+b$의 값을 구하시오.

7-2 함수 $f(x)=x^3+ax^2+b$에 대하여
$$\lim_{h\to 0}\frac{f(2+2h)-4}{h}=12$$
일 때, $f(-2)$의 값을 구하시오. (단, a, b는 상수)

8-1 함수 $f(x)=\begin{cases} x^4+a & (x\geq 1) \\ ax^2+a-b & (x<1) \end{cases}$ 가 $x=1$에서 미분가능할 때, 상수 a, b에 대하여 $a+b$의 값을 구하시오.

8-2 함수 $f(x)=\begin{cases} 1-x & (x<0) \\ x^2+a & (0\leq x<2) \\ b(x^2-1)+c & (x\geq 2) \end{cases}$ 가 실수 전체의 집합에서 연속이고 미분가능하지 않은 점이 단 한 개 존재한다고 할 때, 상수 a, b, c에 대하여 $a+b-c$의 값을 구하시오.

9-1 미분가능한 함수 $f(x)$가 모든 실수 x, y에 대하여 $f(x+y)=f(x)+f(y)+axy$를 만족시킨다. $f'(x)=3x-2$일 때, 상수 a의 값을 구하시오.

9-2 미분가능한 함수 $f(x)$가 모든 실수 x, y에 대하여 다음 두 조건을 만족시킬 때, $f'(0)$의 값을 구하시오.

> ㈎ $f(x+y)=f(x)+f(y)+4xy-1$
> ㈏ $\displaystyle\lim_{x\to 2}\frac{f(x)}{x-2}=3$

10-1 모든 실수 x에 대하여 $2f(x)+3x=(x+2)f'(x)$, $f(0)=1$을 만족시키는 이차함수 $f(x)$를 구하시오.

10-2 이차함수 $f(x)$가 모든 실수 x에 대하여 $(x+2)f'(x)-2f(x)-14=0$ 을 만족시키고 $f(0)=-3$일 때, $f'(1)$의 값을 구하시오.

11-1 다항식 $2x^3+3ax+b$가 $(x-1)^2$으로 나누어떨어질 때, 상수 a, b에 대하여 ab의 값을 구하시오.

11-2 다항식 x^4-3x^3+8x를 $(x-2)^2$으로 나누었을 때의 나머지를 $R(x)$라 할 때, $R(4)$의 값을 구하시오.

4 도함수의 활용 (1)

단원 학습목표

이 단원에서는 무엇을 공부해요?

접선의 방정식을 구하는 방법을 배울 거야.
특히, 이 단원에서는 접점의 좌표가 주어진 경우, 기울기가 주어진 경우, 곡선 밖의 한 점이 주어진 경우에 접선의 방정식을 어떻게 구하는지 확실히 구분해서 알아두자. 또, 롤의 정리와 평균값 정리를 배워!

접선의 방정식은 기억나요! 이 단원에서는 더 자세히 배우는 군요!
롤의 정리, 평균값 정리도 빨리 배우고 싶어요.

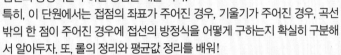

개념 & 유형 map

1. 접선의 방정식

개념 01	접선의 방정식
개념 02	접선의 방정식 구하기 – 접점의 좌표가 주어진 경우
개념 03	접선의 방정식 구하기 – 기울기가 주어진 경우
개념 04	접선의 방정식 구하기 – 곡선 밖의 한 점의 좌표가 주어진 경우

유형 01 접선의 기울기
유형 02 접점의 좌표가 주어진 접선의 방정식
유형 03 기울기가 주어진 접선의 방정식
유형 04 접선을 이용한 미정계수의 결정
유형 06 두 곡선의 공통인 접선
유형 05 곡선 밖의 한 점에서 그은 접선의 방정식

2. 평균값 정리

| 개념 01 | 롤의 정리 |
| 개념 02 | 평균값 정리 |

유형 01 롤의 정리
유형 02 평균값 정리

1 접선의 방정식

개념 01 접선의 방정식

함수 $f(x)$가 $x=a$에서 미분가능할 때, 곡선 $y=f(x)$ 위의 점 $\mathrm{P}(a, f(a))$
에서의 접선의 방정식은

$$y-f(a)=\underbrace{f'(a)}_{\text{기울기}}(x-a)$$

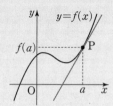

설명
함수 $f(x)$가 $x=a$에서 미분가능할 때, 곡선 $y=f(x)$ 위의 점
$\mathrm{P}(a, f(a))$에서의 접선에 수직이고 점 P를 지나는 직선의 방정식은

$$y-f(a)=\underbrace{-\frac{1}{f'(a)}}(x-a) \text{ (단, } f'(a)\neq0)$$

$$\rightarrow f'(a)\times\left\{-\frac{1}{f'(a)}\right\}=-1 \ (\because \text{ (수직인 두 직선의 기울기의 곱)}=-1)$$

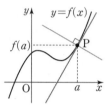

예
1. 곡선 $y=x^2-9x+7$ 위의 점 $(2, -7)$에서의 접선의 방정식을 구해 보자.
   $f(x)=x^2-9x+7$로 놓으면 $f'(x)=2x-9$
   곡선 $y=f(x)$ 위의 점 $(2, -7)$에서의 접선의 기울기는 $f'(2)$이므로
   $f'(2)=2\times2-9=-5$
   따라서 구하는 접선의 방정식은
   $y-(-7)=-5(x-2)$ $\therefore y=-5x+3$

2. 곡선 $y=x^3-2x^2$ 위의 점 $(1, -1)$에서의 접선에 수직이고 이 점을 지나는 직선의 방정식을 구해 보자.
   $f(x)=x^3-2x^2$으로 놓으면 $f'(x)=3x^2-4x$
   곡선 $y=f(x)$ 위의 점 $(1, -1)$에서의 접선의 기울기는 $f'(1)=3\times1^2-4\times1=-1$이
   므로 접선에 수직인 직선의 기울기는 1이다.
   따라서 구하는 직선의 방정식은
   $y-(-1)=1\times(x-1)$ $\therefore y=x-2$

> **Lecture** 곡선 $y=f(x)$ 위의 점 $(a, f(a))$에서의 접선의 기울기 ➡ $f'(a)$

| 정답과 해설 33쪽 |

개념 확인 1 다음 곡선 위의 주어진 점에서의 접선의 기울기를 구하시오.

(1) $y=3x^2-5x+1$ $(1, -1)$　　　　　(2) $y=2x^3-3x^2-3$ $(2, 1)$

(3) $y=2x^4-5x^2+2$ $(-1, -1)$　　　　(4) $y=x^4-x^3-x^2+5$ $(1, 4)$

개념 02 접선의 방정식 구하기 – 접점의 좌표가 주어진 경우

곡선 $y=f(x)$ 위의 한 점 $(a, f(a))$가 주어질 때

(ⅰ) 접선의 기울기 $f'(a)$를 구한다.

(ⅱ) $y-f(a)=f'(a)(x-a)$를 이용하여 접선의 방정식을 구한다.

예 | 곡선 $y=f(x)$ 위의 점 $(a, f(a))$에서의 접선의 방정식을 구해 보자.

$f(x)$	접점 $(a, f(a))$	$f'(x)$	접선의 기울기 $f'(a)$	접선의 방정식 $y-f(a)=f'(a)(x-a)$
(1) $f(x)=x^2+2$	$(1, 3)$	$f'(x)=2x$	$f'(1)=2$	$y-3=2(x-1)$ $\therefore y=2x+1$
(2) $f(x)=2x^2-x$	$(2, 6)$	$f'(x)=4x-1$	$f'(2)=7$	$y-6=7(x-2)$ $\therefore y=7x-8$
(3) $f(x)=x^3-2x$	$(1, -1)$	$f'(x)=3x^2-2$	$f'(1)=1$	$y-(-1)=1\times(x-1)$ $\therefore y=x-2$
(4) $f(x)=x^3+3$	$(-1, 2)$	$f'(x)=3x^2$	$f'(-1)=3$	$y-2=3\{x-(-1)\}$ $\therefore y=3x+5$

Lecture | 접점의 좌표가 주어질 때
➡ 먼저 접선의 기울기를 구한다.

| 정답과 해설 33쪽 |

개념 확인 2 | 다음 곡선 위의 주어진 점에서의 접선의 방정식을 구하시오.

(1) $y=-x^2+2$ $(1, 1)$

(2) $y=2x^2-3x+1$ $(2, 3)$

(3) $y=x^3-2x+1$ $(-1, 2)$

(4) $y=-2x^3+4x+3$ $(-1, 1)$

개념 **03** 접선의 방정식 구하기 – 기울기가 주어진 경우

곡선 $y=f(x)$의 접선의 기울기 m이 주어질 때

(ⅰ) 접점의 좌표를 $(a, f(a))$로 놓는다. $\longrightarrow$ 미분계수 $f'(a)$의 기하적 의미

(ⅱ) $f'(a)=m$임을 이용하여 접점의 좌표를 구한다.

(ⅲ) $y-f(a)=m(x-a)$를 이용하여 접선의 방정식을 구한다.

예   곡선 $y=f(x)$에 접하고 기울기가 m인 직선의 방정식을 구해 보자.

$f(x)$	기울기 m	$f'(x)$	$f'(a)=m$ ➡ 접점 $(a, f(a))$	접선의 방정식 $y-f(a)=m(x-a)$
(1) $f(x)=x^2-2x$	4	$f'(x)=2x-2$	$2a-2=4$에서 $a=3$ ➡ $(3, 3)$	$y-3=4(x-3)$ $\therefore y=4x-9$
(2) $f(x)=2x^2+1$	-4	$f'(x)=4x$	$4a=-4$에서 $a=-1$ ➡ $(-1, 3)$	$y-3=-4\{x-(-1)\}$ $\therefore y=-4x-1$
(3) $f(x)=-x^2-3x$	-5	$f'(x)=-2x-3$	$-2a-3=-5$에서 $a=1$ ➡ $(1, -4)$	$y-(-4)=-5(x-1)$ $\therefore y=-5x+1$

Lecture   접선의 기울기가 주어질 때

➡ 먼저 접점의 좌표를 구한다.

| 정답과 해설 33쪽 |

개념 확인 **3**   다음 곡선에 접하고 기울기가 2인 직선의 방정식을 구하시오.

(1) $y=x^2-4x+1$

(2) $y=-2x^2+4x$

(3) $y=-x^3+5x+2$

개념 04 접선의 방정식 구하기 – 곡선 밖의 한 점의 좌표가 주어진 경우

곡선 $y=f(x)$ 밖의 한 점 (x_1, y_1)이 주어질 때

(ⅰ) 접점의 좌표를 $(a, f(a))$로 놓는다.

(ⅱ) 접선의 기울기 $f'(a)$를 구한다.　　→ 점 (x_1, y_1)이 접선 위에 있다.

(ⅲ) $y-f(a)=f'(a)(x-a)$에 <u>점 (x_1, y_1)의 좌표를 대입</u>하여 a의 값을 구한다.

(ⅳ) a의 값을 $y-f(a)=f'(a)(x-a)$에 대입하여 접선의 방정식을 구한다.

예 　 곡선 $y=f(x)$ 밖의 점 (x_1, y_1)에서 곡선에 그은 접선의 방정식을 구해 보자.

$\begin{cases} \text{점 } (x_1, y_1) \\ \text{곡선 } y=f(x) \end{cases}$	$\begin{cases} \text{점 } (0, 0) \\ \text{곡선 } f(x)=x^2+1 \end{cases}$	$\begin{cases} \text{점 } (0, -1) \\ \text{곡선 } f(x)=x^2+x \end{cases}$
$f'(x)$	$f'(x)=2x$	$f'(x)=2x+1$
접점 $(a, f(a))$	(a, a^2+1)	(a, a^2+a)
$f'(a)$	$f'(a)=2a$	$f'(a)=2a+1$
$\begin{aligned} &y-f(a) \\ &=f'(a)(x-a) \quad \cdots\cdots \text{㉠} \end{aligned}$	$\begin{aligned} &y-(a^2+1) \\ &=2a(x-a) \quad \cdots\cdots \text{㉠} \end{aligned}$	$\begin{aligned} &y-(a^2+a) \\ &=(2a+1)(x-a) \quad \cdots\cdots \text{㉠} \end{aligned}$
㉠에 점 (x_1, y_1)의 좌표를 대입하여 a의 값 구하기	㉠에 점 $(0, 0)$의 좌표를 대입하면 $$-(a^2+1)=2a\times(-a)$$ $$-a^2-1=-2a^2$$ $$a^2=1 \quad \therefore a=\pm1$$	㉠에 점 $(0, -1)$의 좌표를 대입하면 $$-1-(a^2+a)$$ $$=(2a+1)\times(-a)$$ $$-a^2-a-1=-2a^2-a$$ $$a^2=1 \quad \therefore a=\pm1$$
접선의 방정식 구하기 (㉠에 a의 값 대입)	(ⅰ) $a=-1$일 때 $$y-2=-2(x+1)$$ $$\therefore y=-2x$$ (ⅱ) $a=1$일 때 $$y-2=2(x-1)$$ $$\therefore y=2x$$	(ⅰ) $a=-1$일 때 $$y-0=-1\times(x+1)$$ $$\therefore y=-x-1$$ (ⅱ) $a=1$일 때 $$y-2=3(x-1)$$ $$\therefore y=3x-1$$

> **Lecture**
> 곡선 밖의 한 점이 주어질 때
> ➡ 먼저 접점의 좌표를 구한다.

| 정답과 해설 33쪽 |

개념 확인 4 　점 $(1, 4)$에서 곡선 $y=-x^2-x+2$에 그은 접선의 방정식을 구하시오.

두 곡선의 공통인 접선

두 곡선의 공통인 접선에 대하여 알아보자.

(1) 점 (a, b)에서 접할 때

곡선 $y=f(x)$ 위의 점 $(a, f(a))$에서의 접선과 곡선 $y=g(x)$ 위의
점 $(a, g(a))$에서의 접선이 일치할 때

❶ $x=a$에서의 함숫값이 같다.

즉, $f(a)=g(a)=b$

❷ $x=a$에서의 접선의 기울기가 같다.

즉, $f'(a)=g'(a)$

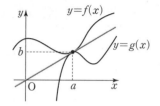

(2) 접점이 서로 다를 때

곡선 $y=f(x)$ 위의 점 $(a, f(a))$에서의 접선과 곡선 $y=g(x)$ 위의
점 $(b, g(b))$에서의 접선이 일치할 때

$$\frac{g(b)-f(a)}{b-a}=f'(a)=g'(b) \text{ (단, } a \neq b)$$

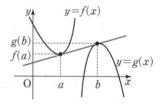

(3) 두 곡선의 교점 (a, b)에서의 접선이 서로 수직일 때

곡선 $y=f(x)$ 위의 점 $(a, f(a))$에서의 접선과 곡선 $y=g(x)$ 위의
점 $(a, g(a))$에서의 접선이 서로 수직일 때

❶ $x=a$에서의 함숫값이 같다.

즉, $f(a)=g(a)=b$

❷ $x=a$에서의 두 접선의 기울기의 곱은 -1이다.

즉, $f'(a) \times g'(a) = -1$ (단, $f'(a) \neq 0$, $g'(a) \neq 0$)

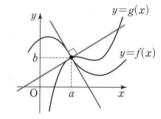

> **Lecture**
>
> 두 함수 $f(x)$, $g(x)$가 미분가능할 때, 두 곡선 $y=f(x)$, $y=g(x)$가
> (1) 점 (a, b)에서 접할 조건
> ❶ $f(a)=g(a)=b$
> ❷ $f'(a)=g'(a)$
> (2) 점 (a, b)에서 만나고, 이 점에서의 접선이 서로 수직일 조건
> ❶ $f(a)=g(a)=b$
> ❷ $f'(a) \times g'(a) = -1$ (단, $f'(a) \neq 0$, $g'(a) \neq 0$)

개념 check

1-1 곡선 $y=2x^2-7x+3$ 위의 점 $(1, -2)$에서의 접선의 기울기를 구하시오.

연구 $f(x)=2x^2-7x+3$으로 놓으면

$f'(x)=4x-7$

곡선 $y=f(x)$ 위의 점 $(1, -2)$에서의 접선의 기울기는 $f'(\boxed{})$이므로

$f'(1)=\boxed{}$

스스로 check

1-2 곡선 $y=x^4+5x-5$ 위의 점 $(-2, 1)$에서의 접선의 기울기를 구하시오.

2-1 다음 곡선 위의 주어진 점에서의 접선의 방정식을 구하시오.

(1) $y=x^2-3x+4$ $(1, 2)$

(2) $y=2x^3-x^2+x+1$ $(0, 1)$

연구 (1) $f(x)=x^2-3x+4$로 놓으면 $f'(x)=\boxed{}$이므로 점 $(1, 2)$에서의 접선의 기울기는

$f'(1)=\boxed{}$

따라서 구하는 접선의 방정식은

$y-2=\boxed{}\times(x-1)$

$\therefore y=-x+3$

(2) $f(x)=2x^3-x^2+x+1$로 놓으면

$f'(x)=\boxed{}$이므로 점 $(0, 1)$에서의 접선의 기울기는 $f'(0)=\boxed{}$

따라서 구하는 접선의 방정식은

$y-1=\boxed{}\times(x-0)$

$\therefore y=x+1$

2-2 다음 곡선 위의 주어진 점에서의 접선의 방정식을 구하시오.

(1) $y=x^2+3x-1$ $(0, -1)$

(2) $y=x^3-3x^2+5$ $(1, 3)$

4 도함수의 활용 (1)

정답과 해설 34쪽

개념 check

3-1 곡선 $y=3x^2-5x+2$에 접하고 기울기가 1인 직선의 방정식을 구하시오.

연구 $f(x)=3x^2-5x+2$로 놓으면

$f'(x)=6x-5$

접점의 좌표를 $(a,\ \boxed{})$라 하면 접선의 기울기가 1이므로 $f'(a)=6a-5=\boxed{}$에서

$a=1$

따라서 접점의 좌표는 $\boxed{}$이므로 구하는 접선의 방정식은

$y-\boxed{}=x-1$

$\therefore \boxed{}$

스스로 check

3-2 곡선 $y=x^3+x+4$에 접하고 기울기가 1인 직선의 방정식을 구하시오.

4-1 점 $(2,\ 7)$에서 곡선 $y=-x^2+2x+3$에 그은 접선의 방정식을 구하시오.

연구 $f(x)=-x^2+2x+3$으로 놓으면

$f'(x)=-2x+2$

접점의 좌표를 $(a,\ \boxed{})$이라 하면 이 점에서의 접선의 기울기는 $f'(a)=-2a+2$이므로 접선의 방정식은

$y-(\boxed{})=(-2a+2)(x-a)$

$\therefore y=(-2a+2)x+a^2+3$ ······㉠

이 직선이 점 $(2,\ 7)$을 지나므로

$7=2(-2a+2)+a^2+3,\ a^2-4a=0$

$a(a-4)=0$ $\therefore a=0$ 또는 $a=4$

따라서 $a=0,\ a=4$를 ㉠에 각각 대입하면 구하는 접선의 방정식은

$\boxed{}$ 또는 $\boxed{}$

4-2 점 $(0,\ 2)$에서 곡선 $y=x^3-2x$에 그은 접선의 방정식을 구하시오.

 대표 유형 01 접선의 기울기 ↻ 유형 해결의 법칙 62쪽 유형 01

곡선 $y=3x^3+ax^2+bx+3$ 위의 점 $(-1, 2)$에서의 접선의 기울기가 9일 때, 상수 a, b에 대하여 ab의 값을 구하시오.

풀이

❶ 점 $(-1, 2)$가 곡선 위의 점임을 이용하기

$f(x)=3x^3+ax^2+bx+3$으로 놓으면 $f'(x)=9x^2+2ax+b$

점 $(-1, 2)$가 곡선 $y=f(x)$ 위의 점이므로

$f(-1)=-3+a-b+3=2$

$\therefore a-b=2$ ······㉠

❷ 접선의 기울기 이용하기

곡선 $y=f(x)$ 위의 점 $(-1, 2)$에서의 접선의 기울기가 9이므로

$f'(-1)=9-2a+b=9$

$\therefore 2a-b=0$ ······㉡

❸ ab의 값 구하기

㉠, ㉡을 연립하여 풀면 $a=-2$, $b=-4$

$\therefore ab=-2\times(-4)=8$

답 8

해법 곡선 $y=f(x)$ 위의 점 (a, b)에서의 접선의 기울기가 m이면

➡ $f'(a)=m$

| 정답과 해설 34쪽 |

01-1 곡선 $y=ax^2+bx+c$ 위의 점 $(0, 10)$에서의 접선의 기울기가 -5이다. 이 곡선이 점 $(1, 12)$를 지날 때, 상수 a, b, c에 대하여 $a-b+c$의 값을 구하시오. (단, $a\neq0$)

01-2 곡선 $y=ax^4+bx^2$ 위의 두 점 $(-1, -1)$, $(1, k)$에서의 접선의 기울기가 서로 같을 때, 상수 a, b, k에 대하여 $\dfrac{bk}{a}$의 값을 구하시오. (단, $a\neq0$)

4 도함수의 활용 (1)

대표 유형 02 접점의 좌표가 주어진 접선의 방정식

↪ 유형 해결의 법칙 62, 63쪽 유형 02, 03

> 곡선 $y=-x^3-2x^2+3$에 대하여 다음 물음에 답하시오.
>
> (1) 곡선 위의 점 $(-1, 2)$에서의 접선의 방정식을 구하시오.
>
> (2) 곡선 위의 점 $(-1, 2)$를 지나고 이 점에서의 접선과 수직인 직선의 방정식을 구하시오.

풀이 (1) ❶ 점 $(-1, 2)$에서의 접선의 기울기 구하기

$f(x)=-x^3-2x^2+3$으로 놓으면 $f'(x)=-3x^2-4x$

곡선 $y=f(x)$ 위의 점 $(-1, 2)$에서의 접선의 기울기는

$f'(-1)=-3+4=1$

❷ 점 $(-1, 2)$에서의 접선의 방정식 구하기

따라서 구하는 접선의 방정식은

$y-2=1\times\{x-(-1)\}$

$\therefore y=x+3$

(2) ❶ 접선과 수직인 직선의 기울기 구하기

점 $(-1, 2)$에서의 접선의 기울기가 1이므로 이 접선과 수직인 직선의 기울기는 -1이다.

❷ 접선과 수직인 직선의 방정식 구하기

따라서 구하는 직선의 방정식은

$y-2=-1\times\{x-(-1)\}$

$\therefore y=-x+1$

> 두 직선 $y=mx+n$, $y=m'x+n'$이 서로 수직이면 $mm'=-1$이야. ☺

탑 (1) $y=x+3$ (2) $y=-x+1$

해법 곡선 $y=f(x)$ 위의 점 (a, b)에서의 접선의 방정식

❶ 접선의 기울기 $f'(a)$를 구한다.

❷ $y-b=f'(a)(x-a)$를 이용하여 접선의 방정식을 구한다.

| 정답과 해설 34쪽 |

02-1 곡선 $y=-x^2+4x-1$에 대하여 다음 물음에 답하시오.

(1) 곡선 위의 점 $(1, 2)$에서의 접선의 방정식을 구하시오.

(2) 곡선 위의 점 $(1, 2)$를 지나고 이 점에서의 접선과 수직인 직선의 방정식을 구하시오.

대표 유형 03 기울기가 주어진 접선의 방정식

↻ 유형 해결의 법칙 64쪽 유형 06

다음 물음에 답하시오.

(1) 곡선 $y=x^3-8x$에 접하고 직선 $y=4x$에 평행한 직선의 방정식을 구하시오.

(2) 곡선 $y=2x^2-3x-1$에 접하고 직선 $y=-x$에 수직인 직선의 방정식을 구하시오.

풀이 (1) ❶ 접점의 x좌표 구하기

$f(x)=x^3-8x$로 놓으면 $f'(x)=3x^2-8$

접점의 좌표를 (a, a^3-8a)라 하면 직선 $y=4x$에 평행한 접선의 기울기는 4이므로

$f'(a)=3a^2-8=4$, $a^2=4$

$\therefore a=-2$ 또는 $a=2$

❷ 접선의 방정식 구하기

따라서 접점의 좌표는 $(-2, 8)$ 또는 $(2, -8)$이므로 구하는 접선의 방정식은

$y-8=4\{x-(-2)\}$ 또는 $y-(-8)=4(x-2)$

$\therefore y=4x+16$ 또는 $y=4x-16$

(2) ❶ 접점의 x좌표 구하기

$f(x)=2x^2-3x-1$로 놓으면 $f'(x)=4x-3$

접점의 좌표를 $(a, 2a^2-3a-1)$이라 하면 직선 $y=-x$에 수직인 접선의 기울기는 1이므로

$f'(a)=4a-3=1$ $\therefore a=1$

❷ 접선의 방정식 구하기

따라서 접점의 좌표는 $(1, -2)$이므로 구하는 접선의 방정식은

$y-(-2)=x-1$

$\therefore y=x-3$

目 (1) $y=4x+16$ 또는 $y=4x-16$ (2) $y=x-3$

해법 곡선 $y=f(x)$에 접하고 기울기가 m인 직선의 방정식
➡ 접점의 좌표를 $(a, f(a))$로 놓고 $f'(a)=m$임을 이용하여 접점의 좌표를 구한다.

| 정답과 해설 35쪽 |

03-1 곡선 $y=x^2-4x+3$에 접하고 직선 $y=2x-7$에 평행한 직선의 방정식을 구하시오.

03-2 곡선 $y=-x^2+4x+6$에 접하고 직선 $x-2y+1=0$에 수직인 직선의 방정식을 구하시오.

4 도함수의 활용 (1)

대표 유형 **04** **접선을 이용한 미정계수의 결정**
↻ 유형 해결의 법칙 65쪽 유형 08

> 곡선 $y=x^3+ax-3$ 위의 점 $(1, b)$에서의 접선의 방정식이 $y=2x+c$일 때, 상수 a, b, c에 대하여 $a-b+c$의 값을 구하시오.

풀이

❶ 점 $(1, b)$가 곡선 위의 점임을 이용하기

점 $(1, b)$가 곡선 $y=x^3+ax-3$ 위의 점이므로
$b=1+a-3$ ∴ $a-b=2$ ……㉠

❷ a의 값 구하기

$f(x)=x^3+ax-3$으로 놓으면 $f'(x)=3x^2+a$
점 $(1, b)$에서의 접선의 방정식이 $y=2x+c$이므로 점 $(1, b)$에서의 접선의 기울기는 2이다.
따라서 $f'(1)=3+a=2$이므로 $a=-1$

❸ b의 값 구하기

$a=-1$을 ㉠에 대입하면 $b=-3$

❹ c의 값 구하기

이때, 점 $(1, -3)$이 직선 $y=2x+c$ 위의 점이므로
$-3=2+c$ ∴ $c=-5$

❺ $a-b+c$의 값 구하기

∴ $a-b+c=(-1)-(-3)+(-5)=-3$

답 -3

> **해법** 곡선 $y=f(x)$ 위의 점 (a, b)에서의 접선의 방정식이 $y=mx+n$일 때
> ➡ $f(a)=b, f'(a)=m$

| 정답과 해설 35쪽 |

04-1 곡선 $y=x^3+ax+1$ 위의 점 $(-2, b)$에서의 접선의 방정식이 $y=9x+c$일 때, 상수 a, b, c에 대하여 $a-b+c$의 값을 구하시오.

04-2 곡선 $y=x^3+ax+b$ 위의 점 $(2, c)$에서의 접선의 방정식이 $y=2x+3$일 때, 곡선 위의 점 $(1, 1+a+b)$에서의 접선의 방정식을 구하시오. (단, a, b, c는 상수)

대표 유형 **05** **곡선 밖의 한 점에서 그은 접선의 방정식**

유형 해결의 법칙 66쪽 유형 09

점 $(0, -4)$에서 곡선 $y = x^2 - 3$에 그은 두 접선의 기울기의 곱을 구하시오.

풀이

❶ 접점의 좌표를 $(a, a^2 - 3)$으로 놓고 접선의 방정식 구하기

$f(x) = x^2 - 3$으로 놓으면 $f'(x) = 2x$

접점의 좌표를 $(a, a^2 - 3)$이라 하면 이 점에서의 접선의 기울기는 $f'(a) = 2a$이므로 접선의 방정식은

$y - (a^2 - 3) = 2a(x - a)$ $\therefore y = 2ax - a^2 - 3$

점 $(0, -4)$는 곡선 위에 있는 점이 아니므로 접선의 기울기는 $f'(0)$이 아니야.

❷ 접점의 x좌표 구하기

이 직선이 점 $(0, -4)$를 지나므로

$-4 = -a^2 - 3$, $a^2 = 1$ $\therefore a = -1$ 또는 $a = 1$

❸ 두 접선의 기울기의 곱 구하기

따라서 두 접선의 기울기의 곱은

$f'(-1)f'(1) = -2 \times 2 = -4$

답 -4

해법 곡선 $y = f(x)$ 밖의 한 점 (x_1, y_1)에서 곡선에 그은 접선의 방정식
➡ 접점의 좌표를 $(a, f(a))$로 놓고 접선이 점 (x_1, y_1)을 지남을 이용하여 a의 값을 구한다.

| 정답과 해설 35쪽 |

05-1 점 $(3, 4)$에서 곡선 $y = x^2 - 2x + 2$에 그은 두 접선의 기울기의 곱을 구하시오.

05-2 점 $(0, -1)$에서 곡선 $y = -x^3 + 1$에 그은 접선이 점 $(-6, k)$를 지날 때, 상수 k의 값을 구하시오.

4 도함수의 활용 (1)

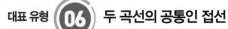

대표 유형 **06** **두 곡선의 공통인 접선**

↻ 유형 해결의 법칙 67쪽 유형 11

두 곡선 $y=x^3+ax$, $y=ax^2+bx+1$이 $x=-1$인 점에서 공통인 접선을 가질 때, 다음 물음에 답하시오. (단, a, b는 상수)

(1) a, b의 값을 각각 구하시오.
(2) 공통인 접선의 방정식을 구하시오.

풀이 (1)

❶ $f(-1)=g(-1)$임을 이용하기

$f(x)=x^3+ax$, $g(x)=ax^2+bx+1$로 놓으면
$f'(x)=3x^2+a$, $g'(x)=2ax+b$
두 곡선 $y=f(x)$, $y=g(x)$가 $x=-1$인 점에서 만나므로
$f(-1)=g(-1)$에서 $-1-a=a-b+1$
$\therefore 2a-b=-2$ ······㉠

❷ $f'(-1)=g'(-1)$임을 이용하기

$x=-1$인 점에서의 두 곡선의 접선의 기울기가 같으므로
$f'(-1)=g'(-1)$에서 $3+a=-2a+b$
$\therefore 3a-b=-3$ ······㉡

❸ a, b의 값 구하기

㉠, ㉡을 연립하여 풀면 $a=-1$, $b=0$

(2) 공통인 접선의 방정식 구하기

두 곡선 $y=x^3-x$, $y=-x^2+1$의 접점의 좌표가 $(-1, 0)$이고
접선의 기울기가 $f'(-1)=g'(-1)=2$이므로 구하는 접선의 방정식은
$y=2\{x-(-1)\}$ $\therefore y=2x+2$

🖺 (1) $a=-1$, $b=0$ (2) $y=2x+2$

해법 두 곡선 $y=f(x)$, $y=g(x)$가 $x=a$인 점에서 공통인 접선을 가지면
➡ $f(a)=g(a)$, $f'(a)=g'(a)$

| 정답과 해설 35쪽 |

06-1 두 곡선 $y=2x^2+ax+b$, $y=-x^3+cx$가 점 $(1, 3)$에서 공통인 접선을 가질 때, 이 접선의 방정식을 구하시오.

(단, a, b, c는 상수)

06-2 두 곡선 $y=x^3+2a$, $y=ax^2+bx$가 점 $(1, k)$에서 만나고, 이 점에서 두 곡선에 각각 그은 접선이 서로 수직일 때, 실수 k의 값을 구하시오. (단, a, b는 상수)

2 평균값 정리

| 개념 파헤치기 |

개념 01 롤의 정리

103쪽 원리 알아보기

함수 $f(x)$가 닫힌구간 $[a, b]$에서 연속이고 열린구간 (a, b)에서 미분가능할 때,
$f(a)=f(b)$이면
$$f'(c)=0$$
인 c가 열린구간 (a, b)에 적어도 하나 존재한다.

참고 함수 $f(x)$가 열린구간 (a, b)에서 미분가능하지 않으면 롤의 정리가 성립하지 않는 경우가 있다.

설명 롤의 정리는 곡선 $y=f(x)$에서 $f(a)=f(b)$이면 x축과 평행한 접선을 갖는 점이 열린구간 (a, b)에 적어도 하나 존재함을 의미한다.

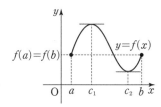

예 함수 $f(x)=-x^2+9$는 닫힌구간 $[-3, 3]$에서 연속이고 열린구간 $(-3, 3)$에서 미분가능하며 $f(-3)=f(3)=0$이다. 따라서 롤의 정리에 의하여 $f'(c)=0$인 c가 열린구간 $(-3, 3)$에 적어도 하나 존재한다. 실제로 $f'(c)=-2c=0$에서 $c=0$이고, $-3<0<3$이다.

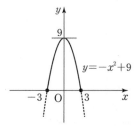

Lecture 닫힌구간 $[a, b]$에서 롤의 정리를 만족시키는 상수 c의 값
➡ $f'(c)=0$인 c $(a<c<b)$를 찾는다.

4 도함수의 활용 (1)

| 정답과 해설 36쪽 |

개념 확인 1 다음 함수에 대하여 주어진 닫힌구간에서 롤의 정리를 만족시키는 상수 c의 값을 구하시오.

(1) $f(x)=x^2-x-4$ $[-1, 2]$

(2) $f(x)=x^3-4x+1$ $[0, 2]$

개념 **02** 평균값 정리

103쪽 원리 알아보기

함수 $f(x)$가 닫힌구간 $[a, b]$에서 연속이고 열린구간 (a, b)에서 미분가능할 때,

$$\frac{f(b)-f(a)}{b-a}=f'(c)$$

— 두 점 $(a, f(a))$, $(b, f(b))$를 잇는 직선의 기울기
— 곡선 $y=f(x)$ 위의 점 $(c, f(c))$에서의 접선의 기울기

인 c가 열린구간 (a, b)에 적어도 하나 존재한다.

참고 평균값 정리에서 $f(a)=f(b)$인 경우가 롤의 정리이다.

설명 평균값 정리는 곡선 $y=f(x)$ 위의 두 점 $(a, f(a))$, $(b, f(b))$를 잇는 직선과 평행하고 곡선 $y=f(x)$에 접하는 직선이 열린구간 (a, b)에 적어도 하나 존재함을 의미한다.

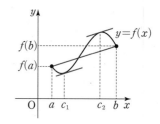

예 함수 $f(x)=x^2-2x-1$은 닫힌구간 $[0, 3]$에서 연속이고 열린구간 $(0, 3)$에서 미분가능하므로 평균값 정리에 의하여

$$\frac{f(3)-f(0)}{3-0}=\frac{2-(-1)}{3}=1=f'(c)$$

인 c가 열린구간 $(0, 3)$에 적어도 하나 존재한다.

실제로 $f'(c)=2c-2=1$에서 $c=\frac{3}{2}$이고, $0<\frac{3}{2}<3$이다.

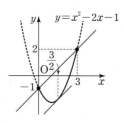

Lecture 닫힌구간 $[a, b]$에서 평균값 정리를 만족시키는 c의 값
➡ $\frac{f(b)-f(a)}{b-a}=f'(c)$인 c $(a<c<b)$를 찾는다.

| 정답과 해설 36쪽 |

개념 확인 2 다음 함수에 대하여 주어진 닫힌구간에서 평균값 정리를 만족시키는 상수 c의 값을 구하시오.

(1) $f(x)=x^2-3x$ $[0, 2]$

(2) $f(x)=x^3+2$ $[1, 3]$

롤의 정리, 평균값 정리의 증명

롤의 정리: 함수 $f(x)$가 닫힌구간 $[a, b]$에서 연속이고 열린구간 (a, b)에서 미분가능할 때,
$f(a)=f(b)$이면 $f'(c)=0$인 c가 열린구간 (a, b)에 적어도 하나 존재한다.

(i) 함수 $f(x)$가 상수함수인 경우

열린구간 (a, b)에 속하는 모든 c에 대하여 $f'(c)=0$

(ii) 함수 $f(x)$가 상수함수가 아닌 경우

함수 $f(x)$가 닫힌구간 $[a, b]$에서 연속이고 $f(a)=f(b)$이므로 $x=c\,(a<c<b)$에서 최댓값 또는 최솟값을 갖는다.

① $x=c$에서 최댓값을 가질 때

$a<c+h<b$를 만족시키는 임의의 h에 대하여 $f(c+h)\leq f(c)$이므로

$$\lim_{h\to 0-}\frac{f(c+h)-f(c)}{h}\geq 0 \qquad \cdots\cdots\bigcirc$$

$$\lim_{h\to 0+}\frac{f(c+h)-f(c)}{h}\leq 0 \qquad \cdots\cdots\bigcirc$$

한편, 함수 $f(x)$는 $x=c$에서 미분가능하므로 $x=c$에서의 좌극한과 우극한이 같다.

즉, $\bigcirc$, $\bigcirc$에서 $0\leq \lim_{h\to 0-}\dfrac{f(c+h)-f(c)}{h}=\lim_{h\to 0+}\dfrac{f(c+h)-f(c)}{h}\leq 0$이므로

$$f'(c)=\lim_{h\to 0}\frac{f(c+h)-f(c)}{h}=0$$

② $x=c$에서 최솟값을 가질 때

①과 같은 방법으로 $f'(c)=0$임을 보일 수 있다.

(i), (ii)에 의하여 $f'(c)=0$인 c가 열린구간 (a, b)에 적어도 하나 존재한다.

평균값 정리: 함수 $f(x)$가 닫힌구간 $[a, b]$에서 연속이고 열린구간 (a, b)에서 미분가능할 때,
$\dfrac{f(b)-f(a)}{b-a}=f'(c)$인 c가 열린구간 (a, b)에 적어도 하나 존재한다.

함수 $y=f(x)$의 그래프 위의 두 점 $(a, f(a))$, $(b, f(b))$를 지나는 직선의
방정식을 $y=g(x)$라 하면

$$g(x)=\frac{f(b)-f(a)}{b-a}(x-a)+f(a)$$

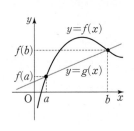

이때, $h(x)=f(x)-g(x)$라 하면 함수 $h(x)$는 닫힌구간 $[a, b]$에서 연속
이고 열린구간 (a, b)에서 미분가능하며 $h(a)=h(b)=0$이다.

따라서 롤의 정리에 의하여 $h'(c)=0$인 c가 열린구간 (a, b)에 적어도 하나 존재한다.

이때, $h'(c)=f'(c)-\dfrac{f(b)-f(a)}{b-a}=0$이므로

$$\frac{f(b)-f(a)}{b-a}=f'(c) \qquad\boxed{\quad g'(c)=\frac{f(b)-f(a)}{b-a}\quad}$$

인 c가 열린구간 (a, b)에 적어도 하나 존재한다.

개념 check

1-1 함수 $f(x)=x^2-6x+1$에 대하여 닫힌구간 $[1, 5]$에서 롤의 정리를 만족시키는 상수 c의 값을 구하시오.

연구 함수 $f(x)=x^2-6x+1$은 닫힌구간 $[1, 5]$에서 연속이고 열린구간 $(1, 5)$에서 ☐하며

$f(1)=f(5)=$ ☐ 이다.

따라서 롤의 정리에 의하여 $f'(c)=0$인 c가 열린구간 $(1, 5)$에 적어도 하나 존재한다.

이때, $f'(x)=2x-6$이므로

$f'(c)=2c-6=0$

$\therefore c=$ ☐

스스로 check

1-2 함수 $f(x)=x^3+x^2-4x-4$에 대하여 닫힌구간 $[-1, 2]$에서 롤의 정리를 만족시키는 상수 c의 값을 구하시오.

2-1 함수 $f(x)=-x^2+4x$에 대하여 닫힌구간 $[1, 2]$에서 평균값 정리를 만족시키는 상수 c의 값을 구하시오.

연구 함수 $f(x)=-x^2+4x$는 닫힌구간 $[1, 2]$에서 ☐

이고 열린구간 $(1, 2)$에서 미분가능하므로

평균값 정리에 의하여

$\dfrac{f(2)-f(1)}{2-1}=$ ☐ $=f'(c)$

인 c가 열린구간 ☐ 에 적어도 하나 존재한다.

이때, $f'(x)=-2x+4$이므로

$f'(c)=$ ☐ $=1$

$\therefore c=$ ☐

2-2 함수 $f(x)=x^2-2$에 대하여 닫힌구간 $[-2, 1]$에서 평균값 정리를 만족시키는 상수 c의 값을 구하시오.

대표 유형 ①① 롤의 정리 ↻ 유형 해결의 법칙 68쪽 유형 13

> 함수 $f(x)=x^3+x^2-x+2$에 대하여 닫힌구간 $[-a,\,a]$에서 롤의 정리를 만족시키는 상수 c의 값과
> 양의 정수 a의 값을 각각 구하시오.

풀이

❶ a의 값 구하기

함수 $f(x)=x^3+x^2-x+2$는 닫힌구간 $[-a,\,a]$에서 연속이고 열린구간 $(-a,\,a)$에서 미분가능하다.

이때, 닫힌구간 $[-a,\,a]$에서 롤의 정리를 만족시키려면 $f(-a)=f(a)$이어야 하므로
$$-a^3+a^2+a+2=a^3+a^2-a+2$$
$$2a^3-2a=0,\ a(a+1)(a-1)=0$$
$$\therefore a=1\ (\because a\text{는 양의 정수})$$

❷ c의 값 구하기

따라서 롤의 정리에 의하여 $f'(c)=0$인 c가 열린구간 $(-1,\,1)$에 적어도 하나 존재한다.

이때, $f'(x)=3x^2+2x-1$이므로
$$f'(c)=3c^2+2c-1=0,\ (c+1)(3c-1)=0$$
$$\therefore c=\frac{1}{3}\ (\because -1<c<1)$$

달 $c=\dfrac{1}{3},\ a=1$

해법 **롤의 정리**
함수 $f(x)$가 닫힌구간 $[a,\,b]$에서 연속이고 열린구간 $(a,\,b)$에서 미분가능할 때,
$f(a)=f(b)$이면
$$f'(c)=0$$
인 c가 열린구간 $(a,\,b)$에 적어도 하나 존재한다.

| 정답과 해설 37쪽 |

01-1 함수 $f(x)=x^3+ax+1$에 대하여 닫힌구간 $[0,\,1]$에서 롤의 정리를 만족시키는 상수 c의 값과 상수 a의 값을 각각 구하시오.

01-2 닫힌구간 $[a,\,b]$에서 연속이고 열린구간 $(a,\,b)$에서 미분가능한 함수 $y=f(x)$의 그래프가 오른쪽 그림과 같고 $f(a)=f(b)=0$일 때, 닫힌구간 $[a,\,b]$에서 롤의 정리를 만족시키는 상수 c의 개수를 구하시오.

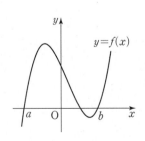

대표 유형 02 평균값 정리

↻ 유형 해결의 법칙 68쪽 유형 14

함수 $f(x)=-2x^2+4x+1$에 대하여 닫힌구간 $[2,\,a]$에서 평균값 정리를 만족시키는 상수 c의 값이 $\dfrac{5}{2}$일 때, a의 값을 구하시오. (단, $a>2$)

풀이

❶ $\dfrac{f(a)-f(2)}{a-2}=f'\left(\dfrac{5}{2}\right)$ 임을 알기

함수 $f(x)=-2x^2+4x+1$에 대하여 닫힌구간 $[2,\,a]$에서 평균값 정리를 만족시키는 상수 c의 값이 $\dfrac{5}{2}$이므로 $\dfrac{f(a)-f(2)}{a-2}=f'\left(\dfrac{5}{2}\right)$인 $\dfrac{5}{2}$가 열린구간 $(2,\,a)$에 존재한다.

❷ $f'\left(\dfrac{5}{2}\right)$의 값 구하기

이때, $f'(x)=-4x+4$이므로 $f'\left(\dfrac{5}{2}\right)=-6$

❸ a의 값 구하기

따라서 $\dfrac{-2a^2+4a}{a-2}=-6$이므로 $-2a^2+4a=-6a+12$

$2a^2-10a+12=0,\ (a-2)(a-3)=0$

$\therefore a=3\ (\because a>2)$

답 3

> **해법** **평균값 정리**
> 함수 $f(x)$가 닫힌구간 $[a,\,b]$에서 연속이고 열린구간 $(a,\,b)$에서 미분가능할 때,
> $$\frac{f(b)-f(a)}{b-a}=f'(c)$$
> 인 c가 열린구간 $(a,\,b)$에 적어도 하나 존재한다.

| 정답과 해설 37쪽 |

02-1 함수 $f(x)=x^3-2x$에 대하여 닫힌구간 $[a,\,1]$에서 평균값 정리를 만족시키는 상수 c의 값이 $\dfrac{\sqrt{3}}{3}$일 때, a의 값을 구하시오. (단, $a<0$)

02-2 닫힌구간 $[a,\,b]$에서 연속이고 열린구간 $(a,\,b)$에서 미분가능한 함수 $y=f(x)$의 그래프가 오른쪽 그림과 같을 때, 평균값 정리를 만족시키는 상수 c의 개수를 구하시오.

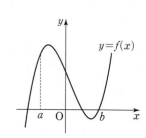

유형 확인

1-1 다음 중 함수 $f(x)=x^3+3x^2+4x$의 그래프 위의 임의의 점에서 접선을 그을 때, 접선의 기울기 m의 값의 범위는?

① $m\geq-1$ ② $m\geq0$ ③ $m\geq1$

④ $m\leq1$ ⑤ $m\leq0$

2-1 곡선 $y=x^3-2x^2+kx+1$ 위의 어떤 점에서도 직선 $y=x+1$에 수직인 접선을 그을 수 없을 때, 상수 k의 값의 범위를 구하시오.

3-1 곡선 $y=2x^3-4x+3$ 위의 점 $(1,1)$에서의 접선과 x축 및 y축으로 둘러싸인 도형의 넓이를 구하시오.

4-1 미분가능한 함수 $f(x)$에 대하여 함수 $g(x)=xf(x)+3x^2$이고 $f(0)=1$이다. 곡선 $y=g(x)$ 위의 점 $(0,\ g(0))$에서의 접선의 방정식을 $y=ax+b$라 할 때, 상수 a, b에 대하여 $a+b$의 값은?

① $-\dfrac{3}{2}$ ② -1 ③ $-\dfrac{1}{2}$

④ $\dfrac{1}{2}$ ⑤ 1

한번 더 확인

1-2 다음 중 함수 $f(x)=\dfrac{2}{3}x^3-2x^2+x$의 그래프 위의 임의의 점에서 접선을 그을 때, 접선의 기울기가 될 수 <u>없는</u> 것은?

① -2 ② -1 ③ 0

④ 1 ⑤ 2

2-2 곡선 $y=x^3-x^2+kx+2$ 위의 어떤 점에서도 직선 $y=3x-1$에 평행한 접선을 그을 수 없을 때, 상수 k의 값의 범위를 구하시오.

3-2 곡선 $y=ax^2$ 위의 점 $(2,4a)$에서의 접선과 x축 및 y축으로 둘러싸인 도형의 넓이가 4일 때, 양의 정수 a의 값을 구하시오.

4-2 곡선 $y=x^3+ax^2+(2a+1)x+a+5$는 실수 a의 값에 관계없이 항상 일정한 점을 지난다. 이 점에서의 접선의 방정식을 $y=mx+n$이라 할 때, 상수 m, n에 대하여 $m+2n$의 값을 구하시오.

5-1 곡선 $y=x^3-2x+4$에 접하고 직선 $y=x+1$에 평행한 직선은 2개이다. 이 두 직선 사이의 거리를 구하시오.

5-2 곡선 $y=x^2$ 위의 점과 직선 $y=2x-8$ 사이의 거리의 최솟값을 구하시오.

6-1 점 $(3, 0)$을 지나고 곡선 $y=x^3-5x^2+8x-4$에 접하는 직선이 3개 있다. 이때, 세 접점의 x좌표의 합을 구하시오.

6-2 점 $(1, k)$에서 곡선 $y=x^3-3x+2$에 서로 다른 세 개의 접선을 그을 때, 세 접점의 x좌표는 $m-n$, m, $m+n$이다. 이때, 상수 k의 값을 구하시오.

7-1 곡선 $y=x^2+3x-1$ 위의 점 $(3, 17)$에서의 접선이 곡선 $y=x^3+ax+6$에 접할 때, 상수 a의 값은?

① -11 ② -9 ③ -7
④ -5 ⑤ -3

7-2 두 곡선 $y=\dfrac{1}{3}x^3+1$, $y=-x^2+x+a$의 교점 P에서의 두 접선이 서로 수직일 때, 상수 a의 값은?

① $\dfrac{1}{3}$ ② $\dfrac{2}{3}$ ③ 1
④ $\dfrac{4}{3}$ ⑤ $\dfrac{5}{3}$

8-1 함수 $f(x)=(x-a)(x-b)\ (a<b)$에 대하여 닫힌구간 $[a, b]$에서 롤의 정리를 만족시키는 상수 c를 a, b를 사용하여 나타내시오.

8-2 함수 $f(x)=(x-\alpha)(x-\beta)(x-\gamma)$에 대하여 닫힌구간 $[\alpha, \gamma]$에서 롤의 정리를 만족시키는 상수 c의 값의 합을 α, β, γ를 사용하여 나타내시오.

(단, $\alpha<\beta<\gamma$)

유형 확인

9-1 미분가능한 함수 $f(x)$가 다음 조건을 만족시킬 때, $f(2)$의 최댓값과 최솟값의 곱을 구하시오.

> (가) 모든 실수 x에 대하여 $|f'(x)| \leq 1$이다.
> (나) $f(1) = 2$

한번 더 확인

9-2 다음 함수 중 $f(1) - f(-1) = 2f'(c)$인 c가 열린 구간 $(-1, 1)$에 존재하는 것은?
(단, $[x]$는 x보다 크지 않은 최대의 정수이다.)

① $f(x) = |x|$ ② $f(x) = [x]$

③ $f(x) = x + |x|$ ④ $f(x) = \dfrac{|x|}{x}$

⑤ $f(x) = |x|^2$

10-1 다음 그림은 다항함수 $y = f(x)$의 그래프이다. 함수 $f(x)$에 대하여 x의 값이 a에서 b까지 변할 때의 평균변화율을 m이라 할 때,
$\lim\limits_{h \to 0} \dfrac{f(c+h) - f(c)}{h} = m$을 만족시키는 실수 c의 개수를 구하시오. (단, $a < c < b$)

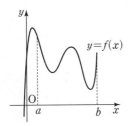

10-2 다음 그림은 연속함수 $y = f(x)$의 그래프이다. 함수 $f(x)$에 대하여 x의 값이 a에서 b까지 변할 때의 평균변화율을 m이라 할 때,
$\lim\limits_{h \to 0} \dfrac{f(c+h) - f(c)}{h} = m$을 만족시키는 실수 c의 개수를 구하시오. (단, $a < c < b$)

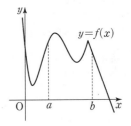

창의력

11-1 함수 $f(x) = x^2 - 2x$일 때, 닫힌구간 $[0, 3]$에 속하는 서로 다른 임의의 두 실수 x_1, x_2에 대하여 $\dfrac{f(x_2) - f(x_1)}{x_2 - x_1}$의 값의 집합을 X라 하자. 이때, 집합 X에 속하는 정수의 개수를 구하시오.

11-2 함수 $f(x) = x^3 - 3x^2 + 2$일 때, 닫힌구간 $[0, 2]$에 속하는 서로 다른 임의의 두 실수 x_1, x_2에 대하여 $\dfrac{f(x_2) - f(x_1)}{x_2 - x_1}$의 값의 집합을 X라 하자. 이때, 집합 X에 속하는 원소의 최솟값을 구하시오.

4 도함수의 활용 (1)

5 도함수의 활용 (2)

이 단원에서는 무엇을 공부해요?

함수의 증가와 감소, 극대와 극소, 최대와 최소를 배워.
그리고 함수의 그래프의 개형을 그리는 것도 배우지.

우와, 많은 것을 배우네요!

응, 하나의 함수에 여러 가지 의미가 담겨 있단다.
같이 공부해 보자!

개념 & 유형 map

1. 함수의 증가·감소

| 개념 01 | 함수의 증가·감소 |
| 개념 02 | 함수의 증가·감소의 판정 |

- 유형 01 함수의 증가·감소
- 유형 02 삼차함수가 증가 또는 감소하기 위한 조건
- 유형 03 주어진 구간에서 삼차함수가 증가 또는 감소하기 위한 조건

2. 함수의 극대·극소

| 개념 01 | 함수의 극대·극소 |
| 개념 02 | 함수의 극대·극소의 판정 |

- 유형 01 함수의 극대·극소
- 유형 02 함수의 극대·극소를 이용한 미정계수의 결정
- 유형 03 삼차함수가 극값을 갖거나 갖지 않을 조건
- 유형 04 삼차함수가 주어진 구간에서 극값을 가질 조건
- 유형 05 도함수의 그래프를 이용한 함수의 극대·극소

3. 함수의 그래프

| 개념 01 | 함수의 그래프 |
| 개념 02 | 함수의 최대·최소 |

- 유형 01 함수의 그래프의 개형
- 유형 02 함수의 최대·최소
- 유형 03 함수의 최대·최소를 이용한 미정계수의 결정
- 유형 04 최대·최소의 활용

1 함수의 증가·감소

| **개념** 파헤치기 |

함수 $f(x)$가 어떤 구간에 속하는 임의의 두 실수 x_1, x_2에 대하여

(1) $x_1 < x_2$일 때 $f(x_1) < f(x_2)$이면 $f(x)$는 그 구간에서 증가한다고 한다.

(2) $x_1 < x_2$일 때 $f(x_1) > f(x_2)$이면 $f(x)$는 그 구간에서 감소한다고 한다.

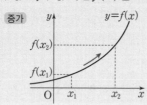
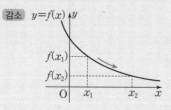

예

반닫힌 구간 $[0, \infty)$, $(-\infty, 0]$에서 함수 $f(x) = x^2$의 증가, 감소를 조사해 보자.

(1) 반닫힌 구간 $[0, \infty)$에 속하는 임의의 두 실수 x_1, x_2에 대하여

$x_1 < x_2$일 때

$$f(x_1) - f(x_2) = {x_1}^2 - {x_2}^2$$
$$= (x_1 + x_2)(x_1 - x_2) < 0$$

즉, $f(x_1) < f(x_2)$이므로 함수 $f(x)$는 반닫힌 구간 $[0, \infty)$
에서 증가한다.

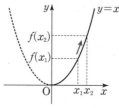

(2) 반닫힌 구간 $(-\infty, 0]$에 속하는 임의의 두 실수 x_3, x_4에 대하여

$x_3 < x_4$일 때

$$f(x_3) - f(x_4) = {x_3}^2 - {x_4}^2$$
$$= (x_3 + x_4)(x_3 - x_4) > 0$$

즉, $f(x_3) > f(x_4)$이므로 함수 $f(x)$는 반닫힌 구간
$(-\infty, 0]$에서 감소한다.

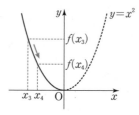

Lecture

❶ x의 값이 커질 때, y의 값도 커지면 ➡ 증가

❷ x의 값이 커질 때, y의 값이 작아지면 ➡ 감소

| 정답과 해설 41쪽 |

개념 확인 1 닫힌구간 $[2, 4]$에서 다음 함수의 증가, 감소를 조사하시오.

(1) $f(x) = 2x + 1$

(2) $f(x) = \dfrac{1}{x}$

개념 **02** 함수의 증가·감소의 판정 114쪽 원리 알아보기

함수 $f(x)$가 어떤 구간에서 미분가능하고 그 구간에 속하는 모든 x에 대하여

(1) $f'(x)>0$이면 $f(x)$는 그 구간에서 증가한다.

(2) $f'(x)<0$이면 $f(x)$는 그 구간에서 감소한다.

주의 일반적으로 위의 역은 성립하지 않는다. 예를 들어, 함수 $f(x)=x^3$은 열린구간 $(-\infty, \infty)$에서 증가하지만 $f'(x)=3x^2$에서 $f'(0)=0$이다.

참고 함수 $f(x)$가 어떤 구간에서 미분가능할 때, 그 구간에서
① $f(x)$가 증가 ➡ 그 구간의 모든 x에 대하여 $f'(x)\geq0$
② $f(x)$가 감소 ➡ 그 구간의 모든 x에 대하여 $f'(x)\leq0$

예 열린구간 $(-\infty, \infty)$에서 다음 함수의 증가, 감소를 조사해 보자.

(1) 함수 $f(x)=x^3+x$에서 $f'(x)=3x^2+1$이고, 열린구간 $(-\infty, \infty)$에서 $f'(x)>0$이므로 함수 $f(x)$는 열린구간 $(-\infty, \infty)$에서 증가한다.

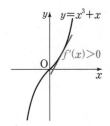

(2) 함수 $f(x)=-x^3-2x$에서 $f'(x)=-3x^2-2$이고, 열린구간 $(-\infty, \infty)$에서 $f'(x)<0$이므로 함수 $f(x)$는 열린구간 $(-\infty, \infty)$에서 감소한다.

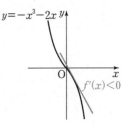

Lecture 미분가능한 함수 $f(x)$의 증가·감소의 판정 ➡ $f'(x)$의 부호 조사

| 정답과 해설 41쪽 |

개념 확인 2 열린구간 $(0, \infty)$에서 다음 함수의 증가, 감소를 조사하시오.

(1) $f(x)=x^2+5x$

(2) $f(x)=-x^3-x^2$

(3) $f(x)=x^3+4x$

(4) $f(x)=-x^4-2x^2$

함수의 증가·감소의 판정

평균값 정리를 이용하여 주어진 구간에서 도함수의 부호에 따라 함수의 증가 또는 감소가 어떻게 정해지는지 알아보자.

함수 $f(x)$가 닫힌구간 $[a, b]$에서 연속이고 열린구간 (a, b)에서 미분가능할 때, 평균값 정리를 이용하면 열린구간 (a, b)에 속하는 임의의 두 실수 $x_1, x_2 (x_1 < x_2)$에 대하여

$$f'(c) = \frac{f(x_2) - f(x_1)}{x_2 - x_1} \qquad \cdots\cdots \text{㉠}$$

인 c가 열린구간 (x_1, x_2)에 적어도 하나 존재한다.

이때, $f'(x)$의 부호에 따라 다음과 같이 두 가지 경우를 생각할 수 있다.

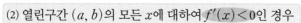 **(1) 열린구간 (a, b)의 모든 x에 대하여 $f'(x) > 0$인 경우**

㉠에서

$$f'(c) = \frac{f(x_2) - f(x_1)}{x_2 - x_1} > 0$$

이고 $x_2 - x_1 > 0$이므로

$f(x_2) - f(x_1) > 0$, 즉 $f(x_1) < f(x_2)$

이다.

따라서 함수 $f(x)$는 열린구간 (a, b)에서 증가한다.

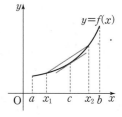

(2) 열린구간 (a, b)의 모든 x에 대하여 $f'(x) < 0$인 경우

㉠에서

$$f'(c) = \frac{f(x_2) - f(x_1)}{x_2 - x_1} < 0$$

이고 $x_2 - x_1 > 0$이므로

$f(x_2) - f(x_1) < 0$, 즉 $f(x_1) > f(x_2)$

이다.

따라서 함수 $f(x)$는 열린구간 (a, b)에서 감소한다.

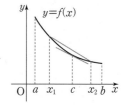

Lecture

함수 $f(x)$가 어떤 구간에서 미분가능하고 그 구간에 속하는 모든 x에 대하여

(1) $f'(x) > 0$ ➡ $f(x)$는 그 구간에서 증가

(2) $f'(x) < 0$ ➡ $f(x)$는 그 구간에서 감소

개념 check

1-1 반닫힌 구간 $[0, \infty)$에서 함수 $f(x)=5x^2$의 증가, 감소를 조사하시오.

〔연구〕 반닫힌 구간 $[0, \infty)$에 속하는 임의의 두 실수 x_1, x_2에 대하여 $x_1 < x_2$일 때
$$f(x_1)-f(x_2)=5x_1^2-5x_2^2$$
$$=5(x_1+x_2)(x_1-x_2)\boxed{}0$$
즉, $f(x_1)\boxed{}f(x_2)$이므로 함수 $f(x)$는 반닫힌 구간 $[0, \infty)$에서 $\boxed{}$한다.

2-1 열린구간 $(-\infty, \infty)$에서 함수 $f(x)=-2x^3-4x$의 증가, 감소를 조사하시오.

〔연구〕 $f(x)=-2x^3-4x$에서 $f'(x)=-6x^2-4$
열린구간 $(-\infty, \infty)$에서 $f'(x)\boxed{}0$이므로
함수 $f(x)$는 열린구간 $(-\infty, \infty)$에서 $\boxed{}$한다.

3-1 함수 $f(x)=x^2+4x+2$의 증가, 감소를 조사하시오.

〔연구〕 $f(x)=x^2+4x+2$에서 $f'(x)=2x+4$
$f'(x)=0$에서 $x=\boxed{}$
함수 $f(x)$의 증가, 감소를 표로 나타내면 다음과 같다.

x	$\cdots$	$\boxed{}$	$\cdots$
$f'(x)$	$-$	0	$+$
$f(x)$	$\searrow$	$\boxed{}$	$\nearrow$

따라서 함수 $f(x)$는 반닫힌 구간 $(-\infty, \boxed{}]$에서 $\boxed{}$하고, 반닫힌 구간 $[\boxed{}, \infty)$에서 $\boxed{}$한다.

스스로 check

1-2 닫힌구간 $[3, 6]$에서 다음 함수의 증가, 감소를 조사하시오.

(1) $f(x)=-4x^2+1$

(2) $f(x)=x^3-3$

(3) $f(x)=\dfrac{3}{x}$

2-2 열린구간 $(2, \infty)$에서 다음 함수의 증가, 감소를 조사하시오.

(1) $f(x)=-x^2+2x+1$

(2) $f(x)=x^3-3x$

(3) $f(x)=\dfrac{1}{2}x^4-4x$

3-2 다음 함수의 증가, 감소를 조사하시오.

(1) $f(x)=5(x-1)^2$

(2) $f(x)=-3x^2+12x$

(3) $f(x)=4(x+2)^2-8$

대표 유형 **01** 함수의 증가·감소

↻ 유형 해결의 법칙 79쪽 유형 01

함수 $f(x)=x^3-3x^2-5$의 증가, 감소를 조사하시오.

풀이

❶ $f'(x)=0$인 x의 값 구하기

❷ 증감표 작성하기

❸ 함수 $f(x)$의 증가, 감소 조사하기

$f(x)=x^3-3x^2-5$에서 $f'(x)=3x^2-6x=3x(x-2)$

$f'(x)=0$에서 $x=0$ 또는 $x=2$

함수 $f(x)$의 증가, 감소를 표로 나타내면 다음과 같다.

x	$\cdots$	0	$\cdots$	2	$\cdots$
$f'(x)$	$+$	0	$-$	0	$+$
$f(x)$	$\nearrow$	-5	$\searrow$	-9	$\nearrow$

$f'(x)=0$이 되는 x의 값은 증가하는 구간과 감소하는 구간에 동시에 포함될 수 있어.

따라서 함수 $f(x)$는 반닫힌 구간 $(-\infty,\,0]$, $[2,\,\infty)$에서 증가하고, 닫힌구간 $[0,\,2]$에서 감소한다.

冒 반닫힌 구간 $(-\infty,\,0]$, $[2,\,\infty)$에서 증가, 닫힌구간 $[0,\,2]$에서 감소

해법 함수 $f(x)$가 어떤 구간에서 미분가능하고 그 구간에 속하는 모든 x에 대하여

❶ $f'(x)>0$ ➡ $f(x)$는 그 구간에서 증가

❷ $f'(x)<0$ ➡ $f(x)$는 그 구간에서 감소

| 정답과 해설 42쪽 |

01-1 다음 함수의 증가, 감소를 조사하시오.

(1) $f(x)=4x^3-3x+1$

(2) $f(x)=-2x^3+12x^2+3$

01-2 함수 $f(x)=-2x^3-3x^2+12x+3$이 증가하는 구간이 $[\alpha,\,\beta]$일 때, $\alpha+\beta$의 값을 구하시오.

대표 유형 02 삼차함수가 증가 또는 감소하기 위한 조건

↪ 유형 해결의 법칙 79쪽 유형 02

함수 $f(x)=4x^3+3ax^2+3x+6$이 실수 전체의 집합에서 증가하도록 하는 실수 a의 값의 범위를 구하시오.

풀이

❶ 도함수 $f'(x)$ 구하기	$f(x)=4x^3+3ax^2+3x+6$에서 $f'(x)=12x^2+6ax+3=3(4x^2+2ax+1)$
❷ 삼차함수 $f(x)$가 실수 전체의 집합에서 증가하기 위한 조건 구하기	함수 $f(x)$가 실수 전체의 집합에서 증가하려면 모든 실수 x에 대하여 $f'(x)\geq 0$이어야 한다.
❸ 이차부등식 $f'(x)\geq 0$이 항상 성립할 조건 구하기	이때, 이차방정식 $f'(x)=0$, 즉 $4x^2+2ax+1=0$의 판별식을 D라 하면 $D\leq 0$이어야 한다.
❹ 실수 a의 값의 범위 구하기	따라서 $\dfrac{D}{4}=a^2-4\leq 0$에서 $(a+2)(a-2)\leq 0$ $\therefore\ -2\leq a\leq 2$

답 $-2\leq a\leq 2$

해법 삼차함수 $f(x)$가 실수 전체의 집합에서
❶ 증가 ➡ 모든 실수 x에 대하여 $f'(x)\geq 0$
❷ 감소 ➡ 모든 실수 x에 대하여 $f'(x)\leq 0$

| 정답과 해설 43쪽 |

02-1 함수 $f(x)=-3x^3+ax^2+ax+5$가 실수 전체의 집합에서 감소하도록 하는 실수 a의 값의 범위를 구하시오.

02-2 함수 $f(x)=2x^3-3ax^2+6ax+2$가 열린구간 $(-\infty,\ \infty)$에서 증가하도록 하는 실수 a의 최댓값을 M, 최솟값을 m이라 할 때, $M+m$의 값을 구하시오.

대표 유형 **03** 주어진 구간에서 삼차함수가 증가 또는 감소하기 위한 조건

↪ 유형 해결의 법칙 80쪽 유형 03

함수 $f(x)=x^3-3ax+4$가 열린구간 $(-1, 2)$에서 감소하도록 하는 실수 a의 값의 범위를 구하시오.

풀이

❶ 도함수 $f'(x)$ 구하기

$f(x)=x^3-3ax+4$에서 $f'(x)=3x^2-3a$

❷ 삼차함수 $f(x)$가 열린구간 $(-1, 2)$에서 감소하기 위한 조건 구하기

함수 $f(x)$가 열린구간 $(-1, 2)$에서 감소하려면 이 구간에서 $f'(x)\leq0$이어야 하므로

❸ ❷의 조건을 만족시키는 실수 a의 값의 범위 구하기

$f'(-1)=3-3a\leq0$에서

$a\geq1$ ······㉠

$f'(2)=12-3a\leq0$에서

$a\geq4$ ······㉡

㉠, ㉡의 공통 범위를 구하면

$a\geq4$

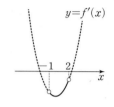

답 $a\geq4$

해법 삼차함수 $f(x)$가 열린구간 (a, b)에서

❶ 증가 ➡ 구간의 모든 x에 대하여 $f'(x)\geq0$

❷ 감소 ➡ 구간의 모든 x에 대하여 $f'(x)\leq0$

| 정답과 해설 43쪽 |

03-1 함수 $f(x)=-x^3-3x^2+3ax-1$이 다음 조건을 만족시키도록 하는 실수 a의 값의 범위를 구하시오.

(1) 열린구간 $(1, 3)$에서 증가

(2) 열린구간 $(-4, -2)$에서 감소

03-2 함수 $f(x)=2x^3-6x^2+3ax+5$가 열린구간 $(2, 4)$에 속하는 임의의 두 실수 x_1, x_2에 대하여 $x_1<x_2$이면 $f(x_1)>f(x_2)$가 성립하도록 하는 실수 a의 최댓값을 구하시오.

2 함수의 극대·극소

개념 01 함수의 극대·극소

함수 $f(x)$가 $x=a$를 포함하는 어떤 열린구간에 속하는 모든 x에 대하여

(1) $f(x) \le f(a)$이면 함수 $f(x)$는 $x=a$에서 극대라 하고, $f(a)$를 극댓값이라 한다.

(2) $f(x) \ge f(a)$이면 함수 $f(x)$는 $x=a$에서 극소라 하고, $f(a)$를 극솟값이라 한다.

이때, 극댓값과 극솟값을 통틀어 극값이라 한다.

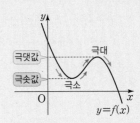

참고 (1) 극댓값이 극솟값보다 반드시 큰 것은 아니다.
(2) 하나의 함수에서 여러 개의 극값이 존재할 수 있다.

예 함수 $y=f(x)$의 그래프가 오른쪽 그림과 같을 때, 함수 $f(x)$의 극값을 구해 보자.

함수 $f(x)$에서

(i) 열린구간 $(-3, -1)$에 속하는 모든 x에 대하여

$f(x) \le f(-2)$

따라서 함수 $f(x)$는 $x=-2$에서 극대이고 극댓값은

$f(-2) = 20$이다.

(ii) 열린구간 $(0, 2)$에 속하는 모든 x에 대하여

$f(x) \ge f(1)$

따라서 함수 $f(x)$는 $x=1$에서 극소이고 극솟값은 $f(1) = -7$이다.

참고 위의 문제는 다음과 같이 풀 수도 있다.

함수 $f(x)$는 $x=-2$의 좌우에서 증가하다가 감소하므로 $f(x)$는 $x=-2$에서 극대이며 극댓값은 $f(-2) = 20$이고, $x=1$의 좌우에서 감소하다가 증가하므로 $f(x)$는 $x=1$에서 극소이며 극솟값은 $f(1) = -7$이다.

Lecture 함수 $f(x)$가 $x=a$에서 연속일 때, $x=a$의 좌우에서
❶ $f(x)$가 증가하다가 감소 ➡ $f(x)$는 $x=a$에서 극대
❷ $f(x)$가 감소하다가 증가 ➡ $f(x)$는 $x=a$에서 극소

| 정답과 해설 44쪽 |

개념 확인 1 다음 함수의 그래프를 보고 함수 $f(x)$의 극값을 구하시오.

(1)
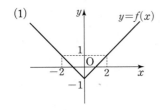

(2)
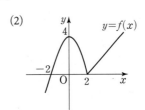

개념 **02** 함수의 극대·극소의 판정

1 극값과 미분계수

함수 $f(x)$가 $x=a$에서 미분가능하고 $x=a$에서 극값을 가지면 $f'(a)=0$이다.

> **주의** 위의 역은 성립하지 않는다. 예를 들어, 함수 $f(x)=x^3$에서 $f'(x)=3x^2$이므로 $f'(0)=0$이지만 $x=0$에서 극값을 갖지 않는다.

2 함수의 극대와 극소의 판정

함수 $f(x)$가 미분가능하고 $f'(a)=0$일 때, $x=a$의 좌우에서 $f'(x)$의 부호가

$f'(x)>0 \Rightarrow f'(x)<0$ ←

(1) 양($+$)에서 음($-$)으로 바뀌면 $f(x)$는 $x=a$에서 극대이고, 극댓값 $f(a)$를 갖는다.

$f'(x)<0 \Rightarrow f'(x)>0$ ←

(2) 음($-$)에서 양($+$)으로 바뀌면 $f(x)$는 $x=a$에서 극소이고, 극솟값 $f(a)$를 갖는다.

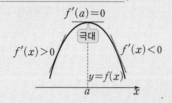 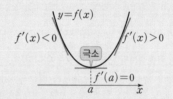

> **참고** $f'(a)=0$이더라도 $x=a$의 좌우에서 $f'(x)$의 부호가 바뀌지 않으면 $f(a)$는 극값이 아니다.

예

함수 $f(x)=-x^2+1$의 극값을 구해 보자.

$f(x)=-x^2+1$에서 $f'(x)=-2x$

$f'(x)=0$에서 $x=0$

함수 $f(x)$의 증가, 감소를 표로 나타내면 다음과 같다.

x	$\cdots$	0	$\cdots$
$f'(x)$	$+$	0	$-$
$f(x)$	↗	1	↘

따라서 함수 $f(x)$는
$x=0$에서 극대이고 극댓값은 $f(0)=1$,
극솟값은 없다.

> 미분가능한 함수 $f(x)$가 $x=a$에서 극값을 가지면 $f'(a)=0$이므로 $f(x)$가 극값을 갖는 x의 값은 $f'(x)=0$인 x의 값 중에서 찾으면 돼.

Lecture 함수 $f(x)$의 극대·극소 판정법

❶ $f'(x)=0$이 되는 x의 값 구하기

❷ ❶의 x의 값의 좌우에서 도함수 $f'(x)$의 부호의 변화를 조사하여 극대와 극소 판정하기

| 정답과 해설 44쪽 |

개념 확인 2 다음 함수의 극값을 구하시오.

(1) $f(x)=x^2-2x$　　　　　　　　　　　　(2) $f(x)=x^3-6x^2$

개념 check

1-1 함수 $y=f(x)$의 그래프가 다음 그림과 같을 때, 닫힌구간 $[a, g]$에서 함수 $f(x)$가 극솟값을 갖는 점의 x좌표를 모두 구하시오.

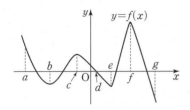

〔연구〕 함수 $f(x)$는 $x=\boxed{}$, $x=\boxed{}$의 좌우에서 감소하다가 증가하므로 $f(x)$가 극솟값을 갖는 점의 x좌표는 $\boxed{}$, $\boxed{}$이다.

스스로 check

1-2 함수 $y=f(x)$의 그래프가 다음 그림과 같을 때, 닫힌구간 $[a, g]$에서 함수 $f(x)$가 극댓값을 갖는 점의 x좌표를 모두 구하시오.

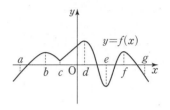

2-1 함수 $f(x)=x^3-3x+1$이 $x=a$에서 극값을 가질 때, a의 값을 모두 구하시오.

〔연구〕 $f(x)=x^3-3x+1$에서
$f'(x)=3x^2-3=3(x+1)(x-1)$
따라서 미분가능한 함수 $f(x)$가 $x=a$에서 극값을 가지므로
$f'(a)=3(a+1)(a-1)=\boxed{}$에서
$a=\boxed{}$ 또는 $a=\boxed{}$

2-2 다음 함수가 $x=a$에서 극값을 가질 때, a의 값을 모두 구하시오.

(1) $f(x)=-x^3-15x^2+6$

(2) $f(x)=x^3+3x^2-24x$

3-1 함수 $f(x)=-2x^3+6x+3$의 극값을 구하시오.

〔연구〕 $f(x)=-2x^3+6x+3$에서
$f'(x)=-6x^2+6=-6(x+1)(x-1)$
$f'(x)=0$에서 $x=\boxed{}$ 또는 $x=\boxed{}$
함수 $f(x)$의 증가, 감소를 표로 나타내면 다음과 같다.

x	$\cdots$	$\boxed{}$	$\cdots$	$\boxed{}$	$\cdots$
$f'(x)$	$-$	0	$+$	0	$-$
$f(x)$	$\searrow$	$\boxed{}$	$\nearrow$	$\boxed{}$	$\searrow$

따라서 함수 $f(x)$는
$x=\boxed{}$에서 극대이고 극댓값은 $f(\boxed{})=\boxed{}$,
$x=\boxed{}$에서 극소이고 극솟값은 $f(\boxed{})=\boxed{}$

3-2 다음 함수의 극값을 구하시오.

(1) $f(x)=-x^2+4x+4$

(2) $f(x)=2x^3-3x^2-36x$

(3) $f(x)=-x^3-6x^2+1$

5
도함수의 활용 (2)

대표 유형 **01** 함수의 극대·극소

➡ 유형 해결의 법칙 81쪽 유형 04

다음 함수의 극값을 구하시오.

(1) $f(x)=2x^3-9x^2+12x-3$　　　　　(2) $f(x)=3x^4+4x^3+1$

풀이 (1) ❶ $f'(x)=0$인 x의 값 구하기

$f(x)=2x^3-9x^2+12x-3$에서 $f'(x)=6x^2-18x+12=6(x-1)(x-2)$
$f'(x)=0$에서 $x=1$ 또는 $x=2$

❷ 증감표 작성하기

함수 $f(x)$의 증가, 감소를 표로 나타내면 다음과 같다.

x	$\cdots$	1	$\cdots$	2	$\cdots$
$f'(x)$	$+$	0	$-$	0	$+$
$f(x)$	↗	2	↘	1	↗

❸ 극값 구하기

따라서 함수 $f(x)$는
$x=1$에서 극대이고 극댓값은 $f(1)=2$, $x=2$에서 극소이고 극솟값은 $f(2)=1$

(2) ❶ $f'(x)=0$인 x의 값 구하기

$f(x)=3x^4+4x^3+1$에서 $f'(x)=12x^3+12x^2=12x^2(x+1)$
$f'(x)=0$에서 $x=-1$ 또는 $x=0$

❷ 증감표 작성하기

함수 $f(x)$의 증가, 감소를 표로 나타내면 다음과 같다.

x	$\cdots$	-1	$\cdots$	0	$\cdots$
$f'(x)$	$-$	0	$+$	0	$+$
$f(x)$	↘	0	↗	1	↗

❸ 극값 구하기

따라서 함수 $f(x)$는 극댓값은 없고, $x=-1$에서 극소이고 극솟값은 $f(-1)=0$이다.

답 (1) 극댓값: 2, 극솟값: 1　(2) 극댓값: 없다., 극솟값: 0

해법 미분가능한 함수 $f(x)$에 대하여
$x=k$의 좌우에서 $f'(x)$의 부호가 바뀌면 ➡ $x=k$에서 극값을 갖는다.

| 정답과 해설 45쪽 |

01-1 다음 함수의 극값을 구하시오.

(1) $f(x)=-\dfrac{1}{3}x^3+2x^2-3x-1$　　　　　(2) $f(x)=3x^4-8x^3-6x^2+24x$

01-2 함수 $f(x)=x^3+3x^2-9x+2$의 극댓값을 M, 극솟값을 m이라 할 때, $M+m$의 값을 구하시오.

대표 유형 **02** 함수의 극대·극소를 이용한 미정계수의 결정

↻ 유형 해결의 법칙 81쪽 유형 05

함수 $f(x)=x^3+ax^2+bx+c$가 $x=-2$에서 극댓값 2를 갖고, $x=1$에서 극솟값을 가질 때, $f(x)$의 극솟값을 구하시오. (단, a, b, c는 상수)

풀이

❶ 도함수 $f'(x)$ 구하기

$f(x)=x^3+ax^2+bx+c$에서 $f'(x)=3x^2+2ax+b$

❷ (극대·극소가 되는 점에서의 도함수)=0임을 이용하여 a, b의 값 구하기

함수 $f(x)$가 $x=-2$, $x=1$에서 극값을 가지므로

$f'(-2)=12-4a+b=0$ ⋯⋯㉠

$f'(1)=3+2a+b=0$ ⋯⋯㉡

㉠, ㉡을 연립하여 풀면

$a=\dfrac{3}{2}$, $b=-6$

❸ $f(-2)=2$임을 이용하여 c의 값 구하기

이때, $f(x)=x^3+\dfrac{3}{2}x^2-6x+c$이고 $f(-2)=2$이므로

$f(-2)=-8+6+12+c=2$ ∴ $c=-8$

❹ 극솟값 구하기

따라서 $f(x)=x^3+\dfrac{3}{2}x^2-6x-8$이므로 극솟값은

$f(1)=1+\dfrac{3}{2}-6-8=-\dfrac{23}{2}$

답 $-\dfrac{23}{2}$

해법 미분가능한 함수 $f(x)$가 $x=\alpha$에서 극값 β를 가지면 ➡ $f'(\alpha)=0$, $f(\alpha)=\beta$

| 정답과 해설 45쪽 |

02-1 함수 $f(x)=-x^3+ax^2+bx$가 $x=-1$에서 극솟값, $x=0$에서 극댓값을 가질 때, $f(x)$의 극솟값을 구하시오.

(단, a, b는 상수)

02-2 함수 $f(x)=-x^3+ax^2+bx+c$가 $x=2$에서 극댓값, $x=-2$에서 극솟값을 가질 때, $f(x)$의 극댓값과 극솟값의 차를 구하시오. (단, a, b, c는 상수)

5 도함수의 활용 (2)

대표 유형 03 삼차함수가 극값을 갖거나 갖지 않을 조건

↻ 유형 해결의 법칙 82쪽 유형 06

다음 물음에 답하시오.

(1) 삼차함수 $f(x)=ax^3+6x^2-3(a-5)x+2$가 극값을 갖도록 하는 실수 a의 값의 범위를 구하시오.

(2) 삼차함수 $f(x)=x^3-3ax^2+3ax+7$이 극값을 갖지 않도록 하는 실수 a의 값의 범위를 구하시오.

풀이 (1)

❶ 도함수 $f'(x)$ 구하기

$f(x)=ax^3+6x^2-3(a-5)x+2$에서 $f'(x)=3ax^2+12x-3(a-5)$

이때, $f(x)$는 삼차함수이므로 $a\neq 0$

❷ 삼차함수 $f(x)$가 극값을 가질 조건 구하기

함수 $f(x)$가 극값을 가지려면 이차방정식 $f'(x)=0$이 서로 다른 두 실근을 가져야 하므로 이차방정식 $f'(x)=0$의 판별식을 D라 하면 $D>0$이어야 한다.

❸ 실수 a의 값의 범위 구하기

따라서 $\dfrac{D}{4}=6^2+9a(a-5)>0$에서

$a^2-5a+4>0$, $(a-1)(a-4)>0$ $\therefore a<1$ 또는 $a>4$

이때, $a\neq 0$이므로 $a<0$ 또는 $0<a<1$ 또는 $a>4$

(2)

❶ 도함수 $f'(x)$ 구하기

$f(x)=x^3-3ax^2+3ax+7$에서 $f'(x)=3x^2-6ax+3a=3(x^2-2ax+a)$

❷ 삼차함수 $f(x)$가 극값을 갖지 않을 조건 구하기

함수 $f(x)$가 극값을 갖지 않으려면 이차방정식 $f'(x)=0$이 중근 또는 허근을 가져야 하므로 이차방정식 $f'(x)=0$, 즉 $x^2-2ax+a=0$의 판별식을 D라 하면 $D\leq 0$이어야 한다.

❸ 실수 a의 값의 범위 구하기

따라서 $\dfrac{D}{4}=a^2-a\leq 0$에서

$a(a-1)\leq 0$ $\therefore 0\leq a\leq 1$

🖺 (1) $a<0$ 또는 $0<a<1$ 또는 $a>4$ (2) $0\leq a\leq 1$

해법 삼차함수 $f(x)$가 ┌→ $f(x)$가 극댓값, 극솟값을 모두 갖는다.

❶ 극값을 갖는다.┘ ⟷ 이차방정식 $f'(x)=0$이 서로 다른 두 실근을 갖는다.

❷ 극값을 갖지 않는다. ⟷ 이차방정식 $f'(x)=0$이 중근 또는 허근을 갖는다.

| 정답과 해설 46쪽 |

03-1 다음 물음에 답하시오.

(1) 함수 $f(x)=x^3+ax^2+3x+4$가 극값을 갖도록 하는 실수 a의 값의 범위를 구하시오.

(2) 함수 $f(x)=x^3-3ax^2+9x+1$이 극값을 갖지 않도록 하는 실수 a의 값의 범위를 구하시오.

대표 유형 04 삼차함수가 주어진 구간에서 극값을 가질 조건

↻ 유형 해결의 법칙 83쪽 유형 07

함수 $f(x)=x^3+3x^2+ax$가 $-2<x<0$에서 극댓값과 극솟값을 모두 갖도록 하는 실수 a의 값의 범위를 구하시오.

풀이

❶ 도함수 $f'(x)$ 구하기

$f(x)=x^3+3x^2+ax$에서 $f'(x)=3x^2+6x+a$

❷ 삼차함수 $f(x)$가 주어진 구간에서 극댓값과 극솟값을 모두 가질 조건 구하기

함수 $f(x)$가 $-2<x<0$에서 극댓값과 극솟값을 모두 가지려면 이차방정식 $f'(x)=0$이 $-2<x<0$에서 서로 다른 두 실근을 가져야 한다. 즉,

(i) 이차방정식 $f'(x)=0$의 판별식 $D>0$

(ii) $f'(-2)>0$, $f'(0)>0$

(iii) $-2<$(이차함수 $y=f'(x)$의 그래프의 축)<0

이 성립해야 한다.

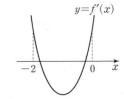

❸ 실수 a의 값의 범위 구하기

(i)에서 $\dfrac{D}{4}=3^2-3a>0$ ∴ $a<3$

(ii)에서 $f'(-2)=f'(0)=a>0$

(iii) $y=f'(x)$의 그래프의 축의 방정식은 $x=-1$

따라서 (i)~(iii)에서 $0<a<3$

🔲 $0<a<3$

해법 삼차함수 $f(x)$가 열린구간 (a, b)에서 극값을 가질 때, 다음 세 가지 조건을 생각한다.

❶ 이차방정식 $f'(x)=0$의 판별식 D의 부호

❷ $f'(a)$, $f'(b)$의 부호

❸ 이차함수 $y=f'(x)$의 그래프의 축의 위치

| 정답과 해설 46쪽 |

04-1 함수 $f(x)=x^3-ax^2-(2a+3)x+1$이 $x<1$에서 극댓값과 극솟값을 모두 갖도록 하는 실수 a의 값의 범위를 구하시오.

04-2 함수 $f(x)=-x^3+a^2x^2-ax$가 $0<x<1$에서 극솟값, $x>1$에서 극댓값을 갖도록 하는 실수 a의 값의 범위를 구하시오.

대표 유형 **05** **도함수의 그래프를 이용한 함수의 극대·극소**

🔗 유형 해결의 법칙 84쪽 유형 09

함수 $f(x)$의 도함수 $y=f'(x)$의 그래프가 오른쪽 그림과 같을 때, 닫힌구간 $[1, 7]$에서 $f(x)$가 극대가 되는 x의 값을 구하시오.

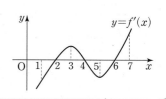

풀이

❶ 도함수의 그래프와 x축의 교점의 x좌표 찾기

도함수 $y=f'(x)$의 그래프가 x축과 만나는 점의 x좌표는
$x=2$, $x=4$, $x=6$

❷ 증감표 작성하기

함수 $f(x)$의 증가, 감소를 표로 나타내면 다음과 같다.

x	$\cdots$	2	$\cdots$	4	$\cdots$	6	$\cdots$
$f'(x)$	$-$	0	$+$	0	$-$	0	$+$
$f(x)$	$\searrow$	극소	$\nearrow$	극대	$\searrow$	극소	$\nearrow$

❸ 극대가 되는 x의 값 구하기

따라서 함수 $f(x)$는 $x=4$에서 극대이다.

답 4

다른 풀이

$x=4$의 좌우에서 $f'(x)$의 부호가 양$(+)$에서 음$(-)$으로 바뀌므로 함수 $f(x)$는 $x=4$에서 극대이다.

해법 도함수 $y=f'(x)$의 그래프가 x축과 만나는 점의 x좌표를 a, b라 할 때
❶ $x=a$의 좌우에서 $f'(x)$의 부호가 양$(+)$에서 음$(-)$으로 바뀌면 ➡ $f(x)$는 $x=a$에서 극대
❷ $x=b$의 좌우에서 $f'(x)$의 부호가 음$(-)$에서 양$(+)$으로 바뀌면 ➡ $f(x)$는 $x=b$에서 극소

| 정답과 해설 46쪽 |

05-1 함수 $f(x)$의 도함수 $y=f'(x)$의 그래프가 오른쪽 그림과 같을 때, 닫힌구간 $[-4, 5]$에서 $f(x)$가 극소가 되는 x의 값을 모두 구하시오.

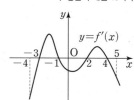

05-2 함수 $f(x)$의 도함수 $y=f'(x)$의 그래프가 오른쪽 그림과 같을 때, 닫힌구간 $[a, g]$에서 $f(x)$가 극대 또는 극소가 되는 점의 개수를 구하시오.

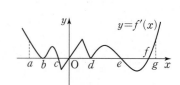

3 함수의 그래프

개념 01 함수의 그래프

미분가능한 함수 $y=f(x)$의 그래프의 개형은 다음과 같은 순서로 그린다.

(i) 도함수 $f'(x)$를 구한다.

(ii) $f'(x)=0$인 x의 값을 구한다.

(iii) 함수 $f(x)$의 증가, 감소를 표로 나타내고, 극값을 구한다.

(iv) 함수 $y=f(x)$의 그래프와 x축 또는 y축의 교점의 좌표를 구한다.

(v) 함수 $y=f(x)$의 그래프의 개형을 그린다.   → $x=0$에서의 교점의 좌표

참고 (iv)에서 x축과의 교점의 좌표를 구하는 것은 생략 가능하다.

예   함수 $f(x)=-x^3+3x$의 그래프의 개형을 그려 보자.

(i) $f(x)=-x^3+3x$에서 $f'(x)=-3x^2+3=-3(x+1)(x-1)$

(ii) $f'(x)=0$에서 $x=-1$ 또는 $x=1$

(iii) 함수 $f(x)$의 증가, 감소를 표로 나타내면 다음과 같다.

x	$\cdots$	-1	$\cdots$	1	$\cdots$
$f'(x)$	$-$	0	$+$	0	$-$
$f(x)$	$\searrow$	-2	$\nearrow$	2	$\searrow$

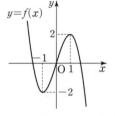

(iv) 함수 $y=f(x)$의 그래프와 y축의 교점의 좌표는 $(0, 0)$

(v) 따라서 함수 $y=f(x)$의 그래프의 개형을 그리면 오른쪽 그림과 같다.

Lecture ❶ 함수의 증가와 감소   ❷ 극대와 극소   ❸ 좌표축과의 교점
을 구하여 함수의 그래프의 개형을 그린다.

| 정답과 해설 47쪽 |

개념 확인 1   함수 $f(x)=x^3+3x^2+1$의 그래프의 개형을 그리시오.

도함수에 따른 함수의 그래프의 개형

최고차항의 계수가 양수일 때, 삼차함수와 사차함수의 그래프의 개형을 추론해 보자.

1. 삼차함수 $f(x)=ax^3+bx^2+cx+d\,(a>0,\ b,\ c,\ d$는 상수$)$의 그래프의 개형

$f'(x)=0$이 서로 다른 두 실근 $\alpha,\ \beta$를 갖는 경우	$f'(x)=0$이 중근 α를 갖는 경우	$f'(x)=0$이 서로 다른 두 허근을 갖는 경우
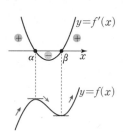	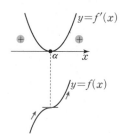	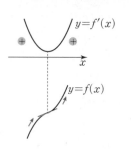

2. 사차함수 $f(x)=ax^4+bx^3+cx^2+dx+e\,(a>0,\ b,\ c,\ d,\ e$는 상수$)$의 그래프의 개형

$f'(x)=0$이 서로 다른 세 실근 $\alpha,\ \beta,\ \gamma$를 갖는 경우	$f'(x)=0$이 한 실근 α와 중근 β를 갖는 경우	
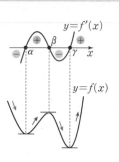	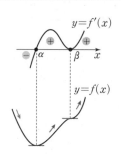	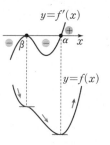

$f'(x)=0$이 삼중근 α를 갖는 경우	$f'(x)=0$이 한 실근 α와 서로 다른 두 허근을 갖는 경우	
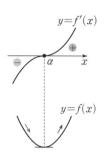	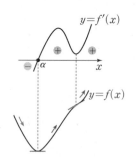	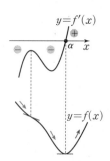

개념 **02** 함수의 최대·최소

함수 $f(x)$가 닫힌구간 $[a, b]$에서 연속이면 최대·최소 정리에 의하여 함수 $f(x)$는 이 닫힌구간에서 반드시 최댓값과 최솟값을 갖는다.

이때, 이 닫힌구간에서
$f(x)$의 극값, $f(a)$, $f(b)$ 중에서 가장 큰 값이 최댓값, 가장 작은 값이 최솟값이다.
　　　　└ 극댓값, 극솟값

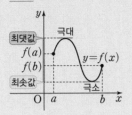 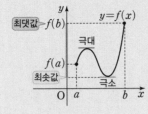 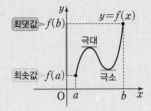

참고 (1) 함수 $f(x)$가 닫힌구간 $[a, b]$에서 극값을 갖지 않으면 $f(a)$와 $f(b)$ 중에서 최댓값과 최솟값을 갖는다.

(2) 주어진 닫힌구간에서 함수 $f(x)$가 연속이면 극댓값과 극솟값은 여러 개 존재할 수 있지만, 최댓값과 최솟값은 오직 한 개씩만 존재한다.

예

닫힌구간 $[1, 4]$에서 함수 $f(x) = x^2 - 6x$의 최댓값과 최솟값을 구해 보자.

$f(x) = x^2 - 6x$에서 $f'(x) = 2x - 6 = 2(x - 3)$

$f'(x) = 0$에서 $x = 3$

닫힌구간 $[1, 4]$에서 함수 $f(x)$의 증가, 감소를 표로 나타내면 다음과 같다.

x	1	$\cdots$	3	$\cdots$	4
$f'(x)$		$-$	0	$+$	
$f(x)$	-5	$\searrow$	-9	$\nearrow$	-8

따라서 함수 $f(x)$는 $x = 1$에서 최댓값 $f(1) = -5$, $x = 3$에서 최솟값 $f(3) = -9$를 갖는다.

Lecture

닫힌구간 $[a, b]$에서 함수 $f(x)$가 연속일 때, 최댓값과 최솟값은 다음과 같은 순서로 구한다.

❶ 닫힌구간 $[a, b]$에서 $f(x)$의 극값 구하기
❷ 함숫값 $f(a)$, $f(b)$ 구하기
❸ ❶, ❷에서 구한 극값, $f(a)$, $f(b)$ 중에서 가장 큰 값이 최댓값, 가장 작은 값이 최솟값이다.

| 정답과 해설 47쪽 |

개념 확인 **2** 닫힌구간 $[0, 3]$에서 함수 $f(x) = -x^2 + 5x$의 최댓값과 최솟값을 구하시오.

5 도함수의 활용(2)

개념 check

1-1 함수 $f(x)=x^3-12x+1$의 그래프의 개형을 그리시오.

<연구> $f(x)=x^3-12x+1$에서

$f'(x)=3x^2-12=3(x+2)(x-2)$

$f'(x)=0$에서 $x=\boxed{}$ 또는 $x=\boxed{}$

함수 $f(x)$의 증가, 감소를 표로 나타내면 다음과 같다.

x	$\cdots$	$\boxed{}$	$\cdots$	$\boxed{}$	$\cdots$
$f'(x)$	$+$	0	$-$	0	$+$
$f(x)$	$\nearrow$	$\boxed{}$	$\searrow$	$\boxed{}$	$\nearrow$

함수 $y=f(x)$의 그래프와 y축의 교점의 좌표는 ($\boxed{}$, $\boxed{}$)
따라서 함수 $y=f(x)$의 그래프의 개형을 그리면 오른쪽 그림과 같다.

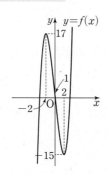

스스로 check

1-2 함수 $f(x)=-2x^3-3x^2$의 그래프의 개형을 그리시오.

2-1 닫힌구간 $[2, 4]$에서 함수
$f(x)=-x^3+6x^2-9x$의 최댓값과 최솟값을 구하시오.

<연구> $f(x)=-x^3+6x^2-9x$에서

$f'(x)=-3x^2+12x-9=-3(x-1)(x-3)$

$f'(x)=0$에서 $x=\boxed{}$ $(\because 2\le x\le4)$

닫힌구간 $[2, 4]$에서 함수 $f(x)$의 증가, 감소를 표로 나타내면 다음과 같다.

x	2	$\cdots$	$\boxed{}$	$\cdots$	4
$f'(x)$		$+$	0	$-$	
$f(x)$	-2	$\nearrow$	$\boxed{}$	$\searrow$	-4

따라서 함수 $f(x)$는
$x=\boxed{}$에서 최댓값 $f(\boxed{})=\boxed{}$,
$x=\boxed{}$에서 최솟값 $f(\boxed{})=\boxed{}$를 갖는다.

2-2 다음 구간에서 함수 $f(x)=2x^3+12x^2$의 최댓값과 최솟값을 구하시오.

(1) 닫힌구간 $[-1, 2]$

(2) 닫힌구간 $[-5, -3]$

(3) 닫힌구간 $[-2, 1]$

대표 유형 01 함수의 그래프의 개형

다음 함수의 그래프의 개형을 그리시오.

(1) $f(x) = 2x^3 - 3x^2 + 6$　　　　　　　(2) $f(x) = x^4 - 8x^3 + 16x^2$

풀이　(1)　❶ $f'(x) = 0$인 x의 값 구하기

$f(x) = 2x^3 - 3x^2 + 6$에서 $f'(x) = 6x^2 - 6x = 6x(x-1)$
$f'(x) = 0$에서 $x = 0$ 또는 $x = 1$

❷ 증감표 작성하기

함수 $f(x)$의 증가, 감소를 표로 나타내면 다음과 같다.

x	$\cdots$	0	$\cdots$	1	$\cdots$
$f'(x)$		$+$	0	$-$	0	$+$
$f(x)$		$\nearrow$	6	$\searrow$	5	$\nearrow$

❸ 좌표축과의 교점을 찾고, 그래프의 개형 그리기

함수 $y = f(x)$의 그래프와 y축의 교점의 좌표는 $(0, 6)$
따라서 함수 $y = f(x)$의 그래프의 개형을 그리면 오른쪽 그림과 같다.

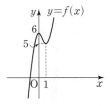

(2)　❶ $f'(x) = 0$인 x의 값 구하기

$f(x) = x^4 - 8x^3 + 16x^2$에서 $f'(x) = 4x^3 - 24x^2 + 32x = 4x(x-2)(x-4)$
$f'(x) = 0$에서 $x = 0$ 또는 $x = 2$ 또는 $x = 4$

❷ 증감표 작성하기

함수 $f(x)$의 증가, 감소를 표로 나타내면 다음과 같다.

x	$\cdots$	0	$\cdots$	2	$\cdots$	4	$\cdots$
$f'(x)$	$-$	0	$+$	0	$-$	0	$+$
$f(x)$	$\searrow$	0	$\nearrow$	16	$\searrow$	0	$\nearrow$

❸ 좌표축과의 교점을 찾고, 그래프의 개형 그리기

함수 $y = f(x)$의 그래프와 y축의 교점의 좌표는 $(0, 0)$
따라서 함수 $y = f(x)$의 그래프의 개형을 그리면 오른쪽 그림과 같다.

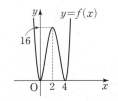

目 (1) 풀이 참조　(2) 풀이 참조

해법 일반적으로 ❶ 함수의 증가와 감소 ❷ 극대와 극소 ❸ 좌표축과의 교점을 알면 함수의 그래프의 개형을 그릴 수 있다.

| 정답과 해설 48쪽 |

01-1 다음 함수의 그래프의 개형을 그리시오.

(1) $f(x) = x^3 - 6x^2 + 9x + 2$　　　　　　　(2) $f(x) = -3x^4 + 8x^3 - 3$

대표 유형 02 함수의 최대·최소

↻ 유형 해결의 법칙 86쪽 유형 14

주어진 닫힌구간에서 다음 함수의 최댓값과 최솟값을 구하시오.

(1) $f(x)=2x^3-9x^2-24x+16$ $[-2, 0]$ 　　　(2) $f(x)=x^4-4x^3-2x^2+12x$ $[-2, 2]$

풀이 (1) **❶** $f'(x)=0$인 x의 값 구하기

$f(x)=2x^3-9x^2-24x+16$에서 $f'(x)=6x^2-18x-24=6(x+1)(x-4)$
$f'(x)=0$에서 $x=-1$ $(\because -2 \le x \le 0)$

❷ 증감표 작성하기

닫힌구간 $[-2, 0]$에서 함수 $f(x)$의 증가, 감소를 표로 나타내면 다음과 같다.

x	-2	$\cdots$	-1	$\cdots$	0
$f'(x)$		$+$	0	$-$	
$f(x)$	12	$\nearrow$	29	$\searrow$	16

❸ 최댓값과 최솟값 구하기

따라서 함수 $f(x)$는 $x=-1$에서 최댓값 $f(-1)=29$,
$x=-2$에서 최솟값 $f(-2)=12$를 갖는다.

(2) **❶** $f'(x)=0$인 x의 값 구하기

$f(x)=x^4-4x^3-2x^2+12x$에서
$f'(x)=4x^3-12x^2-4x+12=4(x+1)(x-1)(x-3)$
$f'(x)=0$에서 $x=-1$ 또는 $x=1$ $(\because -2 \le x \le 2)$

❷ 증감표 작성하기

닫힌구간 $[-2, 2]$에서 함수 $f(x)$의 증가, 감소를 표로 나타내면 다음과 같다.

x	-2	$\cdots$	-1	$\cdots$	1	$\cdots$	2
$f'(x)$		$-$	0	$+$	0	$-$	
$f(x)$	16	$\searrow$	-9	$\nearrow$	7	$\searrow$	0

❸ 최댓값과 최솟값 구하기

따라서 함수 $f(x)$는 $x=-2$에서 최댓값 $f(-2)=16$,
$x=-1$에서 최솟값 $f(-1)=-9$를 갖는다.

📖 (1) 최댓값: 29, 최솟값: 12 　(2) 최댓값: 16, 최솟값: -9

해법 닫힌구간 $[a, b]$에서 연속인 함수 $f(x)$에 대하여 극댓값, 극솟값, $f(a)$, $f(b)$ 중에서
❶ 가장 큰 값 ➡ 최댓값 　　　**❷** 가장 작은 값 ➡ 최솟값

| 정답과 해설 48쪽 |

02-1 주어진 닫힌구간에서 다음 함수의 최댓값과 최솟값을 구하시오.

(1) $f(x)=-x^3+3x^2+9x+3$ $[2, 6]$ 　　　(2) $f(x)=x^4+8x^3+16x^2+2$ $[-3, 1]$

02-2 닫힌구간 $[0, a]$에서 함수 $f(x)=2x^3-5x^2+4$가 최댓값 $f(0)$을 가질 때, 실수 a의 값의 범위를 구하시오.

(단, $a>0$)

대표 유형 03 함수의 최대·최소를 이용한 미정계수의 결정

🔎 유형 해결의 법칙 87쪽 유형 16

닫힌구간 $[-2, 3]$에서 함수 $f(x)=ax^3-3ax^2+b$의 최댓값이 9, 최솟값이 -11일 때, 상수 a, b에 대하여 $a+b$의 값을 구하시오. (단, $a>0$)

풀이

❶ $f'(x)=0$인 x의 값 구하기

$f(x)=ax^3-3ax^2+b$에서 $f'(x)=3ax^2-6ax=3ax(x-2)$
$f'(x)=0$에서 $x=0$ 또는 $x=2$

❷ 증감표 작성하기

$a>0$이므로 닫힌구간 $[-2, 3]$에서 함수 $f(x)$의 증가, 감소를 표로 나타내면 다음과 같다.

x	-2	$\cdots$	0	$\cdots$	2	$\cdots$	3
$f'(x)$		$+$	0	$-$	0	$+$	
$f(x)$	$b-20a$	↗	b	↘	$b-4a$	↗	b

$a>0$일 때 $b-20a<b-4a$이므로 함수 $f(x)$는 $x=0$ 또는 $x=3$에서
최댓값 $f(0)=f(3)=b$, $x=-2$에서 최솟값 $f(-2)=b-20a$를 갖는다.

❸ 주어진 최댓값과 최솟값을 이용하여 a, b의 값 구하기

이때, 함수 $f(x)$의 최댓값이 9, 최솟값이 -11이므로
$b=9$, $b-20a=-11$
$\therefore a=1$, $b=9$ $\therefore a+b=10$

답 10

해법 미정계수를 포함한 함수 $f(x)$의 최댓값, 최솟값이 주어지면
➡ 최댓값, 최솟값을 미정계수를 이용한 식으로 나타낸 다음 주어진 값과 비교한다.

| 정답과 해설 48쪽 |

03-1 닫힌구간 $[-1, 2]$에서 함수 $f(x)=ax^3-6ax^2+b$의 최댓값이 3, 최솟값이 -45일 때, 상수 a, b에 대하여 $a+b$의 값을 구하시오. (단, $a<0$)

03-2 닫힌구간 $[0, 2a]$에서 함수 $f(x)=2x^3+3ax^2-12a^2x+50$의 최댓값과 최솟값의 합이 76일 때, 양수 a의 값을 구하시오.

대표 유형 **04** 최대·최소의 활용

↪ 유형 해결의 법칙 88, 89쪽 유형 17, 18

오른쪽 그림과 같이 직사각형 ABCD가 곡선 $y=3-x^2$과 x축으로 둘러싸인 부분에 내접하고, 한 변이 x축 위에 있을 때, 직사각형 ABCD의 넓이의 최댓값을 구하시오.

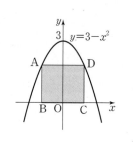

풀이

❶ 직사각형의 꼭짓점의 좌표 구하기

점 D의 x좌표를 $a\,(0<a<\sqrt{3})$라 하면
$A(-a, 3-a^2), B(-a, 0), C(a, 0), D(a, 3-a^2)$

> 미지수의 범위를 꼭 확인해.

❷ 넓이 $S(a)$를 a에 대한 함수로 나타내기

직사각형 ABCD의 넓이를 $S(a)$라 하면
$S(a)=\overline{AB}\times\overline{BC}=(3-a^2)\times 2a=-2a^3+6a$

❸ $S'(a)=0$인 a의 값 구하기

$S'(a)=-6a^2+6=-6(a+1)(a-1)$
$S'(a)=0$에서 $a=1\,(\because 0<a<\sqrt{3})$

❹ 증감표를 작성하여 $S(a)$의 최댓값 구하기

열린구간 $(0, \sqrt{3})$에서 함수 $S(a)$의 증가, 감소를 표로 나타내면 오른쪽과 같다.

a	0	$\cdots$	1	$\cdots$	$\sqrt{3}$
$S'(a)$		$+$	0	$-$	
$S(a)$		↗	4	↘	

따라서 함수 $S(a)$는 $a=1$에서 극대이면서 최대이므로 직사각형 ABCD의 넓이의 최댓값은
$S(1)=4$

답 4

해법 도형의 길이, 넓이, 부피 등의 최댓값, 최솟값을 구할 때에는
❶ 미지수와 그 범위를 정한다.
❷ 도형의 길이, 넓이, 부피를 미지수를 이용한 한 문자의 함수로 나타낸다.
❸ 함수의 최대, 최소를 이용하여 최댓값, 최솟값을 구한다.

| 정답과 해설 49쪽 |

04-1 오른쪽 그림과 같이 곡선 $y=6x-x^2$과 x축의 교점을 O, A라 하고, 선분 OA와 이 곡선으로 둘러싸인 부분에 사다리꼴 OABC를 내접시킬 때, 사다리꼴 OABC의 넓이의 최댓값을 구하시오.

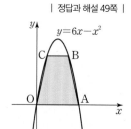

04-2 오른쪽 그림과 같이 한 변의 길이가 12 cm인 정사각형 모양의 종이가 있다. 네 귀퉁이에서 같은 크기의 정사각형 모양의 종이를 잘라 낸 후 남은 부분을 접어서 뚜껑이 없는 직육면체 모양의 상자를 만들려고 한다. 상자의 부피의 최댓값을 구하시오.

(단, 종이의 두께는 무시한다.)

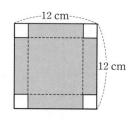

유형 확인

1-1 함수 $f(x)=x^3-ax+4$가 감소하는 x의 값의 범위가 $-1 \le x \le 1$일 때, 상수 a의 값을 구하시오.

한번 더 확인

1-2 함수 $f(x)=-x^3+ax^2+bx-2$가 증가하는 x의 값의 범위가 $-1 \le x \le 2$일 때, 상수 a, b에 대하여 $2a+b$의 값을 구하시오.

2-1 실수 전체의 집합에서 정의된 함수 $f(x)=-x^3+ax^2-3x+3$의 역함수가 존재하도록 하는 실수 a의 값의 범위를 구하시오.

2-2 실수 전체의 집합에서 정의된 함수 $f(x)=x^3+x^2+ax+2$의 역함수가 존재하도록 하는 실수 a의 값의 범위를 구하시오.

3-1 함수 $f(x)=\dfrac{1}{3}x^3-\dfrac{3}{2}x^2+2x+3$이 $x \ge a$에서 임의의 두 실수 x_1, x_2에 대하여 $x_1 \ne x_2$이면 $f(x_1) \ne f(x_2)$가 성립하도록 하는 실수 a의 최솟값을 구하시오.

3-2 함수 $f(x)=-x^3+4x^2+3x+1$이 $x \ge a$에서 임의의 두 실수 x_1, x_2에 대하여 $f(x_1)=f(x_2)$이면 $x_1=x_2$가 성립하도록 하는 실수 a의 최솟값을 구하시오.

4-1 함수 $f(x)=x^3-12x+11$이 $x=a$에서 극댓값 b를 가질 때, 상수 a, b에 대하여 $a+b$의 값을 구하시오.

4-2 함수 $f(x)=-x^4+4x^3-4x^2-6$이 $x=a$에서 극솟값 b를 가질 때, 상수 a, b에 대하여 $a-b$의 값을 구하시오.

정답과 해설 50쪽

유형 확인

5-1 함수 $f(x)=x^3-3x+k$의 극댓값과 극솟값의 합이 4일 때, 상수 k의 값을 구하시오.

6-1 함수 $f(x)=x^3+ax^2+3ax+2$가 극댓값과 극솟값을 모두 갖도록 하는 자연수 a의 최솟값을 구하시오.

7-1 함수 $f(x)=x^3+3(a-1)x^2-3(a-3)x+3$이 $x>0$에서 극댓값과 극솟값을 모두 갖도록 하는 가장 큰 정수 a의 값을 구하시오.

8-1 함수 $f(x)$의 도함수 $y=f'(x)$의 그래프가 오른쪽 그림과 같을 때, 다음 보기의 설명 중 옳은 것만을 있는 대로 고른 것은?

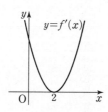

┤ 보기 ├
ㄱ. 함수 $f(x)$는 열린구간 $(-\infty, 2)$에서 증가한다.
ㄴ. 함수 $f(x)$는 $x=2$에서 극솟값을 갖는다.
ㄷ. 함수 $y=f(x)$의 그래프는 x축과 서로 다른 두 점에서 만난다.

① ㄱ   ② ㄴ   ③ ㄱ, ㄴ
④ ㄱ, ㄷ   ⑤ ㄱ, ㄴ, ㄷ

한번 더 확인

5-2 함수 $f(x)=x^3-3x^2-9x+k$의 극댓값과 극솟값의 절댓값이 같고 그 부호가 서로 다를 때, 상수 k의 값을 구하시오.

6-2 함수 $f(x)=x^3+ax^2+\left(a-\dfrac{2}{3}\right)x+k$의 그래프가 실수 k의 값에 관계없이 x축과 한 번만 만난다고 할 때, 실수 a의 값의 범위를 구하시오.

7-2 함수 $f(x)=-x^3-2ax^2+4a^2x$가 $-1\le x\le1$에서 극솟값, $x\ge2$에서 극댓값을 갖도록 하는 정수 a의 개수를 구하시오.

8-2 함수 $f(x)$의 도함수 $y=f'(x)$의 그래프가 오른쪽 그림과 같을 때, 다음 보기의 설명 중 옳은 것만을 있는 대로 고른 것은?

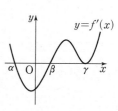

┤ 보기 ├
ㄱ. 함수 $f(x)$가 극값을 갖는 점의 개수는 3이다.
ㄴ. 함수 $f(x)$는 $x=\alpha$에서 극댓값을 갖는다.
ㄷ. 함수 $f(x)$는 열린구간 (α, β)에서 감소한다.

① ㄱ   ② ㄴ   ③ ㄱ, ㄴ
④ ㄴ, ㄷ   ⑤ ㄱ, ㄴ, ㄷ

9-1 함수 $f(x)$의 도함수 $y=f'(x)$의 그래프가 오른쪽 그림과 같을 때, 다음 중 함수 $y=f(x)$의 그래프의 개형이 될 수 있는 것은?

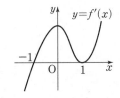

①   ②   ③

④   ⑤

9-2 함수 $f(x)$의 도함수 $y=f'(x)$의 그래프가 오른쪽 그림과 같을 때, 다음 중 함수 $y=f(x)$의 그래프의 개형이 될 수 있는 것은?

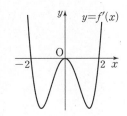

①   ②   ③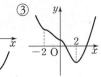

④ ⑤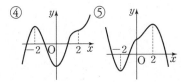

10-1 닫힌구간 $[0, 5]$에서 정의된 함수 $f(x)=-x^3-3x^2+72x$의 최댓값과 최솟값의 합을 구하시오.

10-2 닫힌구간 $[-2, 3]$에서 정의된 함수 $f(x)=x^4-6x^2-8x+10$의 최댓값과 최솟값의 차를 구하시오.

11-1 닫힌구간 $[0, 4]$에서 함수 $f(x)=-ax^3+3x^2$의 최솟값이 -16일 때, 닫힌구간 $[0, 4]$에서 함수 $f(x)$의 최댓값을 구하시오. (단, $a>0$)

11-2 닫힌구간 $[0, a]$에서 함수 $f(x)=ax^3-6x^2$의 최댓값이 16일 때, 닫힌구간 $[0, a]$에서 함수 $f(x)$의 최솟값을 구하시오. (단, $a>0$)

12-1 한 변의 길이가 12인 정삼각형 모양의 종이를 오른쪽 그림과 같이 세 꼭짓점에서 합동인 사각형을 잘라 내어 뚜껑이 없는 삼각기둥 모양의 상자를 만들려고 한다. 이때, 상자의 부피의 최댓값을 구하시오.

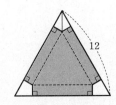

12-2 반지름의 길이가 $60\,\mathrm{cm}$인 구에 원뿔을 내접시키려고 한다. 이 원뿔의 부피가 최대일 때, 원뿔의 높이를 구하시오.

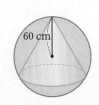

5 도함수의 활용 (2)

6 도함수의 활용 (3)

개념 & 유형 map

1. 방정식과 부등식에의 활용

개념 01 방정식에의 활용
- **유형 01** 방정식 $f(x)=0$의 실근의 개수
- **유형 02** 방정식 $f(x)=k$의 실근의 개수
- **유형 03** 방정식 $f(x)=k$의 실근의 부호

개념 02 부등식에의 활용
- **유형 04** 주어진 구간에서 부등식이 항상 성립할 조건
- **유형 05** 모든 실수에서 부등식이 항상 성립할 조건

2. 속도와 가속도

개념 01 속도와 가속도
- **유형 01** 속도와 가속도
- **유형 02** 위로 던진 물체의 위치와 속도
- **유형 03** 속도 또는 위치의 그래프의 해석
- **유형 04** 시각에 대한 길이의 변화율
- **유형 05** 시각에 대한 넓이, 부피의 변화율

1 방정식과 부등식에의 활용

개념 01 방정식에의 활용

(1) 방정식 $f(x)=0$의 서로 다른 실근의 개수는 함수 $y=f(x)$의 그래프와 x축의 교점의 개수와 같다.

(2) 방정식 $f(x)=g(x)$의 서로 다른 실근의 개수는 두 함수 $y=f(x)$, $y=g(x)$의 그래프의 교점의 개수와 같다.

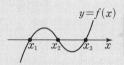 방정식 $f(x)=0$의 실근은 x_1, x_2, x_3의 3개

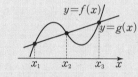 방정식 $f(x)=g(x)$의 실근은 x_1, x_2, x_3의 3개

참고 삼차방정식의 근의 판별

삼차함수 $f(x)$가 극값을 가질 때, 삼차방정식 $f(x)=0$의 근은 극값을 이용하여 다음과 같이 판별할 수 있다.

① (극댓값)×(극솟값)<0 ⟺ 서로 다른 세 실근

② (극댓값)×(극솟값)=0 ⟺ 한 실근과 중근(서로 다른 두 실근)

③ (극댓값)×(극솟값)>0 ⟺ 한 실근과 두 허근

예   방정식 $x^3-3x=0$의 서로 다른 실근의 개수를 구해 보자.

$f(x)=x^3-3x$로 놓으면 $f'(x)=3x^2-3=3(x+1)(x-1)$

$f'(x)=0$에서 $x=-1$ 또는 $x=1$

함수 $f(x)$의 증가, 감소를 표로 나타내면 다음과 같다.

x	$\cdots$	-1	$\cdots$	1	$\cdots$
$f'(x)$	$+$	0	$-$	0	$+$
$f(x)$	↗	2	↘	-2	↗

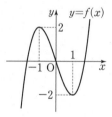

따라서 함수 $y=f(x)$의 그래프는 오른쪽 그림과 같이 x축과 서로 다른 세 점에서 만나므로 주어진 방정식의 서로 다른 실근의 개수는 3 이다.

Lecture 방정식 $f(x)=0$의 서로 다른 실근의 개수는

➡ 함수 $y=f(x)$의 그래프를 그려 x축과의 교점의 개수를 조사한다.

| 정답과 해설 54쪽 |

개념 확인 1   다음 방정식의 서로 다른 실근의 개수를 구하시오.

(1) $-x^3+3x^2-5=0$ (2) $2x^3-6x-4=0$

개념 **02** 부등식에의 활용

(1) 어떤 구간에서 부등식 $f(x) \geq 0$이 성립함을 증명하려면 → 어떤 구간에서 부등식 $f(x) \leq 0$이 성립함을 증명하려면 그 구간에서 ($f(x)$의 최댓값)≤ 0임을 보인다.

➡ 그 구간에서 ($f(x)$의 최솟값)≥ 0임을 보인다.

(2) 어떤 구간에서 부등식 $f(x) \geq g(x)$가 성립함을 증명하려면 → 어떤 구간에서 부등식 $f(x) \leq g(x)$가 성립함을 증명하려면 $h(x) = f(x) - g(x)$로 놓고 그 구간에서

➡ $h(x) = f(x) - g(x)$로 놓고 그 구간에서 ($h(x)$의 최솟값)≥ 0임을 보인다. ($h(x)$의 최댓값)≤ 0임을 보인다.

참고 어떤 구간에서 $f(x)$의 최솟값이 a이면 그 구간에서 $f(x) \geq a$이다.

예 $x \geq 0$일 때, 부등식 $2x^3 - 3x^2 + 1 \geq 0$이 성립함을 보여 보자.

$f(x) = 2x^3 - 3x^2 + 1$로 놓으면

$f'(x) = 6x^2 - 6x = 6x(x-1)$

$f'(x) = 0$에서 $x = 0$ 또는 $x = 1$

$x \geq 0$에서 함수 $f(x)$의 증가, 감소를 표로 나타내면 다음과 같다.

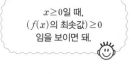

x	0	$\cdots$	1	$\cdots$
$f'(x)$	0	$-$	0	$+$
$f(x)$	1	$\searrow$	0	$\nearrow$

함수 $y = f(x)$의 그래프는 오른쪽 그림과 같고, $x \geq 0$일 때

$f(x)$는 $x = 1$에서 최솟값 0을 가지므로

$f(x) = 2x^3 - 3x^2 + 1 \geq 0$

따라서 $x \geq 0$일 때, 부등식 $2x^3 - 3x^2 + 1 \geq 0$이 성립한다.

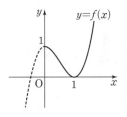

Lecture 어떤 구간에서 부등식 $f(x) \geq 0$이 성립함을 증명하려면

❶ 함수 $f(x)$의 증감표를 작성하여 $f(x)$의 최솟값을 찾는다.

❷ 그 구간에서 ($f(x)$의 최솟값)≥ 0임을 보인다.

| 정답과 해설 54쪽 |

개념 확인 2 다음 물음에 답하시오.

(1) $x \geq -1$일 때, 부등식 $x^3 - 3x + 2 \geq 0$이 성립함을 보이시오.

(2) 모든 실수 x에 대하여 부등식 $x^4 - 4x^3 + 27 \geq 0$이 성립함을 보이시오.

개념 check

1-1 방정식 $x^4-2x^2=0$의 서로 다른 실근의 개수를 구하시오.

연구 $f(x)=x^4-2x^2$으로 놓으면

$f'(x)=4x^3-4x=4x(x+1)(x-1)$

$f'(x)=0$에서 $x=\boxed{}$ 또는 $x=\boxed{}$ 또는 $x=\boxed{}$

함수 $f(x)$의 증가, 감소를 표로 나타내면 다음과 같다.

x	$\cdots$	$\boxed{}$	$\cdots$	$\boxed{}$	$\cdots$	$\boxed{}$	$\cdots$
$f'(x)$	$-$	0	$+$	0	$-$	0	$+$
$f(x)$	$\searrow$	-1	$\nearrow$	0	$\searrow$	-1	$\nearrow$

따라서 함수 $y=f(x)$의 그래프는 오른쪽 그림과 같이 x축과 서로 다른 $\boxed{}$ 점에서 만나므로 주어진 방정식의 서로 다른 실근의 개수는 $\boxed{}$이다.

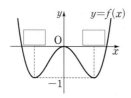

2-1 $x\geq0$일 때, 부등식 $x^3-3x^2>-6$이 성립함을 보이시오.

연구 $x^3-3x^2>-6$에서 $x^3-3x^2+6>0$

$f(x)=x^3-3x^2+6$으로 놓으면

$f'(x)=3x^2-6x=3x(x-2)$

$f'(x)=0$에서 $x=\boxed{}$ 또는 $x=\boxed{}$

$x\geq0$에서 함수 $f(x)$의 증가, 감소를 표로 나타내면 다음과 같다.

x	$\boxed{}$	$\cdots$	$\boxed{}$	$\cdots$
$f'(x)$	0	$-$	0	$+$
$f(x)$	$\boxed{}$	$\searrow$	$\boxed{}$	$\nearrow$

함수 $y=f(x)$의 그래프는 오른쪽 그림과 같고, $x\geq0$일 때 $f(x)$는 $x=\boxed{}$에서 최솟값 $\boxed{}$를 가지므로

$f(x)=x^3-3x^2+6$

$\geq\boxed{}>0$

따라서 $x\geq0$일 때, 부등식 $x^3-3x^2>-6$이 성립한다.

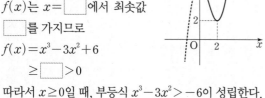

스스로 check

1-2 다음 방정식의 서로 다른 실근의 개수를 구하시오.

(1) $x^3-12x-2=0$

(2) $2x^3+3x^2=0$

(3) $-x^4+4x^2-1=0$

(4) $3x^4-4x^3-12x^2=0$

2-2 다음 물음에 답하시오.

(1) $x\geq0$일 때, 부등식 $x^3-x^2\geq x-1$이 성립함을 보이시오.

(2) 모든 실수 x에 대하여 부등식 $x^4+16\geq8x^2$이 성립함을 보이시오.

대표 유형 01 방정식 $f(x)=0$의 실근의 개수

방정식 $x^3-6x^2+9x-3=0$의 서로 다른 실근의 개수를 구하시오.

풀이

① 방정식의 좌변을 $f(x)$로 놓고 $f'(x)=0$이 되는 x의 값 구하기

$f(x)=x^3-6x^2+9x-3$으로 놓으면

$f'(x)=3x^2-12x+9=3(x-1)(x-3)$

$f'(x)=0$에서 $x=1$ 또는 $x=3$

② 증감표 작성하기

함수 $f(x)$의 증가, 감소를 표로 나타내면 다음과 같다.

x	$\cdots$	1	$\cdots$	3	$\cdots$
$f'(x)$	$+$	0	$-$	0	$+$
$f(x)$	$\nearrow$	1	$\searrow$	-3	$\nearrow$

③ $y=f(x)$의 그래프를 그리고 x축과의 교점의 개수 구하기

따라서 함수 $y=f(x)$의 그래프는 오른쪽 그림과 같이 x축과 서로 다른 세 점에서 만나므로 주어진 방정식의 서로 다른 실근의 개수는 3이다.

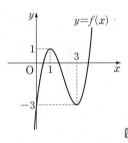

답 3

다른 풀이

위의 풀이에서 극댓값은 $f(1)=1$, 극솟값은 $f(3)=-3$이므로

$f(1)\times f(3)=1\times(-3)=-3<0$

따라서 주어진 방정식의 서로 다른 실근의 개수는 3이다.

참고 위와 같이 삼차방정식 $f(x)=0$에서 삼차함수 $f(x)$가 극값을 가지면 그래프를 그리지 않고 삼차방정식의 근의 판별을 이용하여 실근의 개수를 구할 수도 있다.

해법 방정식 $f(x)=0$의 서로 다른 실근의 개수 $\iff$ 함수 $y=f(x)$의 그래프와 x축의 교점의 개수

| 정답과 해설 55쪽 |

01-1 방정식 $-2x^3+6x^2-6=0$의 서로 다른 실근의 개수를 구하시오.

01-2 방정식 $3x^4-8x^3-6x^2+24x+2=0$의 서로 다른 실근의 개수를 구하시오.

대표 유형 **02** **방정식 $f(x)=k$의 실근의 개수**

유형 해결의 법칙 98쪽 유형 01, 02

방정식 $x^3+3x^2-k=0$이 서로 다른 세 실근을 갖도록 하는 실수 k의 값의 범위를 구하시오.

풀이

❶ 주어진 방정식에서 함수 $f(x)$를 정하고 $f'(x)=0$이 되는 x의 값 구하기

$x^3+3x^2-k=0$에서 $x^3+3x^2=k$
$f(x)=x^3+3x^2$으로 놓으면 $f'(x)=3x^2+6x=3x(x+2)$
$f'(x)=0$에서 $x=-2$ 또는 $x=0$

❷ 증감표 작성하기

함수 $f(x)$의 증가, 감소를 표로 나타내면 다음과 같다.

x	$\cdots$	-2	$\cdots$	0	$\cdots$
$f'(x)$	$+$	0	$-$	0	$+$
$f(x)$	↗	4	↘	0	↗

❸ $y=f(x)$의 그래프를 그리고 조건을 만족시키는 k의 값의 범위 구하기

따라서 함수 $y=f(x)$의 그래프는 오른쪽 그림과 같고, 주어진 방정식이 서로 다른 세 실근을 가지려면 함수 $y=f(x)$의 그래프와 직선 $y=k$가 서로 다른 세 점에서 만나야 하므로
$0<k<4$

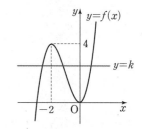

📝 $0<k<4$

다른 풀이

$f(x)=x^3+3x^2-k$로 놓으면 $f'(x)=3x^2+6x=3x(x+2)$
$f'(x)=0$에서 $x=-2$ 또는 $x=0$
함수 $f(x)$의 증가, 감소를 표로 나타내면 다음과 같다.

x	$\cdots$	-2	$\cdots$	0	$\cdots$
$f'(x)$	$+$	0	$-$	0	$+$
$f(x)$	↗	$4-k$	↘	$-k$	↗

극댓값은 $f(-2)=4-k$, 극솟값은 $f(0)=-k$이므로 주어진 방정식이 서로 다른 세 실근을 가지려면
$f(-2)\times f(0)=(4-k)\times(-k)<0$, 즉 $k(k-4)<0$이어야 한다. ∴ $0<k<4$

> **해법** 방정식 $f(x)=k$의 서로 다른 실근의 개수 $\Longleftrightarrow$ 함수 $y=f(x)$의 그래프와 직선 $y=k$의 교점의 개수

| 정답과 해설 56쪽 |

02-1 방정식 $-x^3+12x=k$가 서로 다른 세 실근을 갖도록 하는 실수 k의 값의 범위를 구하시오.

02-2 방정식 $2x^3-3x^2-12x+k=0$이 다음과 같은 근을 갖도록 하는 실수 k의 값 또는 k의 값의 범위를 구하시오.

(1) 서로 다른 세 실근   (2) 한 실근과 중근   (3) 한 실근과 두 허근

대표 유형 **03** **방정식 $f(x)=k$의 실근의 부호**

↻ 유형 해결의 법칙 100쪽 유형 04

> 방정식 $2x^3-6x-2+k=0$이 서로 다른 두 개의 양의 실근과 한 개의 음의 실근을 갖도록 하는 실수 k의 값의 범위를 구하시오.

풀이

❶ 주어진 방정식에서 함수 $f(x)$를 정하고 $f'(x)=0$이 되는 x의 값 구하기

$2x^3-6x-2+k=0$에서 $-2x^3+6x+2=k$

$f(x)=-2x^3+6x+2$로 놓으면 $f'(x)=-6x^2+6=-6(x+1)(x-1)$

$f'(x)=0$에서 $x=-1$ 또는 $x=1$

❷ 증감표 작성하기

함수 $f(x)$의 증가, 감소를 표로 나타내면 다음과 같다.

x	$\cdots$	-1	$\cdots$	1	$\cdots$
$f'(x)$	$-$	0	$+$	0	$-$
$f(x)$	$\searrow$	-2	$\nearrow$	6	$\searrow$

❸ $y=f(x)$의 그래프를 그리고 조건을 만족시키는 k의 값의 범위 구하기

따라서 함수 $y=f(x)$의 그래프는 오른쪽 그림과 같고, 주어진 방정식이 서로 다른 두 개의 양의 실근과 한 개의 음의 실근을 가지려면 함수 $y=f(x)$의 그래프와 직선 $y=k$의 교점의 x좌표가 두 개는 양수이고, 다른 한 개는 음수이어야 하므로

$2<k<6$

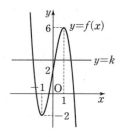

답 $2<k<6$

해법 방정식 $f(x)=k$의 실근의 부호 $\Longleftrightarrow$ 함수 $y=f(x)$의 그래프와 직선 $y=k$의 교점의 x좌표의 부호

| 정답과 해설 57쪽 |

03-1 방정식 $x^3-12x^2+36x-k=0$이 오직 한 개의 양의 실근을 갖도록 하는 실수 k의 값의 범위를 구하시오.

03-2 방정식 $-x^3+3x+k=0$이 다음과 같은 근을 갖도록 하는 실수 k의 값 또는 k의 값의 범위를 구하시오.

(1) 한 개의 양의 실근과 한 개의 음의 실근
(2) 서로 다른 두 개의 양의 실근과 한 개의 음의 실근
(3) 한 개의 양의 실근과 서로 다른 두 개의 음의 실근
(4) 오직 한 개의 음의 실근

주어진 구간에서 부등식이 항상 성립할 조건 ⟳ 유형 해결의 법칙 100, 101쪽, 유형 05, 06

> 다음 부등식이 항상 성립하도록 하는 실수 k의 값의 범위를 구하시오.
>
> (1) $x > 0$일 때, $x^3 - 3x^2 + k > 0$　　　　(2) $x > 1$일 때, $x^3 + 3x^2 - 9x + k > 0$

풀이 **(1)**

❶ 부등식의 좌변을 $f(x)$로 놓고 주어진 범위에서 $f'(x) = 0$이 되는 x의 값 구하기

$f(x) = x^3 - 3x^2 + k$로 놓으면 $f'(x) = 3x^2 - 6x = 3x(x-2)$
$f'(x) = 0$에서 $x = 2$ $(\because x > 0)$

❷ 증감표 작성하기

$x > 0$에서 함수 $f(x)$의 증가, 감소를 표로 나타내면 다음과 같다.

x	0	$\cdots$	2	$\cdots$
$f'(x)$		$-$	0	$+$
$f(x)$		$\searrow$	$-4+k$	$\nearrow$

❸ $f(x)$의 최솟값이 0보다 큰 k의 값의 범위 구하기

$x > 0$일 때, 함수 $f(x)$는 $x = 2$에서 최솟값 $k - 4$를 가진다.
따라서 $x > 0$일 때 $f(x) > 0$이려면 $f(2) > 0$이어야 하므로
$-4 + k > 0$　　∴ $k > 4$

(2)

❶ 부등식의 좌변을 $f(x)$로 놓고 주어진 범위에서 함수 $f(x)$가 증가함을 보이기

$f(x) = x^3 + 3x^2 - 9x + k$로 놓으면 $f'(x) = 3x^2 + 6x - 9 = 3(x+3)(x-1)$
$x > 1$에서 $f'(x) = 0$인 x의 값이 없으므로 함수 $f(x)$는 최솟값이 없다.
$x > 1$일 때, $f'(x) > 0$이므로 함수 $f(x)$는 $x > 1$에서 증가한다.

❷ $f(1) \geq 0$인 k의 값의 범위 구하기

따라서 $x > 1$일 때 $f(x) > 0$이려면 $f(1) \geq 0$이어야 하므로
$f(1) = k - 5 \geq 0$　　∴ $k \geq 5$

답 (1) $k > 4$　(2) $k \geq 5$

해법 $x > a$에서 부등식 $f(x) > 0$이 성립하려면
❶ 함수 $f(x)$의 최솟값이 존재할 때 ➡ $x > a$에서 ($f(x)$의 최솟값) > 0
❷ 함수 $f(x)$의 최솟값이 존재하지 않을 때 ➡ $x > a$에서 함수 $f(x)$가 증가하고 $f(a) \geq 0$

| 정답과 해설 57쪽 |

04-1 다음 부등식이 항상 성립하도록 하는 실수 k의 값의 범위를 구하시오.

(1) $x \geq -3$일 때, $x^3 - 27x + k \geq 0$　　　　(2) $2 < x < 5$일 때, $-x^3 - x^2 + x + k < 0$

04-2 $0 \leq x \leq 3$일 때, 부등식 $-x^3 - x^2 + 8x + k \leq 5x^2 - 7x$가 항상 성립하도록 하는 실수 k의 최댓값을 구하시오.

대표 유형 05 모든 실수에서 부등식이 항상 성립할 조건

유형 해결의 법칙 101쪽 유형 07

모든 실수 x에 대하여 부등식 $x^4-4x+k>0$이 성립하도록 하는 실수 k의 값의 범위를 구하시오.

풀이

❶ 부등식의 좌변을 $f(x)$로 놓고 $f'(x)=0$이 되는 x의 값 구하기

$f(x)=x^4-4x+k$로 놓으면 $f'(x)=4x^3-4=4(x-1)(x^2+x+1)$

이때, $x^2+x+1=\left(x+\dfrac{1}{2}\right)^2+\dfrac{3}{4}>0$이므로

$f'(x)=0$에서 $x=1$

❷ 증감표 작성하기

함수 $f(x)$의 증가, 감소를 표로 나타내면 다음과 같다.

x	$\cdots$	1	$\cdots$
$f'(x)$	$-$	0	$+$
$f(x)$	$\searrow$	$k-3$	$\nearrow$

❸ $f(x)$의 최솟값이 0보다 큰 k의 값의 범위 구하기

함수 $f(x)$는 $x=1$에서 최솟값 $k-3$을 가진다.

따라서 모든 실수 x에 대하여 $f(x)>0$이려면 $f(1)>0$이어야 하므로

$k-3>0$ ∴ $k>3$

답 $k>3$

해법 모든 실수 x에 대하여 부등식 $f(x)>0$이 성립하려면
➡ ($f(x)$의 최솟값) >0

| 정답과 해설 57쪽 |

05-1 모든 실수 x에 대하여 부등식 $-x^4+8x^2+k\le0$이 성립하도록 하는 실수 k의 값의 범위를 구하시오.

05-2 모든 실수 x에 대하여 부등식 $3x^4-4x^3\ge12x^2+k$가 성립하도록 하는 실수 k의 값의 범위는 $k\le a$이다. 이때, 상수 a의 값을 구하시오.

2 속도와 가속도

| 개념 파헤치기 |

개념 **01** 속도와 가속도

수직선 위를 움직이는 점 P의 시각 t에서의 위치 x가 $x=f(t)$일 때, 시각 t에서의 점 P의 <u>속도 v</u>와
가속도 a는

속도의 절댓값 $|v|$를 속력이라 한다. ←

(1) $v=\dfrac{dx}{dt}=f'(t)$ ← 위치의 순간변화율   (2) $a=\dfrac{dv}{dt}$ ← 속도의 순간변화율

참고 **시각에 대한 길이, 넓이, 부피의 변화율**

어떤 물체의 시각 t에서의 길이를 l, 넓이를 S, 부피를 V라 할 때, 시간이 $\varDelta t$만큼 경과한 후 길이, 넓이, 부피가 각각
$\varDelta l$, $\varDelta S$, $\varDelta V$만큼 변했다고 하면 시각 t에서의

① 길이 l의 변화율: $\lim\limits_{\varDelta t \to 0} \dfrac{\varDelta l}{\varDelta t}=\dfrac{dl}{dt}$ ② 넓이 S의 변화율: $\lim\limits_{\varDelta t \to 0} \dfrac{\varDelta S}{\varDelta t}=\dfrac{dS}{dt}$

③ 부피 V의 변화율: $\lim\limits_{\varDelta t \to 0} \dfrac{\varDelta V}{\varDelta t}=\dfrac{dV}{dt}$

예   수직선 위를 움직이는 점 P의 시각 t에서의 위치 x가 $x=t^2-3t$일 때,
시각 $t=1$에서의 점 P의 속도 v와 가속도 a를 각각 구해 보자.

$v=\dfrac{dx}{dt}=2t-3$, $a=\dfrac{dv}{dt}=2$이므로

시각 $t=1$에서의 점 P의 속도와 가속도는

$v=2 \times 1-3=-1$, $a=2$

> 수직선 위를 움직이는
> 점 P의 운동 방향은
> $v>0$일 때 양의 방향이고,
> $v<0$일 때 음의 방향이야.
> 또, $v=0$일 때 운동 방향을
> 바꾸거나 정지해.

Lecture

| 위치 x | →미분→ | 속도 $v=\dfrac{dx}{dt}$ | →미분→ | 가속도 $a=\dfrac{dv}{dt}$ |

| 정답과 해설 58쪽 |

개념 확인 1 수직선 위를 움직이는 점 P의 시각 t에서의 위치 x가 다음과 같을 때, 시각 $t=2$에서의 점 P의 속도 v와 가속도 a를
각각 구하시오.

(1) $x=2t^2+3t+1$ (2) $x=t^3+t^2-2t$

개념 check

1-1 수직선 위를 움직이는 점 P의 시각 t에서의 위치 x가 $x=t^3-3t^2$일 때, 시각 $t=1$에서의 점 P의 속도 v와 가속도 a를 각각 구하시오.

연구 $v=\dfrac{dx}{dt}=\boxed{}$, $a=\dfrac{dv}{dt}=\boxed{}$이므로

$t=1$에서의 점 P의 속도와 가속도는

$v=\boxed{}\times 1^2-\boxed{}\times 1=\boxed{}$

$a=\boxed{}\times 1-\boxed{}=\boxed{}$

스스로 check

1-2 수직선 위를 움직이는 점 P의 시각 t에서의 위치 x가 다음과 같을 때, 주어진 시각 t에서의 점 P의 속도 v와 가속도 a를 각각 구하시오.

(1) $x=t^2+2t+4$ $[t=2]$

(2) $x=-2t^3+5t$ $[t=1]$

(3) $x=t^3-4t^2+3$ $[t=3]$

2-1 시각 t에서의 길이 l이 $l=t^3-2t^2+2$인 고무줄이 있다. 시각 $t=3$에서의 고무줄의 길이의 변화율을 구하시오.

연구 $\dfrac{dl}{dt}=\boxed{}$이므로

$t=3$에서의 고무줄의 길이의 변화율은

$\boxed{}\times 3^2-\boxed{}\times 3=\boxed{}$

2-2 시각 t에서의 길이 l이 다음과 같은 고무줄이 있다. 시각 $t=1$에서의 고무줄의 길이의 변화율을 구하시오.

(1) $l=2t^3-t^2-5t+5$

(2) $l=4t^3+8t+1$

3-1 시각 t에서의 반지름의 길이가 t인 구에 대하여 다음을 구하시오.

(1) 시각 $t=2$에서의 구의 겉넓이의 변화율

(2) 시각 $t=2$에서의 구의 부피의 변화율

연구 (1) 구의 겉넓이를 S라 하면

$S=4\pi t^2$ $\therefore \dfrac{dS}{dt}=\boxed{}$

따라서 $t=2$에서의 구의 겉넓이의 변화율은

$\boxed{}\times 2=\boxed{}$

(2) 구의 부피를 V라 하면

$V=\dfrac{4}{3}\pi t^3$ $\therefore \dfrac{dV}{dt}=\boxed{}$

따라서 $t=2$에서의 구의 부피의 변화율은

$\boxed{}\times 2^2=\boxed{}$

3-2 시각 t에서의 반지름의 길이가 $2t$인 구에 대하여 다음을 구하시오.

(1) 시각 $t=1$에서의 구의 겉넓이의 변화율

(2) 시각 $t=1$에서의 구의 부피의 변화율

대표 유형 01 속도와 가속도

↻ 유형 해결의 법칙 102쪽 유형 08, 10

원점을 출발하여 수직선 위를 움직이는 점 P의 시각 t에서의 위치 x가 $x=t^3-12t$일 때, 다음을 구하시오.

(1) 시각 $t=1$에서의 점 P의 속도와 가속도　　　(2) 점 P가 운동 방향을 바꾸는 시각

풀이　(1)　**❶ 시각 t에서의 점 P의 속도와 가속도 구하기**

시각 t에서의 점 P의 속도를 v, 가속도를 a라 하면
$$v=\frac{dx}{dt}=3t^2-12,\ a=\frac{dv}{dt}=6t$$

❷ $t=1$에서의 점 P의 속도와 가속도 구하기

따라서 $t=1$에서의 점 P의 속도와 가속도는
$$v=3\times1^2-12=-9,\ a=6\times1=6$$

(2)　**❶ $v=0$이 되는 시각 구하기**

점 P가 운동 방향을 바꾸는 순간의 속도는 0이므로
$$v=3t^2-12=3(t-2)(t+2)=0에서$$
$$t=2\ (\because t>0)$$

❷ $t=2$의 좌우에서 v의 부호의 변화를 보고 점 P가 운동 방향을 바꾸는 시각 구하기

$0<t<2$일 때 $v<0$, $t>2$일 때 $v>0$이므로 점 P는 $t=2$에서 운동 방향을 바꾼다.

📋 (1) 속도: -9, 가속도: 6　(2) 2

해법　수직선 위를 움직이는 점 P의 시각 t에서의 위치 x가 $x=f(t)$일 때

❶ (1) 속도 $v=\dfrac{dx}{dt}=f'(t)$　　　(2) 가속도 $a=\dfrac{dv}{dt}$

❷ 점 P가 운동 방향을 바꾸는 시각 t ➡ $v=f'(t)=0$임을 이용

| 정답과 해설 58쪽 |

01-1 원점을 출발하여 수직선 위를 움직이는 점 P의 시각 t에서의 위치 x가 $x=-4t^3+3t^2+6t$일 때, 다음을 구하시오.

(1) 시각 $t=2$에서의 점 P의 속도와 가속도　　　(2) 점 P가 운동 방향을 바꾸는 시각

01-2 원점을 출발하여 수직선 위를 움직이는 점 P의 시각 t에서의 위치 x가 $x=2t^3-21t^2+60t$이다. 원점을 출발한 점 P의 속도가 처음으로 0이 되는 순간의 점 P의 가속도를 구하시오.

↪ 유형 해결의 법칙 104쪽 유형 12

대표 유형 02 위로 던진 물체의 위치와 속도

지상 15 m의 위치에서 10 m/s의 속도로 지면과 수직하게 위로 던진 물체의 t초 후의 높이를 h m라 하면 $h=-5t^2+10t+15$인 관계가 성립한다. 다음을 구하시오.

(1) 물체가 최고 높이에 도달할 때까지 걸린 시간과 그때의 높이

(2) 물체가 지면에 떨어지는 순간의 속도

풀이

| 물체의 t초 후의 속도 구하기 | 물체의 t초 후의 속도를 v m/s라 하면
$$v=\frac{dh}{dt}=-10t+10$$ |

(1) **❶ 물체가 최고 높이에 도달하는 순간의 t의 값 구하기**

최고 높이에 도달했을 때의 속도는 $v=0$이므로
$v=-10t+10=0$에서 $t=1$

❷ $t=1$일 때, 높이 구하기

따라서 물체가 최고 높이에 도달할 때까지 걸린 시간은 1초이고, 최고 높이는
$h=-5\times1^2+10\times1+15=20\,(\mathrm{m})$

(2) **❶ 물체가 지면에 떨어지는 순간의 t의 값 구하기**

물체가 지면에 떨어질 때의 높이는 $h=0$이므로
$-5t^2+10t+15=0$에서 $-5(t+1)(t-3)=0$
$\therefore t=3\ (\because t>0)$

❷ $t=3$일 때, 속도 구하기

따라서 물체가 지면에 떨어지는 순간, 즉 $t=3$일 때 물체의 속도는
$v=-10\times3+10=-20\,(\mathrm{m/s})$

📋 (1) 1초, 20 m   (2) −20 m/s

해법 지면과 수직하게 위로 던진 물체가
❶ 최고 높이에 도달할 때 ➡ 운동 방향이 바뀌므로 (속도)=0
❷ 지면에 떨어질 때 ➡ (높이)=0

| 정답과 해설 59쪽 |

02-1 지상 25 m의 위치에서 20 m/s의 속도로 지면과 수직하게 위로 던진 물체의 t초 후의 높이를 h m라 하면 $h=-5t^2+20t+25$인 관계가 성립한다. 다음을 구하시오.

(1) 물체가 최고 높이에 도달할 때까지 걸린 시간과 그때의 높이

(2) 물체가 지면에 떨어지는 순간의 속도

02-2 16 m/s의 속도로 지면과 수직하게 쏘아 올린 물로켓의 t초 후의 높이를 h m라 하면 $h=-2t^2+16t$인 관계가 성립한다. 이 물로켓이 지면에 떨어지는 순간의 속력을 구하시오.

대표 유형 03 속도 또는 위치의 그래프의 해석

⟳ 유형 해결의 법칙 104, 105쪽 유형 13, 14

원점을 출발하여 수직선 위를 움직이는 점 P의 시각 t에서의 속도 $v(t)$의 그래프가 오른쪽 그림과 같을 때, 다음 **보기**의 설명 중 옳은 것만을 있는 대로 고르시오.

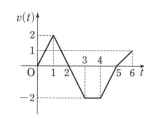

┤ 보기 ├

ㄱ. $t=1$, $t=3$일 때, 점 P의 속력은 서로 같다.

ㄴ. $t=2$일 때, 점 P의 가속도는 0이다.

ㄷ. $0<t<6$에서 점 P는 운동 방향을 2번 바꾼다.

풀이

ㄱ. $v(1)=2$이므로 $t=1$일 때 점 P의 속력은 2이다.

$v(3)=-2$이므로 $t=3$일 때 점 P의 속력은 $|-2|=2$이다.

따라서 $t=1$, $t=3$일 때, 점 P의 속력은 서로 같다.

ㄴ. $t=2$일 때, 점 P의 가속도는 $v'(2)$이고, $v'(2)<0$이므로 가속도는 0보다 작다.

ㄷ. $t=2$, $t=5$의 좌우에서 $v(t)$의 부호가 바뀌므로 점 P는 운동 방향을 2번 바꾼다.

따라서 옳은 것은 ㄱ, ㄷ이다.

답 ㄱ, ㄷ

┌─ **해법** ─ 수직선 위를 움직이는 점 P의 시각 t에서의 속도 $v(t)$의 그래프가 주어질 때

❶ 가속도 ➡ 접선의 기울기 $v'(t)$

❷ 운동 방향 ➡ $v(t)$의 부호

　(1) $v(t)>0$ ➡ 양의 방향　(2) $v(t)<0$ ➡ 음의 방향　(3) $v(t)=0$ ➡ 정지 또는 운동 방향을 바꿈

| 정답과 해설 59쪽 |

03-1 원점을 출발하여 수직선 위를 움직이는 점 P의 시각 t에서의 속도 $v(t)$의 그래프가 오른쪽 그림과 같을 때, 다음 **보기**의 설명 중 옳은 것만을 있는 대로 고르시오.

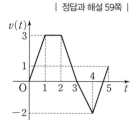

┤ 보기 ├

ㄱ. $0<t<5$에서 점 P의 최고 속도는 3이다.

ㄴ. $4<t<5$에서 가속도는 양의 값이다.

ㄷ. $0<t<5$에서 점 P는 운동 방향을 3번 바꾼다.

03-2 수직선 위를 움직이는 점 P의 시각 t에서의 위치 $x(t)$의 그래프가 오른쪽 그림과 같을 때, 다음 **보기**의 설명 중 옳은 것만을 있는 대로 고르시오.

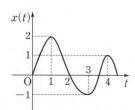

┤ 보기 ├

ㄱ. $t=2$일 때, 점 P는 원점을 지난다.

ㄴ. $3<t<4$에서 점 P는 양의 방향으로 움직인다.

ㄷ. $t=1$일 때, 점 P의 속도는 0이다.

대표 유형 04 시각에 대한 길이의 변화율

🔁 유형 해결의 법칙 105쪽 유형 15

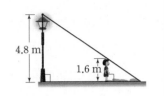

오른쪽 그림과 같이 키가 1.6 m인 학생이 높이가 4.8 m인 가로등의 바로 밑에서 출발하여 매초 2 m의 속도로 일직선으로 걸어갈 때, 다음을 구하시오.

(1) 그림자 끝이 움직이는 속도   (2) 그림자의 길이의 변화율

풀이 (1) ❶ 학생이 t초 동안 움직이는 거리 구하기

학생이 2 m/s의 속도로 걸어가므로 t초 동안 움직이는 거리는 $2t$ m

❷ 그림자 끝이 t초 동안 움직이는 거리를 x m라 하고, 삼각형의 닮음을 이용하여 x와 t 사이의 관계식 구하기

그림자 끝이 t초 동안 움직이는 거리를 x m라 하면
오른쪽 그림에서 $\triangle ABC \backsim \triangle DEC$이므로
$\overline{AB} : \overline{DE} = \overline{BC} : \overline{EC}$
$4.8 : 1.6 = x : (x-2t)$, $4.8x - 9.6t = 1.6x$
$3.2x = 9.6t$ $\therefore x = 3t$

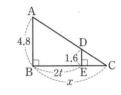

❸ 그림자 끝이 움직이는 속도 구하기

따라서 그림자 끝이 움직이는 속도는 $\dfrac{dx}{dt} = 3$ (m/s)

(2) ❶ 그림자의 길이를 t에 대한 식으로 나타내기

t초 후의 그림자의 길이를 l m라 하면
$l = \overline{BC} - \overline{BE} = x - 2t = 3t - 2t = t$

❷ 그림자의 길이의 변화율 구하기

따라서 그림자의 길이의 변화율은 $\dfrac{dl}{dt} = 1$ (m/s)

📋 (1) 3 m/s   (2) 1 m/s

해법   시각 t에서의 그림자의 길이를 l이라 하면 그림자의 길이 l의 변화율은 ➡ $\dfrac{dl}{dt}$

| 정답과 해설 59쪽 |

04-1 오른쪽 그림과 같이 키가 1.5 m인 학생이 높이가 3 m인 가로등의 바로 밑에서 출발하여 매초 1 m의 속도로 일직선으로 걸어갈 때, 다음을 구하시오.

(1) 그림자 끝이 움직이는 속도   (2) 그림자의 길이의 변화율

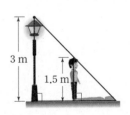

04-2 오른쪽 그림과 같이 좌표평면 위의 원점 O를 출발하여 각각 x축, y축 위를 움직이는 두 점 A, B가 있다. 점 A는 x축의 양의 방향으로 매초 4의 속력으로 움직이고, 점 B는 y축의 양의 방향으로 매초 3의 속력으로 움직인다고 한다. 점 C가 선분 AB의 중점일 때, 선분 OC의 길이의 변화율을 구하시오.

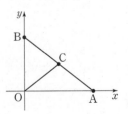

대표 유형 **시각에 대한 넓이, 부피의 변화율**

↻ 유형 해결의 법칙 105, 106쪽 유형 16, 17

> 반지름의 길이가 4 cm인 구 모양의 고무공에 공기를 넣으면 반지름의 길이가 매초 1 cm씩 늘어난다.
> 공기를 넣기 시작하여 반지름의 길이가 7 cm가 되었을 때, 다음을 구하시오.
>
> (1) 고무공의 겉넓이의 변화율   (2) 고무공의 부피의 변화율

풀이

고무공의 반지름의 길이가 7 cm가 될 때의 시각 구하기	반지름의 길이가 1 cm/s씩 늘어나므로 t초 후의 고무공의 반지름의 길이를 r cm라 하면 $r=4+t$ 고무공의 반지름의 길이가 7 cm가 될 때의 시각은 $4+t=7$에서 $t=3$

(1)

❶ 고무공의 겉넓이를 t에 대한 식으로 나타내기	고무공의 겉넓이를 S cm²라 하면 $S=4\pi r^2=4\pi(4+t)^2$
❷ 고무공의 겉넓이의 변화율 구하기	시각 t에 대한 고무공의 겉넓이 S의 변화율은 $\dfrac{dS}{dt}=4\pi\times2(4+t)=8\pi(4+t)$
❸ $t=3$일 때, 고무공의 겉넓이의 변화율 구하기	따라서 $t=3$일 때, 고무공의 겉넓이의 변화율은 $8\pi(4+3)=56\pi$ (cm²/s)

(2)

❶ 고무공의 부피를 t에 대한 식으로 나타내기	고무공의 부피를 V cm³라 하면 $V=\dfrac{4}{3}\pi r^3=\dfrac{4}{3}\pi(4+t)^3$
❷ 고무공의 부피의 변화율 구하기	시각 t에 대한 고무공의 부피 V의 변화율은 $\dfrac{dV}{dt}=\dfrac{4}{3}\pi\times3(4+t)^2=4\pi(4+t)^2$
❸ $t=3$일 때, 고무공의 부피의 변화율 구하기	따라서 $t=3$일 때, 고무공의 부피의 변화율은 $4\pi(4+3)^2=196\pi$ (cm³/s)

🖺 (1) 56π cm²/s   (2) 196π cm³/s

해법 ❶ 시각 t에서의 고무공의 겉넓이를 S라 하면 고무공의 겉넓이 S의 변화율은 ➡ $\dfrac{dS}{dt}$

❷ 시각 t에서의 고무공의 부피를 V라 하면 고무공의 부피 V의 변화율은 ➡ $\dfrac{dV}{dt}$

| 정답과 해설 60쪽 |

05-1 한 변의 길이가 10 cm인 정사각형의 각 변의 길이가 매초 2 cm씩 늘어난다. 이 정사각형의 넓이가 400 cm²가 되었을 때, 넓이의 변화율을 구하시오.

05-2 밑면의 반지름의 길이가 4 cm, 높이가 16 cm인 원기둥이 있다. 이 원기둥의 밑면의 반지름의 길이는 매초 1 cm씩 늘어나고, 높이는 매초 2 cm씩 줄어든다. 높이가 10 cm가 되었을 때, 원기둥의 부피의 변화율을 구하시오.

유형 확인

1-1 방정식 $3x^4-6x^2=k$가 서로 다른 네 실근을 갖도록 하는 모든 정수 k의 값의 합을 구하시오.

한번 더 확인

1-2 방정식 $-x^4+4x^3-4x^2-k=0$이 서로 다른 두 실근을 갖도록 하는 정수 k의 최댓값을 구하시오.

2-1 두 함수 $f(x)$, $g(x)$의 도함수 $y=f'(x)$, $y=g'(x)$의 그래프가 오른쪽 그림과 같다. $f(0)=0$, $g(0)=1$일 때, 방정식 $f(x)-g(x)=0$의 서로 다른 실근의 개수를 구하시오.

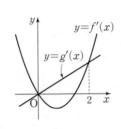

2-2 두 함수 $f(x)$, $g(x)$의 도함수 $y=f'(x)$, $y=g'(x)$의 그래프가 오른쪽 그림과 같다. $f(1)=g(1)$일 때, 방정식 $f(x)-g(x)=0$의 서로 다른 실근의 개수를 구하시오.

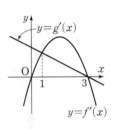

3-1 방정식 $2x^3-3x^2-k=0$이 오직 한 개의 양의 실근 또는 오직 한 개의 음의 실근을 갖도록 하는 실수 k의 값의 범위는 $k>a$ 또는 $k<b$이다. 이때, 상수 a, b에 대하여 $a+b$의 값을 구하시오.

3-2 방정식 $3x^4-2x^3=3x^2-k$가 오직 서로 다른 두 개의 양의 실근을 갖도록 하는 정수 k의 개수를 구하시오.

4-1 $-2 \le x \le 2$일 때, 두 함수
$$f(x)=5x^3-6x+k, \quad g(x)=3x^3$$
에 대하여 부등식 $f(x) \ge g(x)$가 항상 성립하도록 하는 실수 k의 최솟값을 구하시오.

4-2 $x \le 2$일 때, 두 함수
$$f(x)=x^3-2x+k, \quad g(x)=3x^2-2x+1$$
에 대하여 부등식 $f(x) \le g(x)$가 항상 성립하도록 하는 실수 k의 값의 범위는 $k \le a$이다. 이때, 상수 a의 값을 구하시오.

유형 확인

5-1 모든 실수 x에 대하여 부등식
$$-x^4+4x+a^2 \le 4a$$
가 성립하도록 하는 실수 a의 최댓값을 구하시오.

한번 더 확인

5-2 두 함수
$$f(x)=x^4-a,\ g(x)=2x^2$$
에 대하여 함수 $y=f(x)$의 그래프가 함수 $y=g(x)$의 그래프보다 항상 위쪽에 있도록 하는 실수 a의 값의 범위를 구하시오.

6-1 수직선 위를 움직이는 두 점 P, Q의 시각 t에서의 위치가 각각
$$P(t)=\frac{1}{3}t^3+9t-10,\ Q(t)=3t^2-17$$
일 때, 두 점 P, Q의 속도가 같아지는 순간의 두 점 사이의 거리를 구하시오.

6-2 수직선 위를 움직이는 두 점 P, Q의 시각 t에서의 위치가 각각
$$P(t)=t^4-6t^3+12t^2,\ Q(t)=kt^2-4t$$
이다. 시각 $t=2$에서의 두 점 P, Q의 속도가 같을 때, 상수 k의 값을 구하시오.

7-1 원점을 출발하여 수직선 위를 움직이는 점 P의 시각 t에서의 위치 x가 $x=-t^3+2t^2+3t$일 때, 점 P가 출발 후 다시 원점을 지나는 순간의 속도와 가속도를 각각 구하시오.

7-2 원점을 출발하여 수직선 위를 움직이는 점 P의 시각 t에서의 위치 x가 $x=t^3-5t^2+6t$일 때, 점 P가 출발 후 마지막으로 원점을 지나는 순간의 속도와 가속도를 각각 구하시오.

8-1 직선 도로를 달리는 전기차가 제동을 건 후 t초 동안 움직인 거리가 x m일 때, $x=24t-3t^2$인 관계가 성립한다. 이 전기차가 목적지에 정확히 정지하려면 목적지로부터 전방 a m인 지점에서 제동을 걸어야 한다고 할 때, 상수 a의 값을 구하시오.

8-2 직선 궤도를 달리는 열차가 제동을 건 후 t초 동안 움직인 거리가 x m일 때, $x=32t-2t^2$인 관계가 성립한다. 이 열차가 목적지에 정확히 정지하려면 목적지로부터 전방 a m인 지점에서 제동을 걸어야 한다고 할 때, 상수 a의 값을 구하시오.

유형 확인

9-1 30 m/s의 속도로 지면과 수직하게 위로 던진 공의 t초 후의 높이를 h m라 하면 $h=-5t^2+30t$인 관계가 성립한다. 이 공이 도달하는 최고 높이를 a m, 지면에 떨어지는 순간의 속력을 b m/s라 할 때, $a-b$의 값을 구하시오.

한번 더 확인

9-2 지상 45 m의 위치에서 40 m/s의 속도로 지면과 수직하게 위로 던진 돌의 t초 후의 높이를 h m라 하면 $h=-5t^2+40t+45$인 관계가 성립한다. 이 돌이 최고 높이에 도달할 때까지 걸린 시간을 a초, 지면에 떨어지는 순간의 속도를 b m/s라 할 때, $a+b$의 값을 구하시오.

10-1 수직선 위를 움직이는 점 P의 시각 t에서의 위치 $x(t)$의 그래프가 오른쪽 그림과 같을 때, 점 P가 운동 방향을 두 번째로 바꾼 시각을 구하시오.

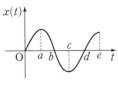

10-2 수직선 위를 움직이는 점 P의 시각 t에서의 속도 $v(t)$의 그래프가 오른쪽 그림과 같을 때, 다음 중 점 P의 가속도가 가장 작은 시각은?

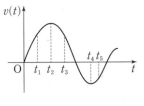

① t_1 ② t_2 ③ t_3

④ t_4 ⑤ t_5

11-1 가로, 세로의 길이가 각각 10 cm, 15 cm인 직사각형의 가로의 길이는 매초 2 cm씩 늘어나고, 세로의 길이는 매초 1 cm씩 줄어든다. 이 직사각형의 넓이가 128 cm²가 되었을 때, 넓이의 변화율을 구하시오.

11-2 잔잔한 호수에 돌을 던지면 동심원 모양의 물결이 생긴다. 가장 바깥쪽 물결의 반지름의 길이가 매초 5 cm씩 늘어날 때, 돌을 던진 후 3초 후에 가장 바깥쪽 물결의 넓이의 변화율을 구하시오.

12-1 오른쪽 그림과 같이 밑면의 반지름의 길이가 10 cm, 높이가 20 cm인 원뿔 모양의 그릇에 수면의 높이가 매초 2 cm씩 올라가도록 물을 붓고 있다. 4초 후 물의 부피의 변화율을 구하시오.

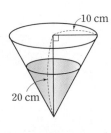

12-2 한 모서리의 길이가 4 cm인 정육면체의 각 모서리의 길이가 매초 1 cm씩 늘어난다. 이 정육면체의 부피가 216 cm³가 되었을 때, 부피의 변화율을 구하시오.

7 부정적분

이 단원에서는 무엇을 공부해요?

 부정적분의 정의와 부정적분의 계산을 배운
단다. 부정적분은 정적분을 이해하는 데 도움
이 되니 잘 기억해야 해.

 부정적분이라…. 어려울 것 같아요.

그렇지 않아. 앞에서 배운 미분을 정확히
이해하고 있다면 어렵지 않을거야.

개념 & 유형 map

1. 부정적분의 정의

| 개념 01 | 부정적분의 정의 | ⎯⎯ | 유형 01 | 부정적분의 정의 |

| 개념 02 | 부정적분과 미분의 관계 | ⎯⎯ | 유형 02 | 부정적분과 미분의 관계 |

2. 부정적분의 계산

개념 01 · 함수 $y = x^n$의 부정적분

개념 02 · 함수의 실수배, 합, 차의 부정적분

유형 01 · 부정적분의 계산

유형 02 · 도함수가 주어진 경우의 부정적분

유형 03 · 함수와 그 부정적분의 관계식

유형 04 · 부정적분과 함수의 연속성

유형 05 · 극값이 주어진 경우의 부정적분

1 부정적분의 정의

개념 01 부정적분의 정의

(1) 함수 $f(x)$에 대하여 도함수가 $f(x)$인 함수 $F(x)$, 즉 $F'(x)=f(x)$가 되는 함수 $F(x)$를 함수 $f(x)$의 부정적분이라 하고, 기호로 $\int f(x)dx$와 같이 나타낸다.

(2) 함수 $f(x)$의 한 부정적분을 $F(x)$라 하면 $f(x)$의 임의의 부정적분은

$$F(x)+C \ (C \text{는 상수})$$

와 같이 나타낼 수 있다. 이때, $f(x)$를 피적분함수, C를 적분상수, x를 적분변수라 한다.

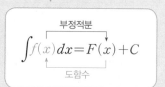

(3) 함수 $f(x)$의 부정적분, 즉 $\int f(x)dx$를 구하는 것을 $f(x)$를 적분한다고 하며, 그 계산법을 적분법이라 한다.

참고 ① 기호 $\int$은 합을 뜻하는 라틴어 summa의 첫 글자 s의 변형이며

  '적분 $f(x)dx$' 또는 '인티그럴(integral) $f(x)dx$'라 읽는다.

 ② $\int f(x)dx$에서 dx는 x에 대하여 적분한다는 뜻이므로 x 이외의 문자는 모두 상수로 취급한다.

예

(1)
$$\begin{array}{c} x^4 \\ x^4+1 \\ x^4-\dfrac{1}{2} \\ \vdots \\ \Rightarrow x^4+(\text{상수}) \ \text{꼴} \end{array} \quad \overset{\text{미분}}{\underset{\text{적분}}{\rightleftarrows}} \quad 4x^3$$

$4x^3$의 부정적분은 무수히 많이 있으며 모두 상수항만 달라.

(2) $(2x)'=2 \quad \Rightarrow \quad \int 2dx=2x+C$

Lecture

$$\underset{f(x)\text{의 부정적분}}{F(x)+C} \quad \overset{\text{미분한다.}}{\underset{\text{적분한다.}}{\rightleftarrows}} \quad \underset{F(x)+C\text{의 도함수}}{f(x)}$$

| 정답과 해설 64쪽 |

개념 확인 1 다음 등식을 만족시키는 함수 $f(x)$를 구하시오. (단, C는 적분상수)

(1) $\int f(x)dx=2x^2+x+C$

(2) $\int f(x)dx=-x^3+3x^2+C$

개념 **02** 부정적분과 미분의 관계

미분가능한 함수 $f(x)$에 대하여

(1) $\dfrac{d}{dx}\displaystyle\int f(x)dx=f(x)$

(2) $\displaystyle\int\left\{\dfrac{d}{dx}f(x)\right\}dx=f(x)+C$ (단, C는 적분상수)

주의 $\dfrac{d}{dx}\displaystyle\int f(x)dx\neq\displaystyle\int\left\{\dfrac{d}{dx}f(x)\right\}dx$

설명

(1) $f(x)$의 한 부정적분을 $F(x)$라 하면

$\displaystyle\int f(x)dx=F(x)+C$ (단, C는 적분상수)

양변을 x에 대하여 미분하면

$\dfrac{d}{dx}\left\{\displaystyle\int f(x)dx\right\}=\dfrac{d}{dx}\{F(x)+C\}=\dfrac{d}{dx}F(x)=f(x)$

(2) $\displaystyle\int\left\{\dfrac{d}{dx}f(x)\right\}dx=F(x)$로 놓고 양변을 x에 대하여 미분하면

$\dfrac{d}{dx}f(x)=\dfrac{d}{dx}F(x)$

도함수의 성질에 의하여 $\dfrac{d}{dx}\{F(x)-f(x)\}=0$이므로

$F(x)-f(x)=C$ (C는 상수), 즉 $F(x)=f(x)+C$

$\therefore \displaystyle\int\left\{\dfrac{d}{dx}f(x)\right\}dx=f(x)+C$ (단, C는 적분상수)

예

$f(x)=4x^3$일 때

(1) $\dfrac{d}{dx}\displaystyle\int 4x^3dx=\dfrac{d}{dx}(x^4+C)=4x^3$ ← $f(x)$를 적분한 후 미분하면 $f(x)$

$f(x)\Rightarrow \underset{\text{적분}}{F(x)+C}\Rightarrow \underset{\text{미분}}{f(x)}$

(2) $\displaystyle\int\left\{\dfrac{d}{dx}(4x^3)\right\}dx=\displaystyle\int 12x^2dx=4x^3+C$ ← $f(x)$를 미분한 후 적분하면 $f(x)+C$

$f(x)\Rightarrow \underset{\text{미분}}{f'(x)}\Rightarrow \underset{\text{적분}}{f(x)+C}$

Lecture

그대로

❶ $\dfrac{d}{dx}\displaystyle\int f(x)dx=f(x)$

(그대로)+(적분상수)

❷ $\displaystyle\int\left\{\dfrac{d}{dx}f(x)\right\}dx=f(x)+C$

(단, C는 적분상수)

| 정답과 해설 64쪽 |

개념 확인 2 함수 $f(x)=x^2+3x$에 대하여 다음을 구하시오.

(1) $\dfrac{d}{dx}\displaystyle\int f(x)dx$

(2) $\displaystyle\int\left\{\dfrac{d}{dx}f(x)\right\}dx$

개념 check

1-1 다음 중 $4x^3$의 부정적분이 <u>아닌</u> 것을 있는 대로 고르시오.

$$x^4,\ 4x^3+x,\ x^4-5,\ x^4-x,\ x^4+1$$

연구 각 함수의 도함수를 구하면

$(x^4)'=4x^3,\ (4x^3+x)'=\boxed{},\ (x^4-5)'=4x^3,$

$(x^4-x)'=\boxed{},\ (x^4+1)'=\boxed{}$

따라서 $4x^3$의 부정적분이 아닌 것은

$\boxed{},\ \boxed{}$

스스로 check

1-2 다음 중 $5x^4$의 부정적분이 <u>아닌</u> 것을 있는 대로 고르시오.

$$5x^4+1,\ x^5-\frac{1}{4},\ x^5+x,\ x^5-2,\ x^5$$

2-1 다음 부정적분을 구하시오.

(1) $\displaystyle\int 6dx$

(2) $\displaystyle\int 10xdx$

(3) $\displaystyle\int 12x^3dx$

연구 (1) $\left(\boxed{}\right)'=6$이므로 $\displaystyle\int 6dx=\boxed{}$

(2) $\left(\boxed{}\right)'=10x$이므로 $\displaystyle\int 10xdx=\boxed{}$

(3) $\left(\boxed{}\right)'=12x^3$이므로 $\displaystyle\int 12x^3dx=\boxed{}$

2-2 다음 부정적분을 구하시오.

(1) $\displaystyle\int 11dx$

(2) $\displaystyle\int (-3)dx$

(3) $\displaystyle\int 4xdx$

(4) $\displaystyle\int (-6x^5)dx$

(5) $\displaystyle\int (9x^8+3x^2)dx$

3-1 다음 등식을 만족시키는 함수 $f(x)$를 구하시오.
(단, C는 적분상수)

(1) $\displaystyle\int f(x)dx=3x^2+4x+C$

(2) $\displaystyle\int f(x)dx=-\frac{2}{3}x^3+x^2+C$

(3) $\displaystyle\int f(x)dx=4x^3-3x^2+10x+C$

연구 (1) $f(x)=(3x^2+4x+C)'=\boxed{}$

(2) $f(x)=\left(-\frac{2}{3}x^3+x^2+C\right)'=\boxed{}$

(3) $f(x)=(4x^3-3x^2+10x+C)'=\boxed{}$

3-2 다음 등식을 만족시키는 함수 $f(x)$를 구하시오.
(단, C는 적분상수)

(1) $\displaystyle\int f(x)dx=-x^2+3x+C$

(2) $\displaystyle\int f(x)dx=6x^2+\frac{3}{4}x+C$

(3) $\displaystyle\int f(x)dx=7x^3+\frac{2}{3}x+C$

(4) $\displaystyle\int f(x)dx=5x^4+5x^2-x+C$

대표 유형 **01** **부정적분의 정의**

↪ 유형 해결의 법칙 114쪽 유형 01

다음 물음에 답하시오.

(1) 등식 $\int (9x^2 + ax - 5)dx = bx^3 + 4x^2 + cx + 5$를 만족시키는 세 상수 a, b, c에 대하여 $a+b+c$의 값을 구하시오.

(2) 등식 $\int (x-1)f(x)dx = 2x^3 - 9x^2 + 12x$를 만족시키는 다항함수 $f(x)$에 대하여 $f(3)$의 값을 구하시오.

7 | 부정적분

풀이 (1)

❶ $9x^2 + ax - 5$
$= (bx^3 + 4x^2 + cx + 5)'$
임을 이용하여 a, b, c의 값 구하기

$9x^2 + ax - 5$의 한 부정적분이 $bx^3 + 4x^2 + cx + 5$이므로
$9x^2 + ax - 5 = (bx^3 + 4x^2 + cx + 5)'$
$\qquad\qquad\quad = 3bx^2 + 8x + c$
이때, $9 = 3b$, $a = 8$, $-5 = c$이므로
$a = 8$, $b = 3$, $c = -5$

❷ $a+b+c$의 값 구하기

$\therefore a+b+c = 8+3+(-5) = 6$

(2)

❶ $(x-1)f(x)$
$= (2x^3 - 9x^2 + 12x)'$
임을 이용하여 함수 $f(x)$ 구하기

$(x-1)f(x)$의 한 부정적분이 $2x^3 - 9x^2 + 12x$이므로
$(x-1)f(x) = (2x^3 - 9x^2 + 12x)'$
$\qquad\qquad\quad = 6x^2 - 18x + 12 = 6(x-1)(x-2)$
$\therefore f(x) = 6(x-2)$

❷ $f(3)$의 값 구하기

$\therefore f(3) = 6 \times 1 = 6$

답 (1) 6 (2) 6

해법 함수 $f(x)$의 한 부정적분을 $F(x)$라 하면
➡ $\int f(x)dx = F(x) + C$ (단, C는 적분상수)
➡ $f(x) = F'(x)$

| 정답과 해설 65쪽 |

01-1 등식 $\int (2x^3 - 3x^2 + ax + 1)dx = bx^4 - x^3 + x^2 + cx - 2$를 만족시키는 세 상수 a, b, c에 대하여 abc의 값을 구하시오.

01-2 등식 $\int xf(x)dx = -2x^3 + x^2$을 만족시키는 다항함수 $f(x)$에 대하여 $f(2)$의 값을 구하시오.

대표 유형 02 부정적분과 미분의 관계

↻ 유형 해결의 법칙 115쪽 유형 02, 03

함수 $f(x)=\int\left\{\dfrac{d}{dx}(3x^2-2x+1)\right\}dx$에 대하여 $f(0)=0$일 때, $f(1)$의 값을 구하시오.

풀이

❶ 부정적분과 미분의 관계 이용하기

부정적분과 미분의 관계에 의하여
$$f(x)=\int\left\{\dfrac{d}{dx}(3x^2-2x+1)\right\}dx=3x^2-2x+1+C \text{ (단, C는 적분상수)}$$

❷ $f(0)=0$을 이용하여 적분상수 C의 값 구하기

이때, $f(0)=0$이므로 $1+C=0$
$\therefore C=-1$

❸ $f(1)$의 값 구하기

따라서 $f(x)=3x^2-2x$이므로
$f(1)=3-2=1$

답 1

해법 ❶ $\dfrac{d}{dx}\displaystyle\int f(x)dx=f(x)$

❷ $\displaystyle\int\left\{\dfrac{d}{dx}f(x)\right\}dx=f(x)+C$ (단, C는 적분상수)

| 정답과 해설 65쪽 |

02-1 모든 실수 x에 대하여 $\dfrac{d}{dx}\displaystyle\int(x^3+ax^2+3)dx=bx^3-2x^2+c$가 성립할 때, 세 상수 a, b, c의 합 $a+b+c$의 값을 구하시오.

02-2 등식 $\dfrac{d}{dx}\displaystyle\int(x+4)dx=2x^2-2x+5$를 만족시키는 모든 x의 값의 합을 구하시오.

부정적분의 계산

개념 01 함수 $y=x^n$의 부정적분

n이 0 또는 양의 정수일 때,

$$\int x^n dx = \frac{1}{n+1}x^{n+1}+C \text{ (단, } C\text{는 적분상수)}$$

참고 $\int 1 dx$는 $\int dx$로 나타낼 수 있다.

설명 미분법을 역으로 생각하면 $y=x^n$(n은 0 또는 양의 정수)의 부정적분을 구할 수 있다.

$$(x)'=1 \quad \Rightarrow \quad \int x^0 dx = \frac{1}{1}x^1+C$$
$$\llcorner x^0=1$$

$$\left(\frac{1}{2}x^2\right)'=x \quad \Rightarrow \quad \int x^1 dx = \frac{1}{2}x^2+C$$

$$\left(\frac{1}{3}x^3\right)'=x^2 \quad \Rightarrow \quad \int x^2 dx = \frac{1}{3}x^3+C$$

$$\vdots \qquad\qquad \vdots$$

$$\left(\frac{1}{n+1}x^{n+1}\right)'=x^n \quad \Rightarrow \quad \int x^n dx = \frac{1}{n+1}x^{n+1}+C \text{ (단, } C\text{는 적분상수)}$$

> 적분을 하면 차수는 1만큼 커지고 계수는 커진 차수의 역수와 같아.

예 $\int x^6 dx = \frac{1}{6+1}x^{6+1}+C = \frac{1}{7}x^7+C$

Lecture

1을 더한다.

$$\int x^n dx \Rightarrow \frac{1}{n+1}x^{n+1}+C$$

1을 더한다.

| 정답과 해설 65쪽 |

개념 확인 1 다음 부정적분을 구하시오.

(1) $\int x^4 dx$
(2) $\int x^7 dx$

개념 02 함수의 실수배, 합, 차의 부정적분

두 함수 $f(x), g(x)$에 대하여

(1) $\int kf(x)dx=k\int f(x)dx$ (단, k는 0이 아닌 상수)

(2) $\int\{f(x)+g(x)\}dx=\int f(x)dx+\int g(x)dx$

(3) $\int\{f(x)-g(x)\}dx=\int f(x)dx-\int g(x)dx$

> (2), (3)은 세 개 이상의 함수에 대하여도 성립해.

설명 두 함수 $f(x), g(x)$의 한 부정적분을 각각 $F(x), G(x)$라 하면

$$\int f(x)dx=F(x)+C_1, \int g(x)dx=G(x)+C_2 \ (C_1, C_2\text{는 적분상수})$$

이고 $F'(x)=f(x), G'(x)=g(x)$

(1) 0이 아닌 상수 k에 대하여 $\{kF(x)\}'=kF'(x)=kf(x)$이므로

$$\int kf(x)dx=kF(x)+C=kF(x)+kC_1=k\int f(x)dx \ \leftarrow C=kC_1$$

(2) $\{F(x)+G(x)\}'=F'(x)+G'(x)=f(x)+g(x)$이므로

$$\int\{f(x)+g(x)\}dx=F(x)+G(x)+C=F(x)+C_1+G(x)+C_2 \ \leftarrow C=C_1+C_2$$

$$=\int f(x)dx+\int g(x)dx$$

(3) $\{F(x)-G(x)\}'=F'(x)-G'(x)=f(x)-g(x)$이므로

$$\int\{f(x)-g(x)\}dx=F(x)-G(x)+C=F(x)+C_1-G(x)-C_2 \ \leftarrow C=C_1-C_2$$

$$=\int f(x)dx-\int g(x)dx$$

예
$$\int(4x^2+4x+1)dx=\int 4x^2dx+\int 4xdx+\int 1dx=4\int x^2dx+4\int xdx+\int dx$$
$$=4\left(\frac{1}{3}x^3+C_1\right)+4\left(\frac{1}{2}x^2+C_2\right)+(x+C_3)$$
$$=\frac{4}{3}x^3+2x^2+x+(4C_1+4C_2+C_3)$$
$$=\frac{4}{3}x^3+2x^2+x+C \leftarrow$$

> 적분상수가 여러 개일 때에는 이들을 묶어서 하나의 적분상수 C로 나타낸다.

Lecture 적분은 미분의 역연산이므로 미분법과 연결하여 생각하면 함수의 실수배, 합, 차의 부정적분을 구할 수 있다.

| 정답과 해설 65쪽 |

개념 확인 2 다음 부정적분을 구하시오.

(1) $\int(3x^2+2x+1)dx$

(2) $\int(2x^3+x-4)dx$

개념 check

1-1 다음 부정적분을 구하시오.

(1) $\displaystyle\int x^8 \times x^6\, dx$

(2) $\displaystyle\int (x^5)^5\, dx$

연구 (1) $\displaystyle\int x^8 \times x^6\, dx = \int x^{14}\, dx$

$\displaystyle = \frac{1}{\boxed{}+1}x^{\boxed{}+1}+C = \frac{1}{\boxed{}}x^{\boxed{}}+C$

(2) $\displaystyle\int (x^5)^5\, dx = \int x^{25}\, dx$

$\displaystyle = \frac{1}{\boxed{}+1}x^{\boxed{}+1}+C = \frac{1}{\boxed{}}x^{\boxed{}}+C$

2-1 부정적분 $\displaystyle\int (-6x^5+4x^3-1)\, dx$를 구하시오.

연구 $\displaystyle\int (-6x^5+4x^3-1)\, dx$

$\displaystyle = \int (-6x^5)\, dx \boxed{} \int 4x^3\, dx \boxed{} \int 1\, dx$

$\displaystyle = \boxed{}\int x^5\, dx + 4\int \boxed{}\, dx - \int\, dx$

$\displaystyle = -x^6 + \boxed{} - x + C$

3-1 다음 부정적분을 구하시오.

(1) $\displaystyle\int (x+1)(x^2-x+1)\, dx$

(2) $\displaystyle\int \frac{x^2-1}{x+1}\, dx$

연구 (1) $\displaystyle\int (x+1)(x^2-x+1)\, dx = \int (x^3+\boxed{})\, dx$

$\displaystyle = \int x^3\, dx + \int \boxed{}\, dx$

$\displaystyle = \frac{1}{4}x^4 + \boxed{} + C$

(2) $\displaystyle\int \frac{x^2-1}{x+1}\, dx = \int \frac{(x+1)(\boxed{})}{x+1}\, dx$

$\displaystyle = \int (\boxed{})\, dx$

$\displaystyle = \int \boxed{}\, dx - \int 1\, dx$

$\displaystyle = \frac{1}{\boxed{}}x^{\boxed{}} - x + C$

스스로 check

1-2 다음 부정적분을 구하시오.

(1) $\displaystyle\int x^3 \times x^7\, dx$

(2) $\displaystyle\int (x^{15})^4\, dx$

2-2 다음 부정적분을 구하시오.

(1) $\displaystyle\int (-4x^3+3x^2)\, dx$

(2) $\displaystyle\int (9x^2-6x+1)\, dx$

3-2 다음 부정적분을 구하시오.

(1) $\displaystyle\int (x^2+2)(x-4)\, dx$

(2) $\displaystyle\int (x-1)^2\, dx$

(3) $\displaystyle\int (2x-1)(4x^2+2x+1)\, dx$

(4) $\displaystyle\int \frac{x^2-9}{3-x}\, dx$

7 부정적분

STEP 필수 유형

대표 유형 01 부정적분의 계산

⟳ 유형 해결의 법칙 116쪽 유형 04

함수 $f(x)=\displaystyle\int \frac{x^3}{x-1}dx-\int \frac{1}{x-1}dx$에 대하여 $f(0)=1$일 때, $f(1)$의 값을 구하시오.

풀이

❶ 분자를 인수분해하여 주어진 식을 간단히 하기

주어진 식을 간단히 하면

$$f(x)=\int \frac{x^3}{x-1}dx-\int \frac{1}{x-1}dx=\int \frac{x^3-1}{x-1}dx$$

$$=\int \frac{(x-1)(x^2+x+1)}{x-1}dx$$

$$=\int (x^2+x+1)dx$$

❷ 부정적분의 실수배, 합, 차의 성질을 이용하기

$$\therefore\ f(x)=\frac{1}{3}x^3+\frac{1}{2}x^2+x+C$$

❸ $f(0)=1$을 이용하여 적분상수 C의 값 구하기

이때, $f(0)=1$이므로 $C=1$

❹ $f(1)$의 값 구하기

따라서 $f(x)=\dfrac{1}{3}x^3+\dfrac{1}{2}x^2+x+1$이므로

$$f(1)=\frac{1}{3}+\frac{1}{2}+1+1=\frac{17}{6}$$

답 $\dfrac{17}{6}$

해법 피적분함수가 복잡한 경우 ➡ 인수분해, 전개 등을 이용하여 간단히 한 후 적분한다.

| 정답과 해설 66쪽 |

01-1 함수 $f(x)=\displaystyle\int (x^2-x+1)(3x+2)dx-\int (x^2-x+1)(2x+1)dx$에 대하여 $f(0)=\dfrac{3}{4}$일 때, $f(-1)$의 값을 구하시오.

01-2 함수 $f(x)=\displaystyle\int (1+2x+3x^2+\ \cdots\ +10x^9)dx$에 대하여 $f(0)=1$일 때, $f(1)$의 값을 구하시오.

대표 유형 02 도함수가 주어진 경우의 부정적분

↪ 유형 해결의 법칙 116쪽 유형 05

> 함수 $f(x)$에 대하여 $f'(x)=3x^2+ax+1$이고 $f(0)=1$, $f(2)=3$일 때, $f(1)f'(1)$의 값을 구하시오.
> (단, a는 상수)

풀이

❶ $f(x)=\int f'(x)dx$를 이용하여 $f'(x)$의 부정적분 구하기

$f'(x)$의 부정적분을 구하면
$$f(x)=\int f'(x)dx$$
$$=\int(3x^2+ax+1)dx$$
$$=x^3+\frac{a}{2}x^2+x+C$$

❷ $f(0)=1$, $f(2)=3$을 이용하여 a와 적분상수 C의 값 구하기

이때, $f(0)=1$이므로 $C=1$
또, $f(2)=3$이므로 $8+2a+2+C=3$, $2a+11=3$
$\therefore a=-4$

❸ $f(1)f'(1)$의 값 구하기

따라서 $f(x)=x^3-2x^2+x+1$, $f'(x)=3x^2-4x+1$이므로
$f(1)=1-2+1+1=1$, $f'(1)=3-4+1=0$
$\therefore f(1)f'(1)=1\times0=0$

답 0

해법 함수 $f(x)$와 그 도함수 $f'(x)$에 대하여 ➡ $f(x)=\int f'(x)dx$

| 정답과 해설 67쪽 |

02-1 함수 $f(x)$에 대하여 $f'(x)=-x+1$이고 $f(2)=2$일 때, $f(-1)$의 값을 구하시오.

02-2 두 함수 $f(x)$, $g(x)$에 대하여 $f'(x)=2x+1$, $g'(x)=3x^2-x+1$이고 $f(0)+g(0)=2$일 때, $f(1)+g(1)$의 값을 구하시오.

대표 유형 **03** **함수와 그 부정적분의 관계식**

↪ 유형 해결의 법칙 117쪽 유형 07

삼차함수 $f(x)$의 한 부정적분을 $F(x)$라 하면 $F(x)=xf(x)+3x^4+x^2$이 성립하고 $f(0)=1$일 때, $f(1)$의 값을 구하시오.

풀이

❶ 주어진 식의 양변을 x에 대하여 미분하기

주어진 식의 양변을 x에 대하여 미분하면
$$F'(x)=f(x)+xf'(x)+12x^3+2x$$

❷ $F'(x)=f(x)$임을 이용하여 $f'(x)$ 구하기

$F'(x)=f(x)$이므로 $f(x)=f(x)+xf'(x)+12x^3+2x$
$xf'(x)=-12x^3-2x=x(-12x^2-2)$ ∴ $f'(x)=-12x^2-2$

❸ $f'(x)$의 부정적분 구하기

$$f(x)=\int f'(x)dx=\int(-12x^2-2)dx$$
$$=-4x^3-2x+C$$

❹ $f(0)=1$을 이용하여 적분상수 C의 값 구하기

이때, $f(0)=1$이므로 $C=1$

❺ $f(1)$의 값 구하기

따라서 $f(x)=-4x^3-2x+1$이므로 $f(1)=-4-2+1=-5$

답 -5

해법 함수 $f(x)$와 그 부정적분 $F(x)$ 사이의 관계식이 주어지면
➡ 양변을 x에 대하여 미분한 후 $F'(x)=f(x)$임을 이용하여 $f'(x)$를 구한다.
➡ $f'(x)$를 적분하여 $f(x)$를 구한다.

| 정답과 해설 67쪽 |

03-1 이차함수 $f(x)$의 한 부정적분을 $F(x)$라 하면 $F(x)=xf(x)+2x^3-x^2$이 성립하고 $f(1)=3$일 때, 함수 $f(x)$를 구하시오.

03-2 삼차함수 $f(x)$의 한 부정적분을 $F(x)$라 하면 $F(x)-xf(x)=-3x^4+5x^2$이 성립하고 $f(-1)=1$일 때, $f(0)$의 값을 구하시오.

대표 유형 **04** **부정적분과 함수의 연속성**

↻ 유형 해결의 법칙 118쪽 유형 08

연속함수 $f(x)$의 도함수가 $f'(x)=\begin{cases} 3 & (x>1) \\ 2x-1 & (x<1) \end{cases}$ 이고 $f(0)=0$일 때, $f(2)$의 값을 구하시오.

풀이

❶ $f'(x)$의 부정적분 구하기

$f(x)$가 연속함수이므로 $f'(x)$의 부정적분을 구하면
$$f(x)=\begin{cases} 3x+C_1 & (x\geq 1) \\ x^2-x+C_2 & (x<1) \end{cases}$$

❷ $f(0)=0$을 이용하여 적분상수 C_2의 값 구하기

이때, $f(0)=0$이므로 $C_2=0$

❸ 함수 $f(x)$가 $x=1$에서 연속임을 이용하여 적분상수 C_1의 값 구하기

함수 $f(x)$는 $x=1$에서 연속이므로
$$\lim_{x\to 1+}(3x+C_1)=\lim_{x\to 1-}(x^2-x)$$에서
$$3+C_1=1-1 \qquad \therefore C_1=-3$$

❹ $f(2)$의 값 구하기

따라서 $f(x)=\begin{cases} 3x-3 & (x\geq 1) \\ x^2-x & (x<1) \end{cases}$ 이므로
$$f(2)=6-3=3$$

답 **3**

해법 함수 $f(x)$가 $x=a$에서 연속이고 $f'(x)=\begin{cases} g(x) & (x>a) \\ h(x) & (x<a) \end{cases}$ 일 때,

❶ $f(x)=\begin{cases} \int g(x)dx & (x\geq a) \\ \int h(x)dx & (x<a) \end{cases}$

❷ $f(a)=\lim_{x\to a+}\int g(x)dx=\lim_{x\to a-}\int h(x)dx$

| 정답과 해설 68쪽 |

04-1 연속함수 $f(x)$의 도함수가 $f'(x)=\begin{cases} -x+2 & (x>0) \\ x^2+1 & (x<0) \end{cases}$ 일 때, $f(2)-f(-3)$의 값을 구하시오.

04-2 연속함수 $f(x)$의 도함수 $y=f'(x)$의 그래프가 오른쪽 그림과 같다. 함수 $y=f(x)$의 그래프가 점 $(1, 1)$을 지날 때, $f(-1)$의 값을 구하시오.

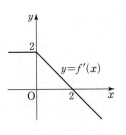

7
부정적분

극값이 주어진 경우의 부정적분

유형 해결의 법칙 120쪽 유형 12, 13

함수 $f(x)$의 도함수가 $f'(x)=2x^2-2x-4$이고 $f(x)$의 극솟값이 $\dfrac{1}{3}$일 때, $f(3)$의 값을 구하시오.

풀이

❶ $f(x)$의 증감표를 작성하기

$f'(x)=2x^2-2x-4=2(x+1)(x-2)$이므로
$f'(x)=0$에서 $x=-1$ 또는 $x=2$

x	$\cdots$	-1	$\cdots$	2	$\cdots$
$f'(x)$	$+$	0	$-$	0	$+$
$f(x)$	$\nearrow$	극대	$\searrow$	극소	$\nearrow$

❷ 극소가 되는 x좌표 찾기

함수 $f(x)$는 $x=2$에서 극솟값을 가지므로 $f(2)=\dfrac{1}{3}$

❸ $f'(x)$의 부정적분을 구하고, 주어진 극솟값을 이용하여 적분상수 C의 값 구하기

이때, $f(x)=\displaystyle\int(2x^2-2x-4)dx=\dfrac{2}{3}x^3-x^2-4x+C$이므로

$f(2)=\dfrac{1}{3}$에서 $\dfrac{16}{3}-4-8+C=\dfrac{1}{3}$ $\quad\therefore C=7$

❹ $f(3)$의 값 구하기

따라서 $f(x)=\dfrac{2}{3}x^3-x^2-4x+7$이므로

$f(3)=18-9-12+7=4$

답 4

해법 함수 $f(x)$의 도함수와 극값이 주어지면 다음을 이용한다.
➡ $f'(a)=0$이고 $x=a$의 좌우에서 $f'(x)$의 부호가
❶ 양$(+)$에서 음$(-)$으로 바뀌면 ➡ $f(x)$는 $x=a$에서 극대
❷ 음$(-)$에서 양$(+)$으로 바뀌면 ➡ $f(x)$는 $x=a$에서 극소

| 정답과 해설 68쪽 |

05-1 함수 $f(x)$의 도함수가 $f'(x)=3x(x-4)$이고 $f(x)$의 극댓값이 12일 때, $f(x)$의 극솟값을 구하시오.

05-2 삼차함수 $f(x)$의 도함수 $y=f'(x)$의 그래프가 오른쪽 그림과 같다. 함수 $f(x)$의 극댓값이 4, 극솟값이 0일 때, $f(3)$의 값을 구하시오.

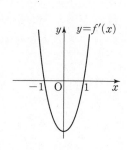

유형 확인

1-1 함수 $F(x)=ax^3-2x+1$이 함수 $f(x)$의 부정적분 중 하나이고 $f(0)=b$, $f'(1)=6$일 때, 두 상수 a, b에 대하여 $a+b$의 값을 구하시오.

한번 더 확인

1-2 두 함수 $f(x)=2x+1$, $g(x)=3x^2-2x$에 대하여 $\int F(x)dx=f(x)g(x)$를 만족시키는 함수 $F(x)$가 있다. 이때, $F(1)$의 값을 구하시오.

2-1 함수 $f(x)=\int\left\{\dfrac{d}{dx}(3x^2-4x)\right\}dx$에 대하여 $f(1)=2$일 때, 방정식 $f(x)=0$의 모든 근의 곱을 구하시오.

2-2 함수 $f(x)=\int\left\{\dfrac{d}{dx}(6x^2+x+2)\right\}dx$에 대하여 $f(1)=4$일 때, 방정식 $f(x)=0$의 모든 근의 합을 구하시오.

3-1 함수 $f(x)=x+1$에 대하여 두 함수 $g(x)$, $h(x)$를

$$g(x)=\dfrac{d}{dx}\int f(x)dx,$$

$$h(x)=\int\left\{\dfrac{d}{dx}f(x)\right\}dx$$

로 정의하자. $g(0)+h(0)=3$일 때, $h(2)-g(2)$의 값을 구하시오.

3-2 함수 $f(x)=-x^2+2$에 대하여 두 함수 $g(x)$, $h(x)$를

$$g(x)=\dfrac{d}{dx}\int f(x)dx,$$

$$h(x)=\int\left\{\dfrac{d}{dx}f(x)\right\}dx$$

로 정의하자. $g(1)+h(1)=4$일 때, $g(-1)-h(-1)$의 값을 구하시오.

4-1 함수 $f(x)=\int(3x-1)^2dx$에 대하여 $f(1)=3$일 때, $f(2)$의 값을 구하시오.

4-2 함수 $f(x)=\int(1+2x+3x^2+\cdots+nx^{n-1})dx$에 대하여 $f(0)=-1$, $f(1)=7$일 때, $f(-1)$의 값을 구하시오. (단, n은 자연수)

유형 확인

5-1 다항함수 $f(x)$에 대하여
$f(x)+xf'(x)=x^2+2x+3$일 때, $f(0)$의 값을 구하시오.

한번 더 확인

5-2 함수 $f(x)$를 적분해야 할 것을 잘못하여 미분했더니 $3x^2-x+1$이었다. $f(0)=1$일 때, 함수 $f(x)$의 부정적분을 구하시오.
(단, 적분상수는 C로 한다.)

6-1 삼차함수 $f(x)$의 한 부정적분을 $F(x)$라 하면 $xf(x)-F(x)=\dfrac{1}{4}x^4-2x^2$이 성립하고 $f(0)=3$일 때, $f(3)$의 값을 구하시오.

6-2 일차함수 $f(x)$에 대하여 $\displaystyle\int f(x)\,dx=xf(x)+x^2$ 이 성립하고 $f(0)=1$일 때, 직선 $y=f(x)$의 x절편을 구하시오.

7-1 연속함수 $f(x)$의 도함수가 $f'(x)=x-|x|$이고 $f(0)=1$일 때, $f(a)=2$를 만족시키는 실수 a의 값을 구하시오.

7-2 연속함수 $f(x)$의 도함수 $y=f'(x)$의 그래프가 오른쪽 그림과 같다.
$f(0)=0$일 때, $f(a)=0$을 만족시키는 모든 실수 a의 값의 합을 구하시오.

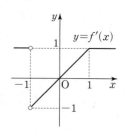

8-1 곡선 $y=f(x)$ 위의 임의의 점 $(x,\ f(x))$에서의 접선의 기울기가 $2x-3$이고 $f(1)=1$일 때, $f(2)$의 값을 구하시오.

8-2 곡선 $y=f(x)$ 위의 임의의 점 $(x,\ f(x))$에서의 접선의 기울기가 $-3x^2+1$이고 곡선 $y=f(x)$가 직선 $y=x+1$에 접할 때, $f(-2)$의 값을 구하시오.

유형 확인

9-1 함수 $f(x)=\displaystyle\int(4x^3+2x)dx$에 대하여 $\displaystyle\lim_{x\to1}\frac{f(x)-f(1)}{x-1}$의 값을 구하시오.

한번 더 확인

9-2 함수 $f(x)=\displaystyle\int(x^2+2x)dx$에 대하여 $\displaystyle\lim_{h\to0}\frac{f(2+h)-f(2-h)}{h}$의 값을 구하시오.

10-1 함수 $f(x)$의 도함수가 $f'(x)=x^2-1$이고 극댓값이 1일 때, $f(x)$의 극솟값을 구하시오.

10-2 삼차함수 $f(x)$의 도함수 $y=f'(x)$의 그래프는 오른쪽 그림과 같다. 함수 $f(x)$의 극솟값이 -3일 때, $f(x)$의 극댓값을 구하시오.

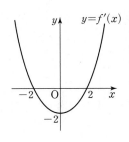

11-1 어느 회사에서 제품을 x단위 생산하기 위해 필요한 총비용을 $f(x)$만 원이라 하면, 제품을 한 단위 더 생산하기 위해 추가되는 한계비용은 $f'(x)$만 원으로 나타내어진다.
$f'(x)=-0.2x(x-8)$이고 $f(0)=10$일 때, 이 회사에서 제품 10단위를 생산하는 데 필요한 총비용은? (단, 만 원 미만은 버린다.)

① 21만 원 ② 22만 원 ③ 23만 원
④ 24만 원 ⑤ 25만 원

11-2 어떤 사람이 수공예품을 x개 만들 때 들어가는 비용이 $f(x)$원이라 한다. $f'(x)=\dfrac{1}{2}x+3000$이고 $f(0)=50000$일 때, 이 사람이 100개의 수공예품을 만드는 데 드는 비용은?

① 352000원 ② 352500원 ③ 353000원
④ 353500원 ⑤ 354000원

7 부정적분

8 정적분

단원 학습목표

이 단원에서는 부정적분을 이용하여 정적분을 정의하고, 정적분의 기하적 의미와 정적분으로 정의된 함수를 배운다.

 부정적분과 정적분은 다른 건가요?

부정적분은 하나로 정해지지 않은 적분이고, 정적분은 하나로 정해지는 적분이란다.

 하나로 정해지는 적분이 있다고요? 빨리 배우고 싶어요.

개념 & 유형 map

1. 정적분

개념 01	정적분의 정의 (1)
개념 02	정적분의 정의 (2)
개념 03	정적분의 계산

- 유형 01   정적분의 정의
- 유형 02   정적분의 계산

2. 정적분의 기하적 의미

개념 01	정적분의 기하적 의미
개념 02	구간에 따라 다르게 정의된 함수의 정적분
개념 03	절댓값 기호를 포함한 함수의 정적분
개념 04	우함수와 기함수의 정적분
개념 05	주기함수의 정적분

- 유형 01   구간에 따라 다르게 정의된 함수의 정적분
- 유형 02   절댓값 기호를 포함한 함수의 정적분
- 유형 03   우함수와 기함수의 정적분
- 유형 04   주기함수의 정적분

3. 정적분으로 정의된 함수

개념 01	정적분으로 정의된 함수
개념 02	정적분을 포함한 등식에서 함수 구하기
개념 03	정적분으로 정의된 함수의 극한

- 유형 01   적분 구간이 상수인 정적분을 포함한 등식
- 유형 02   적분 구간 또는 피적분함수에 변수가 있는 정적분을 포함한 등식
- 유형 03   정적분으로 정의된 함수의 극대, 극소
- 유형 04   정적분으로 정의된 함수의 극한

1 정적분

개념 **01** 정적분의 정의 (1)

(1) 닫힌구간 $[a, b]$에서 연속인 함수 $f(x)$의 한 부정적분을 $F(x)$라 하면 $F(b)-F(a)$를 함수

$f(x)$의 a에서 b까지의 정적분이라 하고, 기호로 $\int_a^b f(x)dx$와 같이 나타낸다.

또, $F(b)-F(a)$를 기호로 $\Big[F(x)\Big]_a^b$와 같이 나타낸다.

(2) 정적분 $\int_a^b f(x)dx$의 값을 구하는 것을 함수 $f(x)$를 a에서 b까지 적분한다고 하고, 닫힌구간

$[a, b]$를 적분 구간이라 한다. 이때, a를 아래끝, b를 위끝, x를 적분변수, $f(x)$를 피적분함수라

한다.

참고 정적분 $\int_a^b f(x)dx$를 '인티그럴(integral) a에서 b까지 $f(x)dx$'로 읽는다.

주의 정적분 $\int_a^b f(x)dx$에서 적분변수 x 대신 다른 문자를 사용해도 그 값은 같다.

즉, $\int_a^b f(x)dx=\int_a^b f(t)dt$이다. 그러나 부정적분은 함수이므로 $\int f(x)dx \neq \int f(t)dt$이다.

설명 닫힌구간 $[a, b]$에서 연속인 함수 $f(x)$의 두 부정적분을 $F(x)$, $G(x)$라 하면

$F(x)=G(x)+C$ (C는 적분상수)이므로

$F(b)-F(a)=\{G(b)+C\}-\{G(a)+C\}=G(b)-G(a)$

즉, $F(b)-F(a)$의 값은 적분상수 C에 관계없이 하나로 결정된다.

이 값을 함수 $f(x)$의 a에서 b까지의 정적분이라 한다.

예

(1) $\int_1^2 3x^2 dx=\Big[x^3\Big]_1^2=2^3-1^3=7$

(2) $\int_1^2 3t^2 dt=\Big[t^3\Big]_1^2=2^3-1^3=7$

(3) $\int_{-1}^2 (t^2-1)dt=\Big[\dfrac{1}{3}t^3-t\Big]_{-1}^2=\Big(\dfrac{1}{3}\times2^3-2\Big)-\Big\{\dfrac{1}{3}\times(-1)^3-(-1)\Big\}=0$

> (1), (2)를 비교해 보면 정적분에서 적분변수가 바뀌어도 그 값은 변하지 않음을 알 수 있어.

Lecture

$$\int_a^b f(x)dx=\Big[F(x)\Big]_a^b=F(b)-F(a)$$

| 정답과 해설 73쪽 |

개념 확인 1 다음 정적분의 값을 구하시오.

(1) $\int_2^3 2x\,dx$

(2) $\int_1^2 (4t^3-2)dt$

개념 02 정적분의 정의 (2)

$a \geq b$일 때, 정적분 $\int_a^b f(x)dx$는 다음과 같이 정의한다.

(1) $a = b$일 때, $\int_a^a f(x)dx = 0$

(2) $a > b$일 때, $\int_a^b f(x)dx = -\int_b^a f(x)dx$

참고 $a > b$일 때, 함수 $f(x)$의 한 부정적분을 $F(x)$라 하면

$$\int_a^b f(x)dx = -\int_b^a f(x)dx = -\Big[F(x)\Big]_b^a = -\{F(a) - F(b)\} = F(b) - F(a)$$

따라서 a, b의 대소에 관계없이 $\int_a^b f(x)dx = F(b) - F(a)$는 항상 성립한다.

설명 함수 $f(x)$의 한 부정적분을 $F(x)$라 하면

(1) $\int_a^a f(x)dx = \Big[F(x)\Big]_a^a = F(a) - F(a) = 0$

(2) $\int_a^b f(x)dx = \Big[F(x)\Big]_a^b = F(b) - F(a)$

$= -\{F(a) - F(b)\} = -\Big[F(x)\Big]_b^a = -\int_b^a f(x)dx$

> 아래끝과 위끝이 같으면 정적분의 값은 0이야.

예

(1) $\int_2^2 3x^2 dx = 0$

(2) $\int_1^{-1} (x^2 - 1)dx = -\int_{-1}^1 (x^2 - 1)dx$

$= -\Big[\dfrac{1}{3}x^3 - x\Big]_{-1}^1$

$= -\Big[\Big(\dfrac{1}{3} \times 1^3 - 1\Big) - \Big\{\dfrac{1}{3} \times (-1)^3 - (-1)\Big\}\Big]$

$= \dfrac{4}{3}$

8 정적분

Lecture 정적분의 정의는 아래끝과 위끝의 대소에 관계없이 항상 성립한다.

| 정답과 해설 73쪽 |

개념 확인 2 다음 정적분의 값을 구하시오.

(1) $\int_3^3 (-4x)dx$

(2) $\int_2^1 (3x^2 + 1)dx$

개념 **03** 정적분의 계산

1 함수의 실수배, 합, 차의 정적분 _{181쪽} 원리 알아보기

두 함수 $f(x)$, $g(x)$가 닫힌구간 $[a, b]$에서 연속일 때

(1) $\displaystyle\int_a^b kf(x)dx = k\int_a^b f(x)dx$ (단, k는 상수)

(2) $\displaystyle\int_a^b \{f(x)+g(x)\}dx = \int_a^b f(x)dx + \int_a^b g(x)dx$

(3) $\displaystyle\int_a^b \{f(x)-g(x)\}dx = \int_a^b f(x)dx - \int_a^b g(x)dx$

> 아래끝, 위끝이 각각 같은 두 정적분은 하나의 정적분으로 나타내어 간단히 계산할 수 있어.

참고 정적분은 적분변수 x 대신 다른 문자를 사용해도 그 값은 같으므로 적분 구간이 같은 두 정적분은 하나의 정적분으로 나타내어 계산할 수 있다. ➡ $\displaystyle\int_a^b f(x)dx + \int_a^b g(t)dt = \int_a^b f(x)dx + \int_a^b g(x)dx = \int_a^b \{f(x)+g(x)\}dx$

2 정적분의 성질

함수 $f(x)$가 임의의 세 실수 a, b, c를 포함하는 닫힌구간에서 연속일 때

$$\int_a^c f(x)dx + \int_c^b f(x)dx = \int_a^b f(x)dx$$

참고 위의 성질은 a, b, c의 대소에 관계없이 성립한다.

예

(1) $\displaystyle\int_1^2 (6x^2-2x+5)dx = 6\int_1^2 x^2 dx - 2\int_1^2 x\,dx + 5\int_1^2 dx = 6\left[\frac{1}{3}x^3\right]_1^2 - 2\left[\frac{1}{2}x^2\right]_1^2 + 5\left[x\right]_1^2$

$\qquad = 6\left(\frac{8}{3}-\frac{1}{3}\right) - 2\left(2-\frac{1}{2}\right) + 5(2-1) = 16$

(2) $\displaystyle\int_2^3 (3x^2+3x)dx - \int_2^3 (3x-1)dx = \int_2^3 (3x^2+1)dx = \int_2^3 3x^2 dx + \int_2^3 dx$

$\qquad = \left[x^3\right]_2^3 + \left[x\right]_2^3 = (27-8)+(3-2) = 20$

(3) $\displaystyle\int_{-1}^1 (4x^3+6x^2+3)dx + \int_1^2 (4x^3+6x^2+3)dx = \int_{-1}^2 (4x^3+6x^2+3)dx$

$\qquad = \left[x^4+2x^3+3x\right]_{-1}^2$

$\qquad = (16+16+6)-(1-2-3) = 42$

Lecture

❶ 적분 구간이 같은 경우

➡ $\displaystyle\int_a^b f(x)dx + \int_a^b g(x)dx = \int_a^b \{f(x)+g(x)\}dx$임을 이용하여 계산한다.

❷ 피적분함수가 같은 경우

➡ $\displaystyle\int_a^c f(x)dx + \int_c^b f(x)dx = \int_a^b f(x)dx$임을 이용하여 계산한다.

| 정답과 해설 73쪽 |

개념 확인 3 다음 정적분의 값을 구하시오.

(1) $\displaystyle\int_0^1 (3-x)dx + \int_0^1 (3+x)dx$

(2) $\displaystyle\int_{-1}^0 2x\,dx + \int_0^3 2x\,dx$

정적분의 계산

166쪽에서 배운 부정적분의 성질과 178쪽에서 배운 정적분의 정의를 이용하여 정적분의 성질을 간단히 증명해 보자.

닫힌구간 $[a, b]$에서 연속인 두 함수 $f(x)$, $g(x)$의 한 부정적분을 각각 $F(x)$, $G(x)$라 하고 C를 적분상수라 하면 다음이 성립한다.

❶ $\int_a^b kf(x)dx = k\int_a^b f(x)dx$ (단, k는 상수)

$\int kf(x)dx = k\int f(x)dx = kF(x) + C$ (k는 0이 아닌 상수)이므로

$\int_a^b kf(x)dx = \Big[kF(x)\Big]_a^b = kF(b) - kF(a) = k\{F(b) - F(a)\} = k\int_a^b f(x)dx$

한편, $k=0$일 때에도 $\int_a^b kf(x)dx = k\int_a^b f(x)dx$가 성립한다.

❷ $\int_a^b \{f(x) \pm g(x)\}dx = \int_a^b f(x)dx \pm \int_a^b g(x)dx$ (복호동순)

$\int \{f(x) \pm g(x)\}dx = \int f(x)dx \pm \int g(x)dx = F(x) \pm G(x) + C$이므로

$\int_a^b \{f(x) \pm g(x)\}dx = \Big[F(x) \pm G(x)\Big]_a^b$

$= \{F(b) \pm G(b)\} - \{F(a) \pm G(a)\}$

$= \{F(b) - F(a)\} \pm \{G(b) - G(a)\}$

$= \int_a^b f(x)dx \pm \int_a^b g(x)dx$ (복호동순)

❸ $\int_a^c f(x)dx + \int_c^b f(x)dx = \int_a^b f(x)dx$

임의의 세 실수 a, b, c를 포함하는 닫힌구간에서 연속인 함수 $f(x)$의 한 부정적분을 $F(x)$라 하면

$\int_a^c f(x)dx + \int_c^b f(x)dx = \Big[F(x)\Big]_a^c + \Big[F(x)\Big]_c^b$

$= \{F(c) - F(a)\} + \{F(b) - F(c)\}$

$= F(b) - F(a)$

$= \int_a^b f(x)dx$

개념 check

1-1 정적분 $\int_{-1}^{2}(2t+1)(t-2)dt$의 값을 구하시오.

연구
$$\int_{-1}^{2}(2t+1)(t-2)dt=\int_{-1}^{2}(2t^2-3t-2)dt$$
$$=\left[\,\boxed{}\,t^3-\boxed{}\,t^2-2t\right]_{-1}^{2}$$
$$=\boxed{}$$

스스로 check

1-2 다음 정적분의 값을 구하시오.

(1) $\int_{-2}^{0}(2x+3)dx$

(2) $\int_{-2}^{1}(t-3)(2t-1)dt$

2-1 다음 정적분의 값을 구하시오.

(1) $\int_{-1}^{-1}(5x^2+3x+2)dx$

(2) $\int_{3}^{2}(x^2+3)dx$

연구 (1) $\int_{-1}^{-1}(5x^2+3x+2)dx=\boxed{}$

(2) $\int_{3}^{2}(x^2+3)dx=-\int_{2}^{\boxed{}}(x^2+3)dx$
$$=-\left[\frac{1}{3}x^3+3x\right]_{2}^{\boxed{}}$$
$$=\boxed{}$$

2-2 다음 정적분의 값을 구하시오.

(1) $\int_{1}^{1}(-x^2+2x-1)dx$

(2) $\int_{0}^{-1}(-2x^2+6x)dx$

3-1 다음 정적분의 값을 구하시오.

(1) $\int_{-1}^{2}(2x^2+3x)dx+\int_{-1}^{2}(x^2-x)dx$

(2) $\int_{-1}^{0}(x^3+6)dx-\int_{3}^{0}(x^3+6)dx$

연구 (1) $\int_{-1}^{2}(2x^2+3x)dx+\int_{-1}^{2}(x^2-x)dx$
$$=\int_{-1}^{2}(\boxed{})dx=\left[\boxed{}\right]_{-1}^{2}=\boxed{}$$

(2) $\int_{-1}^{0}(x^3+6)dx-\int_{3}^{0}(x^3+6)dx$
$$=\int_{-1}^{0}(x^3+6)dx\,\boxed{}\,\int_{0}^{3}(x^3+6)dx$$
$$=\int_{-1}^{\boxed{}}(x^3+6)dx=\left[\frac{1}{4}x^4+6x\right]_{-1}^{\boxed{}}=\boxed{}$$

3-2 다음 정적분의 값을 구하시오.

(1) $\int_{1}^{2}(4x^2+2)dx-\int_{1}^{2}(x^2+x)dx$

(2) $-\int_{0}^{-1}(3x^2-2x)dx+\int_{0}^{2}(3x^2-2x)dx$

대표 유형 01 정적분의 정의   ⤷ 유형 해결의 법칙 129쪽 유형 01, 02

다음 정적분의 값을 구하시오.

(1) $\int_0^{\sqrt{2}} (x^2 + 2x - \sqrt{2})\,dx$

(2) $\int_1^1 t(t^2 - 2t + 1)\,dt$

(3) $\int_0^{-1} \dfrac{x^2 - 1}{x - 1}\,dx$

풀이 (1)

$\int_a^b f(x)\,dx = \Big[F(x)\Big]_a^b$
$\qquad = F(b) - F(a)$
임을 이용하기

$\int_0^{\sqrt{2}} (x^2 + 2x - \sqrt{2})\,dx = \Big[\dfrac{1}{3}x^3 + x^2 - \sqrt{2}x\Big]_0^{\sqrt{2}}$

$\qquad\qquad = \Big(\dfrac{2\sqrt{2}}{3} + 2 - 2\Big) - 0 = \dfrac{2\sqrt{2}}{3}$

(2) $\int_a^a f(x)\,dx = 0$임을 이용하기

$\int_1^1 t(t^2 - 2t + 1)\,dt = 0$

(3) $\int_a^b f(x)\,dx = -\int_b^a f(x)\,dx$ 임을 이용하기

$\int_0^{-1} \dfrac{x^2 - 1}{x - 1}\,dx = \int_0^{-1} \dfrac{(x+1)(x-1)}{x-1}\,dx = -\int_{-1}^0 (x+1)\,dx$

$\qquad\qquad = -\Big[\dfrac{1}{2}x^2 + x\Big]_{-1}^0 = -\Big\{0 - \Big(\dfrac{1}{2} - 1\Big)\Big\} = -\dfrac{1}{2}$

답 (1) $\dfrac{2\sqrt{2}}{3}$ (2) 0   (3) $-\dfrac{1}{2}$

8 정적분

해법 ❶ 닫힌구간 $[a, b]$에서 연속인 함수 $f(x)$의 한 부정적분을 $F(x)$라 하면

$$\int_a^b f(x)\,dx = \Big[F(x)\Big]_a^b = F(b) - F(a)$$

❷ 정적분 $\int_a^b f(x)\,dx$에서

(i) $a = b$일 때, $\int_a^a f(x)\,dx = 0$

(ii) $a > b$일 때, $\int_a^b f(x)\,dx = -\int_b^a f(x)\,dx$

| 정답과 해설 73쪽 |

01-1 다음 정적분의 값을 구하시오.

(1) $\int_0^{\sqrt{3}} (4x^2 - 2x + 3)\,dx$

(2) $\int_{-2}^{-1} (x^2 + 1)(x - 1)\,dx$

(3) $\int_1^3 \dfrac{y^3 - 27}{y - 3}\,dy$

(4) $\int_{-1}^{-1} (x + 1)^5\,dx$

01-2 $\int_0^1 (x^2 + 2x + k)\,dx = \dfrac{4}{3}$를 만족시키는 실수 k의 값을 구하시오.

대표 유형 **02** **정적분의 계산**

↻ 유형 해결의 법칙 130쪽 유형 03, 04

다음 정적분의 값을 구하시오.

(1) $\displaystyle\int_1^3 (x^3+3x)dx+\int_1^3(3x^2-3x+1)dx$

(2) $\displaystyle\int_{-1}^2 \frac{t^2}{t^2+2t+1}dt-\int_2^{-1}\frac{2x+1}{x^2+2x+1}dx$

(3) $\displaystyle\int_1^2 (x^3-x^2+2)dx+\int_2^3(x^3-x^2+2)dx$

풀이 (1) $\displaystyle\int_a^b \{f(x)+g(x)\}dx$
$=\displaystyle\int_a^b f(x)dx+\int_a^b g(x)dx$
임을 이용하기

$\displaystyle\int_1^3 (x^3+3x)dx+\int_1^3(3x^2-3x+1)dx=\int_1^3(x^3+3x^2+1)dx=\left[\frac{1}{4}x^4+x^3+x\right]_1^3$
$\qquad\qquad =\left(\frac{81}{4}+27+3\right)-\left(\frac{1}{4}+1+1\right)=48$

(2) ❶ $\displaystyle\int_a^b f(t)dt=\int_a^b f(x)dx$
임을 이용하기

❷ $\displaystyle\int_a^b f(x)dx=-\int_b^a f(x)dx$
임을 이용하기

$\displaystyle\int_{-1}^2 \frac{t^2}{t^2+2t+1}dt-\int_2^{-1}\frac{2x+1}{x^2+2x+1}dx$
$=\displaystyle\int_{-1}^2 \frac{x^2}{x^2+2x+1}dx-\int_2^{-1}\frac{2x+1}{x^2+2x+1}dx$ ← 정적분은 적분변수 x 대신 다른 문자를 사용해도 그 값은 같다.
$=\displaystyle\int_{-1}^2 \frac{x^2}{x^2+2x+1}dx+\int_{-1}^2\frac{2x+1}{x^2+2x+1}dx$
$=\displaystyle\int_{-1}^2 \frac{x^2+2x+1}{x^2+2x+1}dx=\int_{-1}^2 1\,dx=\left[x\right]_{-1}^2=2-(-1)=3$

(3) $\displaystyle\int_a^c f(x)dx+\int_c^b f(x)dx$
$=\displaystyle\int_a^b f(x)dx$임을 이용하기

$\displaystyle\int_1^2 (x^3-x^2+2)dx+\int_2^3(x^3-x^2+2)dx=\int_1^3(x^3-x^2+2)dx=\left[\frac{1}{4}x^4-\frac{1}{3}x^3+2x\right]_1^3$
$\qquad\qquad =\left(\frac{81}{4}-9+6\right)-\left(\frac{1}{4}-\frac{1}{3}+2\right)=\frac{46}{3}$

답 (1) 48 (2) 3 (3) $\frac{46}{3}$

해법 ❶ $\displaystyle\int_a^b kf(x)dx=k\int_a^b f(x)dx$ (단, k는 상수)

❷ $\displaystyle\int_a^b \{f(x)\pm g(x)\}dx=\int_a^b f(x)dx\pm\int_a^b g(x)dx$ (복호동순)

❸ $\displaystyle\int_a^c f(x)dx+\int_c^b f(x)dx=\int_a^b f(x)dx$

| 정답과 해설 74쪽 |

02-1 $\displaystyle\int_0^k (x+1)^2dx-\int_0^k(x-1)^2dx=16$을 만족시키는 양수 k의 값을 구하시오.

02-2 연속함수 $f(x)$에 대하여 $\displaystyle\int_0^1 f(x)dx=1$, $\displaystyle\int_{-1}^2 f(x)dx=5$, $\displaystyle\int_1^2 f(x)dx=2$일 때, 정적분 $\displaystyle\int_{-1}^0 f(x)dx$의 값을 구하시오.

2 정적분의 기하적 의미

개념 01 정적분의 기하적 의미

함수 $f(x)$가 닫힌구간 $[a, b]$에서 연속이고 $f(x) \geq 0$일 때, 곡선 $y=f(x)$와 x축 및 두 직선 $x=a$, $x=b$로 둘러싸인 도형의 넓이 S는

$$S = \int_a^b f(x)dx$$

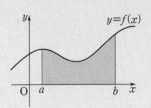

설명

닫힌구간 $[a, b]$에 속하는 임의의 t에 대하여 곡선 $y=f(x)$와 x축 및 두 직선 $x=a$, $x=t$로 둘러싸인 도형의 넓이를 $S(t)$라 하자.

이때, t의 증분 Δt에 대한 $S(t)$의 증분을 ΔS라 하면

$$\Delta S = S(t+\Delta t) - S(t)$$

(i) $\Delta t > 0$일 때

함수 $f(x)$는 닫힌구간 $[t, t+\Delta t]$에서 연속이므로 최대 · 최소 정리에 의하여 이 닫힌구간에서 최댓값 M과 최솟값 m을 갖는다.

> 최대 · 최소 정리
> 함수 $f(x)$가 닫힌구간 $[a, b]$에서 연속이면 이 닫힌구간에서 반드시 최댓값과 최솟값을 갖는다.

이때, $m\Delta t \leq \Delta S \leq M\Delta t$이므로 각 변을 Δt로 나누면

$$m \leq \frac{\Delta S}{\Delta t} \leq M \qquad \cdots\cdots \text{㉠}$$

(ii) $\Delta t < 0$일 때

같은 방법으로 ㉠이 성립한다.

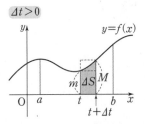

㉠에서 $\Delta t \to 0$이면 $\lim_{\Delta t \to 0} m \leq \lim_{\Delta t \to 0} \frac{\Delta S}{\Delta t} \leq \lim_{\Delta t \to 0} M$

함수 $f(x)$가 닫힌구간 $[a, b]$에서 연속이므로 $\lim_{\Delta t \to 0} m = f(t)$, $\lim_{\Delta t \to 0} M = f(t)$

따라서 함수의 극한의 대소 관계에 의하여 $\lim_{\Delta t \to 0} \frac{\Delta S}{\Delta t} = f(t)$

즉, $S'(t) = f(t)$이므로 $S(t)$는 $f(t)$의 한 부정적분임을 알 수 있다.

$$\lim_{\Delta t \to 0} \frac{\Delta S}{\Delta t}$$
$$= \lim_{\Delta t \to 0} \frac{S(t+\Delta t) - S(t)}{\Delta t}$$
$$= S'(t)$$

$f(t)$의 다른 한 부정적분 $F(t)$에 대하여 $S(t) = F(t) + C$ (C는 적분상수)로 놓을 수 있으므로 이 식에 $t=a$를 대입하면 $S(a) = F(a) + C$ $\qquad \cdots\cdots \text{㉡}$

이때, $S(t)$의 정의에 의해서 $S(a)=0$이므로 $F(a)+C=0$, 즉 $C=-F(a)$

이것을 ㉡에 대입하면 다음과 같다.

$$S(t) = F(t) - F(a) \qquad \cdots\cdots \text{㉢}$$

㉢에서 $t=b$라 하면 곡선 $y=f(x)$와 x축 및 두 직선 $x=a$, $x=b$로 둘러싸인 도형의 넓이 $S(b)$는

$$S(b) = F(b) - F(a)$$
$$= \int_a^b f(x)dx$$

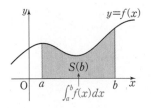

개념 **02** 구간에 따라 다르게 정의된 함수의 정적분

함수 $f(x)=\begin{cases} g(x) & (x\le c) \\ h(x) & (x\ge c) \end{cases}$ 가 닫힌구간 $[a, b]$에서 연속이고

$a<c<b$일 때

$$\int_a^b f(x)dx=\int_a^c g(x)dx+\int_c^b h(x)dx$$

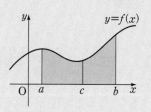

예

(1) 함수 $f(x)=\begin{cases} x-2 & (x\le 1) \\ -2x+1 & (x\ge 1) \end{cases}$ 에 대하여 정적분 $\int_0^1 f(x)dx$의 값은

$$\int_0^1 f(x)dx=\int_0^1 (x-2)dx=\left[\frac{1}{2}x^2-2x\right]_0^1$$

$$=\left(\frac{1}{2}-2\right)-0=-\frac{3}{2}$$

(2) 함수 $f(x)=\begin{cases} x-2 & (x\le 1) \\ -2x+1 & (x\ge 1) \end{cases}$ 에 대하여 정적분 $\int_0^2 f(x)dx$의 값은

$$\int_0^2 f(x)dx=\int_0^1 (x-2)dx+\int_1^2 (-2x+1)dx$$

$$=\left[\frac{1}{2}x^2-2x\right]_0^1+\left[-x^2+x\right]_1^2$$

$$=\left\{\left(\frac{1}{2}-2\right)-0\right\}+\{(-4+2)-(-1+1)\}$$

$$=-\frac{3}{2}-2=-\frac{7}{2}$$

Lecture

구간에 따라 다르게 정의된 함수의 정적분의 값은 구간을 나눈 후 정적분의 성질

$$\int_a^b f(x)dx=\int_a^c f(x)dx+\int_c^b f(x)dx$$

를 이용하여 구한다.

| 정답과 해설 74쪽 |

개념 확인 1 함수 $f(x)=\begin{cases} -2x-1 & (x\le 0) \\ 3x^2-1 & (x\ge 0) \end{cases}$ 에 대하여 다음 정적분의 값을 구하시오.

(1) $\int_0^4 f(x)dx$

(2) $\int_{-1}^1 f(x)dx$

절댓값 기호를 포함한 함수의 정적분은 다음과 같이 구한다.

(ⅰ) 절댓값 기호 안의 식의 값이 0이 되는 x의 값을 경계로 적분 구간을 나눈다.

(ⅱ) 정적분의 성질 $\int_a^b f(x)dx = \int_a^c f(x)dx + \int_c^b f(x)dx$를 이용한다.

참고 $y=|f(x)|$의 그래프가 오른쪽 그림과 같을 때

$$\int_a^b |f(x)|\,dx = \int_a^c \{-f(x)\}dx + \int_c^b f(x)dx$$

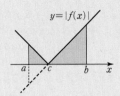

예 함수 $f(x)=|x-1|$일 때, 정적분 $\int_0^2 f(x)dx$의 값을 구해 보자.

$f(x)=|x-1|=\begin{cases} -x+1 & (x \le 1) \\ x-1 & (x \ge 1) \end{cases}$ 이므로

$$\int_0^2 |x-1|\,dx = \int_0^1 (-x+1)dx + \int_1^2 (x-1)dx$$

$$= \left[-\frac{1}{2}x^2 + x \right]_0^1 + \left[\frac{1}{2}x^2 - x \right]_1^2$$

$$= \left\{ \left(-\frac{1}{2}+1 \right) - 0 \right\} + \left\{ (2-2) - \left(\frac{1}{2}-1 \right) \right\}$$

$$= \frac{1}{2} + \frac{1}{2} = 1$$

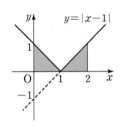

Lecture 절댓값 기호를 포함한 함수의 정적분을 구할 때는 절댓값 기호 안의 식의 값이 0이 되는 값을 경계로 피적분함수가 바뀌므로 반드시 구간을 나누도록 한다.

8 정적분

| 정답과 해설 74쪽 |

개념 확인 2 다음 정적분의 값을 구하시오.

(1) $\int_{-2}^1 |2x|\,dx$

(2) $\int_{-3}^1 |x+2|\,dx$

개념 **04** 우함수와 기함수의 정적분

189쪽 원리 알아보기

함수 $f(x)$가 닫힌구간 $[-a, a]$에서 연속일 때

(1) $f(-x)=f(x)$이면 함수 $f(x)$를 우함수라 하고

$$\int_{-a}^{a} f(x)dx=2\int_{0}^{a} f(x)dx$$

(2) $f(-x)=-f(x)$이면 함수 $f(x)$를 기함수라 하고

$$\int_{-a}^{a} f(x)dx=0$$

> 우함수와 기함수의 정적분은 아래끝과 위끝의 절댓값이 같을 때 이용하면 편리해.

참고 일반적으로 우함수와 기함수를 연산하면 다음과 같다.

(우함수)$\pm$(우함수)$=$(우함수), (기함수)$\pm$(기함수)$=$(기함수)

(우함수)$\times$(우함수)$=$(우함수), (기함수)$\times$(기함수)$=$(우함수), (우함수)$\times$(기함수)$=$(기함수)

주의 (우함수)$\pm$(기함수) ➡ 우함수도 기함수도 아니다.

설명

우함수	기함수
$f(-x)=f(x)$	$f(-x)=-f(x)$
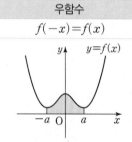	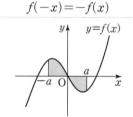
그래프는 y축에 대하여 대칭	그래프는 원점에 대하여 대칭
$\int_{-a}^{0} f(x)dx=\int_{0}^{a} f(x)dx$이므로 $\int_{-a}^{a} f(x)dx=\int_{-a}^{0} f(x)dx+\int_{0}^{a} f(x)dx$ $=2\int_{0}^{a} f(x)dx$	$\int_{-a}^{0} f(x)dx=-\int_{0}^{a} f(x)dx$이므로 $\int_{-a}^{a} f(x)dx=\int_{-a}^{0} f(x)dx+\int_{0}^{a} f(x)dx$ $=0$
예 $y=3,\ y=x^2,\ y=x^4,\ y=5x^4-2x^2-2$ ➡ $f(x)$는 짝수 차수의 항 또는 상수항으로만 이루어진 다항함수	예 $y=x,\ y=x^3,\ y=x^3-2x$ ➡ $f(x)$는 홀수 차수의 항으로만 이루어진 다항함수

예

$$\int_{-1}^{1} (5x^4+x^3-3x^2-2x-2)dx=\int_{-1}^{1} (\underset{\text{우함수}}{5x^4-3x^2-2})dx+\int_{-1}^{1} (\underset{\text{기함수}}{x^3-2x})dx$$
$$=2\left[x^5-x^3-2x\right]_{0}^{1}+0=-4$$

> **Lecture** 아래끝과 위끝의 절댓값이 같고 부호가 다를 때, 피적분함수를 우함수와 기함수로 나누어 계산한다.

| 정답과 해설 74쪽 |

개념 확인 3 다음 정적분의 값을 구하시오.

(1) $\int_{-1}^{1} (2x+1)dx$

(2) $\int_{-2}^{2} (3x^3+x^2)dx$

정적분 $\int_{-a}^{a} x^n dx$의 계산

n이 자연수일 때, 양수 a에 대하여 정적분 $\int_{-a}^{a} x^n dx$의 값은 다음과 같이 구할 수 있다.

n이 짝수인 경우	n이 홀수인 경우
$$\int_{-a}^{a} x^n dx = \left[\frac{1}{n+1}x^{n+1}\right]_{-a}^{a}$$ $$= \frac{1}{n+1}a^{n+1} - \frac{1}{n+1}(-a)^{n+1}$$ $$= \frac{1}{n+1}a^{n+1} + \frac{1}{n+1}a^{n+1}$$ $$= 2\left(\frac{1}{n+1}a^{n+1} - 0\right)$$ $$= 2\int_{0}^{a} x^n dx$$	$$\int_{-a}^{a} x^n dx = \left[\frac{1}{n+1}x^{n+1}\right]_{-a}^{a}$$ $$= \frac{1}{n+1}a^{n+1} - \frac{1}{n+1}(-a)^{n+1}$$ $$= \frac{1}{n+1}a^{n+1} - \frac{1}{n+1}a^{n+1}$$ $$= 0$$

이상을 정리하면 다음과 같다.

(1) n이 짝수인 경우 ➡ $\int_{-a}^{a} x^n dx = 2\int_{0}^{a} x^n dx$

(2) n이 홀수인 경우 ➡ $\int_{-a}^{a} x^n dx = 0$

한편, $n=0$일 때, $\int_{-a}^{a} 1\,dx = \left[x\right]_{-a}^{a} = a-(-a) = 2(a-0) = 2\left[x\right]_{0}^{a} = 2\int_{0}^{a} 1\,dx$이다.

위의 성질을 이용하면 다음과 같은 다항함수의 정적분의 값을 간단하게 구할 수 있다.

$$\int_{-2}^{2}(6x^7+x^5+5x^4-3x^2-4x+2)\,dx = \int_{-2}^{2}(5x^4-3x^2+2)\,dx$$
$$= 2\int_{0}^{2}(5x^4-3x^2+2)\,dx$$
$$= 2\left[x^5-x^3+2x\right]_{0}^{2}$$
$$= 2(32-8+4)$$
$$= 56$$

Lecture

❶ $f(x)$가 짝수 차수의 항 또는 상수항으로만 이루어진 다항함수 → 우함수

➡ $\int_{-a}^{a} f(x)\,dx = 2\int_{0}^{a} f(x)\,dx$

❷ $f(x)$가 홀수 차수의 항으로만 이루어진 다항함수 → 기함수

➡ $\int_{-a}^{a} f(x)\,dx = 0$

개념 **05** 주기함수의 정적분

1 주기함수의 정의

함수 $f(x)$의 정의역에 속하는 모든 실수 x에 대하여 $f(x+p)=f(x)$ (p는 0이 아닌 상수)일 때, 함수 $f(x)$를 주기함수라 하고, p의 값 중에서 최소인 양수를 그 함수의 주기라 한다.

2 주기함수의 정적분

함수 $f(x)$의 정의역에 속하는 모든 실수 x에 대하여 $f(x+p)=f(x)$ (p는 0이 아닌 상수)일 때

(1) $\displaystyle\int_{a}^{b}f(x)dx=\int_{a+p}^{b+p}f(x)dx=\int_{a+2p}^{b+2p}f(x)dx=\cdots=\int_{a+np}^{b+np}f(x)dx$ (단, n은 정수)

(2) $\displaystyle\int_{a}^{a+p}f(x)dx=\int_{b}^{b+p}f(x)dx$ → 한 주기의 정적분의 값은 항상 같다.

(3) $\displaystyle\int_{a}^{a+np}f(x)dx=n\int_{0}^{p}f(x)dx$ (단, n은 정수)

설명

함수 $y=f(x)$의 그래프와 x축 및 두 직선 $x=a$, $x=b$로 둘러싸인 도형의 넓이는 정적분 $\displaystyle\int_{a}^{b}f(x)dx$의 값과 같음을 이용하면 주기함수의 정적분의 값을 간단히 구할 수 있다.

(1)

| $y=f(x)$의 그래프와 x축 및 두 직선 $x=a$, $x=b$로 둘러싸인 도형의 넓이 | = | $y=f(x)$의 그래프와 x축 및 두 직선 $x=a+p$, $x=b+p$로 둘러싸인 도형의 넓이 |

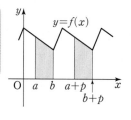

➡ $\displaystyle\int_{a}^{b}f(x)dx=\int_{a+p}^{b+p}f(x)dx=\int_{a+2p}^{b+2p}f(x)dx=\cdots=\int_{a+np}^{b+np}f(x)dx$

(2)

| $y=f(x)$의 그래프와 x축 및 두 직선 $x=a$, $x=a+p$로 둘러싸인 도형의 넓이 | = | $y=f(x)$의 그래프와 x축 및 두 직선 $x=b$, $x=b+p$로 둘러싸인 도형의 넓이 |

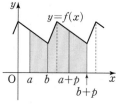

➡ $\displaystyle\int_{a}^{a+p}f(x)dx=\int_{b}^{b+p}f(x)dx$

(3)

| $y=f(x)$의 그래프와 x축 및 두 직선 $x=a$, $x=a+np$로 둘러싸인 도형의 넓이 | = | $y=f(x)$의 그래프와 x축 및 두 직선 $x=0$, $x=p$로 둘러싸인 도형의 넓이를 n번 더한 값 |

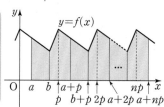

➡ $\displaystyle\int_{a}^{a+np}f(x)dx=n\int_{0}^{p}f(x)dx$

Lecture

주기가 p인 함수 $f(x)$ ➡ $\displaystyle\int_{a}^{b}f(x)dx=\int_{a+p}^{b+p}f(x)dx$

| 정답과 해설 74쪽 |

개념 확인 4 연속함수 $f(x)$가 모든 실수 x에 대하여 $f(x+2)=f(x)$를 만족시키고 $\displaystyle\int_{0}^{2}f(x)dx=2$일 때, $\square$ 안에 알맞은 수를 써넣으시오.

$$\int_{0}^{2}f(x)dx=\int_{\square}^{4}f(x)dx=\int_{-2}^{\square}f(x)dx=\square$$

개념 check

1-1 함수 $f(x)=\begin{cases} 2x & (x\leq 1) \\ x^2+1 & (x\geq 1) \end{cases}$에 대하여 다음 정적분의 값을 구하시오.

(1) $\displaystyle\int_1^3 f(x)dx$

(2) $\displaystyle\int_0^2 f(x)dx$

연구 (1) $\displaystyle\int_1^3 f(x)dx=\int_1^3 (\boxed{})dx$

$=\Big[\boxed{}\Big]_1^3=\boxed{}$

(2) $\displaystyle\int_0^2 f(x)dx=\int_0^1 \boxed{}dx+\int_{\boxed{}}^2 (x^2+1)dx$

$=\Big[\boxed{}\Big]_0^1+\Big[\dfrac{1}{3}x^3+x\Big]_{\boxed{}}^2$

$=\boxed{}$

스스로 check

1-2 함수 $f(x)=\begin{cases} -x & (x\leq -1) \\ x+2 & (x\geq -1) \end{cases}$에 대하여 다음 정적분의 값을 구하시오.

(1) $\displaystyle\int_{-1}^0 f(x)dx$

(2) $\displaystyle\int_{-2}^{-1} f(x)dx$

(3) $\displaystyle\int_{-3}^1 f(x)dx$

2-1 정적분 $\displaystyle\int_0^2 |2x-1|dx$의 값을 구하시오.

연구 $|2x-1|=\begin{cases} -2x+1 & \left(x\leq \boxed{}\right) \\ 2x-1 & \left(x\geq \boxed{}\right) \end{cases}$이므로

$\displaystyle\int_0^2 |2x-1|dx$

$=\int_0^{\boxed{}} (-2x+1)dx+\int_{\boxed{}}^2 (2x-1)dx$

$=\Big[\boxed{}\Big]_0^{\frac{1}{2}}+\Big[x^2-x\Big]_{\frac{1}{2}}^2$

$=\boxed{}$

2-2 다음 정적분의 값을 구하시오.

(1) $\displaystyle\int_{-1}^4 |x-3|dx$

(2) $\displaystyle\int_0^3 \Big|-x+\dfrac{1}{2}\Big|dx$

(3) $\displaystyle\int_{-1}^0 |3x+1|dx$

8 정적분

정답과 해설 75쪽

개념 check

3-1 정적분 $\int_{-2}^{2}(6x^7+x^5+5x^4-3x^2-4x+2)dx$의
값을 구하시오.

연구 $\int_{-2}^{2}(6x^7+x^5+5x^4-3x^2-4x+2)dx$

$=\int_{-2}^{2}(\boxed{}-3x^2+2)dx$

$=2\int_{0}^{2}(\boxed{}-3x^2+2)dx$

$=2\Big[\boxed{}-x^3+2x\Big]_{0}^{2}$

$=2\times\boxed{}=\boxed{}$

스스로 check

3-2 다음 정적분의 값을 구하시오.

(1) $\int_{-1}^{1}(5x^4+2x^2+5x)dx$

(2) $\int_{-2}^{2}(x^3+3x^2-2x+1)dx$

4-1 연속함수 $f(x)$가 모든 실수 x에 대하여
$f(x+2)=f(x)$를 만족시키고 $\int_{0}^{2}f(x)dx=\dfrac{1}{2}$
일 때, 다음 정적분의 값을 구하시오.

(1) $\int_{0}^{4}f(x)dx$

(2) $\int_{1}^{3}f(x)dx$

(3) $\int_{1}^{7}f(x)dx$

연구 (1) $\int_{0}^{4}f(x)dx=\int_{0}^{2}f(x)dx+\int_{2}^{4}f(x)dx$

$=\boxed{}\times\int_{0}^{2}f(x)dx$

$=\boxed{}\times\dfrac{1}{2}=\boxed{}$

(2) 한 주기의 정적분의 값은 항상 같으므로

$\int_{1}^{3}f(x)dx=\int_{\boxed{}}^{2}f(x)dx=\boxed{}$

(3) $\int_{1}^{7}f(x)dx=\int_{1}^{1+\boxed{}\times 2}f(x)dx$

$=\boxed{}\times\int_{0}^{2}f(x)dx$

$=\boxed{}\times\dfrac{1}{2}=\boxed{}$

4-2 연속함수 $f(x)$가 모든 실수 x에 대하여
$f(x+3)=f(x)$를 만족시키고 $\int_{0}^{3}f(x)dx=4$일
때, 다음 정적분의 값을 구하시오.

(1) $\int_{0}^{9}f(x)dx$

(2) $\int_{2}^{5}f(x)dx$

(3) $\int_{1}^{7}f(x)dx$

대표 유형 01 구간에 따라 다르게 정의된 함수의 정적분 ⟳ 유형 해결의 법칙 131쪽 유형 05

함수 $f(x) = \begin{cases} -2x+2 & (x \le 0) \\ 3x^2+2 & (0 \le x \le 1) \\ 4x+1 & (x \ge 1) \end{cases}$ 에 대하여 정적분 $\int_{-2}^{4} f(x)dx$의 값을 구하시오.

풀이

❶ 적분 구간을 $x=0$과 $x=1$을 기준으로 나누기

$$\int_{-2}^{4} f(x)dx = \int_{-2}^{0} f(x)dx + \int_{0}^{1} f(x)dx + \int_{1}^{4} f(x)dx$$

❷ $\int_{-2}^{0} f(x)dx$의 값 구하기

$$\int_{-2}^{0} f(x)dx = \int_{-2}^{0} (-2x+2)dx = \left[-x^2+2x\right]_{-2}^{0} = 0-(-4-4) = 8$$

❸ $\int_{0}^{1} f(x)dx$의 값 구하기

$$\int_{0}^{1} f(x)dx = \int_{0}^{1} (3x^2+2)dx = \left[x^3+2x\right]_{0}^{1} = (1+2)-0 = 3$$

❹ $\int_{1}^{4} f(x)dx$의 값 구하기

$$\int_{1}^{4} f(x)dx = \int_{1}^{4} (4x+1)dx = \left[2x^2+x\right]_{1}^{4} = (32+4)-(2+1) = 33$$

❺ $\int_{-2}^{4} f(x)dx$의 값 구하기

$$\therefore \int_{-2}^{4} f(x)dx = \int_{-2}^{0} f(x)dx + \int_{0}^{1} f(x)dx + \int_{1}^{4} f(x)dx = 8+3+33 = 44$$

답 44

 해법 ❶ 함수가 구간에 따라 다르게 정의된 경우에는 적분 구간을 나누어 적분한다.

❷ 정적분의 성질 $\int_{a}^{b} f(x)dx = \int_{a}^{c} f(x)dx + \int_{c}^{b} f(x)dx$를 이용한다.

| 정답과 해설 76쪽 |

01-1 함수 $f(x) = \begin{cases} x-2 & (x \le 0) \\ x^2-2 & (0 \le x \le 1) \\ -1 & (x \ge 1) \end{cases}$ 에 대하여 정적분 $\int_{-1}^{3} f(x)dx$의 값을 구하시오.

01-2 함수 $y=f(x)$의 그래프가 오른쪽 그림과 같을 때, 정적분 $\int_{-3}^{2} f(x)dx$의 값을 구하시오.

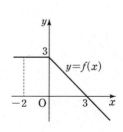

대표 유형 02 절댓값 기호를 포함한 함수의 정적분

⤷ 유형 해결의 법칙 132쪽 유형 06

정적분 $\displaystyle\int_0^3 |x^2-1|\,dx$의 값을 구하시오.

풀이

❶ $x^2-1=0$이 되는 x의 값을 경계로 구간 나누기

❷ $\displaystyle\int_a^b f(x)dx=$ $\displaystyle\int_a^c f(x)dx+\int_c^b f(x)dx$ 임을 이용하기

$x^2-1=0$, 즉 $(x+1)(x-1)=0$에서 $x=-1$ 또는 $x=1$이므로

$$|x^2-1|=\begin{cases} x^2-1 & (x\le-1 \text{ 또는 } x\ge1) \\ -x^2+1 & (-1\le x\le1) \end{cases}$$

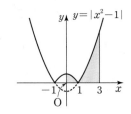

$$\therefore \int_0^3 |x^2-1|\,dx$$

$$=\int_0^1 |x^2-1|\,dx+\int_1^3 |x^2-1|\,dx$$

$$=\int_0^1 (-x^2+1)\,dx+\int_1^3 (x^2-1)\,dx$$

$$=\left[-\frac{1}{3}x^3+x\right]_0^1+\left[\frac{1}{3}x^3-x\right]_1^3$$

$$=\left\{\left(-\frac{1}{3}+1\right)-0\right\}+\left\{(9-3)-\left(\frac{1}{3}-1\right)\right\}$$

$$=\frac{22}{3}$$

답 $\dfrac{22}{3}$

해법 ❶ 절댓값 기호 안의 식의 값이 0이 되는 x의 값을 경계로 적분 구간을 나눈다.

❷ 정적분의 성질 $\displaystyle\int_a^b f(x)dx=\int_a^c f(x)dx+\int_c^b f(x)dx$를 이용한다.

예를 들어, $y=|f(x)|$의 그래프가 오른쪽 그림과 같을 때, 다음이 성립한다.

$$\int_a^b |f(x)|\,dx=\int_a^c \{-f(x)\}\,dx+\int_c^b f(x)\,dx$$

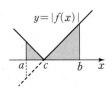

| 정답과 해설 76쪽 |

02-1 다음 정적분의 값을 구하시오.

(1) $\displaystyle\int_{-1}^1 (|x|-1)\,dx$

(2) $\displaystyle\int_0^3 \frac{|x^2-1|}{x+1}\,dx$

(3) $\displaystyle\int_{-1}^3 x|x-1|\,dx$

대표 유형 **03** 우함수와 기함수의 정적분   ➥ 유형 해결의 법칙 133쪽 유형 07, 08

정적분 $\int_{-2}^{1}(x-3)(x^2+1)dx+\int_{1}^{2}(x-3)(x^2+1)dx$의 값을 구하시오.

풀이

❶ $\int_{a}^{b}f(x)dx=$ $\int_{a}^{c}f(x)dx+\int_{c}^{b}f(x)dx$ 임을 이용하기

$\int_{-2}^{1}(x-3)(x^2+1)dx+\int_{1}^{2}(x-3)(x^2+1)dx$

$=\int_{-2}^{2}(x-3)(x^2+1)dx$

❷ 홀수 차수의 항인 경우에 $\int_{-a}^{a}f(x)dx=0$임을 이용하기

$=\int_{-2}^{2}(x^3-3x^2+x-3)dx$

$=\int_{-2}^{2}(-3x^2-3)dx$

❸ 짝수 차수의 항 또는 상수항으로만 이루어진 함수일 때, $\int_{-a}^{a}f(x)dx$ $=2\int_{0}^{a}f(x)dx$ 임을 이용하기

$=2\int_{0}^{2}(-3x^2-3)dx$

$=2\Big[-x^3-3x\Big]_{0}^{2}$

$=2\{(-8-6)-0\}$

$=-28$

답 -28

해법 ❶ 짝수 차수의 항 또는 상수항으로만 이루어진 함수는 우함수이고 $f(-x)=f(x)$를 만족시킨다.

   ➡ $\int_{-a}^{a}f(x)dx=2\int_{0}^{a}f(x)dx$

❷ 홀수 차수의 항으로만 이루어진 함수는 기함수이고 $f(-x)=-f(x)$를 만족시킨다.

   ➡ $\int_{-a}^{a}f(x)dx=0$

| 정답과 해설 76쪽 |

03-1 $\int_{-2}^{2}(x-1)(x+k)dx=\dfrac{4}{3}$를 만족시키는 실수 k의 값을 구하시오.

03-2   다항함수 $f(x)$가 모든 실수 x에 대하여 $f(-x)=f(x)$를 만족시키고 $\int_{0}^{1}f(x)dx=2$일 때, 정적분 $\int_{-1}^{1}(2x-1)f(x)dx$의 값을 구하시오.

8 | 정적분

대표 유형 **04** **주기함수의 정적분**

↻ 유형 해결의 법칙 134쪽 유형 09

연속함수 $f(x)$가 모든 실수 x에 대하여 $f(x+3)=f(x)$를 만족시키고 $\int_2^5 f(x)dx=4$일 때, 정적분 $\int_2^{11} f(x)dx$의 값을 구하시오.

풀이

❶ $f(x+p)=f(x)$일 때,
$$\int_a^b f(x)dx$$
$$=\int_{a+np}^{b+np} f(x)dx$$
임을 이용하기

함수 $f(x)$가 모든 실수 x에 대하여 $f(x+3)=f(x)$이므로
$$\int_2^5 f(x)dx=\int_5^8 f(x)dx=\int_8^{11} f(x)dx$$
$$=4$$

❷ $\int_2^{11} f(x)dx$를
$\int_2^5 f(x)dx$로 나타내기

$$\therefore \int_2^{11} f(x)dx=\int_2^5 f(x)dx+\int_5^8 f(x)dx+\int_8^{11} f(x)dx$$
$$=3\int_2^5 f(x)dx$$
$$=3\times 4=12$$

目 12

해법 연속함수 $f(x)$가 모든 실수 x에 대하여 $f(x+p)=f(x)$ (p는 0이 아닌 상수)이면
$$\Rightarrow \int_a^b f(x)dx=\int_{a+p}^{b+p} f(x)dx=\int_{a+2p}^{b+2p} f(x)dx=\cdots=\int_{a+np}^{b+np} f(x)dx \text{ (단, } n\text{은 정수)}$$

| 정답과 해설 77쪽 |

04-1 연속함수 $f(x)$가 모든 실수 x에 대하여 $f(x+4)=f(x)$를 만족시키고 $-2\leq x\leq 2$에서 $f(x)=-x^2+4$일 때, 정적분 $\int_{-2}^6 f(x)dx$의 값을 구하시오.

04-2 연속함수 $f(x)$가 다음 두 조건을 모두 만족시킬 때, 정적분 $\int_{-4}^4 f(x)dx$의 값을 구하시오.

㈎ 모든 실수 x에 대하여 $f(x+2)=f(x)$
㈏ $0\leq x\leq 2$일 때, $f(x)=-x^2+2x$

3 정적분으로 정의된 함수

| **개념** 파헤치기 |

개념 01 정적분으로 정의된 함수

1 정적분으로 정의된 함수

정적분 $\int_a^b f(t)dt$의 값은 일반적으로 실수이지만 $\int_1^x f(t)dt$, $\int_1^{x+1} f(t)dt$, $\int_1^x (x-t)f(t)dt$와 같이 정적분의 위끝, 아래끝 또는 피적분함수에 적분변수 t가 아닌 다른 변수 x가 있으면 이 정적분의 값은 변수 x의 값에 따라 결정되므로 x에 대한 함수가 된다.

예 $y = \int_1^x (3t^2 - 2t)dt = \left[t^3 - t^2 \right]_1^x = (x^3 - x^2) - (1-1) = x^3 - x^2$

2 정적분으로 정의된 함수의 미분

(1) $\dfrac{d}{dx} \int_a^x f(t)dt = f(x)$ (단, a는 상수)

(2) $\dfrac{d}{dx} \int_x^{x+a} f(t)dt = f(x+a) - f(x)$ (단, a는 상수)

설명

함수 $f(t)$가 닫힌구간 $[a, b]$에서 연속일 때, 열린구간 (a, b)에 속하는 임의의 x에 대하여 정적분 $\int_a^x f(t)dt$의 값은 x의 값에 따라 하나로 정해지므로 x에 대한 함수이다.

한편, 함수 $f(t)$의 한 부정적분을 $F(t)$라 하면

(1) $\int_a^x f(t)dt = \left[F(t) \right]_a^x = F(x) - F(a)$이므로 양변을 x에 대하여 미분하면

$\dfrac{d}{dx} \int_a^x f(t)dt = \dfrac{d}{dx}\{F(x) - F(a)\} = f(x)$

(2) $\int_x^{x+a} f(t)dt = \left[F(t) \right]_x^{x+a} = F(x+a) - F(x)$이므로 양변을 x에 대하여 미분하면

$\dfrac{d}{dx} \int_x^{x+a} f(t)dt = \dfrac{d}{dx}\{F(x+a) - F(x)\} = f(x+a) - f(x)$

예

(1) $\dfrac{d}{dx} \int_1^x (2t^3 - 3t^2 + 2)dt = 2x^3 - 3x^2 + 2$

(2) $\dfrac{d}{dx} \int_x^{x+1} (t^2 + 1)dt = \{(x+1)^2 + 1\} - (x^2 + 1) = 2x + 1$

> **Lecture**
>
> a가 상수일 때, $\int_a^x f(t)dt$는 t에 대한 함수가 아니고 x에 대한 함수이다.

| 정답과 해설 77쪽 |

개념 확인 1 다음을 구하시오.

(1) $\dfrac{d}{dx} \int_1^x (3t^2 + 1)dt$

(2) $\dfrac{d}{dx} \int_x^{x+1} (t^2 - t)dt$

개념 **02** 정적분을 포함한 등식에서 함수 구하기

1 적분 구간이 상수인 정적분을 포함한 등식 - $f(x)=g(x)+\int_a^b f(t)dt(a, b$는 상수) 꼴

➡ $\int_a^b f(t)dt=k(k$는 상수)로 놓고 $f(x)=g(x)+k$임을 이용한다.

2 적분 구간에 변수가 있는 정적분을 포함한 등식 - $\int_x^{x+a} f(t)dt=g(x)(a$는 상수) 꼴

➡ $\int_x^{x+a} f(t)dt=g(x)$의 양변을 x에 대하여 미분하면 $f(x+a)-f(x)=g'(x)$임을 이용한다.

3 적분 구간에 변수가 있는 정적분을 포함한 등식 - $\int_a^x f(t)dt=g(x)(a$는 상수) 꼴

➡ $\int_a^x f(t)dt=g(x)$의 양변에 $x=a$를 대입하면 $\int_a^a f(t)dt=g(a)=0$임을 이용한다.

➡ 양변을 x에 대하여 미분하면 $f(x)=g'(x)$임을 이용한다.

4 적분 구간과 피적분함수에 변수가 있는 정적분을 포함한 등식 - $\int_a^x (x-t)f(t)dt=g(x)(a$는 상수) 꼴

➡ $\int_a^x (x-t)f(t)dt=x\int_a^x f(t)dt-\int_a^x tf(t)dt$로 변형한 후 양변을 x에 대하여 미분한다.

예

(1) 다항함수 $f(x)$가 모든 실수 x에 대하여 $\int_1^x f(t)dt=x^2+ax+5$를 만족시킬 때,

$f(x)$를 구해 보자. (단, a는 상수) ↳ **3** 꼴

$\int_1^x f(t)dt=x^2+ax+5$의 양변에 $x=1$을 대입하면

$\int_1^1 f(t)dt=1+a+5=0$ ∴ $a=-6$

주어진 식의 양변을 x에 대하여 미분하면 $f(x)=(x^2-6x+5)'$이므로

$f(x)=2x-6$

(2) 미분가능한 함수 $f(x)$가 $\int_2^x (x-t)f(t)dt=x^3-12x+16$을 만족시킬 때,

$f(x)$를 구해 보자. ↳ **4** 꼴

$x\int_2^x f(t)dt-\int_2^x tf(t)dt=x^3-12x+16$이고 이 식의 양변을 x에 대하여 미분하면

$\int_2^x f(t)dt+xf(x)-xf(x)=3x^2-12$ ∴ $\int_2^x f(t)dt=3x^2-12$

이 식의 양변을 x에 대하여 미분하면

$f(x)=6x$

Lecture

$\int_a^x xf(t)dt(a$는 상수)와 같이 적분변수가 t인 정적분에서 적분변수가 아닌 다른 변수 x는 상수로 취급한다. ➡ $\int_a^x xf(t)dt=x\int_a^x f(t)dt$

| 정답과 해설 77쪽 |

개념 확인 **2** 다항함수 $f(x)$가 모든 실수 x에 대하여 $\int_1^x f(t)dt=2x^3-3x^2+1$을 만족시킬 때, $f(x)$를 구하시오.

개념 **03** 정적분으로 정의된 함수의 극한

(1) $\displaystyle\lim_{x \to a} \frac{1}{x-a} \int_a^x f(t)dt = f(a)$

(2) $\displaystyle\lim_{x \to 0} \frac{1}{x} \int_a^{x+a} f(t)dt = f(a)$

설명   정적분으로 정의된 함수의 극한을 미분계수의 정의를 이용하여 설명해 보자.

$$F'(a) = \lim_{x \to a} \frac{F(x)-F(a)}{x-a} = \lim_{h \to 0} \frac{F(a+h)-F(a)}{h}$$

함수 $f(t)$의 한 부정적분을 $F(t)$라 하면 $F'(t) = f(t)$

(1) $\displaystyle\lim_{x \to a} \frac{1}{x-a} \int_a^x f(t)dt = \lim_{x \to a} \frac{\Big[F(t)\Big]_a^x}{x-a}$

$$= \lim_{x \to a} \frac{F(x)-F(a)}{x-a} = F'(a) = f(a)$$

(2) $\displaystyle\lim_{x \to 0} \frac{1}{x} \int_a^{x+a} f(t)dt = \lim_{x \to 0} \frac{\Big[F(t)\Big]_a^{x+a}}{x}$

$$= \lim_{x \to 0} \frac{F(x+a)-F(a)}{x} = F'(a) = f(a)$$

예 $\displaystyle\lim_{x \to 1} \frac{1}{x-1} \int_1^x (t^2 - 2t + 3)dt$의 값을 구해 보자.

$f(t) = t^2 - 2t + 3$으로 놓고, $f(t)$의 한 부정적분을 $F(t)$라 하면

$$\lim_{x \to 1} \frac{1}{x-1} \int_1^x (t^2 - 2t + 3)dt = \lim_{x \to 1} \frac{F(x)-F(1)}{x-1}$$

$$= F'(1) = f(1)$$

$$= 1 - 2 + 3 = 2$$

Lecture   정적분으로 정의된 함수의 극한은 미분계수의 정의를 이용한다.

8
정적분

| 정답과 해설 77쪽 |

개념 확인 3   다음은 $\displaystyle\lim_{x \to 0} \frac{1}{x} \int_0^x (3t^2 - 2)dt$의 값을 구하는 과정이다. □ 안에 알맞은 수를 써넣으시오.

$F'(t) = 3t^2 - 2$라 하면

$$\lim_{x \to 0} \frac{1}{x} \int_0^x (3t^2 - 2)dt = \lim_{x \to 0} \frac{F(x) - \square}{x} = F'(\square) = \square$$

개념 check

1-1 다음을 구하시오.

(1) $\dfrac{d}{dx}\displaystyle\int_1^x (t^3+2t^2+4)dt$

(2) $\dfrac{d}{dx}\displaystyle\int_x^{x+2} (t^2-2t)dt$

연구 (1) $\dfrac{d}{dx}\displaystyle\int_1^x (t^3+2t^2+4)dt=\boxed{}$

(2) $\dfrac{d}{dx}\displaystyle\int_x^{x+2} f(t)dt=f(\boxed{})-f(x)$이므로

$\dfrac{d}{dx}\displaystyle\int_x^{x+2} (t^2-2t)dt$

$=\{(x+2)^2-2(x+2)\}-(x^2-2x)=\boxed{}$

2-1 임의의 실수 x에 대하여 다음 등식이 성립할 때, 다항함수 $f(x)$를 구하시오.

(1) $\displaystyle\int_0^x f(t)dt=2x^2+x$

(2) $\displaystyle\int_1^x f(t)dt=x^2(x-1)$

연구 (1) 주어진 식의 양변을 x에 대하여 미분하면

$f(x)=\boxed{}$

(2) 주어진 식의 양변을 x에 대하여 미분하면

$f(x)=\boxed{}(x-1)+x^2=3x^2-\boxed{}$

3-1 다음 극한값을 구하시오.

(1) $\displaystyle\lim_{x\to 1}\dfrac{1}{x-1}\int_1^x (t^3-4t^2+1)dt$

(2) $\displaystyle\lim_{x\to 0}\dfrac{1}{x}\int_1^{1+x} (t-1)dt$

연구 (1) $f(t)=t^3-4t^2+1$로 놓고, $F'(t)=f(t)$라 하면

$\displaystyle\lim_{x\to 1}\dfrac{1}{x-1}\int_1^x (t^3-4t^2+1)dt$

$=\displaystyle\lim_{x\to 1}\dfrac{F(x)-\boxed{}}{x-1}$

$=F'(\boxed{})=f(\boxed{})=\boxed{}$

(2) $f(t)=t-1$로 놓고, $F'(t)=f(t)$라 하면

$\displaystyle\lim_{x\to 0}\dfrac{1}{x}\int_1^{1+x} (t-1)dt=\lim_{x\to 0}\dfrac{F(1+x)-\boxed{}}{x}$

$=F'(\boxed{})=f(\boxed{})=\boxed{}$

스스로 check

1-2 다음을 구하시오.

(1) $\dfrac{d}{dx}\displaystyle\int_1^x (2t+1)dt$

(2) $\dfrac{d}{dx}\displaystyle\int_{-2}^x (5t^3-t^2)dt$

(3) $\dfrac{d}{dx}\displaystyle\int_x^{x+1} (t^2+3t)dt$

2-2 임의의 실수 x에 대하여 다음 등식이 성립할 때, 다항함수 $f(x)$를 구하시오.

(1) $\displaystyle\int_0^x f(t)dt=x^3+5x^2-2x$

(2) $\displaystyle\int_{\frac{1}{3}}^x f(t)dt=(2x^2+3)(3x-1)$

3-2 다음 극한값을 구하시오.

(1) $\displaystyle\lim_{x\to 2}\dfrac{1}{x-2}\int_2^x (t^2-8)dt$

(2) $\displaystyle\lim_{x\to 0}\dfrac{1}{x}\int_1^{1+x} (t^3+t^2-4)dt$

대표 유형 01 적분 구간이 상수인 정적분을 포함한 등식

↪ 유형 해결의 법칙 135쪽 유형 10

$f(x)=x^2-3x+\displaystyle\int_0^2 f(t)dt$ 를 만족시키는 함수 $f(x)$에 대하여 $f(3)$의 값을 구하시오.

풀이

❶ $\displaystyle\int_0^2 f(t)dt=k$로 놓고 $f(x)$를 x, k에 대한 식으로 나타내기

$\displaystyle\int_0^2 f(t)dt=k\,(k는\ 상수)$ ……㉠

로 놓으면 $f(x)=x^2-3x+k$

❷ $\displaystyle\int_0^2 f(t)dt=k$에 $f(t)$를 대입하여 k의 값 구하기

$f(t)=t^2-3t+k$를 ㉠에 대입하면

$\displaystyle\int_0^2 (t^2-3t+k)dt=k$

$\left[\dfrac{1}{3}t^3-\dfrac{3}{2}t^2+kt\right]_0^2=k,\ \dfrac{8}{3}-6+2k=k \quad \therefore k=\dfrac{10}{3}$

❸ $f(3)$의 값 구하기

따라서 $f(x)=x^2-3x+\dfrac{10}{3}$이므로

$f(3)=9-9+\dfrac{10}{3}=\dfrac{10}{3}$

답 $\dfrac{10}{3}$

8
정적분

해법 $f(x)=g(x)+\displaystyle\int_a^b f(t)dt\,(a,\ b는\ 상수)$ 꼴

➡ $\displaystyle\int_a^b f(t)dt=k\,(k는\ 상수)$로 놓고 $f(x)$를 x, k에 대한 식으로 나타낸 다음 $\displaystyle\int_a^b f(t)dt=k$에 $f(t)$를 대입하여 k의 값을 구한다.

| 정답과 해설 78쪽 |

01-1 $f(x)=x^2+3x+\displaystyle\int_0^2 tf(t)dt$를 만족시키는 함수 $f(x)$에 대하여 $f(2)$의 값을 구하시오.

01-2 $f(x)=-x^3+2x+\displaystyle\int_{-1}^2 f'(t)dt$를 만족시키는 함수 $f(x)$에 대하여 정적분 $\displaystyle\int_{-1}^1 f(x)dx$의 값을 구하시오.

대표 유형 02 적분 구간 또는 피적분함수에 변수가 있는 정적분을 포함한 등식

유형 해결의 법칙 136쪽 유형 12, 13

다항함수 $f(x)$가 모든 실수 x에 대하여 $\int_1^x f(t)dt=3x^2+kx+1$을 만족시킬 때, $f(2)$의 값을 구하시오.

(단, k는 상수)

풀이

❶ 양변에 $x=1$을 대입하여 $\int_1^1 f(t)dt=0$임을 이용하기

주어진 식의 양변에 $x=1$을 대입하면

$$\int_1^1 f(t)dt=3+k+1$$

$$4+k=0 \qquad \therefore k=-4$$

❷ 양변을 x에 대하여 미분하기

또, 주어진 식의 양변을 x에 대하여 미분하면

$$f(x)=6x+k=6x-4$$

❸ $f(2)$의 값 구하기

$$\therefore f(2)=12-4=8$$

答 8

해법 ❶ $\int_a^x f(t)dt=g(x)$ (a는 상수) 꼴

➡ $\int_a^x f(t)dt=g(x)$의 양변에 $x=a$를 대입하면 $\int_a^a f(t)dt=g(a)=0$임을 이용한다.

➡ 양변을 x에 대하여 미분하면 $f(x)=g'(x)$임을 이용한다.

❷ $\int_a^x (x-t)f(t)dt=g(x)$ (a는 상수) 꼴

➡ $\int_a^x (x-t)f(t)dt=x\int_a^x f(t)dt-\int_a^x tf(t)dt$로 변형한 후 양변을 x에 대하여 미분한다.

| 정답과 해설 78쪽 |

02-1 다항함수 $f(x)$가 모든 실수 x에 대하여 $\int_1^x f(t)dt=x^3-2x+1$을 만족시킬 때, $f(a)=2$가 되도록 하는 모든 실수 a의 값의 곱을 구하시오.

02-2 미분가능한 함수 $f(x)$가 $\int_2^x (x-t)f(t)dt=ax^3+12x+b$를 만족시킬 때, $\dfrac{ab}{f\left(\frac{1}{3}\right)}$의 값을 구하시오. (단, a, b는 상수)

대표 유형 03 정적분으로 정의된 함수의 극대, 극소

↻ 유형 해결의 법칙 137쪽 유형 14

미분가능한 함수 $f(x)=\int_1^x (t^2+at)dt$가 $x=2$에서 극솟값을 가질 때, 상수 a의 값과 함수 $f(x)$의 극댓값을 구하시오.

풀이

❶ 주어진 식의 양변을 x에 대하여 미분하기

$f(x)=\int_1^x (t^2+at)dt$의 양변을 x에 대하여 미분하면

$f'(x)=x^2+ax$

❷ $f'(2)=0$임을 이용하여 상수 a의 값 구하기

함수 $f(x)$가 $x=2$에서 극솟값을 가지므로 $f'(2)=0$

$f'(2)=4+2a=0$에서 $a=-2$

❸ 증감표 작성하기

$f'(x)=x^2-2x=x(x-2)$이므로

$f'(x)=0$에서 $x=0$ 또는 $x=2$

x	$\cdots$	0	$\cdots$	2	$\cdots$
$f'(x)$	$+$	0	$-$	0	$+$
$f(x)$	↗	극대	↘	극소	↗

❹ 극댓값 구하기

따라서 함수 $f(x)$는 $x=0$에서 극대이므로 극댓값은

$f(0)=\int_1^0 (t^2-2t)dt=-\int_0^1 (t^2-2t)dt=-\left[\dfrac{1}{3}t^3-t^2\right]_0^1=\dfrac{2}{3}$

目 $a=-2$, 극댓값 $\dfrac{2}{3}$

해법 $f(x)=\int_a^x g(t)dt$ (a는 상수)와 같이 정의된 함수 $f(x)$의 극값을 구하려면

❶ 양변을 x에 대하여 미분하여 $f'(x)=g(x)$임을 이용한다.

❷ $f'(x)=0$을 만족시키는 x의 값의 좌우에서 $f'(x)$의 부호를 조사하여 증감표를 만든다.

| 정답과 해설 78쪽 |

03-1 미분가능한 함수 $f(x)=\int_0^x t(t-1)(t-2)dt$의 극댓값을 구하시오.

03-2 미분가능한 함수 $f(x)=\int_x^{x+1} t(t-1)dt$의 극솟값을 구하시오.

8 정적분 **203**

대표 유형 **04** 정적분으로 정의된 함수의 극한

유형 해결의 법칙 138쪽 유형 16

다음 극한값을 구하시오.

(1) $f(x)=x^2-3$일 때, $\displaystyle\lim_{h\to 0}\frac{1}{h}\int_0^h f(t)dt$

(2) $\displaystyle\lim_{x\to 1}\frac{1}{x-1}\int_1^x (t^3+3t+1)dt$

풀이 (1) | 미분계수의 정의를 이용하여 극한값 구하기

$f(t)$의 한 부정적분을 $F(t)$라 하면

$$\lim_{h\to 0}\frac{1}{h}\int_0^h f(t)dt=\lim_{h\to 0}\frac{F(h)-F(0)}{h}$$
$$=F'(0)=f(0)=-3$$

(2) | 미분계수의 정의를 이용하여 극한값 구하기

$f(t)=t^3+3t+1$로 놓고, $f(t)$의 한 부정적분을 $F(t)$라 하면

$$\lim_{x\to 1}\frac{1}{x-1}\int_1^x (t^3+3t+1)dt=\lim_{x\to 1}\frac{F(x)-F(1)}{x-1}$$
$$=F'(1)=f(1)=5$$

답 (1) -3 (2) 5

해법

❶ $\displaystyle\lim_{x\to a}\frac{1}{x-a}\int_a^x f(t)dt=f(a)$

❷ $\displaystyle\lim_{x\to 0}\frac{1}{x}\int_a^{x+a} f(t)dt=f(a)$

| 정답과 해설 79쪽 |

04-1 $f(x)=x^3-2x+1$일 때, $\displaystyle\lim_{x\to -1}\frac{1}{x+1}\int_x^{-1} f(t)dt$의 값을 구하시오.

04-2 다음 극한값을 구하시오.

(1) $\displaystyle\lim_{h\to 0}\frac{1}{h}\int_{1-h}^{1+h} (3x^2-x)dx$

(2) $\displaystyle\lim_{x\to 2}\frac{1}{x^2-4}\int_2^x (2t-1)dt$

유형 확인

1-1 함수 $f(x)=x^3-kx$가 $\int_0^2 f(x)dx=f(1)$을 만족시킬 때, 상수 k의 값을 구하시오.

2-1 정적분 $\int_1^2 (x^2-3x)dx+\int_1^2 3(x^2+x-1)dx$의 값을 구하시오.

3-1 함수 $f(x)=x^2-3x+1$에 대하여 정적분 $\int_{-2}^3 f(x)dx+\int_0^{-2} f(y)dy$의 값을 구하시오.

4-1 함수 $f(x)=\begin{cases} -x & (x\leq 0) \\ x^2+x & (x\geq 0) \end{cases}$에 대하여 정적분 $\int_{-1}^1 xf(x)dx$의 값을 구하시오.

한번 더 확인

1-2 $\int_{-1}^2 (3kx^2-2x+1)dx<10$을 만족시키는 정수 k의 최댓값을 구하시오.

2-2 연속함수 $f(x)$에 대하여 $\int_{-1}^1 f(x)dx=-1$, $\int_5^{-2} f(x)dx=-5$, $\int_{-2}^{-1} f(x)dx=2$일 때, 정적분 $\int_1^5 f(x)dx$의 값을 구하시오.

3-2 $\int_0^k \dfrac{x^3}{x+1}dx-\int_k^0 \dfrac{1}{t+1}dt=k$를 만족시키는 양수 k의 값을 구하시오.

4-2 함수 $y=f(x)$의 그래프가 오른쪽 그림과 같을 때, 정적분 $\int_{-1}^3 f(x)dx$의 값을 구하시오.

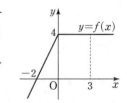

8
정적분

5-1 함수 $f(x)=\begin{cases} |x| & (x \leq 2) \\ x^2-x & (x \geq 2) \end{cases}$에 대하여

$\int_{-1}^{3} f(x)dx=k$일 때, $3k$의 값을 구하시오.

(단, k는 상수)

5-2 $\int_{0}^{a} |2x^2-2x| dx = \frac{2}{3}$를 만족시키는 실수 a의 값을 구하시오. (단, $a>1$)

6-1 $\int_{-a}^{a} (-3x^2+x)dx=54$를 만족시키는 실수 a의 값을 구하시오.

6-2 두 다항함수 $f(x)$, $g(x)$가 모든 실수 x에 대하여 $f(-x)=f(x)$, $g(-x)=-g(x)$를 만족시키고 $\int_{-3}^{3} f(x)dx=4$, $\int_{-3}^{0} g(x)dx=3$일 때, 정적분 $\int_{0}^{3} f(x)dx+\int_{0}^{3} g(t)dt$의 값을 구하시오.

7-1 연속함수 $f(x)$가 모든 실수 x에 대하여 $f(x+2)=f(x)$를 만족시키고 $\int_{2}^{4} f(x)dx=5$일 때, 정적분 $\int_{2}^{8} f(x)dx$의 값을 구하시오.

7-2 연속함수 $f(x)$가 모든 실수 x에 대하여 다음 두 조건을 모두 만족시키고 $\int_{0}^{1} f(x)dx=4$일 때, 정적분 $\int_{-1}^{6} f(x)dx$의 값을 구하시오.

(가) $f(-x)=f(x)$
(나) $f(x+2)=f(x)$

8-1 함수 $f(x)$가 $f(x)=3x^2+\int_{-1}^{1}(2t+1)f(t)dt$를 만족시킬 때, 곡선 $y=f(x)$가 x축과 만나는 두 점의 x좌표의 곱을 구하시오.

8-2 함수 $f(x)$가
$$f(x)=x^2+2x\int_{0}^{1}f(t)dt+\int_{0}^{2}f(t)dt$$
를 만족시킬 때, $f(-2)$의 값을 구하시오.

유형 확인

9-1 함수 $f(x)=\displaystyle\int_x^{x+1}(t^2-t)dt$에 대하여 정적분 $\displaystyle\int_0^2 xf'(x)dx$의 값을 구하시오.

한번 더 확인

9-2 미분가능한 함수 $f(x)$가 $\displaystyle\int_a^x f(t)dt=2x^3+3x$를 만족시킬 때, 정적분 $\displaystyle\int_1^3 f(x)dx$의 값을 구하시오. (단, a는 실수)

10-1 미분가능한 함수 $f(x)$가
$$xf(x)=x^3+\int_1^x f(t)dt$$
를 만족시킬 때, $f(0)$의 값을 구하시오.

10-2 미분가능한 함수 $f(x)$가
$$\int_0^x (x-t)f(t)dt=3x^3-2x^2$$
을 만족시킬 때, $f(1)$의 값을 구하시오.

11-1 미분가능한 함수
$f(x)=\displaystyle\int_1^x(-3t^2+at+b)dt$가 $x=0$에서 극솟값 0을 가질 때, 두 상수 a, b의 합 $a+b$의 값을 구하시오.

11-2 닫힌구간 $[-1, 1]$에서 정의된 함수 $f(x)$에 대하여 $f(x)=\displaystyle\int_{-1}^x(t^2-2t)dt$일 때, 함수 $f(x)$의 최댓값과 최솟값의 합을 구하시오.

12-1 $\displaystyle\lim_{x\to 0}\frac{1}{x}\int_1^{1+2x}\sqrt{3t^2+2}\,dt$의 값을 구하시오.

12-2 오른쪽 그림과 같이 한 변의 길이가 4인 정삼각형 ABC에서 변 AB 위에 $\overline{BD}=x(x>0)$인 점 D가 있다. 점 D를 지나고 변 BC에 평행한 직선이 변 AC와 만나는 점을 E, 사각형 BCED의 넓이를 $S(x)$라 할 때, $\displaystyle\lim_{x\to 2}\frac{1}{x-2}\int_2^x S(t)dt$의 값을 구하시오.

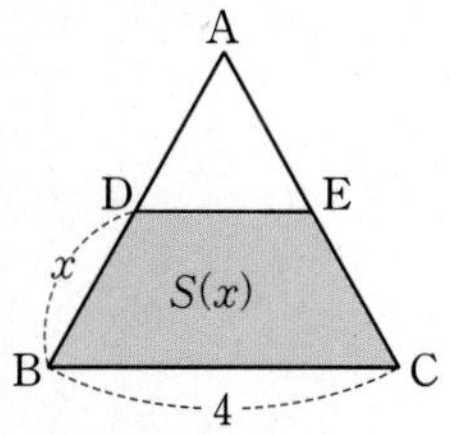

8
정적분

9 정적분의 활용

이 단원에서는 무엇을 공부해요?

곡선과 x축 사이의 넓이를 구하는 방법과 두 곡선 사이의 넓이를 구하는 방법을 배우지. 또, 어떤 물체의 위치와 위치의 변화량은 물론 움직인 거리를 구하는 방법도 배운단다.

다각형의 넓이만 구할 수 있는 줄 알았는데, 두 곡선 사이의 넓이를 구할 수도 있다고요?

그렇단다. 정적분의 계산을 할 수 있어야 구할 수 있어. 앞에서 배운 내용을 확실히 익히고, 이 단원을 공부하면 좀 더 쉽게 이해할 수 있단다.

개념 & 유형 map

1. 넓이

2. 속도와 거리

1 넓이

| 개념 파헤치기 |

개념 01 곡선과 x축 사이의 넓이

함수 $f(x)$가 닫힌구간 $[a, b]$에서 연속일 때, 곡선 $y=f(x)$와 x축 및 두 직선 $x=a$, $x=b$로 둘러싸인 도형의 넓이 S는 $S=\int_a^b |f(x)|\,dx$

(i) $f(x) \geq 0$인 경우	(ii) $f(x) \leq 0$인 경우	(iii) $f(x) \geq 0$, $f(x) \leq 0$이 모두 있는 경우
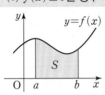	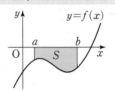	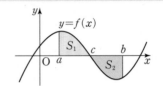
$S=\int_a^b f(x)dx$ $=\int_a^b |f(x)|\,dx$	$S=\int_a^b \{-f(x)\}dx$ $=\int_a^b |f(x)|\,dx$	$S=S_1+S_2$ $=\int_a^c f(x)dx+\int_c^b \{-f(x)\}dx$ $=\int_a^c |f(x)|\,dx+\int_c^b |f(x)|\,dx$ $=\int_a^b |f(x)|\,dx$

예 다음 곡선과 두 직선 및 x축으로 둘러싸인 도형의 넓이 S를 구해 보자.

$y=x^2$, $x=1$, $x=3$	$y=-3x^2$, $x=1$, $x=2$	$y=2x-2$, $x=0$, $x=2$
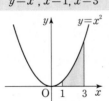	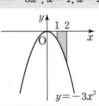	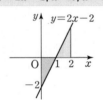
$S=\int_1^3 x^2 dx=\left[\frac{1}{3}x^3\right]_1^3$ $=9-\frac{1}{3}=\frac{26}{3}$	$S=-\int_1^2 (-3x^2)dx$ $=\int_1^2 3x^2 dx$ $=\left[x^3\right]_1^2=8-1=7$	$S=\int_0^2 |2x-2|\,dx$ $=-\int_0^1 (2x-2)dx+\int_1^2 (2x-2)dx$ $=-\left[x^2-2x\right]_0^1+\left[x^2-2x\right]_1^2$ $=1+1=2$

Lecture 넓이 S는 양수이므로 닫힌구간 $[a, b]$에서

❶ $f(x) \geq 0$이면 $S=\int_a^b f(x)dx$ ❷ $f(x) \leq 0$이면 $S=-\int_a^b f(x)dx$

| 정답과 해설 83쪽 |

개념 확인 1 다음 곡선과 두 직선 및 x축으로 둘러싸인 도형의 넓이를 구하시오.

(1) $y=3x^2+1$, $x=0$, $x=2$

(2) $y=x^2-4x$, $x=-1$, $x=2$

포물선과 x축 사이의 넓이의 활용

포물선 $y=ax^2+bx+c(a\neq0)$와 x축이 서로 다른 두 점에서 만날 때, 두 교점의 x좌표를 α, $\beta(\alpha<\beta)$라 하면 이 포물선과 x축으로 둘러싸인 도형의 넓이 S는

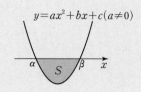

$$S=\int_\alpha^\beta|ax^2+bx+c|\,dx=\frac{|a|}{6}(\beta-\alpha)^3$$

증명 포물선 $y=ax^2+bx+c(a\neq0)$와 x축의 서로 다른 두 교점의 x좌표가 α, $\beta(\alpha<\beta)$이므로 방정식 $ax^2+bx+c=0$의 두 실근이 α, β이다.

따라서 $ax^2+bx+c=a(x-\alpha)(x-\beta)$이므로 넓이 S는

> $a>0$, $a<0$인 경우에 모두 성립해.

$$S=\int_\alpha^\beta|ax^2+bx+c|\,dx$$
$$=\int_\alpha^\beta|a(x-\alpha)(x-\beta)|\,dx$$
$$=|a|\int_\alpha^\beta\{-(x-\alpha)(x-\beta)\}\,dx$$
$$=-|a|\int_\alpha^\beta\{x^2-(\alpha+\beta)x+\alpha\beta\}\,dx$$
$$=-|a|\left[\frac{1}{3}x^3-\frac{1}{2}(\alpha+\beta)x^2+\alpha\beta x\right]_\alpha^\beta$$
$$=-|a|\left\{\frac{1}{3}(\beta^3-\alpha^3)-\frac{1}{2}(\alpha+\beta)(\beta^2-\alpha^2)+\alpha\beta(\beta-\alpha)\right\}$$
$$=-\frac{|a|}{6}(\beta-\alpha)\{2(\beta^2+\alpha\beta+\alpha^2)-3(\alpha+\beta)^2+6\alpha\beta\}$$
$$=-\frac{|a|}{6}(\beta-\alpha)(\beta^2-2\alpha\beta+\alpha^2)$$
$$=\frac{|a|}{6}(\beta-\alpha)^3$$

참고 (1) 포물선 $y=ax^2+bx+c(a\neq0)$와 직선 $y=mx+n$의 서로 다른 두 교점의 x좌표가 α, $\beta(\alpha<\beta)$일 때, 포물선과 직선으로 둘러싸인 도형의 넓이 S는

> 위와 같은 방법으로 이 공식도 증명할 수 있어.

$$S=\frac{|a|}{6}(\beta-\alpha)^3$$

(2) 두 포물선 $y=ax^2+bx+c(a\neq0)$와 $y=a'x^2+b'x+c'(a'\neq0)$의 서로 다른 두 교점의 x좌표가 α, $\beta(\alpha<\beta)$일 때, 두 포물선으로 둘러싸인 도형의 넓이 S는

$$S=\frac{|a-a'|}{6}(\beta-\alpha)^3$$

개념 확인 곡선 $y=x(x-2)$와 x축으로 둘러싸인 도형의 넓이 S를 구하시오.

풀이 곡선 $y=x(x-2)$와 x축의 교점의 x좌표는 $x(x-2)=0$에서

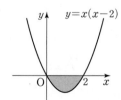

$x=0$ 또는 $x=2$

따라서 구하는 넓이 S는

$$S=-\int_0^2 x(x-2)\,dx=-\int_0^2(x^2-2x)\,dx$$
$$=-\left[\frac{1}{3}x^3-x^2\right]_0^2=\frac{4}{3}$$

다른 풀이 공식을 이용하면

$$S=\frac{|1|}{6}(2-0)^3=\frac{4}{3}$$

개념 **02** 두 곡선 사이의 넓이

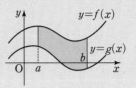

두 함수 $f(x)$, $g(x)$가 닫힌구간 $[a, b]$에서 연속일 때, 두 곡선 $y=f(x)$, $y=g(x)$ 및 두 직선 $x=a$, $x=b$로 둘러싸인 도형의 넓이 S는

$$S=\int_a^b |f(x)-g(x)|\,dx$$

예

1. 곡선 $y=x^2$과 직선 $y=x$로 둘러싸인 도형의 넓이 S를 구해 보자.

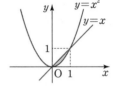

곡선 $y=x^2$과 직선 $y=x$의 교점의 x좌표는

$x^2=x$에서 $x(x-1)=0$ ∴ $x=0$ 또는 $x=1$

따라서 구하는 넓이 S는

$$S=\int_0^1 (x-x^2)\,dx$$

$$=\left[\frac{1}{2}x^2-\frac{1}{3}x^3\right]_0^1=\frac{1}{2}-\frac{1}{3}=\frac{1}{6}$$

2. 두 곡선 $y=x^2-x$와 $y=-x^2+3x$로 둘러싸인 도형의 넓이 S를 구해 보자.

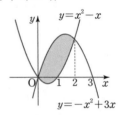

두 곡선 $y=x^2-x$와 $y=-x^2+3x$의 교점의 x좌표는

$x^2-x=-x^2+3x$에서 $2x^2-4x=0$, $2x(x-2)=0$

∴ $x=0$ 또는 $x=2$

따라서 구하는 넓이 S는

$$S=\int_0^2 \{(-x^2+3x)-(x^2-x)\}\,dx$$

$$=\int_0^2 (-2x^2+4x)\,dx$$

$$=\left[-\frac{2}{3}x^3+2x^2\right]_0^2=-\frac{16}{3}+8=\frac{8}{3}$$

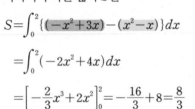

Lecture 두 곡선 $y=f(x)$, $y=g(x)$로 둘러싸인 도형의 넓이를

$$\int_a^b \{(위쪽\ 그래프의\ 식)-(아래쪽\ 그래프의\ 식)\}\,dx$$

로 생각하면 편리하다. 이때, a, b는 두 곡선의 교점의 x좌표이다.

| 정답과 해설 83쪽 |

개념 확인 2 다음 도형의 넓이를 구하시오.

(1) 곡선 $y=x^2$과 직선 $y=x+2$로 둘러싸인 도형

(2) 두 곡선 $y=x^2$, $y=-x^2+4x$로 둘러싸인 도형

두 곡선 사이의 넓이 구하는 방법

두 함수 $f(x)$, $g(x)$가 닫힌구간 $[a, b]$에서 연속일 때, 두 곡선 $y=f(x)$, $y=g(x)$ 및 두 직선 $x=a$, $x=b$로 둘러싸인 도형의 넓이 S를 구해 보자.

(ⅰ) $f(x) \geq g(x) \geq 0$인 경우

$$S = \int_a^b f(x)dx - \int_a^b g(x)dx$$
$$= \int_a^b \{f(x) - g(x)\}dx$$
$$= \int_a^b |f(x) - g(x)|dx$$

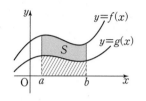

전체 넓이에서 빗금 친 부분의 넓이를 빼면 돼.

(ⅱ) $f(x) \geq g(x)$이고 $f(x)$ 또는 $g(x)$가 음의 값을 가지는 경우

오른쪽 그림과 같이 두 곡선 $y=f(x)$, $y=g(x)$를 y축의 방향으로 k만큼 평행이동하여 닫힌구간 $[a, b]$에서 $f(x)+k \geq g(x)+k \geq 0$ 이 되게 하면

$$S = \int_a^b [\{f(x)+k\} - \{g(x)+k\}]dx$$
$$= \int_a^b \{f(x) - g(x)\}dx$$
$$= \int_a^b |f(x) - g(x)|dx$$

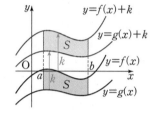

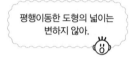

평행이동한 도형의 넓이는 변하지 않아.

(ⅲ) $f(x) \geq g(x)$, $f(x) \leq g(x)$가 모두 있는 경우

오른쪽 그림에서 닫힌구간 $[a, c]$에서 $f(x) \geq g(x)$이고, 닫힌구간 $[c, b]$에서 $f(x) \leq g(x)$이므로
$$S = S_1 + S_2$$
$$= \int_a^c \{f(x) - g(x)\}dx + \int_c^b \{g(x) - f(x)\}dx$$
$$= \int_a^c |f(x) - g(x)|dx + \int_c^b |f(x) - g(x)|dx$$
$$= \int_a^b |f(x) - g(x)|dx$$

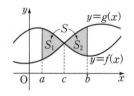

(ⅰ), (ⅱ), (ⅲ)에 의하여

$$S = \int_a^b |f(x) - g(x)|dx$$

Lecture

두 곡선 사이의 넓이 구하는 순서
❶ 두 곡선의 교점의 x좌표를 구한다.
❷ 각 구간별로 곡선의 위치를 확인한 후 {(위쪽 그래프의 식) − (아래쪽 그래프의 식)}의 정적분의 값을 구한다.

개념 check

1-1 곡선 $y=x^2-x$와 x축으로 둘러싸인 도형의 넓이를 구하시오.

연구 오른쪽 그림에서 곡선 $y=x^2-x$와 x축의 교점의 x좌표는
$x=0$ 또는 $x=\boxed{}$
이므로 구하는 넓이는
$\int_0^{\boxed{}} |x^2-x|\,dx=\boxed{}$

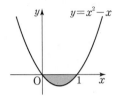

스스로 check

1-2 다음 곡선과 x축으로 둘러싸인 도형의 넓이를 구하시오.

(1) $y=-x^2+2x$

(2) $y=x^2-4$

(3) $y=x^2-4x+3$

2-1 곡선 $y=-x^2$과 직선 $y=x-2$로 둘러싸인 도형의 넓이를 구하시오.

연구 오른쪽 그림에서 곡선 $y=-x^2$과 직선 $y=x-2$의 교점의 x좌표는
$x=-2$ 또는 $x=\boxed{}$
이므로 구하는 넓이는
$\int_{-2}^{\boxed{}} \{-x^2-(\boxed{})\}\,dx=\boxed{}$

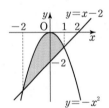

2-2 다음 곡선과 직선으로 둘러싸인 도형의 넓이를 구하시오.

(1) $y=x^2,\ y=-2x+3$

(2) $y=-x^2+4x,\ y=x$

(3) $y=x^2-x-5,\ y=x+3$

3-1 두 곡선 $y=x^2$, $y=-x^2+2x$로 둘러싸인 도형의 넓이를 구하시오.

연구 오른쪽 그림에서 두 곡선 $y=x^2$, $y=-x^2+2x$의 교점의 x좌표는
$x=\boxed{}$ 또는 $x=1$
이므로 구하는 넓이는
$\int_{\boxed{}}^1 \{(\boxed{})-x^2\}\,dx=\boxed{}$

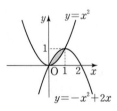

3-2 다음 두 곡선으로 둘러싸인 도형의 넓이를 구하시오.

(1) $y=x^2+2x,\ y=-x^2$

(2) $y=-x^2+1,\ y=2x^2-3x+1$

(3) $y=x^2-2x+1,\ y=-x^2+4x-3$

대표 유형 **01** 곡선과 x축 사이의 넓이   ↻ 유형 해결의 법칙 146쪽 유형 01, 02

다음 곡선과 x축으로 둘러싸인 도형의 넓이를 구하시오.

(1) $y = x^3 - 2x^2 + x$ (2) $y = x^3 - 5x^2 + 6x$

풀이 (1)

| ❶ 곡선과 x축의 교점의 x 좌표 구하기 | $x^3 - 2x^2 + x = 0$에서 $x(x-1)^2 = 0$
 $\therefore x = 0$ 또는 $x = 1$ |

$x^3 - 2x^2 + x = 0$에서 $x(x-1)^2 = 0$

$\therefore x = 0$ 또는 $x = 1$

❷ 곡선과 x축으로 둘러싸인 도형의 넓이 구하기

$$\int_0^1 (x^3 - 2x^2 + x)\,dx = \left[\frac{1}{4}x^4 - \frac{2}{3}x^3 + \frac{1}{2}x^2\right]_0^1$$
$$= \frac{1}{12}$$

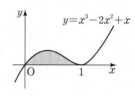

(2)

❶ 곡선과 x축의 교점의 x 좌표 구하기

$x^3 - 5x^2 + 6x = 0$에서 $x(x^2 - 5x + 6) = 0$

$x(x-2)(x-3) = 0$

$\therefore x = 0$ 또는 $x = 2$ 또는 $x = 3$

❷ 곡선과 x축으로 둘러싸인 도형의 넓이 구하기

$$\int_0^2 (x^3 - 5x^2 + 6x)\,dx - \int_2^3 (x^3 - 5x^2 + 6x)\,dx$$
$$= \left[\frac{1}{4}x^4 - \frac{5}{3}x^3 + 3x^2\right]_0^2 - \left[\frac{1}{4}x^4 - \frac{5}{3}x^3 + 3x^2\right]_2^3$$
$$= \frac{8}{3} - \left(-\frac{5}{12}\right) = \frac{37}{12}$$

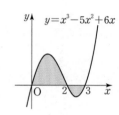

답 (1) $\dfrac{1}{12}$ (2) $\dfrac{37}{12}$

해법 오른쪽 그림과 같이 곡선 $y = f(x)$와 x축으로 둘러싸인 도형의 넓이는

➡ $\displaystyle\int_a^b |f(x)|\,dx = \int_a^c f(x)\,dx - \int_c^b f(x)\,dx$

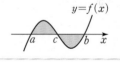

9 | 정적분의 활용

| 정답과 해설 84쪽 |

01-1 곡선 $y = x^2 - ax$와 x축으로 둘러싸인 도형의 넓이가 $\dfrac{32}{3}$일 때, 상수 a의 값을 구하시오. (단, $a > 0$)

01-2 곡선 $y = x^2 - 3x + 2$와 x축 및 두 직선 $x = 1$, $x = 3$으로 둘러싸인 도형의 넓이를 구하시오.

↻ 유형 해결의 법칙 147쪽 유형 03

대표 유형 **02** **곡선과 직선 사이의 넓이**

곡선 $y=2x^3-4x^2-2$와 직선 $y=2x-6$으로 둘러싸인 도형의 넓이를 구하시오.

풀이

❶ 곡선과 직선의 교점의 x 좌표 구하기

$2x^3-4x^2-2=2x-6$에서

$2x^3-4x^2-2x+4=0$

$x^3-2x^2-x+2=0$

$x^2(x-2)-(x-2)=0$

$(x+1)(x-1)(x-2)=0$

$\therefore x=-1$ 또는 $x=1$ 또는 $x=2$

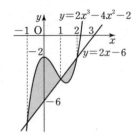

❷ 곡선과 직선으로 둘러싸인 도형의 넓이 구하기

$$\int_{-1}^{1}\{(2x^3-4x^2-2)-(2x-6)\}dx+\int_{1}^{2}\{(2x-6)-(2x^3-4x^2-2)\}dx$$

$$=\int_{-1}^{1}(2x^3-4x^2-2x+4)dx+\int_{1}^{2}(-2x^3+4x^2+2x-4)dx$$

$$=2\int_{0}^{1}(-4x^2+4)dx+\int_{1}^{2}(-2x^3+4x^2+2x-4)dx$$

$$=2\left[-\frac{4}{3}x^3+4x\right]_{0}^{1}+\left[-\frac{1}{2}x^4+\frac{4}{3}x^3+x^2-4x\right]_{1}^{2}$$

$$=2\times\frac{8}{3}+\frac{5}{6}=\frac{37}{6}$$

- $f(-x)=f(x)$이면 $\int_{-a}^{a}f(x)dx=2\int_{0}^{a}f(x)dx$
- $f(-x)=-f(x)$이면 $\int_{-a}^{a}f(x)dx=0$

目 $\dfrac{37}{6}$

해법 **곡선과 직선 사이의 넓이 구하는 순서**
❶ 곡선과 직선의 교점의 x좌표를 구한다.
❷ 각 구간별로 {(위쪽 그래프의 식)−(아래쪽 그래프의 식)}의 정적분의 값을 구한다.

| 정답과 해설 85쪽 |

02-1 곡선 $y=x^3$과 직선 $y=x$로 둘러싸인 도형의 넓이를 구하시오.

02-2 곡선 $y=x^2$과 직선 $y=kx$로 둘러싸인 도형의 넓이가 36일 때, 상수 k의 값을 구하시오. (단, $k>0$)

대표 유형 **03** 두 곡선 사이의 넓이

↻ 유형 해결의 법칙 147쪽 유형 04

다음 두 곡선으로 둘러싸인 도형의 넓이를 구하시오.

(1) $y=-x^2$, $y=x^2-6$

(2) $y=x^3-4x$, $y=x^2-4$

풀이 (1) ❶ 두 곡선의 교점의 x좌표 구하기

$-x^2=x^2-6$에서 $2(x^2-3)=0$

$(x+\sqrt{3})(x-\sqrt{3})=0$

$\therefore x=-\sqrt{3}$ 또는 $x=\sqrt{3}$

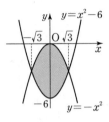

❷ 두 곡선으로 둘러싸인 도형의 넓이 구하기

$\displaystyle\int_{-\sqrt{3}}^{\sqrt{3}}\{(-x^2)-(x^2-6)\}dx=2\int_{0}^{\sqrt{3}}(-2x^2+6)dx$

$\displaystyle=2\left[-\frac{2}{3}x^3+6x\right]_{0}^{\sqrt{3}}$

$=8\sqrt{3}$

(2) ❶ 두 곡선의 교점의 x좌표 구하기

$x^3-4x=x^2-4$에서 $x^3-x^2-4x+4=0$

$x^2(x-1)-4(x-1)=0$

$(x-1)(x-2)(x+2)=0$

$\therefore x=-2$ 또는 $x=1$ 또는 $x=2$

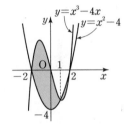

❷ 두 곡선으로 둘러싸인 도형의 넓이 구하기

$\displaystyle\int_{-2}^{1}\{(x^3-4x)-(x^2-4)\}dx$

$\displaystyle\qquad+\int_{1}^{2}\{(x^2-4)-(x^3-4x)\}dx$

$\displaystyle=\int_{-2}^{1}(x^3-x^2-4x+4)dx+\int_{1}^{2}(-x^3+x^2+4x-4)dx$

$\displaystyle=\left[\frac{1}{4}x^4-\frac{1}{3}x^3-2x^2+4x\right]_{-2}^{1}+\left[-\frac{1}{4}x^4+\frac{1}{3}x^3+2x^2-4x\right]_{1}^{2}$

$\displaystyle=\frac{45}{4}+\frac{7}{12}=\frac{71}{6}$

🖺 (1) $8\sqrt{3}$ (2) $\dfrac{71}{6}$

다른 풀이 (1) 공식을 이용하면 $S=\dfrac{|-1-1|}{6}\{\sqrt{3}-(-\sqrt{3})\}^3=8\sqrt{3}$

| 정답과 해설 85쪽 |

03-1 다음 두 곡선으로 둘러싸인 도형의 넓이를 구하시오.

(1) $y=2x^2-x$, $y=-x^2+5x+9$

(2) $y=x^3-3x$, $y=2x^2$

9 정적분의 활용

곡선과 접선으로 둘러싸인 도형의 넓이

↪ 유형 해결의 법칙 148쪽 유형 05

곡선 $y=x^3-3x^2+1$과 이 곡선 위의 점 $(-1, -3)$에서의 접선으로 둘러싸인 도형의 넓이를 구하시오.

풀이

❶ 접선의 방정식 구하기

$y=x^3-3x^2+1$에서 $y'=3x^2-6x$이므로 곡선 위의 점 $(-1, -3)$에서의 접선의 기울기는 9이고, 접선의 방정식은

$y-(-3)=9\{x-(-1)\}$ $\therefore y=9x+6$

❷ 곡선과 접선의 교점의 x 좌표 구하기

$x^3-3x^2+1=9x+6$에서 $x^3-3x^2-9x-5=0$

$(x+1)^2(x-5)=0$ $\therefore x=-1$ 또는 $x=5$

❸ 곡선과 접선으로 둘러싸인 도형의 넓이 구하기

$\displaystyle\int_{-1}^{5}\{(9x+6)-(x^3-3x^2+1)\}dx$

$=\displaystyle\int_{-1}^{5}(-x^3+3x^2+9x+5)dx$

$=\left[-\dfrac{1}{4}x^4+x^3+\dfrac{9}{2}x^2+5x\right]_{-1}^{5}$

$=108$

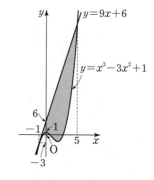

답 108

해법 **곡선과 접선으로 둘러싸인 도형의 넓이 구하는 순서**

❶ 곡선 $y=f(x)$ 위의 점 $(a, f(a))$에서의 접선의 방정식을 구한다.
    ➡ $y-f(a)=f'(a)(x-a)$

❷ 곡선과 접선의 교점의 x좌표를 구하여 곡선과 접선으로 둘러싸인 도형의 넓이를 구한다.

| 정답과 해설 85쪽 |

 곡선 $y=x^3-1$과 이 곡선 위의 점 $(1, 0)$에서의 접선으로 둘러싸인 도형의 넓이를 구하시오.

04-2 곡선 $y=-x^2+6x-5$와 이 곡선 위의 점 $(2, 3)$에서의 접선 및 y축으로 둘러싸인 도형의 넓이를 구하시오.

대표 유형 **05** **넓이의 활용 – 두 도형의 넓이가 같을 때** 🔄 유형 해결의 법칙 149쪽 유형 06

> 곡선 $y=x(x-1)(x-a)$와 x축으로 둘러싸인 두 도형의 넓이가 같을 때, 상수 a의 값을 구하시오.
> (단, $a>1$)

풀이

❶ $\int_0^a f(x)dx=0$임을 이용
하기

오른쪽 그림에서 색칠한 두 도형의 넓이가 같으므로

$$\int_0^a x(x-1)(x-a)dx=0$$

$$\int_0^a \{x^3-(a+1)x^2+ax\}\,dx=0$$

$$\left[\frac{1}{4}x^4-\frac{(a+1)}{3}x^3+\frac{a}{2}x^2\right]_0^a=0$$

$$\frac{1}{4}a^4-\frac{a^3(a+1)}{3}+\frac{a^3}{2}=0$$

$$\frac{-a^4+2a^3}{12}=0,\ -\frac{1}{12}a^3(a-2)=0$$

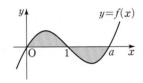

❷ 상수 a의 값 구하기

$a>1$이므로 $a=2$

🔲 **2**

해법 오른쪽 그림에서 $S_1=S_2$이면 ➡ $\int_a^c f(x)dx=0$

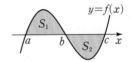

9 정적분의 활용

| 정답과 해설 86쪽 |

05-1 곡선 $y=x^2-4x$와 x축으로 둘러싸인 도형의 넓이를 A, 곡선 $y=x^2-4x$와 x축 및 직선 $x=k$로 둘러싸인 도형의 넓이를 B라 하자. $A=B$일 때, 상수 k의 값을 구하시오. (단, $k>4$)

05-2 곡선 $y=3x^2-x+k$가 오른쪽 그림과 같을 때, 두 부분 A, B의 넓이가 서로 같아지도록 하는 상수 k의 값을 구하시오. (단, $k>0$)

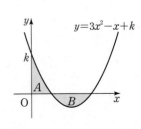

대표 유형 **06** 넓이의 활용 – 넓이를 이등분할 때

유형 해결의 법칙 150쪽 유형 07

곡선 $y=-x^2+6x$와 x축으로 둘러싸인 도형의 넓이를 직선 $y=mx$가 이등분할 때, 상수 m에 대하여 $(6-m)^3$의 값을 구하시오.

풀이

❶ 곡선 $y=-x^2+6x$와 직선 $y=mx$의 교점의 x좌표 구하기

$-x^2+6x=mx$에서

$x^2+(m-6)x=0$, $x\{x+(m-6)\}=0$

$\therefore x=0$ 또는 $x=6-m$

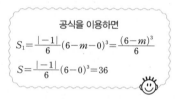

❷ 곡선 $y=-x^2+6x$와 직선 $y=mx$로 둘러싸인 도형의 넓이 S_1 구하기

$S_1=\displaystyle\int_0^{6-m}\{(-x^2+6x)-mx\}dx=\int_0^{6-m}\{-x^2+(6-m)x\}dx$

$=\left[-\dfrac{1}{3}x^3+\dfrac{6-m}{2}x^2\right]_0^{6-m}$

$=-\dfrac{1}{3}(6-m)^3+\dfrac{1}{2}(6-m)^3$

$=\dfrac{(6-m)^3}{6}$

❸ 곡선 $y=-x^2+6x$와 x축으로 둘러싸인 도형의 넓이 S 구하기

$S=\displaystyle\int_0^6(-x^2+6x)dx$

$=\left[-\dfrac{1}{3}x^3+3x^2\right]_0^6=36$

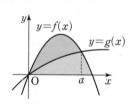

공식을 이용하면

$S_1=\dfrac{|-1|}{6}(6-m-0)^3=\dfrac{(6-m)^3}{6}$

$S=\dfrac{|-1|}{6}(6-0)^3=36$

❹ $S_1=\dfrac{1}{2}S$임을 이용하여 $(6-m)^3$의 값 구하기

$\dfrac{(6-m)^3}{6}=\dfrac{1}{2}\times36$이므로

$(6-m)^3=108$

답 108

해법 오른쪽 그림과 같이 곡선 $y=f(x)$와 x축으로 둘러싸인 도형의 넓이 S를 곡선 $y=g(x)$가 이등분하면

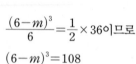

$\Rightarrow \displaystyle\int_0^a\{f(x)-g(x)\}dx=\dfrac{1}{2}S$

| 정답과 해설 86쪽 |

06-1 곡선 $y=-x^2+2x$와 x축으로 둘러싸인 도형의 넓이를 직선 $y=mx$가 이등분할 때, 상수 m에 대하여 $(2-m)^3$의 값을 구하시오.

2 속도와 거리

| **개념** 파헤치기 |

개념 **01** 위치와 위치의 변화량

수직선 위를 움직이는 점 P의 시각 t에서의 속도가 $v(t)$이고, 시각 $t=a$에서의 위치가 x_0일 때, 점 P의 시각 t에서의 위치를 $f(t)$라 하면 점 P의 속도 $v(t)=f'(t)$이므로

$$\int_a^t v(t)dt=f(t)-f(a)$$

여기서 $f(a)=x_0$이므로 다음이 성립한다.

> (1) 시각 t에서 점 P의 위치 x는
> $$x=f(t)=f(a)+\int_a^t v(t)dt=x_0+\int_a^t v(t)dt$$
> (2) 시각 $t=a$에서 $t=b$까지 점 P의 위치의 변화량은
> $$f(b)-f(a)=\int_a^b v(t)dt$$

예

좌표가 **2**인 점에서 출발하여 수직선 위를 움직이는 점 P의 시각 t에서의 속도가 $v(t)=2t-4$일 때,

(1) 시각 $t=1$에서 점 P의 위치는

$$\underset{\underset{t=0에서의\ 위치}{\big|}}{2}+\int_0^1 v(t)dt=2+\int_0^1(2t-4)dt=2+\Big[t^2-4t\Big]_0^1=-1$$

> 위치를 구할 때 $t=0$에서의 위치를 더하는 것을 잊으면 안 돼.

(2) 시각 $t=0$에서 $t=2$까지 점 P의 위치의 변화량은

$$\int_0^2 v(t)dt=\int_0^2(2t-4)dt=\Big[t^2-4t\Big]_0^2=-4$$

Lecture

원점에서 출발하는 경우 점 P의 시각 t에서의 위치는 ➡ $\int_0^t v(t)dt$

| 정답과 해설 86쪽 |

개념 확인 1 원점을 출발하여 수직선 위를 움직이는 점 P의 시각 t에서의 속도가 $v(t)=7-4t$일 때, 다음을 구하시오.

(1) 시각 $t=2$에서 점 P의 위치

(2) 시각 $t=1$에서 $t=2$까지 점 P의 위치의 변화량

개념 **02** 움직인 거리

수직선 위를 움직이는 점 P의 시각 t에서의 위치가 $f(t)$, 속도가 $v(t)$일 때, 시각 $t=a$에서 $t=b$까지 점 P가 움직인 거리 s는 다음과 같다.

$$s=\int_a^b |v(t)|\,dt$$

(i) $v(t)\geq 0$인 경우	(ii) $v(t)\leq 0$인 경우	(iii) $v(t)\geq 0, v(t)\leq 0$이 모두 있는 경우
$\begin{array}{c} t=a \quad\quad t=b \\ \overset{\text{P}}{\longleftrightarrow} \\ f(a) \quad\quad f(b) \end{array}$	$\begin{array}{c} t=b \quad\quad t=a \\ \overset{\text{P}}{\longleftrightarrow} \\ f(b) \quad\quad f(a) \end{array}$	$\begin{array}{c} t=a \ \ t=b \ \ t=c \\ \overset{\text{P}}{\longleftrightarrow} \\ f(a) \ f(b) \ f(c) \end{array}$
$\begin{aligned} s&=f(b)-f(a)=\int_a^b v(t)dt \\ &=\int_a^b |v(t)|\,dt \end{aligned}$	$\begin{aligned} s&=f(a)-f(b)=\int_b^a v(t)dt \\ &=\int_a^b \{-v(t)\}dt \\ &=\int_a^b |v(t)|\,dt \end{aligned}$	$\begin{aligned} s&=\int_a^c v(t)dt+\int_c^b \{-v(t)\}dt \\ &=\int_a^c |v(t)|\,dt+\int_c^b |v(t)|\,dt \\ &=\int_a^b |v(t)|\,dt \end{aligned}$

참고 위치의 변화량은 단순히 처음 위치에서 마지막 위치로 변화한 양을 나타내지만, 움직인 거리는 양의 방향이든 음의 방향이든 움직인 거리의 총합을 뜻한다.

예 수직선 위를 움직이는 점 P의 시각 t에서의 속도가 $v(t)=2t-4$일 때, 시각 $t=0$에서 $t=3$까지 점 P가 움직인 거리를 구해 보자.

$v(t)=2t-4=2(t-2)=0$에서 $t=2$

이때, $0\leq t\leq 2$에서 $v(t)\leq 0$, $2\leq t\leq 3$에서 $v(t)\geq 0$이므로 구하는 거리는

$$\int_0^3 |2t-4|\,dt=-\int_0^2 (2t-4)dt+\int_2^3 (2t-4)dt$$

$$=-\Big[t^2-4t\Big]_0^2+\Big[t^2-4t\Big]_2^3=-(-4)+1=5$$

다른 풀이 넓이를 이용하여 구하면

$$\frac{1}{2}\times 2\times 4+\frac{1}{2}\times 1\times 2=4+1$$
$$=5$$

말풍선: 속도 $v(t)$의 그래프가 주어질 때 움직인 거리는 속도 $v(t)$의 그래프와 t축으로 둘러싸인 도형의 넓이와 같아.

Lecture 위치의 변화량은 0 또는 음수일 수 있지만 움직인 거리는 항상 양수이다.

❶ 위치의 변화량 ➡ $\int_a^b v(t)dt$ ❷ 움직인 거리 ➡ $\int_a^b |v(t)|\,dt$

| 정답과 해설 86쪽 |

개념 확인 **2** 수직선 위를 움직이는 점 P의 시각 t에서의 속도가 $v(t)=6-2t$일 때, 시각 $t=0$에서 $t=4$까지 점 P가 움직인 거리를 구하시오.

개념 check

1-1 원점을 출발하여 수직선 위를 움직이는 점 P의 시각 t에서의 속도가 $v(t)=t-1$일 때, 다음을 구하시오.

(1) 시각 $t=2$에서 점 P의 위치

(2) 시각 $t=2$에서 $t=3$까지 점 P의 위치의 변화량

(3) 시각 $t=0$에서 $t=3$까지 점 P가 움직인 거리

연구 (1) $0+\displaystyle\int_0^{\square}(t-1)dt=\left[\dfrac{1}{2}t^2-t\right]_0^{\square}=\boxed{}$

(2) $\displaystyle\int_2^{\square}(t-1)dt=\left[\dfrac{1}{2}t^2-t\right]_2^{\square}=\boxed{}$

(3) $\displaystyle\int_0^3|t-1|dt$

$=-\displaystyle\int_0^{\square}(t-1)dt+\int_{\square}^3(t-1)dt$

$=-\left[\dfrac{1}{2}t^2-t\right]_0^{\square}+\left[\dfrac{1}{2}t^2-t\right]_{\square}^3$

$=-\left(-\dfrac{1}{2}\right)+\boxed{}=\boxed{}$

2-1 좌표가 3인 점에서 출발하여 수직선 위를 움직이는 점 P의 시각 t에서의 속도가 $v(t)=t^2-1$일 때, 다음을 구하시오.

(1) 시각 $t=2$에서 점 P의 위치

(2) 시각 $t=1$에서 $t=2$까지 점 P의 위치의 변화량

(3) 시각 $t=0$에서 $t=2$까지 점 P가 움직인 거리

연구 (1) $\boxed{}+\displaystyle\int_0^{\square}(t^2-1)dt=\boxed{}+\left[\dfrac{1}{3}t^3-t\right]_0^{\square}$

$=\boxed{}$

(2) $\displaystyle\int_1^{\square}(t^2-1)dt=\left[\dfrac{1}{3}t^3-t\right]_1^{\square}=\boxed{}$

(3) $\displaystyle\int_0^2|t^2-1|dt$

$=-\displaystyle\int_0^{\square}(t^2-1)dt+\int_{\square}^2(t^2-1)dt$

$=-\left[\dfrac{1}{3}t^3-t\right]_0^{\square}+\left[\dfrac{1}{3}t^3-t\right]_{\square}^2$

$=-\left(-\dfrac{2}{3}\right)+\boxed{}=\boxed{}$

스스로 check

1-2 원점을 출발하여 수직선 위를 움직이는 점 P의 시각 t에서의 속도가 $v(t)=t-2$일 때, 다음을 구하시오.

(1) 시각 $t=3$에서 점 P의 위치

(2) 시각 $t=1$에서 $t=4$까지 점 P의 위치의 변화량

(3) 시각 $t=0$에서 $t=4$까지 점 P가 움직인 거리

2-2 좌표가 1인 점에서 출발하여 수직선 위를 움직이는 점 P의 시각 t에서의 속도가 $v(t)=t^2-4$일 때, 다음을 구하시오.

(1) 시각 $t=1$에서 점 P의 위치

(2) 시각 $t=0$에서 $t=3$까지 점 P의 위치의 변화량

(3) 시각 $t=0$에서 $t=3$까지 점 P가 움직인 거리

9 정적분의 활용

대표 유형 **01** 물체의 위치와 위치의 변화량

유형 해결의 법칙 152쪽 유형 11

지상 30 m 높이에서 똑바로 위로 쏘아 올린 물체의 t초 후의 속도는 $v(t)=50-10t \ (\text{m/s})$라 한다. 이 물체가 최고 높이에 도달했을 때 지상으로부터의 높이를 구하시오.

풀이

❶ 물체가 최고 높이에 도달했을 때의 시각 구하기

$v(t)=50-10t=0$에서
$t=5$

❷ 물체가 최고 높이에 도달했을 때 지상으로부터의 높이 구하기

$t=0$일 때 지상으로부터의 높이는 30 m이므로
$t=5$일 때 지상으로부터의 높이는

$$30+\int_0^5 (50-10t)\,dt=30+\Big[50t-5t^2\Big]_0^5$$
$$=30+125=155 \ (\text{m})$$

따라서 물체가 최고 높이에 도달했을 때 지상으로부터의 높이는 155 m이다.

> 물체가 최고 높이에 도달했을 때의 속도는 0 m/s야.

🖹 155 m

> **해법** 수직선 위를 움직이는 점 P의 시각 t에서의 속도가 $v(t)$이고 시각 $t=a$에서의 위치가 x_0일 때
>
> **❶** 시각 t에서 점 P의 위치 x는 ➡ $x=x_0+\int_a^t v(t)\,dt$
>
> **❷** 시각 $t=a$에서 $t=b$까지 점 P의 위치의 변화량은 ➡ $\int_a^b v(t)\,dt$

| 정답과 해설 87쪽 |

01-1 지상 20 m 높이에서 똑바로 위로 쏘아 올린 물체의 t초 후의 속도는 $v(t)=30-10t \ (\text{m/s})$라 한다. 이 물체가 최고 높이에 도달했을 때 지상으로부터의 높이를 구하시오.

01-2 원점을 출발하여 수직선 위를 움직이는 점 P의 시각 t에서의 속도가 $v(t)=2(1-t)$일 때, 점 P가 출발한 후 다시 원점을 통과할 때까지 걸리는 시간을 구하시오.

대표 유형 02 물체가 움직인 거리

유형 해결의 법칙 153쪽 유형 12

직선 궤도를 24 m/s의 속도로 달리고 있는 어느 전동차가 제동을 건 지 t초 후의 속도는 $v(t) = 24 - 3t$ (m/s)라 한다. 이 전동차가 제동을 건 후 정지할 때까지 달린 거리를 구하시오.

풀이

❶ 전동차가 정지할 때의 시각 구하기

$v(t) = 24 - 3t = 0$에서
$t = 8$

물체가 정지할 때의 속도는 0 m/s야.

❷ 전동차가 제동을 건 후로부터 정지할 때까지 달린 거리 구하기

전동차는 제동을 건 후 8초 후에 정지하므로
제동을 건 후로부터 정지할 때까지 달린 거리는

$$\int_0^8 |24 - 3t|\, dt = \int_0^8 (24 - 3t)\, dt$$
$$= \left[24t - \frac{3}{2}t^2 \right]_0^8$$
$$= 96 \, (\text{m})$$

답 96 m

해법 수직선 위를 움직이는 점 P의 시각 t에서의 속도가 $v(t)$일 때, 시각 $t = a$에서 $t = b$까지 점 P가 움직인 거리 s는

➡ $s = \int_a^b |v(t)|\, dt$

| 정답과 해설 87쪽 |

02-1 지면에서 20 m/s의 속도로 똑바로 위로 쏘아 올린 물체의 t초 후의 속도가 $v(t) = 20 - 10t$ (m/s)일 때, 이 물체가 최고 높이에 도달한 후 4초 동안 움직인 거리를 구하시오.

02-2 원점을 출발하여 수직선 위를 움직이는 점 P의 시각 t에서의 속도가 $v(t) = t^2 - 6t + 8$이다. 점 P가 움직이기 시작하여 두 번째로 운동 방향을 바꿀 때까지 움직인 거리를 구하시오.

9 | 정적분의 활용

대표 유형 **03** 그래프에서의 위치와 움직인 거리

🔁 유형 해결의 법칙 154쪽 유형 13

오른쪽 그림은 원점을 출발하여 수직선 위를 움직이는 점 P의 시각 t에서의 속도 $v(t)$의 그래프이다. 다음을 구하시오. (단, $0 \le t \le 4$)

(1) 시각 $t=3$에서 점 P의 위치

(2) 점 P가 출발한 후 두 번째로 운동 방향을 바꿀 때까지 움직인 거리

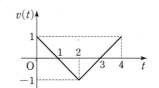

풀이 (1) | 시각 $t=3$에서 점 P의 위치 구하기

오른쪽 그림에서 삼각형의 넓이 S_1에서 S_2를 빼면 되므로

$$\int_0^3 v(t)\,dt = S_1 - S_2$$
$$= \frac{1}{2} \times 1 \times 1 - \frac{1}{2} \times 2 \times 1$$
$$= \frac{1}{2} - 1 = -\frac{1}{2}$$

> 속도의 그래프가 직선으로만 되어 있을 때에는 정적분을 구하는 것보다 도형의 넓이를 이용하는 것이 편리해.

(2) ❶ 점 P가 출발한 후 두 번째로 운동 방향을 바꾸는 시각 구하기

속도 $v(t)$의 부호가 바뀔 때 점 P의 운동 방향이 바뀌므로 점 P가 출발한 후 운동 방향을 두 번째로 바꾸는 시각은 $t=3$이다.

❷ 점 P가 출발한 후 두 번째로 운동 방향을 바꿀 때까지 움직인 거리 구하기

위의 그림에서 삼각형의 넓이 S_1과 S_2를 더하면 되므로

$$\int_0^3 |v(t)|\,dt = S_1 + S_2 = \frac{1}{2} \times 1 \times 1 + \frac{1}{2} \times 2 \times 1$$
$$= \frac{1}{2} + 1 = \frac{3}{2}$$

답 (1) $-\dfrac{1}{2}$ (2) $\dfrac{3}{2}$

해법 수직선 위를 움직이는 점 P의 시각 t에서의 속도 $v(t)$의 그래프가 오른쪽 그림과 같을 때

❶ 시각 $t=0$에서 $t=a$까지 점 P의 위치의 변화량은 ➡ $S_1 - S_2$

❷ 시각 $t=0$에서 $t=a$까지 점 P가 움직인 거리는 ➡ $S_1 + S_2$

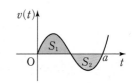

| 정답과 해설 87쪽 |

03-1 오른쪽 그림은 원점을 출발하여 수직선 위를 움직이는 점 P의 시각 t에서의 속도 $v(t)$의 그래프이다. 점 P가 출발한 후 운동 방향을 바꿀 때까지 움직인 거리를 구하시오.

(단, $0 \le t \le 4$)

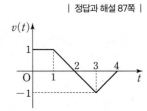

1-1 곡선 $y=ax(x-4)$와 x축으로 둘러싸인 도형의 넓이가 $\dfrac{4}{3}$일 때, 상수 a의 값을 구하시오. (단, $a>0$)

1-2 곡선 $y=-x^2+4x-3$과 x축 및 y축으로 둘러싸인 도형의 넓이를 구하시오.

2-1 곡선 $y=x^3+x^2-2x$와 x축으로 둘러싸인 두 도형의 넓이를 각각 S_1, S_2라 할 때, $|S_1-S_2|$의 값을 구하시오.

2-2 곡선 $y=8x^3$과 x축 및 두 직선 $x=a$, $x=1$로 둘러싸인 도형의 넓이가 34일 때, 상수 a의 값을 구하시오. (단, $a<0$)

3-1 곡선 $y=x^3-4x+k$와 직선 $y=k$로 둘러싸인 도형의 넓이를 구하시오.

3-2 오른쪽 그림과 같이 곡선 $y=3x-x^2$과 x축으로 둘러싸인 도형을 직선 $y=x$가 두 부분으로 나누었다. 직선 $y=x$의 위쪽 부분의 넓이를 S_1, 아래쪽 부분의 넓이를 S_2라 할 때, $S_1:S_2$를 구하시오.

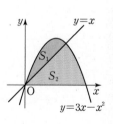

4-1 곡선 $y=|x^2-1|$과 직선 $y=3$으로 둘러싸인 도형의 넓이를 구하시오.

4-2 곡선 $y=x^2$ 위의 점 중 y좌표가 1인 두 점을 각각 Q, R라 할 때, 점 P$(0, 2)$에 대하여 곡선 $y=x^2$과 두 선분 PQ, PR로 둘러싸인 도형의 넓이를 구하시오.

5-1 곡선 $y=f(x)$를 y축의 방향으로 2만큼 평행이동한 곡선을 $y=g(x)$라 하자. 두 곡선 $y=f(x)$, $y=g(x)$와 y축 및 직선 $x=3$으로 둘러싸인 도형의 넓이를 구하시오.

5-2 곡선 $y=x^3$을 y축에 대하여 대칭이동한 후 x축의 방향으로 1만큼, y축의 방향으로 1만큼 평행이동한 곡선을 $y=f(x)$라 하자. 두 곡선 $y=x^3$, $y=f(x)$와 직선 $x=2$로 둘러싸인 도형의 넓이를 구하시오.

6-1 곡선 $y=-x^2$과 점 $(0, 1)$에서 이 곡선에 그은 두 접선으로 둘러싸인 도형의 넓이를 구하시오.

6-2 곡선 $y=x^2-3x+4$와 점 $(1, -2)$에서 이 곡선에 그은 두 접선으로 둘러싸인 도형의 넓이를 구하시오.

7-1 오른쪽 그림과 같이 곡선 $y=x^2-4x+k$와 x축 및 y축으로 둘러싸인 도형의 넓이를 A, 곡선 $y=x^2-4x+k$와 x축으로 둘러싸인 도형의 넓이를 B라 하자. $B=2A$일 때, 상수 k의 값을 구하시오. (단, $k>0$)

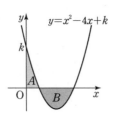

7-2 오른쪽 그림과 같이 두 곡선 $y=ax^2(x-2)$, $y=-x(x-2)$로 둘러싸인 두 도형의 넓이가 같을 때, 상수 a의 값을 구하시오. $\left(\text{단, } a<-\dfrac{1}{2}\right)$

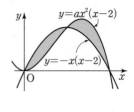

유형 확인

8-1 지면에서 40 m/s의 속도로 똑바로 위로 쏘아 올린 야구공의 t초 후의 속도가
$$v(t)=40-10t \text{ (m/s)}$$
일 때, 야구공을 쏘아 올린 시점에서 5초 후 이 야구공의 지면으로부터의 높이를 구하시오.

9-1 직선으로 된 철로에서 60 m/s의 속도로 달리고 있는 어느 열차가 제동을 건 지 t초 후의 속도는
$$v(t)=60-4t \text{ (m/s)}$$
라 한다. 이 열차가 제동을 건 후 정지할 때까지 달린 거리를 구하시오.

10-1 다음 그림은 원점을 출발하여 수직선 위를 움직이는 물체의 시각 t에서의 속도 $v(t)$의 그래프이다. 이 물체가 다시 원점을 통과하는 시각을 구하시오. (단, $0 \le t \le 4$)

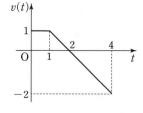

한번 더 확인

8-2 수직선 위를 움직이는 점 P의 시각 t에서의 속도가
$$v(t)=t^2-2t$$
일 때, 점 P가 출발한 지점을 다시 지나는 것은 출발한 지 몇 초 후인지 구하시오.

9-2 수직선 위를 움직이는 어떤 물체가 원점에서 출발한 후 5초 동안
$$v(t)=3t^2+2t \text{ (m/s)}$$
의 속도로 움직이고, 그 후에는 일정한 속도로 움직인다. 출발한 후 10초 동안 이 물체가 움직인 거리를 구하시오.

10-2 다음 그림은 원점을 출발하여 수직선 위를 움직이는 점 P의 시각 t에서의 속도 $v(t)$의 그래프이다. 점 P가 출발한 후 두 번째로 운동 방향을 바꿀 때까지 움직인 거리를 구하시오. (단, $0 \le t \le 7$)

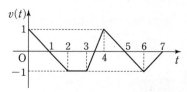

9 정적분의 활용

1 | 함수의 극한

개념 확인 8쪽~12쪽

1 (1) -8 (2) 7 (3) -2 (4) 6

2 (1) 0 (2) 0 (3) -3 (4) 1

3 (1) ∞ (2) $-\infty$

4 (1) ∞ (2) ∞

5 (1) 2 (2) 3 (3) 존재하지 않는다.

STEP 1 개념 드릴 13쪽~14쪽

1-1 (1) $-1, -1$ (2) $\dfrac{1}{2}, 0, 0$

1-2 (1) -3 (2) 2 (3) $\sqrt{2}$ (4) $-\dfrac{1}{4}$

2-1 (1) $0, 0$ (2) $1, 1$

2-2 (1) 0 (2) -1 (3) 1 (4) 2

3-1 (1) $0, \infty$ (2) 음수, $-\infty$

3-2 (1) $-\infty$ (2) $-\infty$

4-1 (1) $0, 0$ (2) $0, 0$ (3) $-1, 0$, 존재하지 않는다.

4-2 (1) 0 (2) 0 (3) 0 (4) 2 (5) 1 (6) 존재하지 않는다.

STEP 2 필수 유형 15쪽~17쪽

01-1 (1) -4 (2) 1 (3) ∞ (4) $-\infty$

02-1 (1) $-\infty$ (2) -1 (3) ∞ (4) 2

03-1 (1) 존재하지 않는다. (2) 존재하지 않는다.

개념 확인 18쪽~19쪽

1 (1) 14 (2) -7 (3) -15 (4) $-\dfrac{1}{10}$

2 (1) $\dfrac{3}{2}$ (2) 2 (3) ∞ (4) $-\dfrac{1}{2}$

STEP 1 개념 드릴 20쪽~21쪽

1-1 (1) $2, 2, 5$ (2) $x+1, x, 3, -1$

1-2 (1) -3 (2) 6 (3) -3 (4) $-\dfrac{1}{3}$

2-1 (1) $x+5, 2, \dfrac{7}{4}$ (2) $x-1, x+1, 1, 4$

2-2 (1) 2 (2) $\dfrac{1}{3}$ (3) $\dfrac{1}{6}$ (4) 2

3-1 (1) $\dfrac{1}{x}, -2$ (2) $\dfrac{1}{x^2}, \dfrac{1}{2}$

3-2 (1) 5 (2) $\dfrac{4}{3}$ (3) 3 (4) $\dfrac{1}{6}$

4-1 (1) $\dfrac{3}{x^2}, \infty$ (2) $1, 0$

4-2 (1) ∞ (2) 0

5-1 $x-1, x-1, -1$

5-2 $-\dfrac{1}{4}$

STEP 2 필수 유형 22쪽~26쪽

01-1 $\dfrac{3}{4}$

01-2 $\dfrac{4}{3}$

02-1 (1) 12 (2) $\dfrac{1}{4}$ (3) $\dfrac{1}{6}$ (4) -4

03-1 (1) 0 (2) $-\infty$ (3) 1 (4) -2

04-1 (1) $-\infty$ (2) 2 (3) $\dfrac{1}{2}$ (4) -1

05-1 (1) $-\dfrac{1}{9}$ (2) $-\dfrac{1}{54}$ (3) 2 (4) 1

개념 확인 27쪽~28쪽

1 (1) -2 (2) 2

2 $\dfrac{1}{3}$

STEP 1 개념 드릴 29쪽

1-1 (1) $0, 0, 0, -3$ (2) $0, 0, 0, -5$

1-2 (1) -3 (2) 12 (3) -2 (4) 2

2-1 $2, 2$

2-2 (1) 7 (2) 5

STEP 2 필수 유형 30쪽~32쪽

01-1 (1) $a=4, b=2$ (2) $a=5, b=-3$

02-1 12

02-2 $f(x)=x(x-1)(3x-1)$

03-1 1

03-2 4

STEP 3 유형 드릴 33쪽~35쪽

1-1 2	**1-2** -4	**2-1** -9	**2-2** ①
3-1 ①	**3-2** ⑤	**4-1** $-\dfrac{3}{4}$	**4-2** 1
5-1 $-\dfrac{1}{2}$	**5-2** $\dfrac{11}{2}$	**6-1** ①	**6-2** 5
7-1 1	**7-2** 1	**8-1** -2	**8-2** -4
9-1 2	**9-2** 4	**10-1** ②	**10-2** ④

2 | 함수의 연속

개념 확인　38쪽~41쪽

1 $\lim_{x \to 2} f(x)$의 값이 존재하지 않는다.

2 (1) $(-\infty, \infty)$　(2) $\left[\dfrac{3}{2}, \infty\right)$

3 (1) $(-\infty, \infty)$　(2) $(-\infty, -1), (-1, \infty)$

STEP 1　개념 드릴　42쪽

1-1 (1) 3, 3, 연속　(2) 1, 2, 불연속

1-2 (1) 연속　(2) 불연속　(3) 연속　(4) 불연속

2-1 (1) $(-\infty, \infty)$　(2) 0, 3, $(-\infty, 3]$

2-2 (1) $(-\infty, \infty)$　(2) $(-\infty, -3), (-3, \infty)$

　　　(3) $[-4, \infty)$　(4) $(-\infty, \infty)$

STEP 2　필수 유형　43쪽~45쪽

01-1 (1) 불연속　(2) 불연속　(3) 연속　(4) 불연속

02-1 $a=1, b=3$

03-1 $a=5, b=-3$

03-2 $a=2, b=-2$

개념 확인　46쪽~48쪽

1 (1) $(-\infty, \infty)$　(2) $(-\infty, \infty)$

　(3) $(-\infty, 1), (1, \infty)$　(4) $(-\infty, -1), (-1, 1), (1, \infty)$

2 (1) 최댓값: 2, 최솟값: 없다.　(2) 최댓값: 3, 최솟값: 2

3 ㈎ 연속　㈏ 사잇값의 정리

STEP 1　개념 드릴　49쪽

1-1 (1) 연속, 3, -1　(2) 연속, 2, $\dfrac{2}{3}$

1-2 (1) 최댓값: 0, 최솟값: -3　(2) 최댓값: $\dfrac{1}{4}$, 최솟값: -2

　　　(3) 최댓값: 1, 최솟값: $\dfrac{1}{2}$　(4) 최댓값: 2, 최솟값: 1

2-1 $-1, 17$

2-2 풀이 참조

STEP 2　필수 유형　50쪽~52쪽

01-1 ㄱ, ㄴ, ㄷ, ㄹ

02-1 (1) 최댓값: 5, 최솟값: -4

　　　(2) 최댓값: 2, 최솟값: 1

　　　(3) 최댓값: 4, 최솟값: 0

　　　(4) 최댓값: 4, 최솟값: 1

03-1 풀이 참조

03-2 3개

STEP 3　유형 드릴　53쪽~55쪽

1-1 2	**1-2** 3	**2-1** 7	**2-2** ㄴ, ㄷ
3-1 ㄱ	**3-2** ㄴ, ㄷ	**4-1** $\dfrac{5}{2}$	**4-2** $-\dfrac{1}{2}$
5-1 2	**5-2** $g(x)=x^2-1$		
6-1 0	**6-2** $\dfrac{7}{4}$	**7-1** -1	**7-2** 5
8-1 2	**8-2** 12	**9-1** ㄴ, ㄷ	**9-2** ㄱ
10-1 ④	**10-2** ②		

3 | 미분계수와 도함수

개념 확인　58쪽~61쪽

1 (1) 7　(2) $5+\Delta x$

2 -1

3 (1) 10　(2) -4

4 풀이 참조

STEP 1 개념 드릴　62쪽~63쪽

1-1 (1) $5, 5^2, 21$

(2) $1+\Delta x, 1+\Delta x, 6\Delta x+3(\Delta x)^2, 6+3\Delta x$

1-2 (1) -1　(2) $4+\Delta x$

2-1 (1) $2+\Delta x, 2+\Delta x, 4\Delta x, 4+\Delta x$

(2) $3x^2-x, 3x+5, 3x+5$

2-2 (1) -3　(2) -3

3-1 $-2, -2, 4\Delta x, 4, 4$

3-2 3

4-1 $0, -h, h$

4-2 풀이 참조

STEP 2 필수 유형　64쪽~69쪽

01-1 4

01-2 $c=\dfrac{a+b}{2}$

02-1 7

03-1 1

03-2 2

04-1 3

05-1 풀이 참조

05-2 미분가능하다.

06-1 ⑤

개념 확인　70쪽~73쪽

1 (1) $f'(x)=0, f'(3)=0$　(2) $f'(x)=3, f'(3)=3$

(3) $f'(x)=4x, f'(3)=12$　(4) $f'(x)=2x-1, f'(3)=5$

2 (1) $f'(x)=9x^8$　(2) $f'(x)=7x^6$

(3) $f'(x)=100x^{99}$　(4) $f'(x)=0$

3 (1) $y'=2020$　(2) $y'=-14x$

(3) $y'=12x^2+2x-2$　(4) $y'=-5x^4+15x^2-8x$

4 (1) $y'=9x^2+2x-6$　(2) $y'=3x^2+2x-3$

(3) $y'=3x^2-8x-16$　(4) $y'=20x^3+18x^2-26x-6$

STEP 1 개념 드릴　75쪽~76쪽

1-1 (1) $2h, 2, 2$　(2) $2xh, 2x, 2$

1-2 (1) $f'(x)=-2x+1$　(2) -1

2-1 $n, n, 17$

2-2 109

3-1 (1) $2x, 6x+6$

(2) $-\dfrac{1}{3}, x, 3x^2, 2x, 2, -x^2-2x+2$

3-2 (1) $y'=2x+9$　(2) $y'=-6x-7$

(3) $y'=3x+1$　(4) $y'=-5x^2-2x+5$

4-1 (1) $4, 2x, 12x^2-2x+24$

(2) $-2x, x-2, x^2, 4x^3-21x^2+20x$

4-2 (1) $y'=12x+1$　(2) $y'=-9x^2-6x+6$

(3) $y'=4x^3+3x^2-4x$　(4) $y'=3x^2+8x+1$

STEP 2 필수 유형　77쪽~82쪽

01-1 (1) 20　(2) $\dfrac{123}{4}$

02-1 $-\dfrac{13}{12}$

03-1 -2

03-2 -8

04-1 1

05-1 $f'(x)=-2x$

06-1 -8

06-2 0

STEP 3 유형 드릴　83쪽~85쪽

1-1 6　　**1-2** 5　　**2-1** 2　　**2-2** -32

3-1 5　　**3-2** ④

4-1 $y'=\dfrac{f'(x)}{2\sqrt{f(x)}}$

4-2 $y'=-\dfrac{f'(x)}{\{f(x)\}^2}, g'(1)=-\dfrac{1}{2}$

5-1 -7　　**5-2** $\dfrac{3}{5}$　　**6-1** 6　　**6-2** 2

7-1 2　　**7-2** -12　　**8-1** 3　　**8-2** 0

9-1 3　　**9-2** -5

10-1 $f(x)=x^2+x+1$　　**10-2** 6

11-1 -8　　**11-2** 16

4 | 도함수의 활용(1)

1 (1) 1　(2) 12　(3) 2　(4) -1

2 (1) $y=-2x+3$　(2) $y=5x-7$　(3) $y=x+3$　(4) $y=-2x-1$

3 (1) $y=2x-8$　(2) $y=2x+\dfrac{1}{2}$　(3) $y=2x$ 또는 $y=2x+4$

4 $y=x+3$ 또는 $y=-7x+11$

1-1 $1, -3$

1-2 -27

2-1 (1) $2x-3, -1, -1$　(2) $6x^2-2x+1, 1, 1$

2-2 (1) $y=3x-1$　(2) $y=-3x+6$

3-1 $3a^2-5a+2, 1, (1, 0), 0, y=x-1$

3-2 $y=x+4$

4-1 $-a^2+2a+3, -a^2+2a+3, y=2x+3, y=-6x+19$

4-2 $y=x+2$

01-1 22

01-2 2

02-1 (1) $y=2x$　(2) $y=-\dfrac{1}{2}x+\dfrac{5}{2}$

03-1 $y=2x-6$

03-2 $y=-2x+15$

04-1 15

04-2 $y=-7x+17$

05-1 12

05-2 17

06-1 $y=x+2$

06-2 $\dfrac{1}{9}$

1 (1) $\dfrac{1}{2}$　(2) $\dfrac{2\sqrt{3}}{3}$

2 (1) 1　(2) $\dfrac{\sqrt{39}}{3}$

1-1 미분가능, $-4, 3$

1-2 $\dfrac{-1+\sqrt{13}}{3}$

2-1 연속, $1, (1, 2), -2c+4, \dfrac{3}{2}$

2-2 $-\dfrac{1}{2}$

01-1 $c=\dfrac{\sqrt{3}}{3}, a=-1$

01-2 2

02-1 -1

02-2 2

1-1 ③	**1-2** ①	**2-1** $k>\dfrac{1}{3}$	**2-2** $k>\dfrac{10}{3}$
3-1 $\dfrac{1}{4}$	**3-2** 2	**4-1** ⑤	**4-2** 18
5-1 $2\sqrt{2}$	**5-2** $\dfrac{7\sqrt{5}}{5}$	**6-1** 7	**6-2** $-\dfrac{1}{2}$
7-1 ⑤	**7-2** ④		
8-1 $c=\dfrac{a+b}{2}$	**8-2** $\dfrac{2(\alpha+\beta+\gamma)}{3}$		
9-1 3	**9-2** ⑤	**10-1** 3	**10-2** 2
11-1 5	**11-2** -3		

5 | 도함수의 활용(2)

1 (1) 증가   (2) 감소
2 (1) 증가   (2) 감소   (3) 증가   (4) 감소

1-1 $<$, $<$, 증가
1-2 (1) 감소   (2) 증가   (3) 감소
2-1 $<$, 감소
2-2 (1) 감소   (2) 증가   (3) 증가
3-1 -2, -2, -2, -2, 감소, -2, 증가
3-2 (1) 반닫힌 구간 $(-\infty, 1]$에서 감소, 반닫힌 구간 $[1, \infty)$에서 증가
     (2) 반닫힌 구간 $(-\infty, 2]$에서 증가, 반닫힌 구간 $[2, \infty)$에서 감소
     (3) 반닫힌 구간 $(-\infty, -2]$에서 감소, 반닫힌 구간 $[-2, \infty)$에서 증가

01-1 (1) 반닫힌 구간 $\left(-\infty, -\dfrac{1}{2}\right]$, $\left[\dfrac{1}{2}, \infty\right)$에서 증가, 닫힌구간 $\left[-\dfrac{1}{2}, \dfrac{1}{2}\right]$에서 감소
     (2) 닫힌구간 $[0, 4]$에서 증가, 반닫힌 구간 $(-\infty, 0]$, $[4, \infty)$에서 감소
01-2 -1
02-1 $-9 \le a \le 0$
02-2 4
03-1 (1) $a \ge 15$ (2) $a \le 0$
03-2 -16

1 (1) 극댓값: 없다., 극솟값: -1 (2) 극댓값: 4, 극솟값: 0
2 (1) 극댓값: 없다., 극솟값: -1 (2) 극댓값: 0, 극솟값: -32

1-1 b, e, b, e
1-2 b, d, f
2-1 $0, -1, 1$
2-2 (1) $-10, 0$ (2) $-4, 2$
3-1 $-1, 1, -1, 1, -1, 7, 1, 1, 7, -1, -1, -1$
3-2 (1) 극댓값: 8, 극솟값: 없다.   (2) 극댓값: 44, 극솟값: -81
     (3) 극댓값: 1, 극솟값: -31

01-1 (1) 극댓값: -1, 극솟값: $-\dfrac{7}{3}$
     (2) 극댓값: 13, 극솟값: $-19, 8$
01-2 26
02-1 $-\dfrac{1}{2}$
02-2 32
03-1 (1) $a < -3$ 또는 $a > 3$ (2) $-\sqrt{3} \le a \le \sqrt{3}$
04-1 $a < -3$ 또는 $-3 < a < 0$
04-2 $a > \dfrac{3}{2}$
05-1 $-3, 2$
05-2 4

1

2 최댓값: $\dfrac{25}{4}$, 최솟값: 0

1-1 $-2, 2, -2, 2, 17, -15, 0, 1$
1-2

$y = f(x)$

2-1 $3, 3, 0, 3, 3, 0, 4, 4, -4$
2-2 (1) 최댓값: 64, 최솟값: 0   (2) 최댓값: 64, 최솟값: 50
     (3) 최댓값: 32, 최솟값: 0

01-1 (1) (2)

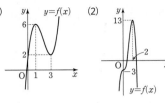

02-1 (1) 최댓값: 30, 최솟값: -51 (2) 최댓값: 27, 최솟값: 2

02-2 $0 < a \leq \dfrac{5}{2}$

03-1 -48

03-2 2

04-1 32

04-2 $128 \, \text{cm}^3$

1-1 3	**1-2** 9	**2-1** $-3 \leq a \leq 3$	
2-2 $a \geq \dfrac{1}{3}$	**3-1** 2	**3-2** 3	**4-1** 25
4-2 8	**5-1** 2	**5-2** 11	**6-1** 10
6-2 $1 \leq a \leq 2$	**7-1** -2	**7-2** 1	**8-1** ①
8-2 ④	**9-1** ①	**9-2** ②	**10-1** 176
10-2 32	**11-1** 4	**11-2** -4	**12-1** 32
12-2 80 cm			

6 | 도함수의 활용(3)

1 (1) 1   (2) 2

2 (1)   (2)

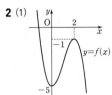 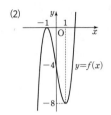

1-1 $-1, 0, 1, -1, 0, 1,$ 세, $3, -1, 1$

1-2 (1) 3   (2) 2   (3) 4   (4) 3

2-1 $0, 2, 0, 2, 6, 2, 2, 2, 2$

2-2 (1) 풀이 참조   (2) 풀이 참조

01-1 3

01-2 2

02-1 $-16 < k < 16$

02-2 (1) $-7 < k < 20$ (2) $k = -7$ 또는 $k = 20$
      (3) $k < -7$ 또는 $k > 20$

03-1 $k > 32$

03-2 (1) $k = -2$ 또는 $k = 2$ (2) $-2 < k < 0$
      (3) $0 < k < 2$ (4) $k < -2$

04-1 (1) $k \geq 54$ (2) $k \leq 10$

04-2 -8

05-1 $k \leq -16$

05-2 -32

1 (1) $v = 11, a = 4$ (2) $v = 14, a = 14$

STEP 1 개념 드릴 149쪽

1-1 $3t^2-6t$, $6t-6$, 3, 6, -3, 6, 6, 0

1-2 (1) $v=6$, $a=2$ (2) $v=-1$, $a=-12$ (3) $v=3$, $a=10$

2-1 $3t^2-4t$, 3, 4, 15

2-2 (1) -1 (2) 20

3-1 (1) $8\pi t$, 8π, 16π (2) $4\pi t^2$, 4π, 16π

3-2 (1) 32π (2) 32π

STEP 2 필수 유형 150쪽~154쪽

01-1 (1) 속도: -30, 가속도: -42 (2) 1

01-2 -18

02-1 (1) 2초, 45 m (2) -30 m/s

02-2 16 m/s

03-1 ㄱ, ㄴ

03-2 ㄱ, ㄴ, ㄷ

04-1 (1) 2 m/s (2) 1 m/s

04-2 $\dfrac{5}{2}$

05-1 80 cm²/s

05-2 42π cm³/s

STEP 3 유형 드릴 155쪽~157쪽

1-1 -3 **1-2** 0 **2-1** 1 **2-2** 2

3-1 -1 **3-2** 1 **4-1** 4 **4-2** 1

5-1 3 **5-2** $a<-1$ **6-1** 16 **6-2** 3

7-1 속도: -12, 가속도: -14 **7-2** 속도: 3, 가속도: 8

8-1 48 **8-2** 128 **9-1** 15 **9-2** -46

10-1 c **10-2** ③   **11-1** -24 cm²/s

11-2 150π cm²/s   **12-1** 32π cm³/s

12-2 108 cm³/s

7 | 부정적분

개념 확인 160쪽~161쪽

1 (1) $f(x)=4x+1$ (2) $f(x)=-3x^2+6x$

2 (1) x^2+3x (2) x^2+3x+C

STEP 1 개념 드릴 162쪽

1-1 $12x^2+1$, $4x^3-1$, $4x^3$, $4x^3+x$, x^4-x

1-2 $5x^4+1$, x^5+x

2-1 (1) $6x$, $6x+C$ (2) $5x^2$, $5x^2+C$ (3) $3x^4$, $3x^4+C$

2-2 (1) $11x+C$ (2) $-3x+C$ (3) $2x^2+C$

     (4) $-x^6+C$ (5) x^9+x^3+C

3-1 (1) $6x+4$ (2) $-2x^2+2x$ (3) $12x^2-6x+10$

3-2 (1) $f(x)=-2x+3$ (2) $f(x)=12x+\dfrac{3}{4}$

     (3) $f(x)=21x^2+\dfrac{2}{3}$ (4) $f(x)=20x^3+10x-1$

STEP 2 필수 유형 163쪽~164쪽

01-1 1

01-2 -10

02-1 2

02-2 $\dfrac{3}{2}$

개념 확인 165쪽~166쪽

1 (1) $\dfrac{1}{5}x^5+C$ (2) $\dfrac{1}{8}x^8+C$

2 (1) x^3+x^2+x+C (2) $\dfrac{1}{2}x^4+\dfrac{1}{2}x^2-4x+C$

STEP 1 개념 드릴 167쪽

1-1 (1) 14, 14, 15, 15 (2) 25, 25, 26, 26

1-2 (1) $\dfrac{1}{11}x^{11}+C$ (2) $\dfrac{1}{61}x^{61}+C$

2-1 $+$, $-$, -6, x^3, x^4

2-2 (1) $-x^4+x^3+C$ (2) $3x^3-3x^2+x+C$

3-1 (1) 1, 1, x (2) $x-1$, $x-1$, x, 2, 2

3-2 (1) $\dfrac{1}{4}x^4-\dfrac{4}{3}x^3+x^2-8x+C$ (2) $\dfrac{1}{3}x^3-x^2+x+C$

     (3) $2x^4-x+C$ (4) $-\dfrac{1}{2}x^2-3x+C$

STEP 2 필수 유형 168쪽~172쪽

01-1 0

01-2 11

02-1 $\dfrac{1}{2}$

02-2 $\dfrac{11}{2}$

03-1 $f(x) = -3x^2 + 2x + 4$

03-2 -5

04-1 14

04-2 $-\dfrac{5}{2}$

05-1 -20

05-2 20

STEP 3 유형 드릴 173쪽~175쪽

1-1 -1 **1-2** 14 **2-1** 1 **2-2** $-\dfrac{1}{6}$

3-1 1 **3-2** -2 **4-1** 16 **4-2** -1

5-1 3 **5-2** $\dfrac{1}{4}x^4 - \dfrac{1}{6}x^3 + \dfrac{1}{2}x^2 + x + C$

6-1 0 **6-2** $\dfrac{1}{2}$ **7-1** -1 **7-2** $-\dfrac{3}{2}$

8-1 1 **8-2** 7 **9-1** 6 **9-2** 16

10-1 $-\dfrac{1}{3}$ **10-2** $\dfrac{7}{3}$ **11-1** ③ **11-2** ②

8 | 정적분

개념 확인 178쪽~180쪽

1 (1) 5 (2) 13

2 (1) 0 (2) -8

3 (1) 6 (2) 8

STEP 1 개념 드릴 182쪽

1-1 $\dfrac{2}{3}, \dfrac{3}{2}, -\dfrac{9}{2}$

1-2 (1) 2 (2) $\dfrac{51}{2}$

2-1 (1) 0 (2) $3, 3, -\dfrac{28}{3}$

2-2 (1) 0 (2) $\dfrac{11}{3}$

3-1 (1) $3x^2 + 2x, x^3 + x^2, 12$ (2) $+, 3, 3, 44$

3-2 (1) $\dfrac{15}{2}$ (2) 6

STEP 2 필수 유형 183쪽~184쪽

01-1 (1) $7\sqrt{3} - 3$ (2) $-\dfrac{103}{12}$ (3) $\dfrac{116}{3}$ (4) 0

01-2 0

02-1 $2\sqrt{2}$

02-2 2

개념 확인 186쪽~190쪽

1 (1) 60 (2) 0

2 (1) 5 (2) 5

3 (1) 2 (2) $\dfrac{16}{3}$

4 $2, 0, 2$

STEP 1 개념 드릴   191쪽~192쪽

1-1 (1) x^2+1, $\frac{1}{3}x^3+x$, $\frac{32}{3}$ (2) $2x$, 1, x^2, 1, $\frac{13}{3}$

1-2 (1) $\frac{3}{2}$ (2) $\frac{3}{2}$ (3) 8

2-1 $\frac{1}{2}$, $\frac{1}{2}$, $\frac{1}{2}$, $\frac{1}{2}$, $-x^2+x$, $\frac{5}{2}$

2-2 (1) $\frac{17}{2}$ (2) $\frac{13}{4}$ (3) $\frac{5}{6}$

3-1 $5x^4$, $5x^4$, x^5, 28, 56

3-2 (1) $\frac{10}{3}$ (2) 20

4-1 (1) 2, 2, 1 (2) 0, $\frac{1}{2}$ (3) 3, 3, 3, $\frac{3}{2}$

4-2 (1) 12 (2) 4 (3) 8

STEP 2 필수 유형   193쪽~196쪽

01-1 $-\frac{37}{6}$

01-2 13

02-1 (1) -1 (2) $\frac{5}{2}$ (3) 4

03-1 1

03-2 -4

04-1 $\frac{64}{3}$

04-2 $\frac{16}{3}$

개념 확인   197쪽~199쪽

1 (1) $3x^2+1$ (2) $2x$

2 $f(x)=6x^2-6x$

3 $F(0)$, 0, -2

STEP 1 개념 드릴   200쪽

1-1 (1) x^3+2x^2+4 (2) $x+2$, $4x$

1-2 (1) $2x+1$ (2) $5x^3-x^2$ (3) $2x+4$

2-1 (1) $4x+1$ (2) $2x$, $2x$

2-2 (1) $f(x)=3x^2+10x-2$ (2) $f(x)=18x^2-4x+9$

3-1 (1) $F(1)$, 1, 1, -2 (2) $F(1)$, 1, 1, 0

3-2 (1) -4 (2) -2

STEP 2 필수 유형   201쪽~204쪽

01-1 -2

01-2 -6

02-1 $-\frac{4}{3}$

02-2 -8

03-1 $\frac{1}{4}$

03-2 $-\frac{1}{6}$

04-1 -2

04-2 (1) 4 (2) $\frac{3}{4}$

STEP 3 유형 드릴   205쪽~207쪽

1-1 3	**1-2** 1	**2-1** $\frac{19}{3}$	**2-2** 4
3-1 $-\frac{3}{2}$	**3-2** $\frac{3}{2}$	**4-1** $\frac{1}{4}$	**4-2** 15
5-1 19	**5-2** $\frac{3}{2}$	**6-1** -3	**6-2** -1
7-1 15	**7-2** 28	**8-1** $-\frac{2}{3}$	**8-2** 6
9-1 $\frac{16}{3}$	**9-2** 58	**10-1** $-\frac{1}{2}$	**10-2** 14
11-1 2	**11-2** $\frac{4}{3}$	**12-1** $2\sqrt{5}$	**12-2** $3\sqrt{3}$

9 | 정적분의 활용

1 (1) 10   (2) $\dfrac{23}{3}$

2 (1) $\dfrac{9}{2}$ (2) $\dfrac{8}{3}$

1-1 $1, 1, \dfrac{1}{6}$

1-2 (1) $\dfrac{4}{3}$ (2) $\dfrac{32}{3}$ (3) $\dfrac{4}{3}$

2-1 $1, 1, x-2, \dfrac{9}{2}$

2-2 (1) $\dfrac{32}{3}$ (2) $\dfrac{9}{2}$ (3) 36

3-1 $0, 0, -x^2+2x, \dfrac{1}{3}$

3-2 (1) $\dfrac{1}{3}$ (2) $\dfrac{1}{2}$ (3) $\dfrac{1}{3}$

01-1 4

01-2 1

02-1 $\dfrac{1}{2}$

02-2 6

03-1 (1) 32   (2) $\dfrac{71}{6}$

04-1 $\dfrac{27}{4}$

04-2 $\dfrac{8}{3}$

05-1 6

05-2 $\dfrac{1}{16}$

06-1 4

1 (1) 6   (2) 1

2 10

1-1 (1) 2, 2, 0   (2) $3, 3, \dfrac{3}{2}$ (3) $1, 1, 1, 1, 2, \dfrac{5}{2}$

1-2 (1) $-\dfrac{3}{2}$ (2) $\dfrac{3}{2}$ (3) 4

2-1 (1) $3, 2, 3, 2, \dfrac{11}{3}$ (2) $2, 2, \dfrac{4}{3}$ (3) $1, 1, 1, 1, \dfrac{4}{3}, 2$

2-2 (1) $-\dfrac{8}{3}$ (2) -3 (3) $\dfrac{23}{3}$

01-1 65 m

01-2 2초

02-1 80 m

02-2 8

03-1 $\dfrac{3}{2}$

1-1 $\dfrac{1}{8}$	**1-2** $\dfrac{4}{3}$	**2-1** $\dfrac{9}{4}$	**2-2** -2
3-1 8	**3-2** $8 : 19$	**4-1** 8	**4-2** $\dfrac{7}{3}$
5-1 6	**5-2** 3	**6-1** $\dfrac{2}{3}$	**6-2** $\dfrac{16}{3}$
7-1 $\dfrac{8}{3}$	**7-2** -1	**8-1** 75 m	**8-2** 3초 후
9-1 450 m	**9-2** 575 m	**10-1** $2+\sqrt{3}$	**10-2** $\dfrac{9}{4}$

Memo

정답과 해설

고등
수학 II

천재교육

자세하고 친절한 해설

전 략
문제를 접근할 수 있는 실마리를 제공

다른 풀이
다른 여러 가지 풀이 방법으로
수학적 사고력을 강화

Lecture
문제 풀이에 대한 보충 설명, 문제 해결의
노하우 소개

정답과 해설

1 함수의 극한

1 함수의 극한

개념 확인   8쪽~12쪽

1 (1) -8 (2) 7 (3) -2 (4) 6

2 (1) 0 (2) 0 (3) -3 (4) 1

3 (1) ∞ (2) $-\infty$

4 (1) ∞ (2) ∞

5 (1) 2 (2) 3 (3) 존재하지 않는다.

1 (1) $f(x)=x-4$로 놓으면 $y=f(x)$의 그래프는 오른쪽 그림과 같다. 이 그래프에서 x의 값이 -4에 한없이 가까워질 때, $f(x)$의 값은 -8에 한없이 가까워지므로 $\lim\limits_{x\to-4}(x-4)=-8$

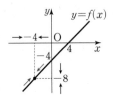

(2) $f(x)=x^2-2$로 놓으면 $y=f(x)$의 그래프는 오른쪽 그림과 같다. 이 그래프에서 x의 값이 3에 한없이 가까워질 때, $f(x)$의 값은 7에 한없이 가까워지므로 $\lim\limits_{x\to3}(x^2-2)=7$

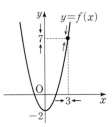

(3) $f(x)=\dfrac{x^2-1}{x+1}$로 놓으면

$x\neq-1$일 때,

$f(x)=\dfrac{x^2-1}{x+1}=\dfrac{(x+1)(x-1)}{x+1}=x-1$

이므로 $y=f(x)$의 그래프는 오른쪽 그림과 같다. 이 그래프에서 x의 값이 -1에 한없이 가까워질 때, $f(x)$의 값은 -2에 한없이 가까워지므로

$\lim\limits_{x\to-1}\dfrac{x^2-1}{x+1}=-2$

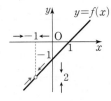

(4) $f(x)=6$으로 놓으면 $y=f(x)$의 그래프는 오른쪽 그림과 같다. 이 그래프에서 x의 값이 -3에 한없이 가까워질 때, $f(x)$의 값은 6에 한없이 가까워지므로 $\lim\limits_{x\to-3}6=6$

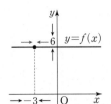

2 (1) $f(x)=-\dfrac{1}{x}$로 놓으면 $y=f(x)$의 그래프는 오른쪽 그림과 같다. 이 그래프에서 x의 값이 한없이 커질 때, $f(x)$의 값은 0에 한없이 가까워지므로 $\lim\limits_{x\to\infty}\left(-\dfrac{1}{x}\right)=0$

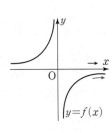

(2) $f(x)=\dfrac{1}{x-1}$로 놓으면 $y=f(x)$의 그래프는 오른쪽 그림과 같다. 이 그래프에서 x의 값이 음수이면서 그 절댓값이 한없이 커질 때, $f(x)$의 값은 0에 한없이 가까워지므로

$\lim\limits_{x\to-\infty}\dfrac{1}{x-1}=0$

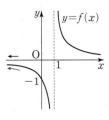

(3) $f(x)=\dfrac{1}{x}-3$으로 놓으면 $y=f(x)$의 그래프는 오른쪽 그림과 같다. 이 그래프에서 x의 값이 한없이 커질 때, $f(x)$의 값은 -3에 한없이 가까워지므로 $\lim\limits_{x\to\infty}\left(\dfrac{1}{x}-3\right)=-3$

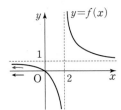

(4) $f(x)=\dfrac{x}{x-2}=\dfrac{2}{x-2}+1$로 놓으면 $y=f(x)$의 그래프는 오른쪽 그림과 같다. 이 그래프에서 x의 값이 음수이면서 그 절댓값이 한없이 커질 때, $f(x)$의 값은 1에 한없이 가까워지므로 $\lim\limits_{x\to-\infty}\dfrac{x}{x-2}=1$

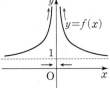

3 (1) $f(x)=\dfrac{1}{x^2}+1$로 놓으면 $y=f(x)$의 그래프는 오른쪽 그림과 같다. 이 그래프에서 x의 값이 0에 한없이 가까워질 때, $f(x)$의 값은 한없이 커지므로 $\lim\limits_{x\to0}\left(\dfrac{1}{x^2}+1\right)=\infty$

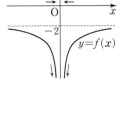

(2) $f(x)=-\dfrac{1}{x^2}-2$로 놓으면 $y=f(x)$의 그래프는 오른쪽 그림과 같다. 이 그래프에서 x의 값이 0에 한없이 가까워질 때, $f(x)$의 값은 음수이면서 그 절댓값이 한없이 커지므로 $\lim\limits_{x\to0}\left(-\dfrac{1}{x^2}-2\right)=-\infty$

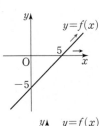

4 (1) $f(x)=x-5$로 놓으면 $y=f(x)$의 그래프는 오른쪽 그림과 같다. 이 그래프에서 x의 값이 한없이 커질 때, $f(x)$의 값은 한없이 커지므로 $\lim\limits_{x\to\infty}(x-5)=\infty$

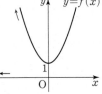

(2) $f(x)=x^2+1$로 놓으면 $y=f(x)$의 그래프는 오른쪽 그림과 같다. 이 그래프에서 x의 값이 음수이면서 그 절댓값이 한없이 커질 때, $f(x)$의 값은 한없이 커지므로 $\lim\limits_{x\to-\infty}(x^2+1)=\infty$

5 (1) x의 값이 -1보다 작으면서 -1에 한없이 가까워질 때, $f(x)$의 값은 2에 한없이 가까워지므로 $\lim\limits_{x \to -1-} f(x) = 2$

(2) x의 값이 -1보다 크면서 -1에 한없이 가까워질 때, $f(x)$의 값은 3에 한없이 가까워지므로 $\lim\limits_{x \to -1+} f(x) = 3$

(3) $\lim\limits_{x \to -1-} f(x) \neq \lim\limits_{x \to -1+} f(x)$이므로 $\lim\limits_{x \to -1} f(x)$의 값은 존재하지 않는다.

STEP ① 개념 드릴 ─────────────── | 13쪽~14쪽 |

개념 check

1-1 (1) $-1, -1$ (2) $\dfrac{1}{2}, 0, 0$

2-1 (1) $0, 0$ (2) $1, 1$

3-1 (1) $0, \infty$ (2) 음수, $-\infty$

4-1 (1) $0, 0$ (2) $0, 0$ (3) $-1, 0$, 존재하지 않는다.

스스로 check

1-2 冒 (1) -3 (2) 2 (3) $\sqrt{2}$ (4) $-\dfrac{1}{4}$

(1) $f(x) = 2x - 1$로 놓으면 $y = f(x)$의 그래프는 오른쪽 그림과 같다. 이 그래프에서 x의 값이 -1에 한없이 가까워질 때, $f(x)$의 값은 -3에 한없이 가까워지므로 $\lim\limits_{x \to -1} (2x - 1) = -3$

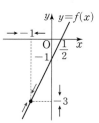

(2) $f(x) = -x^2 + 2$로 놓으면 $y = f(x)$의 그래프는 오른쪽 그림과 같다. 이 그래프에서 x의 값이 0에 한없이 가까워질 때, $f(x)$의 값은 2에 한없이 가까워지므로 $\lim\limits_{x \to 0} (-x^2 + 2) = 2$

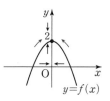

(3) $f(x) = \sqrt{2x}$로 놓으면 $y = f(x)$의 그래프는 오른쪽 그림과 같다. 이 그래프에서 x의 값이 1에 한없이 가까워질 때, $f(x)$의 값은 $\sqrt{2}$에 한없이 가까워지므로 $\lim\limits_{x \to 1} \sqrt{2x} = \sqrt{2}$

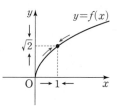

(4) $f(x) = \dfrac{x+2}{x^2-4}$로 놓으면 $x \neq \pm 2$일 때,

$f(x) = \dfrac{x+2}{x^2-4} = \dfrac{x+2}{(x+2)(x-2)} = \dfrac{1}{x-2}$

이므로 $y = f(x)$의 그래프는 오른쪽 그림과 같다. 이 그래프에서 x의 값이 -2에 한없이 가까워질 때, $f(x)$의 값은 $-\dfrac{1}{4}$에 한없이 가까워지므로

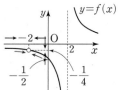

$\lim\limits_{x \to -2} \dfrac{x+2}{x^2-4} = -\dfrac{1}{4}$

2-2 冒 (1) 0 (2) -1 (3) 1 (4) 2

(1) $f(x) = \dfrac{2}{x+3}$로 놓으면 $y = f(x)$의 그래프는 오른쪽 그림과 같다. 이 그래프에서 x의 값이 한없이 커질 때, $f(x)$의 값은 0에 한없이 가까워지므로

$\lim\limits_{x \to \infty} \dfrac{2}{x+3} = 0$

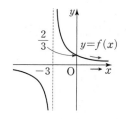

(2) $f(x) = -\dfrac{1}{x} - 1$로 놓으면 $y = f(x)$의 그래프는 오른쪽 그림과 같다. 이 그래프에서 x의 값이 음수이면서 그 절댓값이 한없이 커질 때, $f(x)$의 값은 -1에 한없이 가까워지므로

$\lim\limits_{x \to -\infty} \left(-\dfrac{1}{x} - 1 \right) = -1$

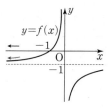

(3) $f(x) = \dfrac{3}{x} + 1$로 놓으면 $y = f(x)$의 그래프는 오른쪽 그림과 같다. 이 그래프에서 x의 값이 한없이 커질 때, $f(x)$의 값은 1에 한없이 가까워지므로

$\lim\limits_{x \to \infty} \left(\dfrac{3}{x} + 1 \right) = 1$

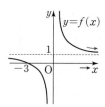

(4) $f(x) = \dfrac{2x}{x+1} = -\dfrac{2}{x+1} + 2$로 놓으면 $y = f(x)$의 그래프는 오른쪽 그림과 같다. 이 그래프에서 x의 값이 음수이면서 그 절댓값이 한없이 커질 때, $f(x)$의 값은 2에 한없이 가까워지므로

$\lim\limits_{x \to -\infty} \dfrac{2x}{x+1} = 2$

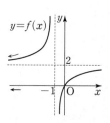

3-2 冒 (1) $-\infty$ (2) $-\infty$

(1) $f(x) = -\dfrac{1}{|x|}$로 놓으면 $y = f(x)$의 그래프는 오른쪽 그림과 같다. 이 그래프에서 x의 값이 0에 한없이 가까워질 때, $f(x)$의 값은 음수이면서 그 절댓값이 한없이 커지므로

$\lim\limits_{x \to 0} \left(-\dfrac{1}{|x|} \right) = -\infty$

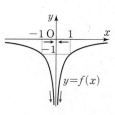

(2) $f(x) = -x^2 + 1$로 놓으면 $y = f(x)$의 그래프는 오른쪽 그림과 같다. 이 그래프에서 x의 값이 음수이면서 그 절댓값이 한없이 커질 때, $f(x)$의 값은 음수이면서 그 절댓값이 한없이 커지므로

$\lim\limits_{x \to -\infty} (-x^2 + 1) = -\infty$

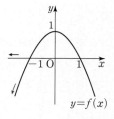

4-2 🖹 (1) 0　(2) 0　(3) 0　(4) 2　(5) 1　(6) 존재하지 않는다.

(1) x의 값이 -1보다 작으면서 -1에 한없이 가까워질 때, $f(x)$의
값은 0에 한없이 가까워지므로
$$\lim_{x \to -1-} f(x) = 0$$

(2) x의 값이 -1보다 크면서 -1에 한없이 가까워질 때, $f(x)$의 값
은 0에 한없이 가까워지므로
$$\lim_{x \to -1+} f(x) = 0$$

(3) $\lim_{x \to -1-} f(x) = \lim_{x \to -1+} f(x) = 0$이므로 $\lim_{x \to -1} f(x) = 0$

(4) x의 값이 1보다 작으면서 1에 한없이 가까워질 때, $f(x)$의 값은 2
에 한없이 가까워지므로
$$\lim_{x \to 1-} f(x) = 2$$

(5) x의 값이 1보다 크면서 1에 한없이 가까워질 때, $f(x)$의 값은 1에
한없이 가까워지므로
$$\lim_{x \to 1+} f(x) = 1$$

(6) $\lim_{x \to 1-} f(x) \neq \lim_{x \to 1+} f(x)$이므로 $\lim_{x \to 1} f(x)$의 값은 존재하지 않는다.

STEP ② 필수 유형
| 15쪽~17쪽 |

01-1 🖹 (1) -4　(2) 1　(3) ∞　(4) $-\infty$

|해결 전략| 함수의 그래프를 그려 $x \longrightarrow a$일 때 함수의 극한을 조사한다.

(1) $f(x) = \dfrac{x^2 - 2x - 3}{x+1}$으로 놓으면

$x \neq -1$일 때,

$$f(x) = \frac{x^2 - 2x - 3}{x+1} = \frac{(x+1)(x-3)}{x+1} = x-3$$

이므로 $y = f(x)$의 그래프는 오른쪽
그림과 같다. 이 그래프에서 x의 값이
-1에 한없이 가까워질 때, $f(x)$의 값
은 -4에 한없이 가까워지므로
$$\lim_{x \to -1} \frac{x^2 - 2x - 3}{x+1} = -4$$

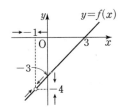

(2) $f(x) = \sqrt{2x+3}$으로 놓으면 $y = f(x)$
의 그래프는 오른쪽 그림과 같다. 이 그
래프에서 x의 값이 -1에 한없이 가까
워질 때, $f(x)$의 값이 1에 한없이 가까
워지므로
$$\lim_{x \to -1} \sqrt{2x+3} = 1$$

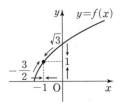

(3) $f(x) = \dfrac{1}{x^2} - 3$으로 놓으면 $y = f(x)$의
그래프는 오른쪽 그림과 같다. 이 그래프
에서 x의 값이 0에 한없이 가까워질 때,
$f(x)$의 값은 한없이 커지므로
$$\lim_{x \to 0} \left(\frac{1}{x^2} - 3 \right) = \infty$$

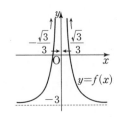

(4) $f(x) = -\dfrac{1}{|x-2|}$로 놓으면
$y = f(x)$의 그래프는 오른쪽 그림과
같다. 이 그래프에서 x의 값이 2에 한
없이 가까워질 때, $f(x)$의 값은 음수이
면서 그 절댓값이 한없이 커지므로
$$\lim_{x \to 2} \left(-\frac{1}{|x-2|} \right) = -\infty$$

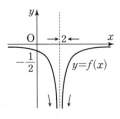

02-1 🖹 (1) $-\infty$　(2) -1　(3) ∞　(4) 2

|해결 전략| 함수의 그래프를 그려 $x \longrightarrow \infty$ 또는 $x \longrightarrow -\infty$일 때 함수의 극한
을 조사한다.

(1) $f(x) = -x^2 + x$로 놓으면 $y = f(x)$의
그래프는 오른쪽 그림과 같다. 이 그래
프에서 x의 값이 한없이 커질 때, $f(x)$
의 값은 음수이면서 그 절댓값이 한없이
커지므로
$$\lim_{x \to \infty} (-x^2 + x) = -\infty$$

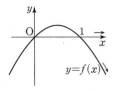

(2) $f(x) = -\dfrac{1}{x+1} - 1$로 놓으면
$y = f(x)$의 그래프는 오른쪽 그림과 같
다. 이 그래프에서 x의 값이 음수이면
서 그 절댓값이 한없이 커질 때, $f(x)$
의 값은 -1에 한없이 가까워지므로
$$\lim_{x \to -\infty} \left(-\frac{1}{x+1} - 1 \right) = -1$$

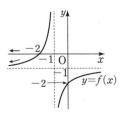

(3) $f(x) = \sqrt{2-x}$로 놓으면 $y = f(x)$의
그래프는 오른쪽 그림과 같다. 이 그래
프에서 x의 값이 음수이면서 그 절댓
값이 한없이 커질 때, $f(x)$의 값은 한
없이 커지므로
$$\lim_{x \to -\infty} \sqrt{2-x} = \infty$$

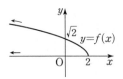

(4) $f(x) = 2 - \dfrac{1}{x^2}$로 놓으면 $y = f(x)$의 그
래프는 오른쪽 그림과 같다. 이 그래프에
서 x의 값이 한없이 커질 때, $f(x)$의 값은
2에 한없이 가까워지므로
$$\lim_{x \to \infty} \left(2 - \frac{1}{x^2} \right) = 2$$

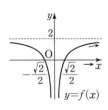

03-1 🖹 (1) 존재하지 않는다.　(2) 존재하지 않는다.

|해결 전략| 좌극한과 우극한을 각각 구하고 그 값이 같은지 다른지 파악한다.

(1) 함수 $y = \dfrac{|x+1|}{x+1} = \begin{cases} 1 & (x > -1) \\ -1 & (x < -1) \end{cases}$
의 그래프는 오른쪽 그림과 같다.

$$\therefore \lim_{x \to -1-} \frac{|x+1|}{x+1} = -1,$$

$$\lim_{x \to -1+} \frac{|x+1|}{x+1} = 1$$

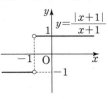
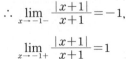

따라서 $\displaystyle\lim_{x\to-1-}\frac{|x+1|}{x+1}\neq\lim_{x\to-1+}\frac{|x+1|}{x+1}$ 이므로

$\displaystyle\lim_{x\to-1}\frac{|x+1|}{x+1}$ 의 값은 존재하지 않는다.

(2) 함수

$$y=\frac{|x-2|}{x^2-2x}=\frac{|x-2|}{x(x-2)}$$
$$=\begin{cases}\dfrac{1}{x} & (x>2)\\[2mm] -\dfrac{1}{x} & (x<2)\end{cases}$$

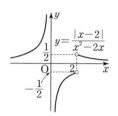

의 그래프는 오른쪽 그림과 같다.

$\therefore \displaystyle\lim_{x\to2-}\frac{|x-2|}{x^2-2x}=-\frac{1}{2},\ \lim_{x\to2+}\frac{|x-2|}{x^2-2x}=\frac{1}{2}$

따라서 $\displaystyle\lim_{x\to2-}\frac{|x-2|}{x^2-2x}\neq\lim_{x\to2+}\frac{|x-2|}{x^2-2x}$ 이므로

$\displaystyle\lim_{x\to2}\frac{|x-2|}{x^2-2x}$ 의 값은 존재하지 않는다.

> **LECTURE**
>
> 절댓값 기호가 포함된 함수의 극한을 조사할 때는 먼저 절댓값 기호 안의 식의 값이 0이 되도록 하는 x의 값을 기준으로 함수의 식을 정리한다.

2 함수의 극한에 대한 성질

개념 확인	18쪽~19쪽

1 (1) 14 (2) -7 (3) -15 (4) $-\dfrac{1}{10}$

2 (1) $\dfrac{3}{2}$ (2) 2 (3) ∞ (4) $-\dfrac{1}{2}$

1 (1) $\displaystyle\lim_{x\to1}\{f(x)+3g(x)\}=\lim_{x\to1}f(x)+3\lim_{x\to1}g(x)$
$$=-1+3\times5=14$$
(2) $\displaystyle\lim_{x\to1}\{2f(x)-g(x)\}=2\lim_{x\to1}f(x)-\lim_{x\to1}g(x)$
$$=2\times(-1)-5=-7$$
(3) $\displaystyle\lim_{x\to1}3f(x)g(x)=3\lim_{x\to1}f(x)\times\lim_{x\to1}g(x)$
$$=3\times(-1)\times5=-15$$
(4) $\displaystyle\lim_{x\to1}\frac{f(x)}{2g(x)}=\frac{\lim_{x\to1}f(x)}{2\lim_{x\to1}g(x)}=\frac{-1}{2\times5}=-\frac{1}{10}$

2 (1) $\displaystyle\lim_{x\to-1}\frac{x^2-x-2}{x^2-1}=\lim_{x\to-1}\frac{(x+1)(x-2)}{(x+1)(x-1)}$
$$=\lim_{x\to-1}\frac{x-2}{x-1}$$
$$=\frac{-1-2}{-1-1}=\frac{3}{2}$$

(2) $\displaystyle\lim_{x\to\infty}\frac{2x^2}{x^2+3}=\lim_{x\to\infty}\frac{2}{1+\dfrac{3}{x^2}}=\frac{2}{1+0}=2$

(3) $\displaystyle\lim_{x\to\infty}(x^2-x)=\lim_{x\to\infty}x^2\left(1-\frac{1}{x}\right)=\infty$

(4) $\displaystyle\lim_{x\to0}\frac{1}{x}\left(\frac{2}{x+2}-1\right)=\lim_{x\to0}\left(\frac{1}{x}\times\frac{-x}{x+2}\right)$
$$=\lim_{x\to0}\frac{-1}{x+2}$$
$$=\frac{-1}{0+2}=-\frac{1}{2}$$

STEP ① 개념 드릴 ──────── |20쪽~21쪽|

개념 check

1-1 (1) 2, 2, 5 (2) $x+1,\,x,\,3,\,-1$

2-1 (1) $x+5,\,2,\,\dfrac{7}{4}$ (2) $x-1,\,x+1,\,1,\,4$

3-1 (1) $\dfrac{1}{x},\,-2$ (2) $\dfrac{1}{x^2},\,\dfrac{1}{2}$

4-1 (1) $\dfrac{3}{x^2},\,\infty$ (2) 1, 0

5-1 $x-1,\,x-1,\,-1$

스스로 check

1-2 답 (1) -3 (2) 6 (3) -3 (4) $-\dfrac{1}{3}$

(1) $\displaystyle\lim_{x\to-1}(-2x^2+x)=-2\lim_{x\to-1}x^2+\lim_{x\to-1}x$
$$=-2\times(-1)^2+(-1)=-3$$
(2) $\displaystyle\lim_{x\to3}(x+3)(x-2)=\lim_{x\to3}(x+3)\times\lim_{x\to3}(x-2)$
$$=\left(\lim_{x\to3}x+\lim_{x\to3}3\right)\left(\lim_{x\to3}x-\lim_{x\to3}2\right)$$
$$=(3+3)(3-2)=6$$

다른 풀이

$\displaystyle\lim_{x\to3}(x+3)(x-2)=\lim_{x\to3}(x^2+x-6)$
$$=\lim_{x\to3}x^2+\lim_{x\to3}x-\lim_{x\to3}6$$
$$=3^2+3-6=6$$

(3) $\displaystyle\lim_{x\to1}\frac{2x+1}{x-2}=\frac{\lim_{x\to1}(2x+1)}{\lim_{x\to1}(x-2)}$
$$=\frac{2\lim_{x\to1}x+\lim_{x\to1}1}{\lim_{x\to1}x-\lim_{x\to1}2}$$
$$=\frac{2\times1+1}{1-2}=-3$$

(4) $\displaystyle\lim_{x\to-2}\frac{x}{x^2+2}=\frac{\lim_{x\to-2}x}{\lim_{x\to-2}(x^2+2)}$
$$=\frac{\lim_{x\to-2}x}{\lim_{x\to-2}x^2+\lim_{x\to-2}2}$$
$$=\frac{-2}{(-2)^2+2}=-\frac{1}{3}$$

2-2 답 (1) 2　(2) $\dfrac{1}{3}$　(3) $\dfrac{1}{6}$　(4) 2

(1) $\displaystyle\lim_{x\to 1}\dfrac{x^2+2x-3}{x^2-1}=\lim_{x\to 1}\dfrac{(x+3)(x-1)}{(x+1)(x-1)}$

$\qquad\qquad\qquad\quad=\lim_{x\to 1}\dfrac{x+3}{x+1}$

$\qquad\qquad\qquad\quad=\dfrac{1+3}{1+1}=2$

(2) $\displaystyle\lim_{x\to -1}\dfrac{x+1}{x^3+1}=\lim_{x\to -1}\dfrac{x+1}{(x+1)(x^2-x+1)}$

$\qquad\qquad\qquad\quad=\lim_{x\to -1}\dfrac{1}{x^2-x+1}$

$\qquad\qquad\qquad\quad=\dfrac{1}{(-1)^2-(-1)+1}=\dfrac{1}{3}$

(3) $\displaystyle\lim_{x\to 9}\dfrac{\sqrt{x}-3}{x-9}=\lim_{x\to 9}\dfrac{(\sqrt{x}-3)(\sqrt{x}+3)}{(x-9)(\sqrt{x}+3)}$

$\qquad\qquad\qquad\quad=\lim_{x\to 9}\dfrac{x-9}{(x-9)(\sqrt{x}+3)}$

$\qquad\qquad\qquad\quad=\lim_{x\to 9}\dfrac{1}{\sqrt{x}+3}$

$\qquad\qquad\qquad\quad=\dfrac{1}{\sqrt{9}+3}=\dfrac{1}{6}$

(4) $\displaystyle\lim_{x\to 0}\dfrac{x}{\sqrt{x+1}-1}=\lim_{x\to 0}\dfrac{x(\sqrt{x+1}+1)}{(\sqrt{x+1}-1)(\sqrt{x+1}+1)}$

$\qquad\qquad\qquad\quad=\lim_{x\to 0}\dfrac{x(\sqrt{x+1}+1)}{x}$

$\qquad\qquad\qquad\quad=\lim_{x\to 0}(\sqrt{x+1}+1)$

$\qquad\qquad\qquad\quad=\sqrt{1}+1=2$

3-2 답 (1) 5　(2) $\dfrac{4}{3}$　(3) 3　(4) $\dfrac{1}{6}$

(1) $\displaystyle\lim_{x\to\infty}\dfrac{5x}{x-6}=\lim_{x\to\infty}\dfrac{5}{1-\dfrac{6}{x}}=5$

(2) $\displaystyle\lim_{x\to\infty}\dfrac{4x-3}{3x-5}=\lim_{x\to\infty}\dfrac{4-\dfrac{3}{x}}{3-\dfrac{5}{x}}=\dfrac{4}{3}$

(3) $\displaystyle\lim_{x\to\infty}\dfrac{3x^2-x+1}{x^2+5}=\lim_{x\to\infty}\dfrac{3-\dfrac{1}{x}+\dfrac{1}{x^2}}{1+\dfrac{5}{x^2}}=3$

(4) $\displaystyle\lim_{x\to\infty}\dfrac{x^3-1}{6x^3+x+1}=\lim_{x\to\infty}\dfrac{1-\dfrac{1}{x^3}}{6+\dfrac{1}{x^2}+\dfrac{1}{x^3}}=\dfrac{1}{6}$

4-2 답 (1) ∞　(2) 0

(1) $\displaystyle\lim_{x\to\infty}(x^4-x^2+1)=\lim_{x\to\infty}x^4\left(1-\dfrac{1}{x^2}+\dfrac{1}{x^4}\right)=\infty$

(2) $\displaystyle\lim_{x\to\infty}(\sqrt{x^2+4}-x)=\lim_{x\to\infty}\dfrac{(\sqrt{x^2+4}-x)(\sqrt{x^2+4}+x)}{\sqrt{x^2+4}+x}$

$\qquad\qquad\qquad\qquad=\lim_{x\to\infty}\dfrac{4}{\sqrt{x^2+4}+x}=0$

5-2 답 $-\dfrac{1}{4}$

$\displaystyle\lim_{x\to 0}\dfrac{1}{x}\left(\dfrac{1}{x+2}-\dfrac{1}{2}\right)=\lim_{x\to 0}\left\{\dfrac{1}{x}\times\dfrac{-x}{2(x+2)}\right\}$

$\qquad\qquad\qquad\qquad=\lim_{x\to 0}\dfrac{-1}{2(x+2)}$

$\qquad\qquad\qquad\qquad=\dfrac{-1}{2\times 2}=-\dfrac{1}{4}$

STEP ② 필수 유형 ├22쪽~26쪽┤

01-1 답 $\dfrac{3}{4}$

|해결 전략| $2f(x)-g(x)=h(x)$로 놓고 $\displaystyle\lim_{x\to 2}h(x)=4$임을 이용한다.

$2f(x)-g(x)=h(x)$로 놓으면 $g(x)=2f(x)-h(x)$이고
$\displaystyle\lim_{x\to 2}h(x)=4$이다.

$\therefore\ \displaystyle\lim_{x\to 2}\dfrac{f(x)g(x)}{2f(x)+g(x)}=\lim_{x\to 2}\dfrac{f(x)\{2f(x)-h(x)\}}{2f(x)+\{2f(x)-h(x)\}}$

$\qquad\qquad\qquad\qquad=\lim_{x\to 2}\dfrac{2\{f(x)\}^2-f(x)h(x)}{4f(x)-h(x)}$

$\qquad\qquad\qquad\qquad=\dfrac{2\times 3^2-3\times 4}{4\times 3-4}=\dfrac{3}{4}$

【다른 풀이】

$2f(x)-g(x)=h(x)$로 놓으면 $g(x)=2f(x)-h(x)$이고 $\displaystyle\lim_{x\to 2}h(x)=4$이므로

$\displaystyle\lim_{x\to 2}g(x)=\lim_{x\to 2}\{2f(x)-h(x)\}$

$\qquad\qquad=2\times 3-4=2$

$\therefore\ \displaystyle\lim_{x\to 2}\dfrac{f(x)g(x)}{2f(x)+g(x)}=\dfrac{3\times 2}{2\times 3+2}=\dfrac{3}{4}$

01-2 답 $\dfrac{4}{3}$

|해결 전략| 주어진 식을 $\displaystyle\lim_{x\to 0}\dfrac{f(x)}{x}=2$를 이용할 수 있는 형태로 변형한다.

$\displaystyle\lim_{x\to 0}\dfrac{f(x)+2x}{2f(x)-x}=\lim_{x\to 0}\dfrac{\dfrac{f(x)}{x}+2}{2\times\dfrac{f(x)}{x}-1}$

$\qquad\qquad\qquad=\dfrac{2+2}{2\times 2-1}=\dfrac{4}{3}$

02-1 답 (1) 12　(2) $\dfrac{1}{4}$　(3) $\dfrac{1}{6}$　(4) -4

|해결 전략| 분모, 분자가 모두 다항식이면 분모, 분자를 각각 인수분해하고, 분모, 분자 중 무리식이 있으면 근호가 있는 쪽을 유리화한다.

(1) $\displaystyle\lim_{x\to -2}\dfrac{x^3+8}{x+2}=\lim_{x\to -2}\dfrac{(x+2)(x^2-2x+4)}{x+2}$

$\qquad\qquad\qquad=\lim_{x\to -2}(x^2-2x+4)$

$\qquad\qquad\qquad=(-2)^2-2\times(-2)+4=12$

(2) $\displaystyle\lim_{x \to 1} \frac{x^3-2x+1}{x^2+2x-3} = \lim_{x \to 1} \frac{(x-1)(x^2+x-1)}{(x+3)(x-1)}$

$\qquad\qquad\qquad\quad = \displaystyle\lim_{x \to 1} \frac{x^2+x-1}{x+3}$

$\qquad\qquad\qquad\quad = \dfrac{1^2+1-1}{1+3} = \dfrac{1}{4}$

(3) $\displaystyle\lim_{x \to 0} \frac{\sqrt{3+x}-\sqrt{3}}{\sqrt{3}x} = \lim_{x \to 0} \frac{(\sqrt{3+x}-\sqrt{3})(\sqrt{3+x}+\sqrt{3})}{\sqrt{3}x(\sqrt{3+x}+\sqrt{3})}$

$\qquad\qquad\qquad\quad = \displaystyle\lim_{x \to 0} \frac{x}{\sqrt{3}x(\sqrt{3+x}+\sqrt{3})}$

$\qquad\qquad\qquad\quad = \displaystyle\lim_{x \to 0} \frac{1}{\sqrt{3}(\sqrt{3+x}+\sqrt{3})}$

$\qquad\qquad\qquad\quad = \dfrac{1}{\sqrt{3} \times 2\sqrt{3}}$

$\qquad\qquad\qquad\quad = \dfrac{1}{6}$

(4) $\displaystyle\lim_{x \to 1} \frac{x^2-4x+3}{\sqrt{x^2+3}-2} = \lim_{x \to 1} \frac{(x^2-4x+3)(\sqrt{x^2+3}+2)}{(\sqrt{x^2+3}-2)(\sqrt{x^2+3}+2)}$

$\qquad\qquad\qquad\quad = \displaystyle\lim_{x \to 1} \frac{(x^2-4x+3)(\sqrt{x^2+3}+2)}{x^2-1}$

$\qquad\qquad\qquad\quad = \displaystyle\lim_{x \to 1} \frac{(x-1)(x-3)(\sqrt{x^2+3}+2)}{(x+1)(x-1)}$

$\qquad\qquad\qquad\quad = \displaystyle\lim_{x \to 1} \frac{(x-3)(\sqrt{x^2+3}+2)}{x+1}$

$\qquad\qquad\qquad\quad = \dfrac{(1-3)(\sqrt{4}+2)}{1+1}$

$\qquad\qquad\qquad\quad = -4$

03-1 圏 (1) 0 (2) $-\infty$ (3) 1 (4) -2

|해결 전략| 분모, 분자를 분모의 최고차항으로 각각 나눈 후 $\displaystyle\lim_{x \to \infty} \frac{c}{x^n} = 0 (n$은 자연수, c는 상수)임을 이용한다.

(1) 분모, 분자를 x^2으로 각각 나누면

$$\lim_{x \to \infty} \frac{x+1}{x^2-x+2} = \lim_{x \to \infty} \frac{\dfrac{1}{x}+\dfrac{1}{x^2}}{1-\dfrac{1}{x}+\dfrac{2}{x^2}} = 0$$

(2) 분모, 분자를 x^2으로 각각 나누면

$$\lim_{x \to -\infty} \frac{2x^3-3}{x^2-1} = \lim_{x \to -\infty} \frac{2x-\dfrac{3}{x^2}}{1-\dfrac{1}{x^2}} = -\infty$$

(3) 분모, 분자를 x로 각각 나누면

$$\lim_{x \to \infty} \frac{\sqrt{x^2+4x}-4}{x-2} = \lim_{x \to \infty} \frac{\sqrt{1+\dfrac{4}{x}}-\dfrac{4}{x}}{1-\dfrac{2}{x}} = 1$$

(4) $x = -t$로 놓으면 $x \longrightarrow -\infty$일 때 $t \longrightarrow \infty$이므로

$$\lim_{x \to -\infty} \frac{2x+1}{\sqrt{x^2+x}-1} = \lim_{t \to \infty} \frac{-2t+1}{\sqrt{t^2-t}-1}$$

$$\qquad\qquad\qquad\quad = \lim_{t \to \infty} \frac{-2+\dfrac{1}{t}}{\sqrt{1-\dfrac{1}{t}}-\dfrac{1}{t}} = -2$$

04-1 圏 (1) $-\infty$ (2) 2 (3) $\dfrac{1}{2}$ (4) -1

|해결 전략| 다항식이면 최고차항으로 묶고, 무리식이면 근호가 있는 쪽을 유리화한다.

(1) $\displaystyle\lim_{x \to -\infty} (-2x^2-x+1) = \lim_{x \to -\infty} x^2\left(-2-\dfrac{1}{x}+\dfrac{1}{x^2}\right)$

$\qquad\qquad\qquad\qquad = -\infty$

(2) $\displaystyle\lim_{x \to \infty} \frac{1}{\sqrt{x^2+x}-x} = \lim_{x \to \infty} \frac{\sqrt{x^2+x}+x}{(\sqrt{x^2+x}-x)(\sqrt{x^2+x}+x)}$

$\qquad\qquad\qquad\quad = \displaystyle\lim_{x \to \infty} \frac{\sqrt{x^2+x}+x}{x}$

$\qquad\qquad\qquad\quad = \displaystyle\lim_{x \to \infty} \left(\sqrt{1+\dfrac{1}{x}}+1\right)$

$\qquad\qquad\qquad\quad = 1+1 = 2$

(3) $\displaystyle\lim_{x \to \infty} (\sqrt{4x^2+2x-1}-2x)$

$\quad = \displaystyle\lim_{x \to \infty} \frac{(\sqrt{4x^2+2x-1}-2x)(\sqrt{4x^2+2x-1}+2x)}{\sqrt{4x^2+2x-1}+2x}$

$\quad = \displaystyle\lim_{x \to \infty} \frac{2x-1}{\sqrt{4x^2+2x-1}+2x}$

$\quad = \displaystyle\lim_{x \to \infty} \frac{2-\dfrac{1}{x}}{\sqrt{4+\dfrac{2}{x}-\dfrac{1}{x^2}}+2}$

$\quad = \dfrac{2}{\sqrt{4}+2} = \dfrac{1}{2}$

(4) $x = -t$로 놓으면 $x \longrightarrow -\infty$일 때 $t \longrightarrow \infty$이므로

$\quad \displaystyle\lim_{x \to -\infty} (\sqrt{x^2+2x}+x) = \lim_{t \to \infty} (\sqrt{t^2-2t}-t)$

$\qquad\qquad\qquad\quad = \displaystyle\lim_{t \to \infty} \frac{(\sqrt{t^2-2t}-t)(\sqrt{t^2-2t}+t)}{\sqrt{t^2-2t}+t}$

$\qquad\qquad\qquad\quad = \displaystyle\lim_{t \to \infty} \frac{-2t}{\sqrt{t^2-2t}+t}$

$\qquad\qquad\qquad\quad = \displaystyle\lim_{t \to \infty} \frac{-2}{\sqrt{1-\dfrac{2}{t}}+1}$

$\qquad\qquad\qquad\quad = \dfrac{-2}{1+1} = -1$

05-1 답 (1) $-\dfrac{1}{9}$ (2) $-\dfrac{1}{54}$ (3) 2 (4) 1

|해결 전략| 통분하거나 유리화하여 $\dfrac{0}{0}$, $\dfrac{\infty}{\infty}$, $\infty \times c$, $\dfrac{c}{\infty}$ (c는 상수) 꼴로 변형한다.

(1) $\displaystyle\lim_{x \to -1} \dfrac{1}{x+1}\left(\dfrac{1}{x-2}+\dfrac{1}{3}\right) = \lim_{x \to -1}\left\{\dfrac{1}{x+1} \times \dfrac{x+1}{3(x-2)}\right\}$

$\qquad\qquad = \displaystyle\lim_{x \to -1}\dfrac{1}{3(x-2)}$

$\qquad\qquad = \dfrac{1}{3 \times (-1-2)} = -\dfrac{1}{9}$

(2) $\displaystyle\lim_{x \to 0}\dfrac{1}{x}\left(\dfrac{1}{\sqrt{x+9}}-\dfrac{1}{3}\right)$

$\quad = \displaystyle\lim_{x \to 0}\left(\dfrac{1}{x} \times \dfrac{3-\sqrt{x+9}}{3\sqrt{x+9}}\right)$

$\quad = \displaystyle\lim_{x \to 0}\left\{\dfrac{1}{x} \times \dfrac{(3-\sqrt{x+9})(3+\sqrt{x+9})}{3\sqrt{x+9}(3+\sqrt{x+9})}\right\}$

$\quad = \displaystyle\lim_{x \to 0}\dfrac{-1}{3\sqrt{x+9}(3+\sqrt{x+9})}$

$\quad = \dfrac{-1}{3 \times \sqrt{9} \times (3+\sqrt{9})} = -\dfrac{1}{54}$

(3) $\displaystyle\lim_{x \to \infty}2x\left(1-\dfrac{\sqrt{x-1}}{\sqrt{x+1}}\right)$

$\quad = \displaystyle\lim_{x \to \infty}\left(2x \times \dfrac{\sqrt{x+1}-\sqrt{x-1}}{\sqrt{x+1}}\right)$

$\quad = \displaystyle\lim_{x \to \infty}\left\{2x \times \dfrac{(\sqrt{x+1}-\sqrt{x-1})(\sqrt{x+1}+\sqrt{x-1})}{\sqrt{x+1}(\sqrt{x+1}+\sqrt{x-1})}\right\}$

$\quad = \displaystyle\lim_{x \to \infty}\dfrac{4x}{x+1+\sqrt{x^2-1}}$

$\quad = \displaystyle\lim_{x \to \infty}\dfrac{4}{1+\dfrac{1}{x}+\sqrt{1-\dfrac{1}{x^2}}}$

$\quad = \dfrac{4}{1+1} = 2$

(4) $x = -t$로 놓으면 $x \longrightarrow -\infty$일 때 $t \longrightarrow \infty$이므로

$\displaystyle\lim_{x \to -\infty}x\left(\dfrac{x}{\sqrt{x^2+2x}}+1\right)$

$\quad = \displaystyle\lim_{t \to \infty}\left\{-t \times \left(\dfrac{-t}{\sqrt{t^2-2t}}+1\right)\right\}$

$\quad = \displaystyle\lim_{t \to \infty}\left(-t \times \dfrac{-t+\sqrt{t^2-2t}}{\sqrt{t^2-2t}}\right)$

$\quad = \displaystyle\lim_{t \to \infty}\left\{-t \times \dfrac{(\sqrt{t^2-2t}-t)(\sqrt{t^2-2t}+t)}{\sqrt{t^2-2t}(\sqrt{t^2-2t}+t)}\right\}$

$\quad = \displaystyle\lim_{t \to \infty}\dfrac{2t^2}{t^2-2t+\sqrt{t^4-2t^3}}$

$\quad = \displaystyle\lim_{t \to \infty}\dfrac{2}{1-\dfrac{2}{t}+\sqrt{1-\dfrac{2}{t}}}$

$\quad = \dfrac{2}{1+1} = 1$

---

3 함수의 극한의 응용

1 (1) -2 (2) 2

2 $\dfrac{1}{3}$

1 (1) $\displaystyle\lim_{x \to 2}\dfrac{ax+4}{x-2} = -2$에서 $\displaystyle\lim_{x \to 2}(x-2)=0$이므로

$\qquad \displaystyle\lim_{x \to 2}(ax+4)=0$

$\qquad$ 즉, $2a+4=0$이므로 $a=-2$

(2) $\displaystyle\lim_{x \to -1}\dfrac{x+1}{x^2+3x+a}=1$에서 $1 \ne 0$이고

$\qquad \displaystyle\lim_{x \to -1}(x+1)=0$이므로

$\qquad \displaystyle\lim_{x \to -1}(x^2+3x+a)=0$

$\qquad$ 즉, $1-3+a=0$이므로 $a=2$

2 모든 양의 실수 x에 대하여

$\qquad \dfrac{x-1}{3x} < f(x) < \dfrac{x+1}{3x}$이고

$\qquad \displaystyle\lim_{x \to \infty}\dfrac{x-1}{3x} = \lim_{x \to \infty}\dfrac{x+1}{3x} = \dfrac{1}{3}$이므로

$\qquad \displaystyle\lim_{x \to \infty}f(x) = \dfrac{1}{3}$

STEP **1** 개념 드릴 |29쪽|

1-1 (1) 0, 0, 0, -3 (2) 0, 0, 0, -5

2-1 2, 2

스스로 check

1-2 답 (1) -3 (2) 12 (3) -2 (4) 2

(1) $\displaystyle\lim_{x \to -1}\dfrac{ax-3}{x+1} = -3$에서 $\displaystyle\lim_{x \to -1}(x+1)=0$이므로

$\qquad \displaystyle\lim_{x \to -1}(ax-3)=0$

$\qquad$ 즉, $-a-3=0$이므로 $a=-3$

(2) $\displaystyle\lim_{x \to 3}\dfrac{x^2-7x+a}{x-3} = -1$에서 $\displaystyle\lim_{x \to 3}(x-3)=0$이므로

$\qquad \displaystyle\lim_{x \to 3}(x^2-7x+a)=0$

$\qquad$ 즉, $9-21+a=0$이므로 $a=12$

(3) $\displaystyle\lim_{x \to 2}\dfrac{x-2}{x^2-x+a} = \dfrac{1}{3}$에서 $\dfrac{1}{3} \ne 0$이고

$\qquad \displaystyle\lim_{x \to 2}(x-2)=0$이므로

$\qquad \displaystyle\lim_{x \to 2}(x^2-x+a)=0$

$\qquad$ 즉, $4-2+a=0$이므로 $a=-2$

(4) $\displaystyle\lim_{x\to1}\dfrac{x-1}{x^2+ax-3}=\dfrac14$에서 $\dfrac14\neq0$이고

$\displaystyle\lim_{x\to1}(x-1)=0$이므로

$\displaystyle\lim_{x\to1}(x^2+ax-3)=0$

즉, $1+a-3=0$이므로 $a=2$

2-2 답 (1) 7 (2) 5

(1) 모든 실수 x에 대하여

$4x-1\leq f(x)\leq x^2+3$이고

$\displaystyle\lim_{x\to2}(4x-1)=\lim_{x\to2}(x^2+3)=7$이므로

$\displaystyle\lim_{x\to2}f(x)=7$

(2) 모든 양의 실수 x에 대하여

$5-\dfrac1x<f(x)<5+\dfrac1x$이고

$\displaystyle\lim_{x\to\infty}\left(5-\dfrac1x\right)=\lim_{x\to\infty}\left(5+\dfrac1x\right)=5$이므로

$\displaystyle\lim_{x\to\infty}f(x)=5$

STEP 2 필수 유형 |30쪽~32쪽|

01-1 답 (1) $a=4$, $b=2$ (2) $a=5$, $b=-3$

|해결 전략| (1) 극한값이 존재하고 (분모) $\longrightarrow$ 0이면 (분자) $\longrightarrow$ 0임을 이용한다.
(2) 0이 아닌 극한값이 존재하고 (분자) $\longrightarrow$ 0이면 (분모) $\longrightarrow$ 0임을 이용한다.

(1) $\displaystyle\lim_{x\to-1}\dfrac{x^2+ax+b+1}{x+1}=2$에서 $\displaystyle\lim_{x\to-1}(x+1)=0$이므로

$\displaystyle\lim_{x\to-1}(x^2+ax+b+1)=-a+b+2=0$

$\therefore b=a-2$ ……㉠

㉠을 주어진 등식에 대입하면

$\displaystyle\lim_{x\to-1}\dfrac{x^2+ax+a-1}{x+1}=\lim_{x\to-1}\dfrac{(x+1)(x+a-1)}{x+1}$

$\qquad\qquad\qquad\qquad=\displaystyle\lim_{x\to-1}(x+a-1)=a-2=2$

$\therefore a=4$, $b=2$

(2) $\displaystyle\lim_{x\to2}\dfrac{x-2}{\sqrt{2x+a}+b}=3$에서 $3\neq0$이고

$\displaystyle\lim_{x\to2}(x-2)=0$이므로

$\displaystyle\lim_{x\to2}(\sqrt{2x+a}+b)=\sqrt{4+a}+b=0$

$\therefore b=-\sqrt{4+a}$ ……㉠

㉠을 주어진 등식에 대입하면

$\displaystyle\lim_{x\to2}\dfrac{x-2}{\sqrt{2x+a}-\sqrt{4+a}}$

$=\displaystyle\lim_{x\to2}\dfrac{(x-2)(\sqrt{2x+a}+\sqrt{4+a})}{(\sqrt{2x+a}-\sqrt{4+a})(\sqrt{2x+a}+\sqrt{4+a})}$

$=\displaystyle\lim_{x\to2}\dfrac{(x-2)(\sqrt{2x+a}+\sqrt{4+a})}{2(x-2)}$

$=\displaystyle\lim_{x\to2}\dfrac{\sqrt{2x+a}+\sqrt{4+a}}{2}$

$=\sqrt{4+a}=3$

$\therefore a=5$, $b=-3$

02-1 답 12

|해결 전략| 다항함수 $f(x)$의 차수를 파악한 후 미정계수를 구한다.

$\displaystyle\lim_{x\to\infty}\dfrac{f(x)}{x^2-x-1}=1$에서 $f(x)$는 이차항의 계수가 1인 이차함수임을 알 수 있다.

또, $\displaystyle\lim_{x\to-1}\dfrac{f(x)}{x+1}=4$에서 $\displaystyle\lim_{x\to-1}(x+1)=0$이므로

$\displaystyle\lim_{x\to-1}f(x)=0$ $\quad\therefore f(-1)=0$ $\longrightarrow f(x)$는 $x+1$을 인수로 갖는다.

즉, $f(x)=(x+1)(x+a)$ (a는 상수)로 놓을 수 있으므로

$\displaystyle\lim_{x\to-1}\dfrac{f(x)}{x+1}=\lim_{x\to-1}\dfrac{(x+1)(x+a)}{x+1}$

$\qquad\qquad\qquad=\displaystyle\lim_{x\to-1}(x+a)$

$\qquad\qquad\qquad=-1+a=4$

$\therefore a=5$

따라서 $f(x)=(x+1)(x+5)=x^2+6x+5$이므로

$f(1)=1+6+5=12$

02-2 답 $f(x)=x(x-1)(3x-1)$

|해결 전략| 인수정리를 이용하여 $f(x)$의 인수를 찾은 후 미정계수를 구한다.

$\displaystyle\lim_{x\to0}\dfrac{f(x)}{x}=1$에서 $\displaystyle\lim_{x\to0}x=0$이므로

$\displaystyle\lim_{x\to0}f(x)=0$ $\quad\therefore f(0)=0$ $\longrightarrow f(x)$는 x를 인수로 갖는다.

또, $\displaystyle\lim_{x\to1}\dfrac{f(x)}{x-1}=2$에서 $\displaystyle\lim_{x\to1}(x-1)=0$이므로

$\displaystyle\lim_{x\to1}f(x)=0$ $\quad\therefore f(1)=0$ $\longrightarrow f(x)$는 $x-1$을 인수로 갖는다.

즉, $f(x)=x(x-1)(ax+b)$ (a, b는 상수, $a\neq0$)로 놓을 수 있으므로

$\displaystyle\lim_{x\to0}\dfrac{f(x)}{x}=\lim_{x\to0}\dfrac{x(x-1)(ax+b)}{x}$

$\qquad\qquad\quad=\displaystyle\lim_{x\to0}(x-1)(ax+b)=-b=1$

$\therefore b=-1$

$\displaystyle\lim_{x\to1}\dfrac{f(x)}{x-1}=\lim_{x\to1}\dfrac{x(x-1)(ax-1)}{x-1}$

$\qquad\qquad\quad=\displaystyle\lim_{x\to1}x(ax-1)=a-1=2$

$\therefore a=3$

따라서 $f(x)=x(x-1)(3x-1)$이다.

03-1 답 1

|해결 전략| 주어진 부등식을 변형하여 $\dfrac{f(x)}{x^3+1}$의 범위를 구한다.

모든 양의 실수 x에 대하여 $x^3+1>0$이므로

$x^3-x^2-2x+1<f(x)<x^3+x^2-x+2$의 각 변을 x^3+1로 나누면

$\dfrac{x^3-x^2-2x+1}{x^3+1}<\dfrac{f(x)}{x^3+1}<\dfrac{x^3+x^2-x+2}{x^3+1}$

이때, $\displaystyle\lim_{x\to\infty}\dfrac{x^3-x^2-2x+1}{x^3+1}=\lim_{x\to\infty}\dfrac{x^3+x^2-x+2}{x^3+1}=1$이므로

$\displaystyle\lim_{x\to\infty}\dfrac{f(x)}{x^3+1}=1$

03-2 답 4

|해결 전략| 주어진 부등식을 변형하여 $\dfrac{\{f(x)\}^2}{x^2+x+1}$의 범위를 구한다.

$x>1$인 모든 실수 x에 대하여 $2x-1<f(x)<2x+3$의 각 변은 양수이므로 각 변을 제곱하면

$(2x-1)^2<\{f(x)\}^2<(2x+3)^2$

$x>1$인 모든 실수 x에 대하여 $x^2+x+1>0$이므로 각 변을 x^2+x+1로 나누면

$\dfrac{(2x-1)^2}{x^2+x+1}<\dfrac{\{f(x)\}^2}{x^2+x+1}<\dfrac{(2x+3)^2}{x^2+x+1}$

이때, $\displaystyle\lim_{x\to\infty}\dfrac{(2x-1)^2}{x^2+x+1}=\lim_{x\to\infty}\dfrac{(2x+3)^2}{x^2+x+1}=4$이므로

$\displaystyle\lim_{x\to\infty}\dfrac{\{f(x)\}^2}{x^2+x+1}=4$

STEP 3 유형 드릴 | 33쪽~35쪽 |

1-1 답 2

|해결 전략| 좌극한과 우극한의 뜻을 생각한다.

$x<1$일 때,

$|x-1|=-(x-1)$이므로

$\displaystyle\lim_{x\to1-}\dfrac{|x-1|}{x-1}=\lim_{x\to1-}\dfrac{-(x-1)}{x-1}=-1$

$\therefore a=-1$

$3\leq x<4$일 때,

$[x]=3$이므로

$\displaystyle\lim_{x\to3+}[x]=3$ $\therefore b=3$

$\therefore a+b=-1+3=2$

> **LECTURE**
>
> $[x]$가 x보다 크지 않은 최대의 정수일 때, 정수 n에 대하여
>
> $[x]=\begin{cases} n & (n\leq x<n+1) \Longleftrightarrow \displaystyle\lim_{x\to n+}[x]=n \\ n-1 & (n-1\leq x<n) \Longleftrightarrow \displaystyle\lim_{x\to n-}[x]=n-1 \end{cases}$

1-2 답 -4

|해결 전략| 절댓값 기호 안의 식의 값이 0이 되는 x의 값을 기준으로 범위를 나누어 함수의 식을 구한다.

$x>2$일 때,

$|x-2|=x-2$이므로

$\displaystyle\lim_{x\to2+}\dfrac{|x-2|}{x^2-4}=\lim_{x\to2+}\dfrac{x-2}{(x+2)(x-2)}$

$\qquad\qquad\qquad = \displaystyle\lim_{x\to2+}\dfrac{1}{x+2}=\dfrac14$

$\therefore a=\dfrac14$

$1<x<2$일 때,

$|x^2-3x+2|=-(x^2-3x+2)$이므로

$\displaystyle\lim_{x\to2-}\dfrac{|x^2-3x+2|}{x-2}=\lim_{x\to2-}\dfrac{-(x^2-3x+2)}{x-2}$

$\qquad\qquad\qquad\qquad = \displaystyle\lim_{x\to2-}\left\{-\dfrac{(x-1)(x-2)}{x-2}\right\}$

$\qquad\qquad\qquad\qquad = \displaystyle\lim_{x\to2-}\{-(x-1)\}=-1$

$\therefore b=-1$

$\therefore \dfrac{b}{a}=-4$

2-1 답 -9

|해결 전략| $\displaystyle\lim_{x\to3}f(x)$의 값이 존재하려면 $x=3$에서의 좌극한과 우극한이 서로 같아야 한다.

$\displaystyle\lim_{x\to3-}f(x)=\lim_{x\to3-}(-x^2+x)=-6$

$\displaystyle\lim_{x\to3+}f(x)=\lim_{x\to3+}(x^2-2x+a)=a+3$

$\displaystyle\lim_{x\to3}f(x)$의 값이 존재하려면 $\displaystyle\lim_{x\to3-}f(x)=\lim_{x\to3+}f(x)$이어야 하므로

$-6=a+3$ $\therefore a=-9$

2-2 답 ①

|해결 전략| $\displaystyle\lim_{x\to1}f(x)$의 값이 존재하려면 $x=1$에서의 좌극한과 우극한이 서로 같아야 한다.

$\displaystyle\lim_{x\to1-}f(x)=\lim_{x\to1-}(-x^2+x-2a)=-2a$

$\displaystyle\lim_{x\to1+}f(x)=\lim_{x\to1+}(x^3+x+a+4)=a+6$

$\displaystyle\lim_{x\to1}f(x)$의 값이 존재하려면 $\displaystyle\lim_{x\to1-}f(x)=\lim_{x\to1+}f(x)$이어야 하므로

$-2a=a+6$ $\therefore a=-2$

3-1 답 ①

|해결 전략| $x\longrightarrow2$일 때 $f(x)$의 극한값을 구한 후 $f(x)=t$로 놓고 $g(t)$의 극한값을 구한다.

$x\longrightarrow2$일 때 $f(x)\longrightarrow4$이므로 $f(x)=t$로 놓으면

$\displaystyle\lim_{x\to2}g(f(x))=\lim_{t\to4}g(t)$

$t\longrightarrow4$일 때 $g(t)\longrightarrow0$이므로 $\displaystyle\lim_{t\to4}g(t)=0$

$\therefore \displaystyle\lim_{x\to2}g(f(x))=0$

3-2 답 ⑤

|해결 전략| $x\longrightarrow2-$, $x\longrightarrow3-$일 때 $f(x)$의 극한값을 먼저 구한다.

$x\longrightarrow2-$일 때 $f(x)\longrightarrow2+$이므로

$\displaystyle\lim_{x\to2-}f(f(x))=\lim_{f(x)\to2+}f(x)=3$

$x\longrightarrow3-$일 때 $f(x)=3$이므로

$\displaystyle\lim_{x\to3-}f(f(x))=f(3)=2$

$\therefore \displaystyle\lim_{x\to2-}f(f(x))+\lim_{x\to3-}f(f(x))=3+2=5$

$\displaystyle\lim_{x \to a-} g(f(x))$의 값을 구할 때는 $x \to a-$일 때

❶ $f(x) \to b-$이면 ➡ $\displaystyle\lim_{x \to a-} g(f(x)) = \lim_{f(x) \to b-} g(f(x))$

❷ $f(x) \to b+$이면 ➡ $\displaystyle\lim_{x \to a-} g(f(x)) = \lim_{f(x) \to b+} g(f(x))$

❸ $f(x) = b$이면 ➡ $\displaystyle\lim_{x \to a-} g(f(x)) = g(b)$

4-1 답 $-\dfrac{3}{4}$

|해결 전략| $2f(x)+g(x)=h(x)$로 놓고 $\dfrac{f(x)+2g(x)}{2f(x)-g(x)}$를 $f(x), h(x)$로 나타낸다.

$2f(x)+g(x)=h(x)$로 놓으면 $g(x)=h(x)-2f(x)$이고 $\displaystyle\lim_{x \to 1} h(x)=2$이다.

$$\therefore \lim_{x \to 1} \frac{f(x)+2g(x)}{2f(x)-g(x)} = \lim_{x \to 1} \frac{f(x)+2\{h(x)-2f(x)\}}{2f(x)-\{h(x)-2f(x)\}}$$
$$= \lim_{x \to 1} \frac{-3f(x)+2h(x)}{4f(x)-h(x)}$$
$$= \lim_{x \to 1} \frac{-3+2 \times \dfrac{h(x)}{f(x)}}{4-\dfrac{h(x)}{f(x)}} = -\frac{3}{4}$$

4-2 답 1

|해결 전략| $f(x)-g(x)=h(x)$로 놓고 $\dfrac{f(x)+g(x)}{3f(x)+g(x)}$를 $f(x), h(x)$로 나타낸다.

$f(x)-g(x)=h(x)$로 놓으면 $g(x)=f(x)-h(x)$이고 $\displaystyle\lim_{x \to 2} h(x)=\infty$이다.

$$\therefore \lim_{x \to 2} \frac{f(x)+g(x)}{3f(x)+g(x)} = \lim_{x \to 2} \frac{f(x)+\{f(x)-h(x)\}}{3f(x)+\{f(x)-h(x)\}}$$
$$= \lim_{x \to 2} \frac{2f(x)-h(x)}{4f(x)-h(x)}$$
$$= \lim_{x \to 2} \frac{2 \times \dfrac{f(x)}{h(x)}-1}{4 \times \dfrac{f(x)}{h(x)}-1} = 1$$

5-1 답 $-\dfrac{1}{2}$

|해결 전략| 인수분해하거나 유리화하고 분모, 분자의 공통인수를 약분한다.

$$\lim_{x \to -1} \frac{x^3+x+2}{x^2-1} = \lim_{x \to -1} \frac{(x+1)(x^2-x+2)}{(x+1)(x-1)}$$
$$= \lim_{x \to -1} \frac{x^2-x+2}{x-1} = -2$$

$\therefore a=-2$

$$\lim_{x \to 1} \frac{\sqrt{x+3}-2}{x-1} = \lim_{x \to 1} \frac{(\sqrt{x+3}-2)(\sqrt{x+3}+2)}{(x-1)(\sqrt{x+3}+2)}$$
$$= \lim_{x \to 1} \frac{x-1}{(x-1)(\sqrt{x+3}+2)}$$
$$= \lim_{x \to 1} \frac{1}{\sqrt{x+3}+2} = \frac{1}{4}$$

$\therefore b=\dfrac{1}{4}$

$\therefore ab = -2 \times \dfrac{1}{4} = -\dfrac{1}{2}$

5-2 답 $\dfrac{11}{2}$

|해결 전략| 인수분해하거나 유리화하고 분모, 분자의 공통인수를 약분한다.

$$\lim_{x \to 2} \frac{x^3-x-6}{x^2-4} = \lim_{x \to 2} \frac{(x-2)(x^2+2x+3)}{(x+2)(x-2)}$$
$$= \lim_{x \to 2} \frac{x^2+2x+3}{x+2} = \frac{11}{4}$$

$\therefore a=\dfrac{11}{4}$

$$\lim_{x \to 1} \frac{\sqrt{x^2+x+2}-\sqrt{x+3}}{x-1}$$
$$= \lim_{x \to 1} \frac{(\sqrt{x^2+x+2}-\sqrt{x+3})(\sqrt{x^2+x+2}+\sqrt{x+3})}{(x-1)(\sqrt{x^2+x+2}+\sqrt{x+3})}$$
$$= \lim_{x \to 1} \frac{x^2-1}{(x-1)(\sqrt{x^2+x+2}+\sqrt{x+3})}$$
$$= \lim_{x \to 1} \frac{(x+1)(x-1)}{(x-1)(\sqrt{x^2+x+2}+\sqrt{x+3})}$$
$$= \lim_{x \to 1} \frac{x+1}{\sqrt{x^2+x+2}+\sqrt{x+3}} = \frac{1}{2}$$

$\therefore b=\dfrac{1}{2}$

$\therefore \dfrac{a}{b} = \dfrac{11}{4} \div \dfrac{1}{2} = \dfrac{11}{4} \times 2 = \dfrac{11}{2}$

6-1 답 ①

|해결 전략| 분모, 분자를 분모의 최고차항으로 각각 나눈 후 $\displaystyle\lim_{x \to \infty} \dfrac{c}{x^n}=0$($n$은 자연수, c는 상수)임을 이용한다.

$$\lim_{x \to \infty} \frac{x^2+x-1}{x^3+1} = \lim_{x \to \infty} \frac{\dfrac{1}{x}+\dfrac{1}{x^2}-\dfrac{1}{x^3}}{1+\dfrac{1}{x^3}} = 0$$

$\therefore a=0$

$$\lim_{x \to \infty} \frac{x+1}{\sqrt{x^2+x+1}+x} = \lim_{x \to \infty} \frac{1+\dfrac{1}{x}}{\sqrt{1+\dfrac{1}{x}+\dfrac{1}{x^2}}+1} = \frac{1}{2}$$

$\therefore b=\dfrac{1}{2}$

$x=-t$로 놓으면 $x \to -\infty$일 때 $t \to \infty$이므로

$$\lim_{x \to -\infty} \frac{3x^3+2x^2-1}{x^3+x+1} = \lim_{t \to \infty} \frac{-3t^3+2t^2-1}{-t^3-t+1}$$
$$= \lim_{t \to \infty} \frac{-3+\dfrac{2}{t}-\dfrac{1}{t^3}}{-1-\dfrac{1}{t^2}+\dfrac{1}{t^3}} = 3$$

$\therefore c=3$

$\therefore a < b < c$

LECTURE

$\frac{\infty}{\infty}$ 꼴의 극한에서 분모와 분자의 차수가 같으면 그 극한값은 최고차항의 계수의 비와 같다.

이때, 근호가 포함된 식의 차수는 근호 안의 식의 차수에 $\frac{1}{2}$을 곱한 것으로 생각할 수 있다. 예를 들어, $\sqrt{2x^4+3x^2+4}$에서 근호 안의 식의 차수는 4이므로 $\sqrt{2x^4+3x^2+4}$의 차수는 $4 \times \frac{1}{2} = 2$, 그 계수는 $\sqrt{2}$이다.

이를 이용하면 $\lim\limits_{x \to \infty} \dfrac{x+1}{\sqrt{x^2+x+1}+x} = \dfrac{1}{\sqrt{1}+1} = \dfrac{1}{2}$과 같이 쉽게 구할 수 있다.

6-2 답 5

| 해결 전략 | 분모, 분자를 분모의 최고차항으로 각각 나눈 후 $\lim\limits_{x \to \infty} \dfrac{c}{x^n} = 0$($n$은 자연수, c는 상수)임을 이용한다.

$$\lim_{x \to \infty} \frac{3x^3+2x}{x^3-x-1} = \lim_{x \to \infty} \frac{3+\dfrac{2}{x^2}}{1-\dfrac{1}{x^2}-\dfrac{1}{x^3}} = 3$$

$\therefore a=3$

$x=-t$로 놓으면 $x \longrightarrow -\infty$일 때 $t \longrightarrow \infty$이므로

$$\lim_{x \to -\infty} \frac{\sqrt{x^2+1}}{x+1} = \lim_{t \to \infty} \frac{\sqrt{t^2+1}}{-t+1}$$
$$= \lim_{t \to \infty} \frac{\sqrt{1+\dfrac{1}{t^2}}}{-1+\dfrac{1}{t}} = -1$$

$\therefore b=-1$

$$\lim_{x \to \infty} \frac{3x-1}{\sqrt{x^2+1}+2x} = \lim_{x \to \infty} \frac{3-\dfrac{1}{x}}{\sqrt{1+\dfrac{1}{x^2}}+2} = 1$$

$\therefore c=1$

$\therefore a-b+c = 3-(-1)+1 = 5$

7-1 답 1

| 해결 전략 | 분모를 1로 보고 분자를 유리화한다.

$$\lim_{x \to \infty} (\sqrt{x^2-2x+2}-x)$$
$$= \lim_{x \to \infty} \frac{(\sqrt{x^2-2x+2}-x)(\sqrt{x^2-2x+2}+x)}{\sqrt{x^2-2x+2}+x}$$
$$= \lim_{x \to \infty} \frac{-2x+2}{\sqrt{x^2-2x+2}+x}$$
$$= \lim_{x \to \infty} \frac{-2+\dfrac{2}{x}}{\sqrt{1-\dfrac{2}{x}+\dfrac{2}{x^2}}+1} = -1$$

$\therefore a=-1$

$x=-t$로 놓으면 $x \longrightarrow -\infty$일 때 $t \longrightarrow \infty$이므로

$$\lim_{x \to -\infty} (\sqrt{x^2-4x}+x) = \lim_{t \to \infty} (\sqrt{t^2+4t}-t)$$
$$= \lim_{t \to \infty} \frac{(\sqrt{t^2+4t}-t)(\sqrt{t^2+4t}+t)}{\sqrt{t^2+4t}+t}$$
$$= \lim_{t \to \infty} \frac{4t}{\sqrt{t^2+4t}+t}$$
$$= \lim_{t \to \infty} \frac{4}{\sqrt{1+\dfrac{4}{t}}+1} = 2$$

$\therefore b=2$

$\therefore a+b = -1+2 = 1$

7-2 답 1

| 해결 전략 | $\frac{\infty}{\infty}$ 꼴은 분모, 분자를 분모의 최고차항으로 각각 나누고, 무리식이 있는 $\infty-\infty$ 꼴은 근호가 있는 쪽을 유리화한다.

$x=-t$로 놓으면 $x \longrightarrow -\infty$일 때 $t \longrightarrow \infty$이므로

$$\lim_{x \to -\infty} \frac{\sqrt{x^2-3}+3x}{x-\sqrt{x^2+2x}} = \lim_{t \to \infty} \frac{\sqrt{t^2-3}-3t}{-t-\sqrt{t^2-2t}}$$
$$= \lim_{t \to \infty} \frac{\sqrt{1-\dfrac{3}{t^2}}-3}{-1-\sqrt{1-\dfrac{2}{t}}} = 1$$

$\therefore a=1$

$$\lim_{x \to \infty} (\sqrt{x^2+x}-\sqrt{x^2-x})$$
$$= \lim_{x \to \infty} \frac{(\sqrt{x^2+x}-\sqrt{x^2-x})(\sqrt{x^2+x}+\sqrt{x^2-x})}{\sqrt{x^2+x}+\sqrt{x^2-x}}$$
$$= \lim_{x \to \infty} \frac{2x}{\sqrt{x^2+x}+\sqrt{x^2-x}}$$
$$= \lim_{x \to \infty} \frac{2}{\sqrt{1+\dfrac{1}{x}}+\sqrt{1-\dfrac{1}{x}}} = 1$$

$\therefore b=1$

$\therefore 2a-b = 2 \times 1-1 = 1$

8-1 답 -2

| 해결 전략 | 극한값이 존재하고 (분모) $\longrightarrow 0$이면 (분자) $\longrightarrow 0$임을 이용한다.

$\lim\limits_{x \to 2} \dfrac{x^3+x^2+ax+b+2}{x-2} = 4$에서 $\lim\limits_{x \to 2} (x-2) = 0$이므로

$\lim\limits_{x \to 2} (x^3+x^2+ax+b+2) = 2a+b+14 = 0$

$\therefore b=-2a-14$ ······㉠

㉠을 주어진 등식에 대입하면

$$\lim_{x \to 2} \frac{x^3+x^2+ax-2a-12}{x-2} = \lim_{x \to 2} \frac{(x-2)(x^2+3x+a+6)}{x-2}$$
$$= \lim_{x \to 2} (x^2+3x+a+6)$$
$$= a+16 = 4$$

따라서 $a=-12$, $b=10$이므로

$a+b = -12+10 = -2$

8-2 답 -4

|해결 전략| 0이 아닌 극한값이 존재하고 (분자) $\longrightarrow$ 0이면 (분모) $\longrightarrow$ 0임을 이용한다.

$\lim\limits_{x \to 1} \dfrac{x-1}{ax^2+x+b}=\dfrac{1}{5}$에서 $\dfrac{1}{5} \neq 0$이고

$\lim\limits_{x \to 1}(x-1)=0$이므로

$\lim\limits_{x \to 1}(ax^2+x+b)=a+1+b=0$ $\quad \therefore b=-a-1$ $\quad$……㉠

㉠을 주어진 등식에 대입하면

$$\lim_{x \to 1} \frac{x-1}{ax^2+x-a-1} = \lim_{x \to 1} \frac{x-1}{(x-1)(ax+a+1)}$$
$$= \lim_{x \to 1} \frac{1}{ax+a+1}$$
$$= \frac{1}{2a+1} = \frac{1}{5}$$

따라서 $a=2$, $b=-3$이므로

$$\lim_{x \to -1} \frac{x^2-ax+b}{x+1} = \lim_{x \to -1} \frac{x^2-2x-3}{x+1}$$
$$= \lim_{x \to -1} \frac{(x+1)(x-3)}{x+1}$$
$$= \lim_{x \to -1} (x-3)$$
$$= -4$$

9-1 답 2

|해결 전략| 다항함수 $f(x)$, $g(x)$에 대하여 $\lim\limits_{x \to \infty} \dfrac{g(x)}{f(x)}=L$ ($L \neq 0$인 실수)이면 $f(x)$, $g(x)$의 차수가 같음을 이용한다.

$\lim\limits_{x \to \infty} \dfrac{x^2+x+2}{f(x)}=1$에서 다항함수 $f(x)$는 이차항의 계수가 1인 이차함수임을 알 수 있다.

또, $\lim\limits_{x \to 2} \dfrac{f(x)}{x-2}=-1$에서 $\lim\limits_{x \to 2}(x-2)=0$이므로

$\lim\limits_{x \to 2}f(x)=0$ $\quad \therefore f(2)=0$

즉, $f(x)=(x-2)(x+a)$ (a는 상수)로 놓을 수 있으므로

$$\lim_{x \to 2} \frac{f(x)}{x-2} = \lim_{x \to 2} \frac{(x-2)(x+a)}{x-2}$$
$$= \lim_{x \to 2}(x+a)$$
$$= 2+a = -1$$

$\therefore a=-3$

따라서 $f(x)=(x-2)(x-3)=x^2-5x+6$이므로

$f(1)=1-5+6=2$

9-2 답 4

|해결 전략| 먼저 함수의 극한의 대소 관계를 이용하여 다항함수 $f(x)$의 차수와 최고차항의 계수를 구한다.

모든 양의 실수 x에 대하여 $x^2>0$이므로

$x^2-2x-2<f(x)<x^2+x-1$의 각 변을 x^2으로 나누면

$$1-\frac{2}{x}-\frac{2}{x^2} < \frac{f(x)}{x^2} < 1+\frac{1}{x}-\frac{1}{x^2}$$

이때, $\lim\limits_{x \to \infty}\left(1-\dfrac{2}{x}-\dfrac{2}{x^2}\right)=\lim\limits_{x \to \infty}\left(1+\dfrac{1}{x}-\dfrac{1}{x^2}\right)=1$이므로

$$\lim_{x \to \infty} \frac{f(x)}{x^2}=1$$

따라서 다항함수 $f(x)$는 이차항의 계수가 1인 이차함수임을 알 수 있다.

또, $\lim\limits_{x \to 1} \dfrac{f(x)}{x-1}=3$에서 $\lim\limits_{x \to 1}(x-1)=0$이므로

$\lim\limits_{x \to 1}f(x)=0$ $\quad \therefore f(1)=0$

즉, $f(x)=(x-1)(x+a)$ (a는 상수)로 놓을 수 있으므로

$$\lim_{x \to 1} \frac{f(x)}{x-1} = \lim_{x \to 1} \frac{(x-1)(x+a)}{x-1}$$
$$= \lim_{x \to 1}(x+a)$$
$$= 1+a = 3$$

$\therefore a=2$

따라서 $f(x)=(x-1)(x+2)=x^2+x-2$이므로

$f(2)=4+2-2=4$

10-1 답 ②

|해결 전략| $\overline{AP}^2$, $\overline{AQ}^2$을 a에 대한 식으로 나타낸다.

점 $P(a, a+2)$를 지나고 직선 $y=x+2$에 수직인 직선의 방정식은

$y=-(x-a)+a+2=-x+2a+2$

이므로 점 Q의 좌표는 $(0, 2a+2)$

이때,

$\overline{AP}^2=\{a-(-2)\}^2+\{(a+2)-0\}^2=2a^2+8a+8$,

$\overline{AQ}^2=\{0-(-2)\}^2+\{(2a+2)-0\}^2=4a^2+8a+8$

이므로

$$\lim_{a \to \infty} \frac{\overline{AQ}^2}{\overline{AP}^2} = \lim_{a \to \infty} \frac{4a^2+8a+8}{2a^2+8a+8}$$
$$= \lim_{a \to \infty} \frac{4+\dfrac{8}{a}+\dfrac{8}{a^2}}{2+\dfrac{8}{a}+\dfrac{8}{a^2}}$$
$$= 2$$

10-2 답 ④

|해결 전략| $\overline{PA}$, $\overline{PH}$를 t에 대한 식으로 나타낸다.

점 H의 좌표는 $(0, \sqrt{t}\,)$이므로

$\overline{PA}=\sqrt{(t-2)^2+(\sqrt{t}-0)^2}=\sqrt{t^2-3t+4}$, $\overline{PH}=t$

$\therefore \lim\limits_{t \to \infty}(\overline{PA}-\overline{PH})$

$$= \lim_{t \to \infty}(\sqrt{t^2-3t+4}-t)$$
$$= \lim_{t \to \infty} \frac{(\sqrt{t^2-3t+4}-t)(\sqrt{t^2-3t+4}+t)}{\sqrt{t^2-3t+4}+t}$$
$$= \lim_{t \to \infty} \frac{-3t+4}{\sqrt{t^2-3t+4}+t}$$
$$= \lim_{t \to \infty} \frac{-3+\dfrac{4}{t}}{\sqrt{1-\dfrac{3}{t}+\dfrac{4}{t^2}}+1} = -\frac{3}{2}$$

2 | 함수의 연속

1 함수의 연속

1 $\lim\limits_{x \to 2} f(x)$의 값이 존재하지 않는다.

2 (1) $(-\infty, \infty)$ (2) $\left[\dfrac{3}{2}, \infty\right)$

3 (1) $(-\infty, \infty)$ (2) $(-\infty, -1), (-1, \infty)$

---

1 $\lim\limits_{x \to 2-} f(x) = 1$, $\lim\limits_{x \to 2+} f(x) = 2$이므로

$\lim\limits_{x \to 2-} f(x) \neq \lim\limits_{x \to 2+} f(x)$

따라서 $\lim\limits_{x \to 2} f(x)$의 값이 존재하지 않으므로 함수 $f(x)$는 $x=2$에서 불연속이다.

2 (1) 함수 $f(x) = x^2 - 1$의 정의역은 실수 전체의 집합이므로 $(-\infty, \infty)$이다.

(2) 함수 $f(x) = \sqrt{2x-3}$의 정의역은 $2x-3 \geq 0$, 즉 $x \geq \dfrac{3}{2}$인 실수의 집합이므로 $\left[\dfrac{3}{2}, \infty\right)$이다.

3 (1) 함수 $f(x) = 2x+1$은 모든 실수 x에서 연속이므로 함수 $f(x)$가 연속인 구간은 $(-\infty, \infty)$이다.

(2) 함수 $f(x) = \dfrac{x}{x+1}$는 $x+1 \neq 0$, 즉 $x \neq -1$인 모든 실수 x에서 연속이므로 함수 $f(x)$가 연속인 구간은 $(-\infty, -1)$, $(-1, \infty)$이다.

STEP 1 개념 드릴 | 42쪽 |

1-1 (1) 3, 3, 연속   (2) 1, 2, 불연속
2-1 (1) $(-\infty, \infty)$ (2) 0, 3, $(-\infty, 3]$

1-2 답 (1) 연속   (2) 불연속   (3) 연속   (4) 불연속

(1) $f(1) = 0$, $\lim\limits_{x \to 1} f(x) = 0$이고 $\lim\limits_{x \to 1} f(x) = f(1)$이므로 함수 $f(x)$는 $x=1$에서 연속이다.

(2) $x=1$에서의 함숫값 $f(1)$이 정의되어 있지 않으므로 함수 $f(x)$는 $x=1$에서 불연속이다.

(3) $f(1) = \sqrt{2}$, $\lim\limits_{x \to 1} f(x) = \sqrt{2}$이고 $\lim\limits_{x \to 1} f(x) = f(1)$이므로 함수 $f(x)$는 $x=1$에서 연속이다.

(4) $f(1) = 1$, $\lim\limits_{x \to 1} f(x) = \lim\limits_{x \to 1} (x-2) = -1$

따라서 $\lim\limits_{x \to 1} f(x) \neq f(1)$이므로 함수 $f(x)$는 $x=1$에서 불연속이다.

2-2 답 (1) $(-\infty, \infty)$ (2) $(-\infty, -3), (-3, \infty)$
        (3) $[-4, \infty)$ (4) $(-\infty, \infty)$

(1) 함수 $f(x) = 2$는 모든 실수 x에서 연속이므로 함수 $f(x)$가 연속인 구간은 $(-\infty, \infty)$이다.

(2) 함수 $f(x) = \dfrac{2x+1}{x+3}$은 $x+3 \neq 0$, 즉 $x \neq -3$인 모든 실수 x에서 연속이므로 함수 $f(x)$가 연속인 구간은 $(-\infty, -3)$, $(-3, \infty)$이다.

(3) 함수 $f(x) = \sqrt{x+4}$는 $x+4 \geq 0$, 즉 $x \geq -4$인 모든 실수 x에서 연속이므로 함수 $f(x)$가 연속인 구간은 $[-4, \infty)$이다.

(4) 함수 $f(x) = |x|$는 모든 실수 x에서 연속이므로 함수 $f(x)$가 연속인 구간은 $(-\infty, \infty)$이다.

STEP 2 필수 유형 |43쪽~45쪽|

01-1 답 (1) 불연속   (2) 불연속   (3) 연속   (4) 불연속

|해결 전략| 함수가 연속이 되는 조건을 모두 만족시키는지 조사한다.

(1) $x=-1$에서의 함숫값은 $f(-1) = 2$

$$\lim\limits_{x \to -1} f(x) = \lim\limits_{x \to -1} \dfrac{x^2+3x+2}{x+1}$$
$$= \lim\limits_{x \to -1} \dfrac{(x+2)(x+1)}{x+1}$$
$$= \lim\limits_{x \to -1} (x+2) = 1$$

따라서 $\lim\limits_{x \to -1} f(x) \neq f(-1)$이므로 함수 $f(x)$는 $x=-1$에서 불연속이다.

(2) $x=-1$에서의 함숫값은 $f(-1) = -1$

$$\lim\limits_{x \to -1-} f(x) = \lim\limits_{x \to -1-} \dfrac{x^2+x}{|x+1|}$$
$$= \lim\limits_{x \to -1-} \dfrac{x(x+1)}{-(x+1)}$$
$$= \lim\limits_{x \to -1-} (-x) = 1$$

$$\lim\limits_{x \to -1+} f(x) = \lim\limits_{x \to -1+} \dfrac{x^2+x}{|x+1|}$$
$$= \lim\limits_{x \to -1+} \dfrac{x(x+1)}{x+1}$$
$$= \lim\limits_{x \to -1+} x = -1$$

따라서 $\lim\limits_{x \to -1-} f(x) \neq \lim\limits_{x \to -1+} f(x)$이므로 함수 $f(x)$는 $x=-1$에서 불연속이다.

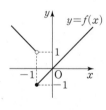

(3) $x=-1$에서의 함숫값은 $f(-1)=0$

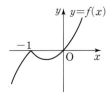

$$\lim_{x\to-1-}f(x)=\lim_{x\to-1-}x|x+1|$$
$$=\lim_{x\to-1-}\{-x(x+1)\}$$
$$=0$$
$$\lim_{x\to-1+}f(x)=\lim_{x\to-1+}x|x+1|$$
$$=\lim_{x\to-1+}x(x+1)$$
$$=0$$
$$\therefore\lim_{x\to-1}f(x)=0$$

따라서 $\lim_{x\to-1}f(x)=f(-1)$이므로 함수 $f(x)$는 $x=-1$에서 연속이다.

(4) $x=-1$에서의 함숫값은 $f(-1)=-3$

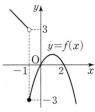

$$\lim_{x\to-1-}f(x)=\lim_{x\to-1-}(-x+2)$$
$$=3$$
$$\lim_{x\to-1+}f(x)=\lim_{x\to-1+}(-x^2+2x)$$
$$=-3$$

따라서 $\lim_{x\to-1-}f(x)\neq\lim_{x\to-1+}f(x)$이므로 함수 $f(x)$는 $x=-1$에서 불연속이다.

02-1 답 $a=1, b=3$

|해결 전략| 함수 $y=f(x)$의 그래프가 끊어져 있는 점의 x의 값에서 $f(x)$가 연속인지 불연속인지 조사한다.

(i) $x=-1$에서의 함숫값은 $f(-1)=2$

$\lim_{x\to-1-}f(x)=1$, $\lim_{x\to-1+}f(x)=1$이므로

$\lim_{x\to-1}f(x)=1$

따라서 $\lim_{x\to-1}f(x)\neq f(-1)$이므로 $f(x)$는 $x=-1$에서 불연속이다.

(ii) $\lim_{x\to0-}f(x)=1$, $\lim_{x\to0+}f(x)=-1$이므로

$\lim_{x\to0-}f(x)\neq\lim_{x\to0+}f(x)$

따라서 $\lim_{x\to0}f(x)$의 값이 존재하지 않으므로 $f(x)$는 $x=0$에서 불연속이다.

(iii) $x=1$에서의 함숫값은 $f(1)=-1$

$\lim_{x\to1-}f(x)=-2$, $\lim_{x\to1+}f(x)=-2$이므로

$\lim_{x\to1}f(x)=-2$

따라서 $\lim_{x\to1}f(x)\neq f(1)$이므로 $f(x)$는 $x=1$에서 불연속이다.

(i), (ii), (iii)에서 극한값이 존재하지 않는 x의 값은 $x=0$이고, 불연속이 되는 x의 값은 $x=-1$, $x=0$, $x=1$이므로

$a=1, b=3$

03-1 답 $a=5, b=-3$

|해결 전략| 함수 $f(x)$가 $x=-2$에서 연속이면 $\lim_{x\to-2}f(x)=f(-2)$임을 이용한다.

함수 $f(x)$가 $x=-2$에서 연속이므로

$\lim_{x\to-2}f(x)=f(-2)$ $\therefore\lim_{x\to-2}\dfrac{2x^2+ax+2}{x+2}=b$ ……㉠

㉠에서 $\lim_{x\to-2}(x+2)=0$이므로

$$\lim_{x\to-2}(2x^2+ax+2)=8-2a+2=0$$

$\therefore a=5$

$a=5$를 ㉠에 대입하면

$$\lim_{x\to-2}\dfrac{2x^2+5x+2}{x+2}=\lim_{x\to-2}\dfrac{(x+2)(2x+1)}{x+2}$$
$$=\lim_{x\to-2}(2x+1)=-3$$

$\therefore b=-3$

03-2 답 $a=2, b=-2$

|해결 전략| 함수 $f(x)$가 $x=2$에서 연속이면 $\lim_{x\to2}f(x)=f(2)$임을 이용한다.

함수 $f(x)$가 $x=2$에서 연속이므로

$\lim_{x\to2}f(x)=f(2)$ $\therefore\lim_{x\to2}\dfrac{a\sqrt{x-1}+b}{x-2}=1$ ……㉠

㉠에서 $\lim_{x\to2}(x-2)=0$이므로

$$\lim_{x\to2}(a\sqrt{x-1}+b)=a+b=0$$

$\therefore b=-a$ ……㉡

㉡을 ㉠에 대입하면

$$\lim_{x\to2}\dfrac{a\sqrt{x-1}-a}{x-2}=\lim_{x\to2}\dfrac{a(\sqrt{x-1}-1)}{x-2}$$
$$=\lim_{x\to2}\dfrac{a(\sqrt{x-1}-1)(\sqrt{x-1}+1)}{(x-2)(\sqrt{x-1}+1)}$$
$$=\lim_{x\to2}\dfrac{a(x-2)}{(x-2)(\sqrt{x-1}+1)}$$
$$=\lim_{x\to2}\dfrac{a}{\sqrt{x-1}+1}$$
$$=\dfrac{a}{2}=1$$

$\therefore a=2, b=-2$

2 연속함수의 성질

1 (1) $(-\infty, \infty)$ (2) $(-\infty, \infty)$

(3) $(-\infty, 1), (1, \infty)$ (4) $(-\infty, -1), (-1, 1), (1, \infty)$

2 (1) 최댓값: 2, 최솟값: 없다. (2) 최댓값: 3, 최솟값: 2

3 ⑺ 연속 ⑷ 사잇값의 정리

1 (1) 함수 $f(x)=2x^2-2x-1$은 다항함수이므로 모든 실수 x에서 연속이다.

따라서 연속인 구간은 $(-\infty, \infty)$이다.

(2) 함수 $f(x)=(x+3)(3x+4)$는 다항함수이므로 모든 실수 x에서 연속이다.

따라서 연속인 구간은 $(-\infty, \infty)$이다.

(3) 함수 $f(x)=\dfrac{x+1}{x-1}$ 은 유리함수이므로 $x-1\neq0$, 즉 $x\neq1$인

모든 실수 x에서 연속이다.

따라서 연속인 구간은 $(-\infty,1)$, $(1,\infty)$이다.

(4) 함수 $f(x)=\dfrac{x}{x^2-1}$ 는 유리함수이므로 $x^2-1\neq0$, 즉 $x\neq-1$

이고 $x\neq1$인 모든 실수 x에서 연속이다.

따라서 연속인 구간은 $(-\infty,-1)$, $(-1,1)$, $(1,\infty)$이다.

2 (1) $x=2$일 때 최댓값 2를 갖고, 최솟값은 없다.

(2) $x=3$일 때 최댓값 3, $x=2$일 때 최솟값 2를 갖는다.

STEP ① 개념 드릴 ──────── | 49쪽 |

개념 check

1-1 (1) 연속, 3, -1 (2) 연속, 2, $\dfrac{2}{3}$

2-1 -1, 17

스스로 check

1-2 🖹 (1) 최댓값: 0, 최솟값: -3 (2) 최댓값: $\dfrac{1}{4}$, 최솟값: -2

(3) 최댓값: 1, 최솟값: $\dfrac{1}{2}$ (4) 최댓값: 2, 최솟값: 1

(1) 함수 $f(x)=-3x$는 닫힌구간 $[0,1]$에서

연속이고, 닫힌구간 $[0,1]$에서 $y=f(x)$

의 그래프는 오른쪽 그림과 같다.

따라서 함수 $f(x)$는 주어진 구간에서

$x=0$일 때 최댓값 0, $x=1$일 때 최솟값

-3을 갖는다.

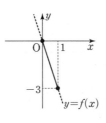

(2) 함수 $f(x)=-x^2+x$는 닫힌구간

$[-1,1]$에서 연속이고, 닫힌구간

$[-1,1]$에서 $y=f(x)$의 그래프는 오

른쪽 그림과 같다.

따라서 함수 $f(x)$는 주어진 구간에서

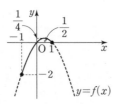

$x=\dfrac{1}{2}$일 때 최댓값 $\dfrac{1}{4}$, $x=-1$일 때 최솟값 -2를 갖는다.

(3) 함수 $f(x)=\dfrac{1}{x-1}$ 은 닫힌구간 $[2,3]$

에서 연속이고, 닫힌구간 $[2,3]$에서

$y=f(x)$의 그래프는 오른쪽 그림과

같다.

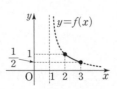

따라서 함수 $f(x)$는 주어진 구간에서 $x=2$일 때 최댓값 1, $x=3$

일 때 최솟값 $\dfrac{1}{2}$을 갖는다.

---

(4) 함수 $f(x)=\sqrt{x+1}$은 닫힌구간 $[0,3]$

에서 연속이고, 닫힌구간 $[0,3]$에서

$y=f(x)$의 그래프는 오른쪽 그림과 같

다.

따라서 함수 $f(x)$는 주어진 구간에서

$x=3$일 때 최댓값 2, $x=0$일 때 최솟값 1을 갖는다.

2-2 🖹 풀이 참조

$f(x)=x^2-3x+1$이라 하면 함수 $f(x)$는 닫힌구간 $[1,3]$에서 연속

이고

$f(1)=-1<0, f(3)=1>0$

이므로 사잇값의 정리에 의하여 $f(c)=0$인 c가 열린구간 $(1,3)$에

적어도 하나 존재한다.

즉, 방정식 $x^2-3x+1=0$은 열린구간 $(1,3)$에서 적어도 하나의 실

근을 갖는다.

STEP ② 필수 유형 ──────── | 50쪽~52쪽 |

01-1 🖹 ㄱ, ㄴ, ㄷ, ㄹ

|해결 전략| 다항함수는 모든 실수에서 연속이고, 유리함수는 (분모)$\neq0$인 모든

실수에서 연속이다.

ㄱ. $2f(x)-g(x)=2(x^2+1)-(x^2-2x)=x^2+2x+2$

즉, 함수 $2f(x)-g(x)$는 다항함수이므로 모든 실수 x에서 연속

이다.

ㄴ. 함수 $\dfrac{g(x)}{f(x)}=\dfrac{x^2-2x}{x^2+1}$ 는 유리함수이고 모든 실수 x에 대하여

$x^2+1\neq0$이므로 모든 실수 x에서 연속이다.

ㄷ. $\{f(x)\}^2=(x^2+1)^2=x^4+2x^2+1$

즉, 함수 $\{f(x)\}^2$은 다항함수이므로 모든 실수 x에서 연속이다.

ㄹ. $f(g(x))=(x^2-2x)^2+1=x^4-4x^3+4x^2+1$

즉, 함수 $f(g(x))$는 다항함수이므로 모든 실수 x에서 연속이다.

따라서 모든 실수 x에서 연속함수인 것은 ㄱ, ㄴ, ㄷ, ㄹ이다.

02-1 🖹 (1) 최댓값: 5, 최솟값: -4 (2) 최댓값: 2, 최솟값: 1

(3) 최댓값: 4, 최솟값: 0   (4) 최댓값: 4, 최솟값: 1

|해결 전략| 함수 $f(x)$의 그래프를 그린 후 최댓값과 최솟값을 구한다.

(1) 함수 $f(x)=x^2+2x-3$은 닫힌구간

$[-1,2]$에서 연속이고, 닫힌구간

$[-1,2]$에서 $y=f(x)$의 그래프는 오른

쪽 그림과 같다.

따라서 $x=2$일 때 최댓값 5, $x=-1$일 때

최솟값 -4를 갖는다.

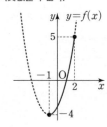

(2) 함수 $f(x)=\sqrt{4-x}$는 닫힌구간 $[0, 3]$에서 연속이고, 닫힌구간 $[0, 3]$에서 $y=f(x)$의 그래프는 오른쪽 그림과 같다.

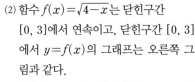

따라서 $x=0$일 때 최댓값 2, $x=3$일 때 최솟값 1을 갖는다.

(3) 함수 $f(x)=\dfrac{5}{x+2}-1$은 닫힌구간 $[-1, 3]$에서 연속이고, 닫힌구간 $[-1, 3]$에서 $y=f(x)$의 그래프는 오른쪽 그림과 같다.

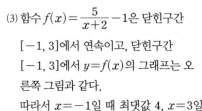

따라서 $x=-1$일 때 최댓값 4, $x=3$일 때 최솟값 0을 갖는다.

(4) 함수 $f(x)=|x|+1$은 닫힌구간 $[-3, 1]$에서 연속이고, 닫힌구간 $[-3, 1]$에서 $y=f(x)$의 그래프는 오른쪽 그림과 같다.

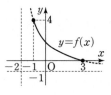

따라서 $x=-3$일 때 최댓값 4, $x=0$일 때 최솟값 1을 갖는다.

03-1 📖 풀이 참조

|해결 전략| 함수 $f(x)$가 닫힌구간 $[a, b]$에서 연속이고 $f(a)f(b)<0$임을 보인다.

(1) $f(x)=x^3-2x-6$이라 하면 함수 $f(x)$는 닫힌구간 $[0, 3]$에서 연속이고
$f(0)=-6<0, f(3)=15>0$
이므로 사잇값의 정리에 의하여 $f(c)=0$인 c가 열린구간 $(0, 3)$에 적어도 하나 존재한다.
즉, 방정식 $x^3-2x-6=0$은 열린구간 $(0, 3)$에서 적어도 하나의 실근을 갖는다.

(2) $f(x)=x^4+2x^2-5$라 하면 함수 $f(x)$는 닫힌구간 $[-1, 2]$에서 연속이고
$f(-1)=-2<0, f(2)=19>0$
이므로 사잇값의 정리에 의하여 $f(c)=0$인 c가 열린구간 $(-1, 2)$에 적어도 하나 존재한다.
즉, 방정식 $x^4+2x^2-5=0$은 열린구간 $(-1, 2)$에서 적어도 하나의 실근을 갖는다.

03-2 📖 3개

|해결 전략| 사잇값의 정리를 이용한다.
함수 $f(x)$는 연속함수이고
$f(0)f(1)<0, f(1)f(2)<0, f(2)f(3)<0$
이므로 사잇값의 정리에 의하여 방정식 $f(x)=0$은 열린구간 $(0, 1)$, $(1, 2)$, $(2, 3)$에서 각각 적어도 하나의 실근을 갖는다.
따라서 방정식 $f(x)=0$은 열린구간 $(0, 3)$에서 적어도 3개의 실근을 갖는다.

1-1 📖 2

|해결 전략| 함수 $f(x)$가 $x=a$에서 연속이려면 $\displaystyle\lim_{x\to a-}f(x)=\lim_{x\to a+}f(x)=f(a)$ 이어야 함을 이용한다.

$f(a)=2a$이고,
$\displaystyle\lim_{x\to a-}f(x)=\lim_{x\to a-}(x^2-3)=a^2-3$
$\displaystyle\lim_{x\to a+}f(x)=\lim_{x\to a+}2x=2a$
함수 $f(x)$가 $x=a$에서 연속이려면 $\displaystyle\lim_{x\to a-}f(x)=\lim_{x\to a+}f(x)=f(a)$ 이어야 하므로
$a^2-3=2a, a^2-2a-3=0$
$(a+1)(a-3)=0$ $\therefore a=-1$ 또는 $a=3$
따라서 모든 a의 값의 합은
$-1+3=2$

1-2 📖 3

|해결 전략| 함수 $f(x)$가 $x=1$에서 연속이려면 $\displaystyle\lim_{x\to 1}f(x)=f(1)$이어야 함을 이용한다.

함수 $f(x)$가 $x=1$에서 연속이려면 $\displaystyle\lim_{x\to 1}f(x)=f(1)$이어야 하므로
$f(1)=\displaystyle\lim_{x\to 1}\dfrac{x^3-1}{x-1}$ ← $\dfrac{0}{0}$ 꼴의 극한
$=\displaystyle\lim_{x\to 1}\dfrac{(x-1)(x^2+x+1)}{x-1}$
$=\displaystyle\lim_{x\to 1}(x^2+x+1)=3$

2-1 📖 7

|해결 전략| 함수 $y=f(x)$의 그래프가 끊어져 있는 점의 x의 값에서 $f(x)$의 극한값을 조사한다.

(i) $\displaystyle\lim_{x\to -1-}f(x)=2, \lim_{x\to -1+}f(x)=0$이므로
$\displaystyle\lim_{x\to -1-}f(x)\neq\lim_{x\to -1+}f(x)$
따라서 $\displaystyle\lim_{x\to -1}f(x)$의 값이 존재하지 않으므로 $f(x)$는 $x=-1$에서 불연속이다.

(ii) $\displaystyle\lim_{x\to 0-}f(x)=-1, \lim_{x\to 0+}f(x)=1$이므로
$\displaystyle\lim_{x\to 0-}f(x)\neq\lim_{x\to 0+}f(x)$
따라서 $\displaystyle\lim_{x\to 0}f(x)$의 값이 존재하지 않으므로 $f(x)$는 $x=0$에서 불연속이다.

(iii) $\displaystyle\lim_{x\to 1-}f(x)=0, \lim_{x\to 1+}f(x)=-1$이므로
$\displaystyle\lim_{x\to 1-}f(x)\neq\lim_{x\to 1+}f(x)$
따라서 $\displaystyle\lim_{x\to 1}f(x)$의 값이 존재하지 않으므로 $f(x)$는 $x=1$에서 불연속이다.

(iv) $x=2$에서의 함숫값은 $f(2)=-2$

$\lim\limits_{x \to 2-} f(x)=-1$, $\lim\limits_{x \to 2+} f(x)=-1$이므로

$\lim\limits_{x \to 2} f(x)=-1$

따라서 $\lim\limits_{x \to 2} f(x) \neq f(2)$이므로 $f(x)$는 $x=2$에서 불연속이다.

(i)~(iv)에서 극한값이 존재하지 않는 x의 값은 $x=-1$, $x=0$, $x=1$

이고, 불연속이 되는 x의 값은 $x=-1$, $x=0$, $x=1$, $x=2$이므로

$a=3$, $b=4$

$\therefore a+b=7$

2-2 답 ㄴ, ㄷ

|해결 전략| 함수 $y=f(x)$의 그래프가 $x=a$에서 끊어져 있으면 $f(x)$는 $x=a$에서 불연속이다.

ㄱ. $\lim\limits_{x \to -1-} f(x)=2$, $\lim\limits_{x \to -1+} f(x)=1$이므로

$\lim\limits_{x \to -1-} f(x) \neq \lim\limits_{x \to -1+} f(x)$

즉, $\lim\limits_{x \to -1} f(x)$의 값이 존재하지 않는다.

ㄴ, ㄷ. (i) ㄱ에서 $\lim\limits_{x \to -1} f(x)$의 값이 존재하지 않으므로 $f(x)$는

$x=-1$에서 불연속이다.

(ii) $\lim\limits_{x \to 0-} f(x)=1$, $\lim\limits_{x \to 0+} f(x)=0$이므로

$\lim\limits_{x \to 0-} f(x) \neq \lim\limits_{x \to 0+} f(x)$

따라서 $\lim\limits_{x \to 0} f(x)$의 값이 존재하지 않으므로 $f(x)$는 $x=0$에서 불연속이다.

(iii) $x=1$에서의 함숫값은 $f(1)=0$

$\lim\limits_{x \to 1-} f(x)=-1$, $\lim\limits_{x \to 1+} f(x)=-1$이므로

$\lim\limits_{x \to 1} f(x)=-1$

따라서 $\lim\limits_{x \to 1} f(x) \neq f(1)$이므로 $f(x)$는 $x=1$에서 불연속이다.

(i), (ii), (iii)에서 극한값이 존재하지 않는 x의 값의 개수는

$x=-1$, $x=0$의 2이고, 불연속이 되는 x의 값의 개수는

$x=-1$, $x=0$, $x=1$의 3이다.

따라서 옳은 것은 ㄴ, ㄷ이다.

3-1 답 ㄱ

|해결 전략| 두 함수 $f(x)$, $g(x)$에 대하여 합성함수 $f(g(x))$가 $x=a$에서 연속이려면 $\lim\limits_{x \to a-} f(g(x))=\lim\limits_{x \to a+} f(g(x))=f(g(a))$이어야 한다.

ㄱ. $\lim\limits_{x \to 1-} f(g(x))=\lim\limits_{g \to 1-} f(g(x))=-1$

ㄴ. $\lim\limits_{x \to 1-} f(x)g(x)=-1 \times 1=-1$

$\lim\limits_{x \to 1+} f(x)g(x)=0 \times 0=0$

$\therefore \lim\limits_{x \to 1-} f(x)g(x) \neq \lim\limits_{x \to 1+} f(x)g(x)$

따라서 $\lim\limits_{x \to 1} f(x)g(x)$의 값이 존재하지 않으므로 함수 $f(x)g(x)$는 $x=1$에서 불연속이다.

ㄷ. $\lim\limits_{x \to -1-} g(f(x))=g(0)=0$

$\lim\limits_{x \to -1+} g(f(x))=g(-1)=0$

$\therefore \lim\limits_{x \to -1} g(f(x))=0$

이때, $g(f(-1))=g(-1)=0$이므로

$\lim\limits_{x \to -1} g(f(x))=g(f(-1))$

즉, 함수 $g(f(x))$는 $x=-1$에서 연속이다.

따라서 옳은 것은 ㄱ이다.

3-2 답 ㄴ, ㄷ

|해결 전략| $x=0$에서의 좌극한과 우극한이 같은지 조사한 후 함숫값과 비교한다.

ㄱ. $\lim\limits_{x \to 0-} \{f(x)+g(x)\}=-1+0=-1$

$\lim\limits_{x \to 0+} \{f(x)+g(x)\}=1+0=1$

$\therefore \lim\limits_{x \to 0-} \{f(x)+g(x)\} \neq \lim\limits_{x \to 0+} \{f(x)+g(x)\}$

따라서 $\lim\limits_{x \to 0} \{f(x)+g(x)\}$의 값이 존재하지 않으므로 함수 $f(x)+g(x)$는 $x=0$에서 불연속이다.

ㄴ. $\lim\limits_{x \to 0-} f(x)g(x)=-1 \times 0=0$

$\lim\limits_{x \to 0+} f(x)g(x)=1 \times 0=0$

$\therefore \lim\limits_{x \to 0} f(x)g(x)=0$

이때, $f(0)g(0)=0 \times 0=0$이므로

$\lim\limits_{x \to 0} f(x)g(x)=f(0)g(0)$

즉, 함수 $f(x)g(x)$는 $x=0$에서 연속이다.

ㄷ. $\lim\limits_{x \to 0-} g(f(x))=g(-1)=0$

$\lim\limits_{x \to 0+} g(f(x))=g(1)=0$

$\therefore \lim\limits_{x \to 0} g(f(x))=0$

이때, $g(f(0))=g(0)=0$이므로

$\lim\limits_{x \to 0} g(f(x))=g(f(0))$

즉, 함수 $g(f(x))$는 $x=0$에서 연속이다.

따라서 $x=0$에서 연속함수인 것은 ㄴ, ㄷ이다.

4-1 답 $\dfrac{5}{2}$

|해결 전략| $\lim\limits_{x \to 2-} f(x)g(x)=\lim\limits_{x \to 2+} f(x)g(x)=f(2)g(2)$를 만족시키는 a의 값을 구한다.

함수 $f(x)g(x)$가 $x=2$에서 연속이려면

$\lim\limits_{x \to 2-} f(x)g(x)=\lim\limits_{x \to 2+} f(x)g(x)=f(2)g(2)$이어야 한다. 이때,

$\lim\limits_{x \to 2-} f(x)g(x)=\lim\limits_{x \to 2-}(-x^2+1)(x^2-ax+1)=-3(5-2a)$

$\lim\limits_{x \to 2+} f(x)g(x)=\lim\limits_{x \to 2+}(-x+1)(x^2-ax+1)=-(5-2a)$

$f(2)g(2)=-(5-2a)$

이므로

$$-3(5-2a)=-(5-2a)$$

$$\therefore a=\frac{5}{2}$$

4-2 답 $-\dfrac{1}{2}$

|해결 전략| $\lim\limits_{x\to 1-}\dfrac{g(x)}{f(x)}=\lim\limits_{x\to 1+}\dfrac{g(x)}{f(x)}=\dfrac{g(1)}{f(1)}$ 을 만족시키는 a의 값을 구한다.

함수 $\dfrac{g(x)}{f(x)}$가 $x=1$에서 연속이려면

$\lim\limits_{x\to 1-}\dfrac{g(x)}{f(x)}=\lim\limits_{x\to 1+}\dfrac{g(x)}{f(x)}=\dfrac{g(1)}{f(1)}$ 이어야 한다. 이때,

$\lim\limits_{x\to 1-}\dfrac{g(x)}{f(x)}=\lim\limits_{x\to 1-}(-x+a)=-1+a$

$\lim\limits_{x\to 1+}\dfrac{g(x)}{f(x)}=\lim\limits_{x\to 1+}(-2x-a)=-2-a$

$\dfrac{g(1)}{f(1)}=-2-a$

이므로

$$-1+a=-2-a$$

$$\therefore a=-\frac{1}{2}$$

5-1 답 2

|해결 전략| 함수 $f(x)$가 모든 실수에서 연속이면 $x=-1$, $x=1$에서 연속이어야 한다.

$$f(x)=\begin{cases} x+3 & (|x|\geq 1) \\ x^2+ax+b & (|x|<1) \end{cases}$$

$$=\begin{cases} x+3 & (x\geq 1) \\ x^2+ax+b & (-1<x<1) \\ x+3 & (x\leq -1) \end{cases}$$

함수 $f(x)$가 모든 실수 x에서 연속이므로 $x=-1$, $x=1$에서도 연속이다.

함수 $f(x)$가 $x=-1$에서 연속이려면

$\lim\limits_{x\to -1-}(x+3)=\lim\limits_{x\to -1+}(x^2+ax+b)=f(-1)$

$-1+3=1-a+b$

$\therefore a-b=-1$ ……㉠

또, 함수 $f(x)$가 $x=1$에서 연속이려면

$\lim\limits_{x\to 1-}(x^2+ax+b)=\lim\limits_{x\to 1+}(x+3)=f(1)$

$1+a+b=1+3$

$\therefore a+b=3$ ……㉡

㉠, ㉡을 연립하여 풀면 $a=1$, $b=2$

$\therefore ab=2$

5-2 답 $g(x)=x^2-1$

|해결 전략| $g(x)=x^2+ax+b$ (a, b는 상수)라 하고 함수 $f(x)g(x)$를 구한다.

$g(x)=x^2+ax+b$ (a, b는 상수)라 하면

$$f(x)g(x)=\begin{cases} -x^2-ax-b & (|x|\geq 1) \\ x^2+ax+b & (|x|<1) \end{cases}$$

$$=\begin{cases} -x^2-ax-b & (x\geq 1) \\ x^2+ax+b & (-1<x<1) \\ -x^2-ax-b & (x\leq -1) \end{cases}$$

함수 $f(x)g(x)$가 모든 실수 x에서 연속이므로 $x=-1$, $x=1$에서도 연속이다.

함수 $f(x)g(x)$가 $x=-1$에서 연속이려면

$\lim\limits_{x\to -1-}(-x^2-ax-b)=\lim\limits_{x\to -1+}(x^2+ax+b)=f(-1)g(-1)$

$-1+a-b=1-a+b$

$\therefore a-b=1$ ……㉠

또, 함수 $f(x)g(x)$가 $x=1$에서 연속이려면

$\lim\limits_{x\to 1-}(x^2+ax+b)=\lim\limits_{x\to 1+}(-x^2-ax-b)=f(1)g(1)$

$1+a+b=-1-a-b$

$\therefore a+b=-1$ ……㉡

㉠, ㉡을 연립하여 풀면 $a=0$, $b=-1$

$\therefore g(x)=x^2-1$

6-1 답 0

|해결 전략| 함수 $f(x)=\begin{cases} g(x) & (x\neq a) \\ k & (x=a) \end{cases}$ (k는 상수)가 $x=a$에서 연속이면 $\lim\limits_{x\to a}g(x)=k$임을 이용한다.

함수 $f(x)$가 $x=b$에서 연속이므로

$\lim\limits_{x\to b}f(x)=f(b)$

$\therefore \lim\limits_{x\to b}\dfrac{x^2-3x+a}{x-b}=5$ → 극한값이 존재하고 (분모) → 0이므로 (분자) → 0이다. ……㉠

㉠에서 $\lim\limits_{x\to b}(x-b)=0$이므로

$\lim\limits_{x\to b}(x^2-3x+a)=b^2-3b+a=0$

$\therefore a=-b^2+3b$ ……㉡

㉡을 ㉠에 대입하면

$\lim\limits_{x\to b}\dfrac{x^2-3x-b^2+3b}{x-b}=\lim\limits_{x\to b}\dfrac{(x-b)(x+b-3)}{x-b}$

$=\lim\limits_{x\to b}(x+b-3)$

$=2b-3=5$

$\therefore b=4$

$b=4$를 ㉡에 대입하면 $a=-4$

$\therefore a+b=-4+4=0$

6-2 답 $\dfrac{7}{4}$

|해결 전략| 함수 $f(x)=\begin{cases} g(x) & (x\neq a) \\ k & (x=a) \end{cases}$ (k는 상수)가 $x=a$에서 연속이면 $\lim\limits_{x\to a}g(x)=k$임을 이용한다.

함수 $f(x)$가 $x=b$에서 연속이므로

$$\lim_{x \to b} f(x) = f(b)$$

$$\therefore \lim_{x \to b} \frac{\sqrt{x-2}+a}{x-b} = 1 \qquad \cdots\cdots \text{㉠}$$

㉠에서 $\lim_{x \to b}(x-b)=0$이므로

$$\lim_{x \to b}(\sqrt{x-2}+a) = \sqrt{b-2}+a = 0$$

$$\therefore a = -\sqrt{b-2} \qquad \cdots\cdots \text{㉡}$$

㉡을 ㉠에 대입하면

$$\begin{aligned}
\lim_{x \to b} \frac{\sqrt{x-2}-\sqrt{b-2}}{x-b} &= \lim_{x \to b} \frac{(\sqrt{x-2}-\sqrt{b-2})(\sqrt{x-2}+\sqrt{b-2})}{(x-b)(\sqrt{x-2}+\sqrt{b-2})} \\
&= \lim_{x \to b} \frac{x-b}{(x-b)(\sqrt{x-2}+\sqrt{b-2})} \\
&= \lim_{x \to b} \frac{1}{\sqrt{x-2}+\sqrt{b-2}} \\
&= \frac{1}{2\sqrt{b-2}} = 1
\end{aligned}$$

$$\sqrt{b-2} = \frac{1}{2} \qquad \therefore b = \frac{9}{4}$$

$b = \dfrac{9}{4}$를 ㉡에 대입하면 $a = -\dfrac{1}{2}$

$$\therefore a+b = -\frac{1}{2} + \frac{9}{4} = \frac{7}{4}$$

7-1 답 -1

|해결 전략| 정수 n에 대하여 $n \le x < n+1$이면 $[x]=n$임을 이용한다.

(i) $0 < x < 1$일 때, $-1 < -x < 0$이므로 $[x]=0$, $[-x]=-1$

$\therefore f(x) = 0 + (-1) = -1$

(ii) $x=1$일 때, $[1]=1$, $[-1]=-1$이므로

$f(1) = 1 + (-1) = 0$

(iii) $1 < x < 2$일 때, $-2 < -x < -1$이므로 $[x]=1$, $[-x]=-2$

$\therefore f(x) = 1 + (-2) = -1$

(iv) $x=2$일 때, $[2]=2$, $[-2]=-2$이므로

$f(2) = 2 + (-2) = 0$

(v) $2 < x < 3$일 때, $-3 < -x < -2$이므로 $[x]=2$, $[-x]=-3$

$\therefore f(x) = 2 + (-3) = -1$

(i)~(v)에 의하여 열린구간 $(0, 3)$에서 함수 $y=f(x)$의 그래프는 오른쪽 그림과 같다.
따라서 함수 $f(x)$는 $x=1$, $x=2$에서 불연속이고, 그 이외의 점에서는 연속이며, 연속인 구간에서의 함숫값은 -1이다.

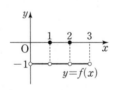

7-2 답 5

|해결 전략| $x \to 3-$인 경우는 $2.9 < x < 3$으로, $x \to 3+$인 경우는 $3 < x < 3.1$로 나누어 생각한다.

(i) $2.9 < x < 3$일 때, $8.41 < x^2 < 9$이므로 $[x^2]=8$, $[x]=2$

$\therefore \lim_{x \to 3-} f(x) = 8a - 14$

(ii) $3 < x < 3.1$일 때, $9 < x^2 < 9.61$이므로 $[x^2]=9$, $[x]=3$

$\therefore \lim_{x \to 3+} f(x) = 9a - 19$

(iii) $x=3$일 때, $x^2=9$이므로 $[x^2]=9$, $[x]=3$

$\therefore f(3) = 9a - 19$

(i), (ii), (iii)에서 함수 $f(x)$가 $x=3$에서 연속이므로

$8a - 14 = 9a - 19$

$\therefore a = 5$

8-1 답 2

|해결 전략| $x \ne -1$일 때 $f(x)$를 구하여 함수 $f(x)$가 $x=-1$에서 연속임을 이용한다.

$x \ne -1$일 때, $f(x) = \dfrac{x^2+4x+3}{x+1}$

함수 $f(x)$가 $x=-1$에서 연속이므로

$$\begin{aligned}
f(-1) &= \lim_{x \to -1} f(x) \\
&= \lim_{x \to -1} \frac{x^2+4x+3}{x+1} \\
&= \lim_{x \to -1} \frac{(x+3)(x+1)}{x+1} \\
&= \lim_{x \to -1}(x+3) = 2
\end{aligned}$$

> **LECTURE**
>
> 연속함수 $g(x)$에 대하여 함수 $f(x)$가 $(x-a)f(x)=g(x)$를 만족시킬 때, $f(x)$가 모든 실수 x에서 연속이면 $f(a) = \lim\limits_{x \to a} \dfrac{g(x)}{x-a}$이다.

8-2 답 12

|해결 전략| $x \ne 0$일 때 $f(x)$를 구하여 함수 $f(x)$가 $x=0$에서 연속임을 이용한다.

$x \ne 0$일 때 $f(x) = \dfrac{3x}{\sqrt{x+4}-2}$

함수 $f(x)$가 $x=0$에서 연속이므로

$$\begin{aligned}
f(0) &= \lim_{x \to 0} f(x) \\
&= \lim_{x \to 0} \frac{3x}{\sqrt{x+4}-2} \\
&= \lim_{x \to 0} \frac{3x(\sqrt{x+4}+2)}{(\sqrt{x+4}-2)(\sqrt{x+4}+2)} \\
&= \lim_{x \to 0} \frac{3x(\sqrt{x+4}+2)}{x} \\
&= \lim_{x \to 0} 3(\sqrt{x+4}+2) = 12
\end{aligned}$$

9-1 답 ㄴ, ㄷ

|해결 전략| 두 함수 $f(x)$, $g(x)$가 $x=a$에서 연속이면 $f(x) \pm g(x)$, $f(x)g(x)$도 $x=a$에서 연속임을 이용한다.

ㄱ. [반례] $f(x)=x$, $g(x)=x$이면 두 함수 $f(x)$, $g(x)$는 모두 $x=0$에서 연속이지만 함수 $\dfrac{1}{f(x)g(x)} = \dfrac{1}{x^2}$은 $x=0$에서 불연속이다.

ㄴ. $\{f(x)+1\}\{g(x)+1\}=f(x)g(x)+f(x)+g(x)+1$

이므로 두 함수 $f(x)+g(x)$, $f(x)g(x)$가 모두 $x=a$에서 연속

이면 함수 $\{f(x)+1\}\{g(x)+1\}$도 $x=a$에서 연속이다.

ㄷ. 함수 $g(x)$가 $x=a$에서 연속이면 함수 $|g(x)|+1$도 $x=a$에서

연속이고 $|g(x)|+1>0$이므로 함수 $\dfrac{f(x)}{|g(x)|+1}$는 $x=a$에서

연속이다.

따라서 옳은 것은 ㄴ, ㄷ이다.

9-2 답 ㄱ

| 해결 전략 | ㄱ. $f(x)+g(x)=h(x)$로 놓으면 $h(x)$는 $x=a$에서 연속이다.

ㄱ. $f(x)+g(x)=h(x)$로 놓으면 $g(x)=h(x)-f(x)$

이때, $f(x)$, $h(x)$가 $x=a$에서 연속이므로 $g(x)$도 $x=a$에서 연

속이다.

ㄴ. [반례] $f(x)=x$, $g(x)=x+1$이면 두 함수 $f(x)+g(x)=2x+1$,

$f(x)g(x)=x^2+x$는 모두 $x=0$에서 연속이지만 함수

$\dfrac{1}{f(x)}+\dfrac{1}{g(x)}=\dfrac{2x+1}{x(x+1)}$은 $x=0$에서 불연속이다.

ㄷ. [반례] $f(x)=x$, $g(x)=x$이면 두 함수 $f(x)$, $g(x)$는 모두

$x=0$에서 연속이지만 함수 $\dfrac{1}{|f(x)|+|g(x)|}=\dfrac{1}{2|x|}$은 $x=0$

에서 불연속이다.

따라서 옳은 것은 ㄱ이다.

10-1 답 ④

| 해결 전략 | 사잇값의 정리를 이용한다.

$f(x)=x^3+3x-5$로 놓으면 $f(x)$는 모든 실수 x에서 연속이고

$f(-2)=-19<0$, $f(-1)=-9<0$, $f(0)=-5<0$,

$f(1)=-1<0$, $f(2)=9>0$, $f(3)=31>0$

따라서 $f(1)f(2)<0$이므로 사잇값의 정리에 의하여 주어진 방정식

의 실근이 존재하는 구간은 $(1, 2)$이다.

10-2 답 ②

| 해결 전략 | $h(x)=f(x)+3x$로 놓고 사잇값의 정리를 이용한다.

$h(x)=f(x)+3x$로 놓으면 $h(x)$는 연속함수이고

$h(1)=f(1)+3=-4+3=-1<0$

$h(2)=f(2)+6=-2+6=4>0$

$h(3)=f(3)+9=3+9=12>0$

$h(4)=f(4)+12=-15+12=-3<0$

이때, $h(1)h(2)<0$, $h(3)h(4)<0$이므로 사잇값의 정리에 의하여

방정식 $h(x)=0$은 열린구간 $(1, 2)$, $(3, 4)$에서 각각 적어도 하나의

실근을 갖는다.

따라서 방정식 $f(x)+3x=0$은 열린구간 $(1, 4)$에서 최소 2개의 실

근을 갖는다.

3 | 미분계수와 도함수

1 미분계수

개념 확인   58쪽~61쪽

1 (1) 7   (2) $5+\Delta x$

2 -1

3 (1) 10   (2) -4

4 풀이 참조

1 (1) $\dfrac{\Delta y}{\Delta x}=\dfrac{f(3)-f(1)}{3-1}$

$=\dfrac{(3^2+3\times 3-1)-(1^2+3\times 1-1)}{2}$

$=7$

(2) $\dfrac{\Delta y}{\Delta x}=\dfrac{f(1+\Delta x)-f(1)}{(1+\Delta x)-1}$

$=\dfrac{\{(1+\Delta x)^2+3(1+\Delta x)-1\}-(1^2+3\times 1-1)}{\Delta x}$

$=\dfrac{5\Delta x+(\Delta x)^2}{\Delta x}$

$=5+\Delta x$

2 $f'(1)=\displaystyle\lim_{\Delta x\to 0}\dfrac{f(1+\Delta x)-f(1)}{\Delta x}$ $\leftarrow f'(a)=\displaystyle\lim_{\Delta x\to 0}\dfrac{f(a+\Delta x)-f(a)}{\Delta x}$

$=\displaystyle\lim_{\Delta x\to 0}\dfrac{\{(1+\Delta x)^2-3(1+\Delta x)+2\}-(1^2-3\times 1+2)}{\Delta x}$

$=\displaystyle\lim_{\Delta x\to 0}\dfrac{-\Delta x+(\Delta x)^2}{\Delta x}$

$=\displaystyle\lim_{\Delta x\to 0}(-1+\Delta x)=-1$

3 (1) $f(x)=5x^2$이라 하면 구하는 접선의 기울기는 $f'(1)$이므로

$f'(1)=\displaystyle\lim_{\Delta x\to 0}\dfrac{f(1+\Delta x)-f(1)}{\Delta x}$

$=\displaystyle\lim_{\Delta x\to 0}\dfrac{5(1+\Delta x)^2-5\times 1^2}{\Delta x}$

$=\displaystyle\lim_{\Delta x\to 0}\dfrac{10\Delta x+5(\Delta x)^2}{\Delta x}$

$=\displaystyle\lim_{\Delta x\to 0}(10+5\Delta x)=10$

(2) $f(x)=-x^2+1$이라 하면 구하는 접선의 기울기는 $f'(2)$이므로

$f'(2)=\displaystyle\lim_{\Delta x\to 0}\dfrac{f(2+\Delta x)-f(2)}{\Delta x}$

$=\displaystyle\lim_{\Delta x\to 0}\dfrac{\{-(2+\Delta x)^2+1\}-(-2^2+1)}{\Delta x}$

$=\displaystyle\lim_{\Delta x\to 0}\dfrac{-4\Delta x-(\Delta x)^2}{\Delta x}$

$=\displaystyle\lim_{\Delta x\to 0}(-4-\Delta x)=-4$

4 (i) $f(0)=0$이고 $\lim_{x\to 0} f(x)=\lim_{x\to 0}(x+|x|)=0$이므로

$$\lim_{x\to 0} f(x)=f(0)$$

따라서 함수 $f(x)$는 $x=0$에서 연속이다.

(ii) $\lim_{h\to 0-} \dfrac{f(0+h)-f(0)}{h}=\lim_{h\to 0-}\dfrac{h+|h|}{h}$

$$=\lim_{h\to 0-}\dfrac{h-h}{h}=0$$

$\lim_{h\to 0+}\dfrac{f(0+h)-f(0)}{h}=\lim_{h\to 0+}\dfrac{h+|h|}{h}$

$$=\lim_{h\to 0+}\dfrac{h+h}{h}=2$$

따라서 $\lim_{h\to 0}\dfrac{f(0+h)-f(0)}{h}$ 이 존재하지 않으므로 함수 $f(x)$는 $x=0$에서 미분가능하지 않다.

(i), (ii)에서 함수 $f(x)=x+|x|$는 $x=0$에서 연속이지만 미분가능하지 않다.

STEP ① 개념 드릴 | 62쪽~63쪽 |

개념 check

1-1 (1) $5,\ 5^2,\ 21$

(2) $1+\Delta x,\ 1+\Delta x,\ 6\Delta x+3(\Delta x)^2,\ 6+3\Delta x$

2-1 (1) $2+\Delta x,\ 2+\Delta x,\ 4\Delta x,\ 4+\Delta x$

(2) $3x^2-x,\ 3x+5,\ 3x+5$

3-1 $-2,\ -2,\ 4\Delta x,\ 4,\ 4$

4-1 $0,\ -h,\ h$

스스로 check

1-2 답 (1) -1 (2) $4+\Delta x$

(1) $\dfrac{\Delta y}{\Delta x}=\dfrac{f(2)-f(-1)}{2-(-1)}$

$$=\dfrac{(2^2-2\times 2)-\{(-1)^2-2\times(-1)\}}{3}$$

$$=-1$$

(2) $\dfrac{\Delta y}{\Delta x}=\dfrac{f(3+\Delta x)-f(3)}{(3+\Delta x)-3}$

$$=\dfrac{\{(3+\Delta x)^2-2(3+\Delta x)\}-(3^2-2\times 3)}{\Delta x}$$

$$=\dfrac{4\Delta x+(\Delta x)^2}{\Delta x}$$

$$=4+\Delta x$$

2-2 답 (1) -3 (2) -3

(1) $f'(-1)=\lim_{\Delta x\to 0}\dfrac{f(-1+\Delta x)-f(-1)}{\Delta x}$

$$=\lim_{\Delta x\to 0}\dfrac{\{2(-1+\Delta x)^2+(-1+\Delta x)\}-\{2\times(-1)^2+(-1)\}}{\Delta x}$$

$$=\lim_{\Delta x\to 0}\dfrac{-3\Delta x+2(\Delta x)^2}{\Delta x}$$

$$=\lim_{\Delta x\to 0}(-3+2\Delta x)=-3$$

(2) $f'(-1)=\lim_{\Delta x\to 0}\dfrac{f(-1+\Delta x)-f(-1)}{\Delta x}$

$$=\lim_{\Delta x\to 0}\dfrac{\{(-1+\Delta x)^2-(-1+\Delta x)+7\}-\{(-1)^2-(-1)+7\}}{\Delta x}$$

$$=\lim_{\Delta x\to 0}\dfrac{-3\Delta x+(\Delta x)^2}{\Delta x}$$

$$=\lim_{\Delta x\to 0}(-3+\Delta x)=-3$$

3-2 답 3

$f(x)=2x^2+3x-1$이라 하면 구하는 접선의 기울기는 $f'(0)$이므로

$f'(0)=\lim_{\Delta x\to 0}\dfrac{f(0+\Delta x)-f(0)}{\Delta x}$

$$=\lim_{\Delta x\to 0}\dfrac{\{2(\Delta x)^2+3\Delta x-1\}-(2\times 0^2+3\times 0-1)}{\Delta x}$$

$$=\lim_{\Delta x\to 0}\dfrac{3\Delta x+2(\Delta x)^2}{\Delta x}$$

$$=\lim_{\Delta x\to 0}(3+2\Delta x)=3$$

4-2 답 풀이 참조

(1) (i) $f(-1)=0$이고 $\lim_{x\to -1} f(x)=\lim_{x\to -1}|x+1|=0$이므로

$$\lim_{x\to -1} f(x)=f(-1)$$

따라서 함수 $f(x)$는 $x=-1$에서 연속이다.

(ii) $\lim_{h\to 0-}\dfrac{f(-1+h)-f(-1)}{h}=\lim_{h\to 0-}\dfrac{|h|}{h}$

$$=\lim_{h\to 0-}\dfrac{-h}{h}=-1$$

$\lim_{h\to 0+}\dfrac{f(-1+h)-f(-1)}{h}=\lim_{h\to 0+}\dfrac{|h|}{h}$

$$=\lim_{h\to 0+}\dfrac{h}{h}=1$$

따라서 $\lim_{h\to 0}\dfrac{f(-1+h)-f(-1)}{h}$ 이 존재하지 않으므로 함수 $f(x)$는 $x=-1$에서 미분가능하지 않다.

(i), (ii)에서 함수 $f(x)=|x+1|$은 $x=-1$에서 연속이지만 미분가능하지 않다.

(2) $\lim_{x \to -1-} f(x) = \lim_{x \to -1-} (-2x) = 2$

$\quad \lim_{x \to -1+} f(x) = \lim_{x \to -1+} 2x = -2$

$\quad \therefore \lim_{x \to -1-} f(x) \neq \lim_{x \to -1+} f(x)$

따라서 $\lim_{x \to -1} f(x)$가 존재하지 않으므로 함수 $f(x)$는 $x=-1$에서 불연속이다.

또, 함수 $f(x)$가 $x=-1$에서 불연속이므로 미분가능하지 않다.

STEP ❷ 필수 유형

01-1 🔲 4

|해법 전략| 평균변화율과 미분계수를 각각 구한다.

함수 $f(x)$에 대하여 x의 값이 0에서 k까지 변할 때의 평균변화율은

$\dfrac{\Delta y}{\Delta x} = \dfrac{f(k)-f(0)}{k-0}$

$\quad = \dfrac{(k^2+3k+1)-1}{k}$

$\quad = \dfrac{k^2+3k}{k}$

$\quad = k+3$

함수 $f(x)$의 $x=2$에서의 미분계수는

$f'(2) = \lim_{h \to 0} \dfrac{f(2+h)-f(2)}{h}$

$\quad = \lim_{h \to 0} \dfrac{\{(2+h)^2+3(2+h)+1\}-(2^2+3 \times 2+1)}{h}$

$\quad = \lim_{h \to 0} \dfrac{7h+h^2}{h}$

$\quad = \lim_{h \to 0} (7+h) = 7$

이때, 평균변화율과 미분계수가 같으므로 $k+3=7$

$\therefore k=4$

01-2 🔲 $c = \dfrac{a+b}{2}$

|해법 전략| 평균변화율과 미분계수를 각각 구하여 두 식이 같음을 이용한다.

함수 $f(x)$에 대하여 x의 값이 a에서 b까지 변할 때의 평균변화율은

$\dfrac{\Delta y}{\Delta x} = \dfrac{f(b)-f(a)}{b-a}$

$\quad = \dfrac{(b^2+b+5)-(a^2+a+5)}{b-a}$

$\quad = \dfrac{(b^2-a^2)+(b-a)}{b-a}$

$\quad = \dfrac{(b+a)(b-a)+(b-a)}{b-a}$

$\quad = a+b+1$

함수 $f(x)$의 $x=c$에서의 미분계수는

$f'(c) = \lim_{h \to 0} \dfrac{f(c+h)-f(c)}{h}$

$\quad = \lim_{h \to 0} \dfrac{\{(c+h)^2+(c+h)+5\}-(c^2+c+5)}{h}$

$\quad = \lim_{h \to 0} \dfrac{(2c+1)h+h^2}{h}$

$\quad = \lim_{h \to 0} (2c+1+h)$

$\quad = 2c+1$

이때, 평균변화율과 미분계수가 같으므로

$a+b+1 = 2c+1$

$\therefore c = \dfrac{a+b}{2}$

02-1 🔲 7

|해결 전략| 분자에서 $f(2)$를 빼고 더한 후 미분계수의 정의를 이용하여 극한값을 구한다.

$\lim_{h \to 0} \dfrac{f(2+4h)-f(2-3h)}{kh}$

$= \lim_{h \to 0} \dfrac{f(2+4h)-f(2)+f(2)-f(2-3h)}{kh}$

$= \lim_{h \to 0} \dfrac{f(2+4h)-f(2)}{kh} + \lim_{h \to 0} \dfrac{f(2-3h)-f(2)}{-kh}$

$= \lim_{h \to 0} \dfrac{f(2+4h)-f(2)}{4h} \times \dfrac{4}{k} + \lim_{h \to 0} \dfrac{f(2-3h)-f(2)}{-3h} \times \dfrac{3}{k}$

$= f'(2) \times \dfrac{4}{k} + f'(2) \times \dfrac{3}{k} = \dfrac{7}{k} f'(2)$

따라서 $\dfrac{7}{k} f'(2) = f'(2)$이고 $f'(2) \neq 0$이므로 $k=7$

> **LECTURE**
>
> 미분가능한 함수 $f(x)$에 대하여 다음이 성립한다.
>
> $\lim_{h \to 0} \dfrac{f(k+ah)-f(k)}{h} = af'(k)$

03-1 🔲 1

|해결 전략| $\lim_{x \to a} \dfrac{f(x)-f(a)}{x-a} = f'(a)$임을 이용하여 극한값을 구한다.

$\lim_{x \to 1} \dfrac{x-1}{f(\sqrt{x})-f(1)} = \lim_{x \to 1} \dfrac{(\sqrt{x}-1)(\sqrt{x}+1)}{f(\sqrt{x})-f(1)}$

$\quad = \lim_{x \to 1} \dfrac{\sqrt{x}-1}{f(\sqrt{x})-f(1)} \times \lim_{x \to 1} (\sqrt{x}+1)$

$\quad = \lim_{x \to 1} \dfrac{1}{\dfrac{f(\sqrt{x})-f(1)}{\sqrt{x}-1}} \times \lim_{x \to 1} (\sqrt{x}+1)$

$\quad = \dfrac{1}{f'(1)} \times 2$

$\quad = \dfrac{1}{2} \times 2 = 1$

3 미분계수와 도함수 **023**

03-2 답 2

|해결 전략| 분자에서 $f(1)$을 빼고 더한 후 미분계수의 정의를 이용하여 극한값을 구한다.

$$\lim_{x \to 1} \frac{x^2 f(1) - f(x^2)}{x-1}$$

$$= \lim_{x \to 1} \frac{x^2 f(1) - f(1) + f(1) - f(x^2)}{x-1}$$

$$= \lim_{x \to 1} \frac{(x^2-1)f(1) - \{f(x^2) - f(1)\}}{x-1}$$

$$= \lim_{x \to 1} \frac{(x^2-1)f(1)}{x-1} - \lim_{x \to 1} \frac{f(x^2) - f(1)}{x-1}$$

$$= \lim_{x \to 1} \frac{(x-1)(x+1)f(1)}{x-1} - \lim_{x \to 1} \left\{ \frac{f(x^2)-f(1)}{(x-1)(x+1)} \times (x+1) \right\}$$

$$= \lim_{x \to 1} (x+1)f(1) - \lim_{x \to 1} \frac{f(x^2)-f(1)}{x^2-1} \times \lim_{x \to 1} (x+1)$$

$$= 2f(1) - f'(1) \times 2 = 2 \times 4 - 3 \times 2 = 2$$

04-1 답 3

|해결 전략| 함수 $y=f(x)$의 $x=a$에서의 미분계수 $f'(a)$는 곡선 $y=f(x)$ 위의 점 $(a, f(a))$에서의 접선의 기울기와 같다.

$f(x) = 3x^2 - x + 1$이라 하면 곡선 $y=f(x)$ 위의 $x=a$인 점에서의 접선의 기울기는 $f'(a)$이므로

$$f'(a) = \lim_{h \to 0} \frac{f(a+h)-f(a)}{h}$$

$$= \lim_{h \to 0} \frac{\{3(a+h)^2 - (a+h) + 1\} - (3a^2 - a + 1)}{h}$$

$$= \lim_{h \to 0} \frac{(6a-1)h + 3h^2}{h}$$

$$= \lim_{h \to 0} (6a - 1 + 3h)$$

$$= 6a - 1$$

이때, 접선의 기울기가 17이므로 $6a - 1 = 17$

$\therefore a = 3$

05-1 답 풀이 참조

|해결 전략| 함수 $f(x)$가 $x=a$에서 미분가능하려면 $\lim\limits_{h \to 0} \dfrac{f(a+h)-f(a)}{h}$가 존재해야 한다.

(i) $f(2) = 0$이고 $\lim\limits_{x \to 2} f(x) = \lim\limits_{x \to 2} |x^2 - 2x| = 0$이므로

$\lim\limits_{x \to 2} f(x) = f(2)$

따라서 함수 $f(x)$는 $x=2$에서 연속이다.

(ii) $\lim\limits_{h \to 0-} \dfrac{f(2+h)-f(2)}{h} = \lim\limits_{h \to 0-} \dfrac{|h^2+2h|}{h}$

$$= \lim_{h \to 0-} \frac{|h(h+2)|}{h}$$

$$= \lim_{h \to 0-} \frac{-h(h+2)}{h}$$

$$= \lim_{h \to 0-} (-h-2) = -2$$

$$\lim_{h \to 0+} \frac{f(2+h)-f(2)}{h} = \lim_{h \to 0+} \frac{|h^2+2h|}{h}$$

$$= \lim_{h \to 0+} \frac{|h(h+2)|}{h}$$

$$= \lim_{h \to 0+} \frac{h(h+2)}{h}$$

$$= \lim_{h \to 0+} (h+2) = 2$$

따라서 $\lim\limits_{h \to 0} \dfrac{f(2+h)-f(2)}{h}$가 존재하지 않으므로 함수 $f(x)$는 $x=2$에서 미분가능하지 않다.

(i), (ii)에서 함수 $f(x) = |x^2 - 2x|$는 $x=2$에서 연속이지만 미분가능하지 않다.

05-2 답 미분가능하다.

|해결 전략| 함수 $g(x)$가 $x=0$에서 미분가능하려면 $\lim\limits_{h \to 0} \dfrac{g(0+h)-g(0)}{h}$이 존재해야 한다.

함수 $f(x)$가 $x=0$에서 연속이므로

$\lim\limits_{x \to 0-} f(x) = \lim\limits_{x \to 0+} f(x) = f(0)$

이때, $g(x) = xf(x)$이므로 $g(0) = 0$이다.

$$\lim_{h \to 0-} \frac{g(0+h)-g(0)}{h} = \lim_{h \to 0-} \frac{hf(h)}{h}$$

$$= \lim_{h \to 0-} f(h)$$

$$= f(0)$$

$$\lim_{h \to 0+} \frac{g(0+h)-g(0)}{h} = \lim_{h \to 0+} \frac{hf(h)}{h}$$

$$= \lim_{h \to 0+} f(h)$$

$$= f(0)$$

따라서 $\lim\limits_{h \to 0-} \dfrac{g(0+h)-g(0)}{h} = \lim\limits_{h \to 0+} \dfrac{g(0+h)-g(0)}{h}$이므로

$\lim\limits_{h \to 0} \dfrac{g(0+h)-g(0)}{h}$이 존재한다.

즉, 함수 $g(x) = xf(x)$는 $x=0$에서 미분가능하다.

> **LECTURE**
>
> 함수 $f(x)$가 $x=k$에서 연속일 때, 함수 $g(x) = (x-k)f(x)$는 $x=k$에서 미분가능하며 $g'(k) = f(k)$로 일반화할 수 있다.

06-1 답 ⑤

|해결 전략| 함수 $f(x)$가 $x=a$에서 불연속이거나 연속이지만 꺾이는 점이면 $x=a$에서 미분가능하지 않다.

① $f'\left(\dfrac{1}{2}\right)$은 점 $\left(\dfrac{1}{2}, f\left(\dfrac{1}{2}\right)\right)$에서의 접선의 기울기와 같으므로

$f'\left(\dfrac{1}{2}\right) < 0$

② $f'(x)=0$인 점은 미분가능하면서 접선의 기울기가 0인 점이므로 $1<x<2$인 모든 x에 대하여 $f'(x)=0$이다.

③ 함수 $y=f(x)$의 그래프가 끊어진 점에서 불연속이므로 함수 $f(x)$는 $x=3$, $x=4$에서 불연속이다.

즉, 불연속인 점은 2개이다.

④ $\lim\limits_{x \to 3-} f(x)=1$이고 $\lim\limits_{x \to 3+} f(x)=1$이므로

$\lim\limits_{x \to 3} f(x)=1$

⑤ 함수 $f(x)$가 $x=3$, $x=4$에서 불연속이므로 함수 $f(x)$는 $x=3$, $x=4$에서 미분가능하지 않다.

또, 함수 $f(x)$가 $x=1$, $x=2$에서 연속이지만 그래프가 꺾이는 점이므로 미분가능하지 않다.

즉, 함수 $f(x)$가 미분가능하지 않은 x의 값은 $x=1$, $x=2$, $x=3$, $x=4$이므로 미분가능하지 않은 점은 4개이다.

따라서 옳은 것은 ⑤이다.

② 도함수

개념 확인   70쪽~73쪽

1 (1) $f'(x)=0$, $f'(3)=0$ (2) $f'(x)=3$, $f'(3)=3$
    (3) $f'(x)=4x$, $f'(3)=12$ (4) $f'(x)=2x-1$, $f'(3)=5$

2 (1) $f'(x)=9x^8$ (2) $f'(x)=7x^6$
    (3) $f'(x)=100x^{99}$ (4) $f'(x)=0$

3 (1) $y'=2020$ (2) $y'=-14x$
    (3) $y'=12x^2+2x-2$ (4) $y'=-5x^4+15x^2-8x$

4 (1) $y'=9x^2+2x-6$ (2) $y'=3x^2+2x-3$
    (3) $y'=3x^2-8x-16$ (4) $y'=20x^3+18x^2-26x-6$

1 (1) $f'(x)=\lim\limits_{h \to 0} \dfrac{f(x+h)-f(x)}{h}$

$\qquad\quad =\lim\limits_{h \to 0} \dfrac{7-7}{h}$

$\qquad\quad =0$

$\qquad \therefore f'(3)=0$

(2) $f'(x)=\lim\limits_{h \to 0} \dfrac{f(x+h)-f(x)}{h}$

$\qquad\quad =\lim\limits_{h \to 0} \dfrac{\{3(x+h)+2\}-(3x+2)}{h}$

$\qquad\quad =\lim\limits_{h \to 0} \dfrac{3h}{h}$

$\qquad\quad =3$

$\qquad \therefore f'(3)=3$

(3) $f'(x)=\lim\limits_{h \to 0} \dfrac{f(x+h)-f(x)}{h}$

$\qquad\quad =\lim\limits_{h \to 0} \dfrac{\{2(x+h)^2-3\}-(2x^2-3)}{h}$

$\qquad\quad =\lim\limits_{h \to 0} \dfrac{4xh+2h^2}{h}$

$\qquad\quad =\lim\limits_{h \to 0} (4x+2h)$

$\qquad\quad =4x$

$\qquad \therefore f'(3)=4 \times 3=12$

(4) $f'(x)=\lim\limits_{h \to 0} \dfrac{f(x+h)-f(x)}{h}$

$\qquad\quad =\lim\limits_{h \to 0} \dfrac{\{(x+h)^2-(x+h)+2\}-(x^2-x+2)}{h}$

$\qquad\quad =\lim\limits_{h \to 0} \dfrac{(2x-1)h+h^2}{h}$

$\qquad\quad =\lim\limits_{h \to 0} (2x-1+h)$

$\qquad\quad =2x-1$

$\qquad \therefore f'(3)=2 \times 3-1=5$

2 (1) $f'(x)=9x^{9-1}=9x^8$

(2) $f'(x)=7x^{7-1}=7x^6$

(3) $f'(x)=100x^{100-1}=100x^{99}$

(4) $f'(x)=(2019)'=0$

3 (1) $y'=2020(x)'$

$\qquad =2020$

(2) $y'=-7(x^2)'+(3)'$

$\qquad =-14x$

(3) $y'=4(x^3)'+(x^2)'-2(x)'-(1)'$

$\qquad =12x^2+2x-2$

(4) $y'=-(x^5)'+5(x^3)'-4(x^2)'+(3)'$

$\qquad =-5x^4+15x^2-8x$

4 (1) $y'=(x^2-2)'(3x+1)+(x^2-2)(3x+1)'$

$\qquad =2x(3x+1)+(x^2-2)\times 3$

$\qquad =(6x^2+2x)+(3x^2-6)$

$\qquad =9x^2+2x-6$

(2) $y'=(-x^2+3)'(-x-1)+(-x^2+3)(-x-1)'$

$\qquad =-2x(-x-1)+(-x^2+3)\times(-1)$

$\qquad =(2x^2+2x)+(x^2-3)$

$\qquad =3x^2+2x-3$

(3) $y'=(x+3)'(x^2-7x+5)+(x+3)(x^2-7x+5)'$

$\qquad =1\times(x^2-7x+5)+(x+3)(2x-7)$

$\qquad =(x^2-7x+5)+(2x^2-x-21)$

$\qquad =3x^2-8x-16$

$(4)\ y'=(x+2)'(x^2-1)(5x-4)+(x+2)(x^2-1)'(5x-4)$
$\qquad\qquad\qquad\qquad\qquad +(x+2)(x^2-1)(5x-4)'$
$\quad =1\times(x^2-1)(5x-4)+(x+2)\times 2x\times(5x-4)$
$\qquad\qquad\qquad\qquad\qquad +(x+2)(x^2-1)\times 5$
$\quad =(5x^3-4x^2-5x+4)+(10x^3+12x^2-16x)$
$\qquad\qquad\qquad\qquad\qquad +(5x^3+10x^2-5x-10)$
$\quad =20x^3+18x^2-26x-6$

STEP 1 개념 드릴 　　　　　　　|75쪽~76쪽|

개념 check

1-1 (1) $2h, 2, 2$　(2) $2xh, 2x, 2$

2-1 $n, n, 17$

3-1 (1) $2x, 6x+6$　(2) $-\dfrac{1}{3}, x, 3x^2, 2x, 2, -x^2-2x+2$

4-1 (1) $4, 2x, 12x^2-2x+24$
　　 (2) $-2x, x-2, x^2, 4x^3-21x^2+20x$

스스로 check

1-2 답 (1) $f'(x)=-2x+1$　(2) -1

$(1)\ f'(x)=\lim_{h\to 0}\dfrac{f(x+h)-f(x)}{h}$
$\qquad\quad =\lim_{h\to 0}\dfrac{\{-(x+h)^2+(x+h)+1\}-(-x^2+x+1)}{h}$
$\qquad\quad =\lim_{h\to 0}\dfrac{(-2x+1)h-h^2}{h}$
$\qquad\quad =\lim_{h\to 0}(-2x+1-h)$
$\qquad\quad =-2x+1$

$(2)\ f'(1)=-2\times 1+1=-1$

2-2 답 109

함수 $f(x)=x^n$에 대하여 $f'(x)=nx^{n-1}$이므로 $f'(1)=n$
이때, 주어진 조건에서 $f'(1)=109$이므로 $n=109$

3-2 답 (1) $y'=2x+9$　(2) $y'=-6x-7$
　　 (3) $y'=3x+1$　(4) $y'=-5x^2-2x+5$

$(1)\ y'=(x^2)'+9(x)'-(4)'$
$\qquad =2x+9$

$(2)\ y'=-3(x^2)'-7(x)'$
$\qquad =-6x-7$

$(3)\ y'=\dfrac{3}{2}(x^2)'+(x)'-(3)'$
$\qquad =3x+1$

$(4)\ y'=-\dfrac{5}{3}(x^3)'-(x^2)'+5(x)'-(5)'$
$\qquad =-5x^2-2x+5$

4-2 답 (1) $y'=12x+1$　(2) $y'=-9x^2-6x+6$
　　 (3) $y'=4x^3+3x^2-4x$　(4) $y'=3x^2+8x+1$

$(1)\ y'=(2x+3)'(3x-4)+(2x+3)(3x-4)'$
$\qquad =2(3x-4)+(2x+3)\times 3$
$\qquad =(6x-8)+(6x+9)$
$\qquad =12x+1$

$(2)\ y'=(-x^2+2)'(3x+3)+(-x^2+2)(3x+3)'$
$\qquad =-2x(3x+3)+(-x^2+2)\times 3$
$\qquad =(-6x^2-6x)+(-3x^2+6)$
$\qquad =-9x^2-6x+6$

$(3)\ y'=(x^2)'(x-1)(x+2)+x^2(x-1)'(x+2)+x^2(x-1)(x+2)'$
$\qquad =2x(x-1)(x+2)+x^2(x+2)+x^2(x-1)$
$\qquad =(2x^3+2x^2-4x)+(x^3+2x^2)+(x^3-x^2)$
$\qquad =4x^3+3x^2-4x$

$(4)\ y'=(x+3)'(x-1)(x+2)+(x+3)(x-1)'(x+2)$
$\qquad\qquad\qquad\qquad\qquad +(x+3)(x-1)(x+2)'$
$\qquad =(x-1)(x+2)+(x+3)(x+2)+(x+3)(x-1)$
$\qquad =(x^2+x-2)+(x^2+5x+6)+(x^2+2x-3)$
$\qquad =3x^2+8x+1$

STEP 2 필수 유형 　　　　　　　|77쪽~82쪽|

01-1 답 (1) 20　(2) $\dfrac{123}{4}$

|해결 전략| $[\{f(x)\}^n]'=n\{f(x)\}^{n-1}f'(x)$임을 이용하여 도함수를 구한다.

$f'(x)=(1)'+\left(\dfrac{x^2}{2}\right)'+\left(\dfrac{x^3}{3}\right)'+\left(\dfrac{x^4}{4}\right)'$
$\qquad =0+\dfrac{1}{2}\times 2x+\dfrac{1}{3}\times 3x^2+\dfrac{1}{4}\times 4x^3$
$\qquad =x+x^2+x^3$

$g'(x)=3(1+x^2+3x^3)^2(1+x^2+3x^3)'$
$\qquad =3(1+x^2+3x^3)^2(2x+9x^2)$

$\therefore f'(-1)=-1,\ g'(-1)=21$

(1) 함수 $h(x)=f(x)+g(x)$에서 $h'(x)=f'(x)+g'(x)$이므로
　 함수 $h(x)$의 $x=-1$에서의 미분계수는
$\qquad h'(-1)=f'(-1)+g'(-1)$
$\qquad\qquad\ \ =-1+21=20$

(2) 함수 $h(x)=f(x)g(x)$에서 $h'(x)=f'(x)g(x)+f(x)g'(x)$이
　 므로 함수 $h(x)$의 $x=-1$에서의 미분계수는
$\qquad h'(-1)=f'(-1)g(-1)+f(-1)g'(-1)$
　 이때, $f(-1)=\dfrac{17}{12},\ g(-1)=-1$이므로
$\qquad h'(-1)=-1\times(-1)+\dfrac{17}{12}\times 21=\dfrac{123}{4}$

02-1 답 $-\dfrac{13}{12}$

|해결 전략| 주어진 식을 미분계수 형태로 변형한다.

$$f'(x)=(x^2+1)'(x^3+x^2-1)+(x^2+1)(x^3+x^2-1)'$$
$$=2x(x^3+x^2-1)+(x^2+1)(3x^2+2x) \qquad \cdots\cdots \bigcirc$$

$$\lim_{h\to 0}\frac{13h}{f(1)-f(1+h)}=\lim_{h\to 0}\frac{13}{-\dfrac{f(1+h)-f(1)}{h}}$$
$$=-\frac{13}{f'(1)}$$

$\bigcirc$에서 $f'(1)=2\times 1\times 1+2\times 5=12$이므로

$$\lim_{h\to 0}\frac{13h}{f(1)-f(1+h)}=-\frac{13}{f'(1)}=-\frac{13}{12}$$

03-1 답 -2

|해결 전략| $g(x)=(x-1)f(x)$에서 곱의 미분법을 이용하여 $g'(x)$를 구한다.

$f(x)=x^2+ax-5$에서 $f'(x)=2x+a$

$\therefore f'(2)=4+a$

$g(x)=(x-1)f(x)$에서

$g'(x)=f(x)+(x-1)f'(x)$

$$\begin{aligned}\therefore g'(2)&=f(2)+f'(2)\\&=(2a-1)+(4+a)\\&=3a+3\end{aligned}$$

$f'(2)=g'(2)$이므로

$4+a=3a+3 \qquad \therefore a=\dfrac{1}{2}$

따라서 $f(x)=x^2+\dfrac{1}{2}x-5$이므로

$f(-2)=4-1-5=-2$

03-2 답 -8

|해결 전략| $\displaystyle\lim_{x\to 1}\dfrac{f(x^3)-f(1)}{x^2-1}$을 미분계수 형태로 변형한다.

$f(x)=x^4+ax^3+bx+a$에서 $f'(x)=4x^3+3ax^2+b$

$\displaystyle\lim_{x\to 2}\frac{f(x)-f(2)}{x-2}=57$에서 $f'(2)=57$

즉, $f'(2)=32+12a+b=57$에서 $12a+b=25 \qquad \cdots\cdots\bigcirc$

$$\begin{aligned}\lim_{x\to 1}\frac{f(x^3)-f(1)}{x^2-1}&=\lim_{x\to 1}\left\{\frac{f(x^3)-f(1)}{x^2-1}\times\frac{x^3-1}{x^3-1}\right\}\\&=\lim_{x\to 1}\frac{f(x^3)-f(1)}{x^3-1}\times\lim_{x\to 1}\frac{(x-1)(x^2+x+1)}{(x-1)(x+1)}\\&=\lim_{x\to 1}\frac{f(x^3)-f(1)}{x^3-1}\times\lim_{x\to 1}\frac{x^2+x+1}{x+1}\\&=f'(1)\times\frac{3}{2}=\frac{3}{2}f'(1)\end{aligned}$$

이때, $\dfrac{3}{2}f'(1)=3$이므로 $f'(1)=2$

즉, $f'(1)=4+3a+b=2$에서 $3a+b=-2 \qquad \cdots\cdots\bigcirc\hspace{-0.5em}\bigcirc$

$\bigcirc$, $\bigcirc\hspace{-0.5em}\bigcirc$을 연립하여 풀면 $a=3$, $b=-11$

$\therefore a+b=3+(-11)=-8$

04-1 답 1

|해결 전략| 함수 $f(x)$가 $x=0$에서 미분가능하면 $f(x)$가 $x=0$에서 연속이고 $f'(0)$이 존재함을 이용한다.

함수 $f(x)$가 $x=0$에서 미분가능하므로 $x=0$에서 연속이다.

즉, $\displaystyle\lim_{x\to 0}f(x)=f(0)$

$\displaystyle\lim_{x\to 0-}f(x)=\lim_{x\to 0-}(3x^2+ax+1)=1$, $f(0)=b$이므로

$b=1$

또, 함수 $f(x)$가 $x=0$에서 미분가능하므로 $f'(0)$이 존재한다.

$$\begin{aligned}\lim_{x\to 0-}\frac{f(x)-f(0)}{x-0}&=\lim_{x\to 0-}\frac{(3x^2+ax+1)-1}{x}\\&=\lim_{x\to 0-}(3x+a)=a\end{aligned}$$

$$\begin{aligned}\lim_{x\to 0+}\frac{f(x)-f(0)}{x-0}&=\lim_{x\to 0+}\frac{(ax^2+2x+1)-1}{x}\\&=\lim_{x\to 0+}(ax+2)=2\end{aligned}$$

$\therefore a=2$

따라서 $f(x)=\begin{cases}2x^2+2x+1 & (x\geq 0)\\3x^2+2x+1 & (x<0)\end{cases}$이므로

$f'(x)=\begin{cases}4x+2 & (x\geq 0)\\6x+2 & (x<0)\end{cases}$

$\therefore f(1)+f'(-1)=5+(-4)=1$

05-1 답 $f'(x)=-2x$

|해결 전략| 주어진 식에 y 대신 h를 대입한 식을 이용하여 $f'(x)$를 구한다.

모든 실수 x, y에 대하여 $f(x+y)=f(x)+f(y)-2xy$이므로

$f(x+y)=f(x)+f(y)-2xy$에 $x=0$, $y=0$을 대입하면

$f(0)=f(0)+f(0) \qquad \therefore f(0)=0$

$f'(0)=\displaystyle\lim_{h\to 0}\frac{f(0+h)-f(0)}{h}=\lim_{h\to 0}\frac{f(h)}{h}=0 \qquad \cdots\cdots\bigcirc$

또, $f'(x)$를 구하기 위하여 주어진 식에 y 대신 h를 대입하면

$f(x+h)=f(x)+f(h)-2xh$이므로

$$\begin{aligned}f'(x)&=\lim_{h\to 0}\frac{f(x+h)-f(x)}{h}\\&=\lim_{h\to 0}\frac{f(x)+f(h)-2xh-f(x)}{h}\\&=\lim_{h\to 0}\frac{f(h)-2xh}{h}\\&=\lim_{h\to 0}\left\{\frac{f(h)}{h}-2x\right\}\\&=-2x \;(\because \bigcirc)\end{aligned}$$

06-1 답 -8

|해결 전략| 다항식 $f(x)$가 $(x-a)^2$으로 나누어떨어지면
$f(x)=(x-a)^2Q(x)$로 놓을 수 있음을 이용한다.

다항식 $2x^3+3ax+b$를 $(x-1)^2$으로 나누었을 때의 몫을 $Q(x)$라 하면

$2x^3+3ax+b=(x-1)^2Q(x)$ ⋯⋯㉠

㉠의 양변에 $x=1$을 대입하면

$2+3a+b=0$ ∴ $b=-3a-2$ ⋯⋯㉡

㉠의 양변을 x에 대하여 미분하면

$6x^2+3a=2(x-1)Q(x)+(x-1)^2Q'(x)$

위 식의 양변에 $x=1$을 대입하면 $6+3a=0$ ∴ $a=-2$

$a=-2$를 ㉡에 대입하면 $b=4$

∴ $ab=-8$

LECTURE

❶ 다항식 $f(x)$를 $(x-a)^2$으로 나누어떨어질 때, 몫을 $Q(x)$라 하면
$$f(x)=(x-a)^2Q(x)$$
❷ 위 ❶의 양변을 x에 대하여 미분하면
$$f'(x)=2(x-a)Q(x)+(x-a)^2Q'(x)$$

06-2 답 0

|해결 전략| 다항식 $f(x)$를 $(x+a)^2$으로 나누었을 때의 몫을 $Q(x)$, 나머지를 $R(x)$라 하면 $f(x)=(x+a)^2Q(x)+R(x)$가 성립한다.

다항식 x^5+ax^2+bx를 $(x+1)^2$으로 나누었을 때의 몫을 $Q(x)$라 하면 나머지가 $2x+3$이므로

$x^5+ax^2+bx=(x+1)^2Q(x)+2x+3$ ⋯⋯㉠

㉠의 양변에 $x=-1$을 대입하면

$-1+a-b=1$ ∴ $a-b=2$ ⋯⋯㉡

㉠의 양변을 x에 대하여 미분하면

$5x^4+2ax+b=2(x+1)Q(x)+(x+1)^2Q'(x)+2$

위 식의 양변에 $x=-1$을 대입하면

$5-2a+b=2$ ∴ $-2a+b=-3$ ⋯⋯㉢

㉡, ㉢을 연립하여 풀면 $a=1$, $b=-1$

∴ $a+b=0$

STEP ❸ 유형 드릴 ────────── |83쪽~85쪽|

1-1 답 6

|해결 전략| 미분가능한 함수 $f(x)$의 $x=a$에서의 미분계수 $f'(a)$와 곡선 $y=f(x)$ 위의 점 $(a,f(a))$에서의 접선의 기울기가 같음을 이용한다.

함수 $y=f(x)$의 그래프가 점 $P(2,5)$를 지나므로 $f(2)=5$

또, 함수 $y=f(x)$의 그래프 위의 점 $P(2,5)$에서의 접선의 기울기가 -2이므로 $f'(2)=-2$

$$\therefore \lim_{h\to0}\frac{f(2-3h)-5}{h}=\lim_{h\to0}\frac{f(2-3h)-f(2)}{h}$$
$$=\lim_{h\to0}\frac{f(2-3h)-f(2)}{-3h}\times(-3)$$
$$=f'(2)\times(-3)=-2\times(-3)=6$$

1-2 답 5

|해결 전략| 주어진 식을 변형하여 $f'(3)=2$임을 이용한다.

함수 $y=f(x)$의 그래프 위의 점 $P(3,-2)$에서의 접선의 기울기가 2이므로 $f'(3)=2$

$$\therefore \lim_{h\to0}\frac{f(3+ah)-f(3-bh)}{h}$$
$$=\lim_{h\to0}\frac{f(3+ah)-f(3)+f(3)-f(3-bh)}{h}$$
$$=\lim_{h\to0}\frac{f(3+ah)-f(3)}{h}+\lim_{h\to0}\frac{f(3-bh)-f(3)}{-h}$$
$$=\lim_{h\to0}\frac{f(3+ah)-f(3)}{ah}\times a+\lim_{h\to0}\frac{f(3-bh)-f(3)}{-bh}\times b$$
$$=f'(3)\times a+f'(3)\times b=(a+b)f'(3)$$
$$=2(a+b)=10$$
∴ $a+b=5$

2-1 답 2

|해결 전략| $\lim\limits_{x\to a}\dfrac{f(x)-f(a)}{x-a}=f'(a)$임을 이용하여 극한값을 구한다.

$$\lim_{x\to1}\frac{(x^2-1)f(1)-f(x^2)+f(1)}{x-1}$$
$$=\lim_{x\to1}\frac{(x+1)(x-1)f(1)-\{f(x^2)-f(1)\}}{x-1}$$
$$=\lim_{x\to1}\frac{(x+1)(x-1)f(1)}{x-1}-\lim_{x\to1}\frac{f(x^2)-f(1)}{x-1}$$
$$=\lim_{x\to1}(x+1)f(1)-\lim_{x\to1}\left\{\frac{f(x^2)-f(1)}{x^2-1}\times(x+1)\right\}$$
$$=\lim_{x\to1}(x+1)f(1)-\lim_{x\to1}\frac{f(x^2)-f(1)}{x^2-1}\times\lim_{x\to1}(x+1)$$
$$=2f(1)-2f'(1)$$
$$=2\times4-2\times3=2$$

2-2 답 -32

|해결 전략| $\lim\limits_{x\to a}\dfrac{f(x)-f(a)}{x-a}=f'(a)$임을 이용하여 극한값을 구한다.

$\lim\limits_{x\to4}\dfrac{\{f(\sqrt{x})\}^2+f(\sqrt{x})}{x^2-16}=\lim\limits_{x\to4}\dfrac{f(\sqrt{x})\{f(\sqrt{x})+1\}}{x^2-16}=1$에서

$\lim\limits_{x\to4}(x^2-16)=0$이므로 $\lim\limits_{x\to4}f(\sqrt{x})\{f(\sqrt{x})+1\}=0$이다.

이때, $\lim\limits_{x\to4}f(\sqrt{x})=f(2)\ne0$이므로

$\lim\limits_{x\to4}\{f(\sqrt{x})+1\}=0$ ∴ $f(2)=-1$

$$\lim_{x \to 4} \frac{\{f(\sqrt{x})\}^2 + f(\sqrt{x})}{x^2 - 16}$$

$$= \lim_{x \to 4} \frac{f(\sqrt{x})\{f(\sqrt{x}) - f(2)\}}{x^2 - 16}$$

$$= \lim_{x \to 4} \frac{f(\sqrt{x})\{f(\sqrt{x}) - f(2)\}}{(x+4)(x-4)}$$

$$= \lim_{x \to 4} \frac{f(\sqrt{x}) - f(2)}{\sqrt{x} - 2} \times \lim_{x \to 4} \frac{f(\sqrt{x})}{(\sqrt{x} + 2)(x + 4)}$$

$$= f'(2) \times \frac{f(2)}{4 \times 8}$$

$$= -\frac{f'(2)}{32} = 1$$

$$\therefore f'(2) = -32$$

LECTURE

두 함수 $f(x)$, $g(x)$에 대하여

❶ $\lim\limits_{x \to a} \dfrac{f(x)}{g(x)} = L$ (L은 실수)일 때, $\lim\limits_{x \to a} g(x) = 0$이면 $\lim\limits_{x \to a} f(x) = 0$

❷ $\lim\limits_{x \to a} \dfrac{f(x)}{g(x)} = L$ ($L \neq 0$인 실수)일 때, $\lim\limits_{x \to a} f(x) = 0$이면 $\lim\limits_{x \to a} g(x) = 0$

3-1 답 5

|해결 전략| 불연속인 점과 연속이지만 꺾이는 점은 미분가능하지 않음을 이용한다.

함수의 그래프가 끊어진 점에서 불연속이므로 함수 $f(x)$는 $x = -1$, $x = 1$에서 불연속이다.

$$\therefore m = 2$$

또, 함수 $f(x)$가 $x = 0$에서 연속이지만 그래프가 꺾이는 점이므로 미분가능하지 않다.

즉, 함수 $f(x)$는 $x = -1$, $x = 0$, $x = 1$에서 미분가능하지 않다.

$$\therefore n = 3$$

$$\therefore m + n = 2 + 3 = 5$$

3-2 답 ④

|해결 전략| $f'(4)$는 곡선 $y = f(x)$의 $x = 4$인 점에서의 접선의 기울기이다.

① 함수 $f(x)$는 $x = 5$에서 불연속이므로 $\lim\limits_{x \to 5} f(x) \neq f(5)$이다.

② $f'(x) = 0$인 점은 $x = 1$, $x = 3$일 때의 2개이다.

③ 함수 $f(x)$가 불연속인 점은 $x = 5$일 때의 1개이다.

④ $\lim\limits_{x \to 4} \dfrac{f(x) - f(4)}{x - 4} = f'(4)$는 곡선 $y = f(x)$의 $x = 4$인 점에서의 접선의 기울기이므로 $\lim\limits_{x \to 4} \dfrac{f(x) - f(4)}{x - 4} > 0$이다.

⑤ 함수 $f(x)$가 미분가능하지 않은 점은 $x = 2$, $x = 5$일 때의 2개이다.

따라서 옳은 것은 ④이다.

4-1 답 $y' = \dfrac{f'(x)}{2\sqrt{f(x)}}$

|해결 전략| 주어진 함수를 $g(x) = \sqrt{f(x)}$로 놓고 도함수의 정의를 이용한다.

$g(x) = \sqrt{f(x)}$라 하면

$$g'(x) = \lim_{h \to 0} \frac{g(x+h) - g(x)}{h}$$

$$= \lim_{h \to 0} \frac{\sqrt{f(x+h)} - \sqrt{f(x)}}{h}$$

$$= \lim_{h \to 0} \left\{ \frac{\sqrt{f(x+h)} - \sqrt{f(x)}}{h} \times \frac{\sqrt{f(x+h)} + \sqrt{f(x)}}{\sqrt{f(x+h)} + \sqrt{f(x)}} \right\}$$

$$= \lim_{h \to 0} \left\{ \frac{f(x+h) - f(x)}{h} \times \frac{1}{\sqrt{f(x+h)} + \sqrt{f(x)}} \right\}$$

$$= \lim_{h \to 0} \frac{f(x+h) - f(x)}{h} \times \lim_{h \to 0} \frac{1}{\sqrt{f(x+h)} + \sqrt{f(x)}}$$

$$= f'(x) \times \frac{1}{2\sqrt{f(x)}}$$

$$= \frac{f'(x)}{2\sqrt{f(x)}}$$

4-2 답 $y' = -\dfrac{f'(x)}{\{f(x)\}^2}$, $g'(1) = -\dfrac{1}{2}$

|해결 전략| 주어진 함수를 $F(x) = \dfrac{1}{f(x)}$로 놓고 도함수의 정의를 이용한다.

$F(x) = \dfrac{1}{f(x)}$이라 하면

$$F'(x) = \lim_{h \to 0} \frac{F(x+h) - F(x)}{h}$$

$$= \lim_{h \to 0} \frac{\dfrac{1}{f(x+h)} - \dfrac{1}{f(x)}}{h}$$

$$= \lim_{h \to 0} \frac{-\dfrac{f(x+h) - f(x)}{f(x+h)f(x)}}{h}$$

$$= \lim_{h \to 0} \frac{f(x+h) - f(x)}{h} \times \lim_{h \to 0} \frac{-1}{f(x+h)f(x)}$$

$$= f'(x) \times \frac{-1}{\{f(x)\}^2}$$

$$= -\frac{f'(x)}{\{f(x)\}^2}$$

따라서 $g(x) = \dfrac{1}{x^2 + 1}$일 때,

$$g'(x) = -\frac{(x^2 + 1)'}{(x^2 + 1)^2} = -\frac{2x}{(x^2 + 1)^2}$$

이므로 $g'(1) = -\dfrac{1}{2}$

5-1 답 -7

|해결 전략| 주어진 식을 이용하여 $f(2)$, $f'(2)$, $g(2)$, $g'(2)$의 값을 각각 구한다.

$\lim\limits_{x \to 2} \dfrac{f(x) - 3}{x - 2} = 2$에서 $\lim\limits_{x \to 2} (x - 2) = 0$이므로

$$\lim_{x \to 2} \{f(x) - 3\} = 0$$이다.

즉, $f(2)=3$이므로

$$\lim_{x\to 2}\frac{f(x)-3}{x-2}=\lim_{x\to 2}\frac{f(x)-f(2)}{x-2}=f'(2)=2$$

$$\lim_{h\to 0}\frac{g(2+h)+5}{h}=1$$에서 $\lim_{h\to 0}h=0$이므로

$$\lim_{h\to 0}\{g(2+h)+5\}=0$$이다.

즉, $g(2)=-5$이므로

$$\lim_{h\to 0}\frac{g(2+h)+5}{h}=\lim_{h\to 0}\frac{g(2+h)-g(2)}{h}$$
$$=g'(2)=1$$

$y=f(x)g(x)$에서 $y'=f'(x)g(x)+f(x)g'(x)$이므로

$y=f(x)g(x)$의 $x=2$에서의 미분계수는

$$f'(2)g(2)+f(2)g'(2)=2\times(-5)+3\times 1=-7$$

5-2 답 $\dfrac{3}{5}$

|해결 전략| $f(1)=a$로 놓고 $g(1),\,f'(1),\,g'(1)$을 a에 대한 식으로 나타낸다.

$f(1)=a$라 하면

$g(1)=2a,\,f'(1)=a-1,\,g'(1)=f'(1)+2=a+1$

$h(x)=\{f(x)\}^2g(x)$라 하면

$h'(x)=2f'(x)f(x)g(x)+\{f(x)\}^2g'(x)$이므로

$$\begin{aligned}h'(1)&=2f'(1)f(1)g(1)+\{f(1)\}^2g'(1)\\&=2\times(a-1)\times a\times 2a+a^2\times(a+1)\\&=4a^2(a-1)+a^2(a+1)\\&=a^2(4a-4+a+1)=a^2(5a-3)=0\end{aligned}$$

이때, $a\neq 0$이므로 $a=\dfrac{3}{5}$

$$\therefore f(1)=\dfrac{3}{5}$$

6-1 답 6

|해결 전략| $\dfrac{1}{n}=h$로 놓고 주어진 식을 미분계수의 형태로 변형한다.

$\dfrac{1}{n}=h$로 놓으면 $n\to\infty$일 때 $h\to 0$이므로

$$\lim_{n\to\infty}n\left\{f\left(1+\dfrac{1}{n}\right)-f(1)\right\}=\lim_{n\to\infty}\frac{f\left(1+\dfrac{1}{n}\right)-f(1)}{\dfrac{1}{n}}$$
$$=\lim_{h\to 0}\frac{f(1+h)-f(1)}{h}$$
$$=f'(1)$$

이때, $f(x)=(x^3-x^2+x)^3$이므로

$f'(x)=3(x^3-x^2+x)^2(3x^2-2x+1)$

$\therefore$ (주어진 식)$=f'(1)=3\times 1\times 2=6$

6-2 답 2

|해결 전략| $\dfrac{1}{n}=h$로 놓고 주어진 식의 좌변을 미분계수의 형태로 변형한다.

$\dfrac{1}{n}=h$로 놓으면 $n\to\infty$일 때 $h\to 0$이므로

$$\lim_{n\to\infty}n\left\{f\left(2+\dfrac{a}{n}\right)-5\right\}=\lim_{n\to\infty}\frac{f\left(2+\dfrac{a}{n}\right)-5}{\dfrac{1}{n}}$$
$$=\lim_{h\to 0}\frac{f(2+ah)-5}{h}=20$$

$\lim_{h\to 0}h=0$이므로 $\lim_{h\to 0}\{f(2+ah)-5\}=0$이다.

즉, $f(2)=5$이므로

$$\lim_{h\to 0}\frac{f(2+ah)-5}{h}=\lim_{h\to 0}\frac{f(2+ah)-f(2)}{ah}\times a$$
$$=af'(2)=20 \qquad\qquad \cdots\cdots\text{㉠}$$

이때, $f(x)=x^3-2x+1$에서 $f'(x)=3x^2-2$이므로

$f'(2)=12-2=10$

따라서 ㉠에서 $10a=20$

$\therefore a=2$

7-1 답 2

|해결 전략| $\lim_{x\to 1}\dfrac{f(x)-3}{x-1}=3$에서 (분모) $\longrightarrow 0$이므로 (분자) $\longrightarrow 0$임을 이용한다.

$\lim_{x\to 1}\dfrac{f(x)-3}{x-1}=3$에서 $\lim_{x\to 1}(x-1)=0$이므로

$\lim_{x\to 1}\{f(x)-3\}=0$이다.

즉, $f(1)=3$이므로

$1+a+b=3$

$\therefore a+b=2 \qquad\qquad\qquad\qquad \cdots\cdots\text{㉠}$

또, $\lim_{x\to 1}\dfrac{f(x)-3}{x-1}=\lim_{x\to 1}\dfrac{f(x)-f(1)}{x-1}=f'(1)=3$이고

$f(x)=x^3+ax^2+bx$에서 $f'(x)=3x^2+2ax+b$이므로

$f'(1)=3+2a+b=3$

$\therefore 2a+b=0 \qquad\qquad\qquad\qquad \cdots\cdots\text{㉡}$

㉠, ㉡을 연립하여 풀면 $a=-2,\,b=4$

$\therefore a+b=-2+4=2$

7-2 답 -12

|해결 전략| 다항함수 $f(x)$가 $\lim_{h\to 0}\dfrac{f(a+h)-A}{h}=B$를 만족시키면 $A=f(a),\,B=f'(a)$임을 이용한다.

$\lim_{h\to 0}\dfrac{f(2+2h)-4}{h}=12$에서 $\lim_{h\to 0}h=0$이므로

$\lim_{h\to 0}\{f(2+2h)-4\}=0$이다.

즉, $f(2)=4$이므로

$8+4a+b=4$

$\therefore 4a+b=-4$ ······㉠

$$\lim_{h \to 0} \frac{f(2+2h)-4}{h} = \lim_{h \to 0} \frac{f(2+2h)-f(2)}{h}$$
$$= \lim_{h \to 0} \frac{f(2+2h)-f(2)}{2h} \times 2$$
$$= 2f'(2) = 12$$

이므로 $f'(2)=6$

이때, $f'(x)=3x^2+2ax$이므로

$f'(2)=12+4a=6$

$\therefore a=-\dfrac{3}{2}$

$a=-\dfrac{3}{2}$을 ㉠에 대입하면 $b=2$

따라서 $f(x)=x^3-\dfrac{3}{2}x^2+2$이므로

$f(-2)=-8-6+2=-12$

8-1 달 3

|해결 전략| 함수 $f(x)$가 $x=1$에서 미분가능하므로 $x=1$에서 연속임을 이용한다.

함수 $f(x)$가 $x=1$에서 미분가능하므로 $x=1$에서 연속이다.

즉, $f(1)=\lim\limits_{x \to 1-} f(x)$

$f(1)=1+a$이고

$\lim\limits_{x \to 1-} f(x) = \lim\limits_{x \to 1-}(ax^2+a-b)=2a-b$이므로

$1+a=2a-b$ $\therefore b=a-1$ ······㉠

또, 함수 $f(x)$가 $x=1$에서 미분가능하므로

$$\lim_{x \to 1-} \frac{f(x)-f(1)}{x-1} = \lim_{x \to 1-} \frac{(ax^2+a-b)-(1+a)}{x-1}$$
$$= \lim_{x \to 1-} \frac{(ax^2+a-a+1)-(1+a)}{x-1}$$
$$= \lim_{x \to 1-} \frac{a(x^2-1)}{x-1}$$
$$= \lim_{x \to 1-} \frac{a(x+1)(x-1)}{x-1}$$
$$= \lim_{x \to 1-} a(x+1)=2a$$

$$\lim_{x \to 1+} \frac{f(x)-f(1)}{x-1} = \lim_{x \to 1+} \frac{(x^4+a)-(1+a)}{x-1}$$
$$= \lim_{x \to 1+} \frac{x^4-1}{x-1}$$
$$= \lim_{x \to 1+} \frac{(x^2+1)(x+1)(x-1)}{x-1}$$
$$= \lim_{x \to 1+}(x^2+1)(x+1)=4$$

따라서 $2a=4$이므로 $a=2$

$a=2$를 ㉠에 대입하면 $b=1$

$\therefore a+b=2+1=3$

8-2 달 0

|해결 전략| $x=0$과 $x=2$에서의 미분가능성을 각각 알아본다.

함수 $f(x)$가 실수 전체의 집합에서 연속이므로 $x=0$, $x=2$에서 연속이다.

$\lim\limits_{x \to 0-}(1-x)=f(0)$이므로

$a=1$

$\lim\limits_{x \to 2-}(x^2+a)=f(2)$이므로

$4+1=3b+c$ $\therefore 3b+c=5$ ······㉠

$$f(x)=\begin{cases} 1-x & (x<0) \\ x^2+1 & (0 \le x < 2) \\ b(x^2-1)+c & (x \ge 2) \end{cases}$$이므로

$$f'(x)=\begin{cases} -1 & (x<0) \\ 2x & (0<x<2) \\ 2bx & (x>2) \end{cases}$$가 성립한다.

이때, $\lim\limits_{x \to 0-}(-1)=-1$, $\lim\limits_{x \to 0+}2x=0$이므로

$\lim\limits_{x \to 0-} f'(x) \neq \lim\limits_{x \to 0+} f'(x)$

따라서 $f(x)$는 $x=0$에서 미분가능하지 않고, $f(x)$는 실수 전체의 집합에서 미분가능하지 않은 점이 단 한 개만 존재하므로 $x=2$에서 미분가능해야 한다.

$\lim\limits_{x \to 2-}2x=4$, $\lim\limits_{x \to 2+}2bx=4b$이므로

$4=4b$ $\therefore b=1$

$b=1$을 ㉠에 대입하면 $c=2$

$\therefore a+b-c=1+1-2=0$

9-1 달 3

|해결 전략| $f(0)$의 값을 구한 다음 $f'(x)=\lim\limits_{h \to 0} \dfrac{f(x+h)-f(x)}{h}$임을 이용한다.

$f(x+y)=f(x)+f(y)+axy$에 $x=0$, $y=0$을 대입하면

$f(0)=f(0)+f(0)$ $\therefore f(0)=0$

$f'(x)$를 구하기 위하여 주어진 식에 y 대신 h를 대입하면

$f(x+h)=f(x)+f(h)+axh$이므로

$$f'(x)=\lim_{h \to 0} \frac{f(x+h)-f(x)}{h}$$
$$= \lim_{h \to 0} \frac{\{f(x)+f(h)+axh\}-f(x)}{h}$$
$$= \lim_{h \to 0} \frac{f(h)+axh}{h}$$
$$= \lim_{h \to 0} \frac{f(h)}{h}+ax$$
$$= \lim_{h \to 0} \frac{f(h)-f(0)}{h}+ax$$
$$= f'(0)+ax=ax-2$$

따라서 $ax-2=3x-2$이므로 $a=3$

9-2 답 -5

|해결 전략| 조건 ㈎에 $x=0$, $y=0$을 대입하여 $f(0)$의 값을 구한다.

조건 ㈎에 $x=0$, $y=0$을 대입하면

$f(0)=f(0)+f(0)-1$ $\quad$ $\therefore f(0)=1$

조건 ㈏에서 $\lim\limits_{x\to 2}(x-2)=0$이므로 $\lim\limits_{x\to 2}f(x)=0$이다.

즉, $f(2)=0$이므로

$\lim\limits_{x\to 2}\dfrac{f(x)}{x-2}=\lim\limits_{x\to 2}\dfrac{f(x)-f(2)}{x-2}=f'(2)$

$\therefore f'(2)=3$

$f'(2)=\lim\limits_{h\to 0}\dfrac{f(2+h)-f(2)}{h}$

$\quad =\lim\limits_{h\to 0}\dfrac{\{f(2)+f(h)+8h-1\}-f(2)}{h}$

$\quad =\lim\limits_{h\to 0}\dfrac{f(h)+8h-1}{h}=\lim\limits_{h\to 0}\dfrac{f(h)-1}{h}+8$

$\quad =\lim\limits_{h\to 0}\dfrac{f(h)-f(0)}{h}+8=f'(0)+8$

즉, $f'(0)+8=3$이므로 $f'(0)=-5$

10-1 답 $f(x)=x^2+x+1$

|해결 전략| $f(x)$는 $f(0)=1$을 만족시키는 이차함수이므로 상수항이 1인 이차함수임을 이용한다.

$f(0)=1$이고 $f(x)$는 이차함수이므로

$f(x)=ax^2+bx+1$ (a, b는 상수, $a\neq 0$)

로 놓으면

$f'(x)=2ax+b$

$f(x)$, $f'(x)$를 주어진 등식에 대입하면

$2(ax^2+bx+1)+3x=(x+2)(2ax+b)$

$2ax^2+(2b+3)x+2=2ax^2+(4a+b)x+2b$

위 등식이 모든 실수 x에 대하여 성립하므로

$2b+3=4a+b$, $2=2b$

$\therefore a=1$, $b=1$

$\therefore f(x)=x^2+x+1$

> **LECTURE**
>
> ❶ $ax^2+bx+c=0$이 x에 대한 항등식
>   ➡ $a=b=c=0$
> ❷ $ax^2+bx+c=a'x^2+b'x+c'$이 x에 대한 항등식
>   ➡ $a=a'$, $b=b'$, $c=c'$

10-2 답 6

|해결 전략| $f(x)=ax^2+bx-3$으로 놓고 $f'(x)$를 구하여 주어진 항등식에 대입한다.

$f(0)=-3$이고 $f(x)$는 이차함수이므로

$f(x)=ax^2+bx-3$ (a, b는 상수, $a\neq 0$)

으로 놓으면

$f'(x)=2ax+b$

$f(x)$, $f'(x)$를 주어진 등식에 대입하면

$(x+2)(2ax+b)-2(ax^2+bx-3)-14=0$

$(4a-b)x+(2b-8)=0$

위 등식이 모든 실수 x에 대하여 성립하므로

$4a-b=0$, $2b-8=0$

$\therefore a=1$, $b=4$

따라서 $f'(x)=2x+4$이므로 $f'(1)=6$

11-1 답 -8

|해결 전략| 다항식 $f(x)$를 $(x-a)^2$으로 나누었을 때의 몫을 $Q(x)$, 나머지를 $R(x)$라 하면 $f(x)=(x-a)^2Q(x)+R(x)$가 성립한다.

다항식 $2x^3+3ax+b$를 $(x-1)^2$으로 나누었을 때의 몫을 $Q(x)$라 하면

$2x^3+3ax+b=(x-1)^2Q(x)$ $\quad$ ······㉠

양변에 $x=1$을 대입하면

$2+3a+b=0$ $\quad$ $\therefore 3a+b=-2$ $\quad$ ······㉡

㉠의 양변을 x에 대하여 미분하면

$6x^2+3a=2(x-1)Q(x)+(x-1)^2Q'(x)$

양변에 $x=1$을 대입하면 $6+3a=0$ $\quad$ $\therefore a=-2$

$a=-2$를 ㉡에 대입하면 $b=4$

$\therefore ab=-2\times 4=-8$

> **LECTURE**
>
> 이차 이상의 다항식 $f(x)$가 $(x-a)^2$으로 나누어떨어지면
> $f(a)=0$, $f'(a)=0$

11-2 답 16

|해결 전략| 다항식 x^4-3x^3+8x를 $(x-2)^2$으로 나누었을 때의 몫을 $Q(x)$, 나머지를 $ax+b$로 놓는다.

다항식 x^4-3x^3+8x를 $(x-2)^2$으로 나누었을 때의 몫을 $Q(x)$, 나머지를 $R(x)=ax+b$ (a, b는 상수)라 하면

$x^4-3x^3+8x=(x-2)^2Q(x)+ax+b$ $\quad$ ······㉠

양변에 $x=2$를 대입하면

$16-24+16=2a+b$ $\quad$ $\therefore 2a+b=8$ $\quad$ ······㉡

㉠의 양변을 x에 대하여 미분하면

$4x^3-9x^2+8=2(x-2)Q(x)+(x-2)^2Q'(x)+a$

양변에 $x=2$를 대입하면 $32-36+8=a$ $\quad$ $\therefore a=4$

$a=4$를 ㉡에 대입하면 $b=0$

따라서 $R(x)=4x$이므로 $R(4)=16$

> **LECTURE**
>
> ❶ 다항식 $f(x)$를 $(x-a)^2$으로 나누었을 때의 몫을 $Q(x)$, 나머지를 $R(x)$라 하면 $f(x)=(x-a)^2Q(x)+R(x)$
> ❷ 위 ❶의 양변을 x에 대하여 미분하면
> $f'(x)=2(x-a)Q(x)+(x-a)^2Q'(x)+R'(x)$

4 | 도함수의 활용 (1)

1 접선의 방정식

1 (1) $f(x)=3x^2-5x+1$로 놓으면 $f'(x)=6x-5$

곡선 $y=f(x)$ 위의 점 $(1, -1)$에서의 접선의 기울기는 $f'(1)$이므로

$f'(1)=6\times1-5=1$

(2) $f(x)=2x^3-3x^2-3$으로 놓으면 $f'(x)=6x^2-6x$

곡선 $y=f(x)$ 위의 점 $(2, 1)$에서의 접선의 기울기는 $f'(2)$이므로

$f'(2)=6\times2^2-6\times2=12$

(3) $f(x)=2x^4-5x^2+2$로 놓으면 $f'(x)=8x^3-10x$

곡선 $y=f(x)$ 위의 점 $(-1, -1)$에서의 접선의 기울기는 $f'(-1)$이므로

$f'(-1)=8\times(-1)^3-10\times(-1)=2$

(4) $f(x)=x^4-x^3-x^2+5$로 놓으면

$f'(x)=4x^3-3x^2-2x$

곡선 $y=f(x)$ 위의 점 $(1, 4)$에서의 접선의 기울기는 $f'(1)$이므로

$f'(1)=4\times1^3-3\times1^2-2\times1=-1$

2 (1) $f(x)=-x^2+2$로 놓으면 $f'(x)=-2x$이므로

점 $(1, 1)$에서의 접선의 기울기는 $f'(1)=-2$

따라서 구하는 접선의 방정식은

$y-1=-2(x-1)$

$\therefore y=-2x+3$

(2) $f(x)=2x^2-3x+1$로 놓으면 $f'(x)=4x-3$이므로

점 $(2, 3)$에서의 접선의 기울기는 $f'(2)=8-3=5$

따라서 구하는 접선의 방정식은

$y-3=5(x-2)$

$\therefore y=5x-7$

(3) $f(x)=x^3-2x+1$로 놓으면 $f'(x)=3x^2-2$이므로

점 $(-1, 2)$에서의 접선의 기울기는 $f'(-1)=3-2=1$

따라서 구하는 접선의 방정식은

$y-2=x-(-1)$

$\therefore y=x+3$

(4) $f(x)=-2x^3+4x+3$으로 놓으면 $f'(x)=-6x^2+4$이므로

점 $(-1, 1)$에서의 접선의 기울기는 $f'(-1)=-6+4=-2$

따라서 구하는 접선의 방정식은

$y-1=-2\{x-(-1)\}$

$\therefore y=-2x-1$

3 (1) $f(x)=x^2-4x+1$로 놓으면 $f'(x)=2x-4$

접점의 좌표를 (a, a^2-4a+1)이라 하면 접선의 기울기가 2이므로 $f'(a)=2a-4=2$에서

$a=3$

따라서 접점의 좌표는 $(3, -2)$이므로 구하는 접선의 방정식은

$y-(-2)=2(x-3)$

$\therefore y=2x-8$

(2) $f(x)=-2x^2+4x$로 놓으면 $f'(x)=-4x+4$

접점의 좌표를 $(a, -2a^2+4a)$라 하면 접선의 기울기가 2이므로

$f'(a)=-4a+4=2$에서

$a=\dfrac{1}{2}$

따라서 접점의 좌표는 $\left(\dfrac{1}{2}, \dfrac{3}{2}\right)$이므로 구하는 접선의 방정식은

$y-\dfrac{3}{2}=2\left(x-\dfrac{1}{2}\right)$

$\therefore y=2x+\dfrac{1}{2}$

(3) $f(x)=-x^3+5x+2$로 놓으면 $f'(x)=-3x^2+5$

접점의 좌표를 $(a, -a^3+5a+2)$라 하면 접선의 기울기가 2이므로 $f'(a)=-3a^2+5=2$에서

$a^2=1$

$\therefore a=-1$ 또는 $a=1$

따라서 접점의 좌표는 $(-1, -2)$ 또는 $(1, 6)$이므로 구하는 접선의 방정식은

$y-(-2)=2\{x-(-1)\}$ 또는 $y-6=2(x-1)$

$\therefore y=2x$ 또는 $y=2x+4$

4 $f(x)=-x^2-x+2$로 놓으면 $f'(x)=-2x-1$

접점의 좌표를 $(a, -a^2-a+2)$라 하면 이 점에서의 접선의 기울기는 $f'(a)=-2a-1$이므로 접선의 방정식은

$y-(-a^2-a+2)=(-2a-1)(x-a)$

$\therefore y=(-2a-1)x+a^2+2$ ……㉠

이 직선이 점 $(1, 4)$를 지나므로

$4=(-2a-1)+a^2+2$, $a^2-2a-3=0$

$(a+1)(a-3)=0$

$\therefore a=-1$ 또는 $a=3$

따라서 $a=-1$, $a=3$을 ㉠에 각각 대입하면 구하는 접선의 방정식은

$y=x+3$ 또는 $y=-7x+11$

개념 check

1-1 $1, -3$

2-1 (1) $2x-3, -1, -1$ (2) $6x^2-2x+1, 1, 1$

3-1 $3a^2-5a+2, 1, (1, 0), 0, y=x-1$

4-1 $-a^2+2a+3, -a^2+2a+3, y=2x+3, y=-6x+19$

스스로 check

1-2 답 -27

$f(x)=x^4+5x-5$로 놓으면 $f'(x)=4x^3+5$

곡선 $y=f(x)$ 위의 점 $(-2, 1)$에서의 접선의 기울기는 $f'(-2)$이므로

$f'(-2)=4\times(-2)^3+5=-27$

2-2 답 (1) $y=3x-1$ (2) $y=-3x+6$

(1) $f(x)=x^2+3x-1$로 놓으면 $f'(x)=2x+3$이므로

　점 $(0, -1)$에서의 접선의 기울기는 $f'(0)=3$

　따라서 구하는 접선의 방정식은

　$y-(-1)=3(x-0)$

　$\therefore y=3x-1$

(2) $f(x)=x^3-3x^2+5$로 놓으면 $f'(x)=3x^2-6x$이므로

　점 $(1, 3)$에서의 접선의 기울기는

　$f'(1)=3-6=-3$

　따라서 구하는 접선의 방정식은

　$y-3=-3(x-1)$

　$\therefore y=-3x+6$

3-2 답 $y=x+4$

$f(x)=x^3+x+4$로 놓으면 $f'(x)=3x^2+1$

접점의 좌표를 (a, a^3+a+4)라 하면 접선의 기울기가 1이므로

$f'(a)=3a^2+1=1$에서 $a=0$

따라서 접점의 좌표는 $(0, 4)$이므로 구하는 접선의 방정식은

$y-4=x-0$

$\therefore y=x+4$

4-2 답 $y=x+2$

$f(x)=x^3-2x$로 놓으면 $f'(x)=3x^2-2$

접점의 좌표를 (a, a^3-2a)라 하면 이 점에서의 접선의 기울기는

$f'(a)=3a^2-2$이므로 접선의 방정식은

$y-(a^3-2a)=(3a^2-2)(x-a)$

$\therefore y=(3a^2-2)x-2a^3$ ……㉠

이 직선이 점 $(0, 2)$를 지나므로

$2=-2a^3, a^3=-1$ $\therefore a=-1$

따라서 $a=-1$을 ㉠에 대입하면 구하는 접선의 방정식은

$y=x+2$

01-1 답 22

| 해결 전략 | 곡선 $y=ax^2+bx+c$가 두 점 $(0, 10), (1, 12)$를 지남을 이용한다.

$f(x)=ax^2+bx+c$로 놓으면 $f'(x)=2ax+b$

점 $(0, 10)$이 곡선 $y=f(x)$ 위의 점이므로

$f(0)=10$ $\therefore c=10$

또, 곡선 $y=f(x)$가 점 $(1, 12)$를 지나므로

$f(1)=a+b+c=a+b+10=12$

$\therefore a+b=2$ ……㉠

곡선 $y=f(x)$ 위의 점 $(0, 10)$에서의 접선의 기울기가 -5이므로

$f'(0)=-5$ $\therefore b=-5$

$b=-5$를 ㉠에 대입하면 $a=7$

$\therefore a-b+c=7-(-5)+10=22$

01-2 답 2

| 해결 전략 | $f(x)=ax^4+bx^2$으로 놓으면 $f'(-1)=f'(1)$임을 이용한다.

$f(x)=ax^4+bx^2$으로 놓으면 $f'(x)=4ax^3+2bx$

점 $(-1, -1)$이 곡선 $y=f(x)$ 위의 점이므로 $f(-1)=-1$

$f(-1)=a+b$이므로 $a+b=-1$ ……㉠

곡선 $y=f(x)$ 위의 두 점 $(-1, -1), (1, k)$에서의 접선의 기울기가 서로 같으므로 $f'(-1)=f'(1)$

$f'(-1)=-4a-2b, f'(1)=4a+2b$이므로

$-4a-2b=4a+2b$

$\therefore 2a+b=0$ ……㉡

㉠, ㉡을 연립하여 풀면 $a=1, b=-2$

따라서 $f(x)=x^4-2x^2$이므로 $f(1)=-1$ $\therefore k=-1$

$\therefore \dfrac{bk}{a}=\dfrac{-2\times(-1)}{1}=2$

02-1 답 (1) $y=2x$ (2) $y=-\dfrac{1}{2}x+\dfrac{5}{2}$

| 해결 전략 | 곡선 $y=f(x)$ 위의 점 (a, b)에서의 접선의 기울기는 $x=a$에서의 미분계수 $f'(a)$와 같다.

(1) $f(x)=-x^2+4x-1$로 놓으면 $f'(x)=-2x+4$

　곡선 $y=f(x)$ 위의 점 $(1, 2)$에서의 접선의 기울기는

　$f'(1)=-2+4=2$

　따라서 구하는 접선의 방정식은

　$y-2=2(x-1)$ $\therefore y=2x$

(2) 점 $(1, 2)$에서의 접선의 기울기가 2이므로 이 접선과 수직인 직선의 기울기는 $-\dfrac{1}{2}$이다.

　따라서 구하는 직선의 방정식은

　$y-2=-\dfrac{1}{2}(x-1)$ $\therefore y=-\dfrac{1}{2}x+\dfrac{5}{2}$

03-1 답 $y=2x-6$

| 해결 전략 | 접선의 기울기를 이용하여 접점의 좌표를 구한 후 접선의 방정식을 구한다.

$f(x)=x^2-4x+3$으로 놓으면 $f'(x)=2x-4$

접점의 좌표를 (a, a^2-4a+3)이라 하면 직선 $y=2x-7$에 평행한 접선의 기울기는 2이므로

$f'(a)=2a-4=2$ ∴ $a=3$

따라서 접점의 좌표는 $(3, 0)$이므로 구하는 접선의 방정식은

$y-0=2(x-3)$

∴ $y=2x-6$

03-2 답 $y=-2x+15$

| 해결 전략 | 접선의 기울기와 직선 $x-2y+1=0$의 기울기의 곱은 -1임을 이용하여 접점의 좌표를 구한 후 접선의 방정식을 구한다.

$f(x)=-x^2+4x+6$으로 놓으면 $f'(x)=-2x+4$

접점의 좌표를 $(a, -a^2+4a+6)$이라 하면 직선 $x-2y+1=0$, 즉 $y=\dfrac{1}{2}x+\dfrac{1}{2}$에 수직인 접선의 기울기는 -2이므로

$f'(a)=-2a+4=-2$ ∴ $a=3$

따라서 접점의 좌표는 $(3, 9)$이므로 구하는 접선의 방정식은

$y-9=-2(x-3)$

∴ $y=-2x+15$

04-1 답 15

| 해결 전략 | 곡선 $y=f(x)$ 위의 점 (p, q)에서의 접선의 방정식이 $y=mx+n$이면 $f(p)=q, f'(p)=m$임을 이용한다.

$f(x)=x^3+ax+1$로 놓으면 $f'(x)=3x^2+a$

점 $(-2, b)$가 곡선 $y=f(x)$ 위의 점이므로

$b=-8-2a+1$ ∴ $2a+b=-7$ ……㉠

곡선 $y=f(x)$ 위의 점 $(-2, b)$에서의 접선의 방정식이 $y=9x+c$이므로 점 $(-2, b)$에서의 접선의 기울기는 9이다.

따라서 $f'(-2)=12+a=9$이므로 $a=-3$

$a=-3$을 ㉠에 대입하면 $b=-1$

이때, 점 $(-2, -1)$이 직선 $y=9x+c$ 위의 점이므로

$-1=-18+c$ ∴ $c=17$

∴ $a-b+c=(-3)-(-1)+17=15$

04-2 답 $y=-7x+17$

| 해결 전략 | 곡선 위의 점 $(2, c)$에서의 접선의 기울기가 2임을 이용한다.

$f(x)=x^3+ax+b$로 놓으면 $f'(x)=3x^2+a$

곡선 $y=f(x)$ 위의 점 $(2, c)$에서의 접선의 기울기가 2이므로

$f'(2)=12+a=2$ ∴ $a=-10$

점 $(2, c)$가 직선 $y=2x+3$ 위에 있으므로 $c=4+3=7$

또, 점 $(2, 7)$이 곡선 $y=x^3-10x+b$ 위에 있으므로

$7=2^3-10\times2+b$ ∴ $b=19$

따라서 곡선 $y=x^3-10x+19$ 위의 점 $(1, 10)$에서의 접선의 방정식은

$y-10=f'(1)(x-1)$, $y-10=-7(x-1)$

∴ $y=-7x+17$

05-1 답 12

| 해결 전략 | 접점의 좌표를 (a, a^2-2a+2)로 놓고 접선의 방정식을 구한 후, 접선이 점 $(3, 4)$를 지남을 이용한다.

$f(x)=x^2-2x+2$로 놓으면 $f'(x)=2x-2$

접점의 좌표를 (a, a^2-2a+2)라 하면 이 점에서의 접선의 기울기는 $f'(a)=2a-2$이므로 접선의 방정식은

$y-(a^2-2a+2)=(2a-2)(x-a)$

∴ $y=(2a-2)x-a^2+2$

이 직선이 점 $(3, 4)$를 지나므로

$4=-a^2+6a-4$, $a^2-6a+8=0$

$(a-2)(a-4)=0$ ∴ $a=2$ 또는 $a=4$

따라서 두 접선의 기울기의 곱은

$f'(2)f'(4)=2\times6=12$

05-2 답 17

| 해결 전략 | 접점의 좌표를 $(a, -a^3+1)$로 놓고 접선의 방정식을 구한 후, 접선이 점 $(0, -1)$을 지남을 이용한다.

$f(x)=-x^3+1$로 놓으면 $f'(x)=-3x^2$

접점의 좌표를 $(a, -a^3+1)$이라 하면 이 점에서의 접선의 기울기는 $f'(a)=-3a^2$이므로 접선의 방정식은

$y-(-a^3+1)=-3a^2(x-a)$

∴ $y=-3a^2x+2a^3+1$ ……㉠

이 직선이 점 $(0, -1)$을 지나므로

$-1=2a^3+1$, $a^3=-1$ ∴ $a=-1$

$a=-1$을 ㉠에 대입하면 접선의 방정식은

$y=-3x-1$

이 접선이 점 $(-6, k)$를 지나므로

$k=-3\times(-6)-1=17$

06-1 답 $y=x+2$

| 해결 전략 | 두 곡선을 각각 $y=f(x)$, $y=g(x)$로 놓으면 $f(1)=g(1)=3$, $f'(1)=g'(1)$임을 이용한다.

$f(x)=2x^2+ax+b$, $g(x)=-x^3+cx$로 놓으면

$f'(x)=4x+a$, $g'(x)=-3x^2+c$

두 곡선 $y=f(x)$, $y=g(x)$가 점 $(1, 3)$을 지나므로

$f(1)=3$에서 $2+a+b=3$ ∴ $a+b=1$ ……㉠

$g(1)=3$에서 $-1+c=3$ ∴ $c=4$

점 $(1, 3)$에서의 두 곡선의 접선의 기울기가 같으므로

$f'(1)=g'(1)$에서

$4+a=-3+c$ ∴ $a=c-7=4-7=-3$

$a=-3$을 ㉠에 대입하면 $b=4$

따라서 두 곡선 $y=2x^2-3x+4$, $y=-x^3+4x$의 접점의 좌표가 $(1, 3)$이고 접선의 기울기가 $f'(1)=g'(1)=1$이므로 구하는 접선의 방정식은

$y-3=x-1$ $\therefore y=x+2$

06-2 답 $\dfrac{1}{9}$

| 해결 전략 | 두 곡선 $y=f(x)$, $y=g(x)$가 점 (p, q)에서 만나고 이 점에서 두 곡선에 그은 접선이 서로 수직일 때, $f(p)=g(p)$, $f'(p)g'(p)=-1$임을 이용한다.

$f(x)=x^3+2a$, $g(x)=ax^2+bx$로 놓으면

$f'(x)=3x^2$, $g'(x)=2ax+b$

두 곡선 $y=f(x)$, $y=g(x)$가 점 $(1, k)$를 지나므로

$f(1)=g(1)$에서 $1+2a=a+b$

$\therefore a-b=-1$ ······㉠

점 $(1, k)$에서의 두 곡선의 접선이 서로 수직이므로

$f'(1)g'(1)=-1$ $\therefore 3(2a+b)=-1$ ······㉡

㉠, ㉡을 연립하여 풀면 $a=-\dfrac{4}{9}$, $b=\dfrac{5}{9}$

$\therefore k=f(1)=1+2a=1-\dfrac{8}{9}=\dfrac{1}{9}$

2 평균값 정리

개념 확인   101쪽~102쪽

1 (1) $\dfrac{1}{2}$ (2) $\dfrac{2\sqrt{3}}{3}$

2 (1) 1   (2) $\dfrac{\sqrt{39}}{3}$

1 (1) 함수 $f(x)=x^2-x-4$는 닫힌구간 $[-1, 2]$에서 연속이고 열린구간 $(-1, 2)$에서 미분가능하며
$f(-1)=f(2)=-2$이다.
따라서 롤의 정리에 의하여 $f'(c)=0$인 c가 열린구간 $(-1, 2)$에 적어도 하나 존재한다.
이때, $f'(x)=2x-1$이므로
$f'(c)=2c-1=0$
$\therefore c=\dfrac{1}{2}$

(2) 함수 $f(x)=x^3-4x+1$은 닫힌구간 $[0, 2]$에서 연속이고 열린구간 $(0, 2)$에서 미분가능하며 $f(0)=f(2)=1$이다.
따라서 롤의 정리에 의하여 $f'(c)=0$인 c가 열린구간 $(0, 2)$에 적어도 하나 존재한다.
이때, $f'(x)=3x^2-4$이므로
$f'(c)=3c^2-4=0$
$\therefore c=\dfrac{2\sqrt{3}}{3}$ $(\because 0<c<2)$

2 (1) 함수 $f(x)=x^2-3x$는 닫힌구간 $[0, 2]$에서 연속이고 열린구간 $(0, 2)$에서 미분가능하므로 평균값 정리에 의하여
$$\dfrac{f(2)-f(0)}{2-0}=\dfrac{-2-0}{2}=-1=f'(c)$$
인 c가 열린구간 $(0, 2)$에 적어도 하나 존재한다.
이때, $f'(x)=2x-3$이므로
$f'(c)=2c-3=-1$
$\therefore c=1$

(2) 함수 $f(x)=x^3+2$는 닫힌구간 $[1, 3]$에서 연속이고 열린구간 $(1, 3)$에서 미분가능하므로 평균값 정리에 의하여
$$\dfrac{f(3)-f(1)}{3-1}=\dfrac{29-3}{2}=13=f'(c)$$
인 c가 열린구간 $(1, 3)$에 적어도 하나 존재한다.
이때, $f'(x)=3x^2$이므로
$f'(c)=3c^2=13$
$\therefore c=\dfrac{\sqrt{39}}{3}$ $(\because 1<c<3)$

STEP ① 개념 드릴 | 104쪽 |

개념 check

1-1 미분가능, -4, 3

2-1 연속, 1, $(1, 2)$, $-2c+4$, $\dfrac{3}{2}$

스스로 check

1-2 답 $\dfrac{-1+\sqrt{13}}{3}$

함수 $f(x)=x^3+x^2-4x-4$는 닫힌구간 $[-1, 2]$에서 연속이고 열린구간 $(-1, 2)$에서 미분가능하며 $f(-1)=f(2)=0$이다.
따라서 롤의 정리에 의하여 $f'(c)=0$인 c가 열린구간 $(-1, 2)$에 적어도 하나 존재한다.
이때, $f'(x)=3x^2+2x-4$이므로
$f'(c)=3c^2+2c-4=0$
$\therefore c=\dfrac{-1+\sqrt{13}}{3}$ $(\because -1<c<2)$

2-2 답 $-\dfrac{1}{2}$

함수 $f(x)=x^2-2$는 닫힌구간 $[-2, 1]$에서 연속이고 열린구간 $(-2, 1)$에서 미분가능하므로 평균값 정리에 의하여
$$\dfrac{f(1)-f(-2)}{1-(-2)}=\dfrac{-1-2}{3}=-1=f'(c)$$
인 c가 열린구간 $(-2, 1)$에 적어도 하나 존재한다.
이때, $f'(x)=2x$이므로
$f'(c)=2c=-1$
$\therefore c=-\dfrac{1}{2}$

STEP ② 필수 유형 ——————————| 105쪽~106쪽 |

01-1 답 $c=\dfrac{\sqrt{3}}{3},\ a=-1$

|해결 전략| 함수 $f(x)$가 닫힌구간 $[0, 1]$에서 롤의 정리를 만족시키므로 $f(0)=f(1)$임을 이용하여 a의 값을 구한다.

함수 $f(x)=x^3+ax+1$은 닫힌구간 $[0, 1]$에서 연속이고 열린구간 $(0, 1)$에서 미분가능하다.

이때, 닫힌구간 $[0, 1]$에서 롤의 정리를 만족시키려면 $f(0)=f(1)$이어야 하므로

$1=1+a+1$ ∴ $a=-1$

∴ $f(x)=x^3-x+1$

따라서 롤의 정리에 의하여 $f'(c)=0$인 c가 열린구간 $(0, 1)$에 적어도 하나 존재한다.

이때, $f'(x)=3x^2-1$이므로

$f'(c)=3c^2-1=0$

∴ $c=\dfrac{\sqrt{3}}{3}$ ($\because 0<c<1$)

01-2 답 2

|해결 전략| 기울기가 0인 접선을 그을 수 있는 곡선 위의 점을 찾는다.

함수 $f(x)$는 닫힌구간 $[a, b]$에서 연속이고 열린구간 (a, b)에서 미분가능하며 $f(a)=f(b)=0$이므로 롤의 정리에 의하여 $f'(c)=0$인 c가 열린구간 (a, b)에 적어도 하나 존재한다.

$f'(c)=0$을 만족시키는 c는 기울기가 0인 접선을 갖는 점의 x좌표이다.

이때, 오른쪽 그림과 같이 두 점 $(c_1, f(c_1))$, $(c_2, f(c_2))$에서 기울기가 0인 접선을 그을 수 있으므로 구하는 c의 개수는 c_1, c_2의 2이다.

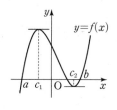

02-1 답 -1

|해결 전략| $\dfrac{f(1)-f(a)}{1-a}=f'\!\left(\dfrac{\sqrt{3}}{3}\right)$을 만족시키는 a의 값을 구한다.

함수 $f(x)=x^3-2x$에 대하여 닫힌구간 $[a, 1]$에서 평균값 정리를 만족시키는 상수 c의 값이 $\dfrac{\sqrt{3}}{3}$이므로 $\dfrac{f(1)-f(a)}{1-a}=f'\!\left(\dfrac{\sqrt{3}}{3}\right)$인 $\dfrac{\sqrt{3}}{3}$이 열린구간 $(a, 1)$에 존재한다.

이때, $f'(x)=3x^2-2$이므로

$f'\!\left(\dfrac{\sqrt{3}}{3}\right)=-1$

따라서 $\dfrac{-1-(a^3-2a)}{1-a}=-1$이므로

$-1-a^3+2a=-1+a$

$a^3-a=0,\ a(a+1)(a-1)=0$

∴ $a=-1$ ($\because a<0$)

02-2 답 2

|해결 전략| 기울기가 두 점 $(a, f(a))$, $(b, f(b))$를 잇는 직선의 기울기와 같은 접선을 찾는다.

함수 $f(x)$는 닫힌구간 $[a, b]$에서 연속이고 열린구간 (a, b)에서 미분가능하므로 평균값 정리에 의하여 $\dfrac{f(b)-f(a)}{b-a}=f'(c)$인 c가 열린구간 (a, b)에 적어도 하나 존재한다.

$\dfrac{f(b)-f(a)}{b-a}=f'(c)$를 만족시키는 c는 두 점 $(a, f(a))$, $(b, f(b))$를 잇는 직선의 기울기와 같은 미분계수를 갖는 점의 x좌표이다.

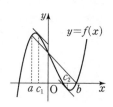

이때, 오른쪽 그림과 같이 두 점 $(c_1, f(c_1))$, $(c_2, f(c_2))$에서 두 점 $(a, f(a))$, $(b, f(b))$를 잇는 직선과 평행한 접선을 그을 수 있으므로 구하는 c의 개수는 c_1, c_2의 2이다.

STEP ③ 유형 드릴 ——————————| 107쪽~109쪽 |

1-1 답 ③

|해결 전략| 곡선 $y=f(x)$ 위의 점 $(a, f(a))$에서의 접선의 기울기는 $x=a$에서의 미분계수 $f'(a)$와 같다.

$f(x)=x^3+3x^2+4x$에서

$f'(x)=3x^2+6x+4=3(x+1)^2+1$

이때, $m=f'(x)$이고, 모든 실수 x에 대하여 $f'(x)\geq1$이므로 접선의 기울기 m의 값의 범위는

$m\geq1$

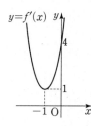

1-2 답 ①

|해결 전략| 곡선 $y=f(x)$ 위의 점 $(a, f(a))$에서의 접선의 기울기는 $f'(a)$이므로 $f'(x)$를 구하여 범위에 속하지 않는 것을 찾는다.

$f(x)=\dfrac{2}{3}x^3-2x^2+x$에서

$f'(x)=2x^2-4x+1=2(x-1)^2-1$

모든 실수 x에 대하여 $f'(x)\geq-1$이므로 접선의 기울기는 -1보다 크거나 같아야 한다.

따라서 보기 중 곡선 $y=f(x)$의 접선의 기울기가 될 수 없는 것은 -2이다.

2-1 답 $k > \dfrac{1}{3}$

|해결 전략| 모든 실수 x에 대하여 $f'(x) \neq -1$이 되도록 하는 상수 k의 값의 범위를 구한다.

곡선 $y = x^3 - 2x^2 + kx + 1$ 위의 임의의 점에서의 접선의 기울기는
$y' = 3x^2 - 4x + k$

어떤 접선도 직선 $y = x + 1$에 수직이 아니므로 모든 실수 x에 대하여
$3x^2 - 4x + k \neq -1$, 즉 $3x^2 - 4x + k + 1 \neq 0$

이므로 이차방정식 $3x^2 - 4x + k + 1 = 0$의 실근은 존재하지 않는다.

따라서 이 이차방정식의 판별식을 D라 하면

$\dfrac{D}{4} = (-2)^2 - 3(k+1) < 0 \qquad \therefore k > \dfrac{1}{3}$

2-2 답 $k > \dfrac{10}{3}$

|해결 전략| 모든 실수 x에 대하여 $f'(x) \neq 3$이 되도록 하는 상수 k의 값의 범위를 구한다.

곡선 $y = x^3 - x^2 + kx + 2$ 위의 임의의 점에서의 접선의 기울기는
$y' = 3x^2 - 2x + k$

어떤 접선도 직선 $y = 3x - 1$에 평행하지 않으므로 모든 실수 x에 대하여
$3x^2 - 2x + k \neq 3$, 즉 $3x^2 - 2x + k - 3 \neq 0$

이므로 이차방정식 $3x^2 - 2x + k - 3 = 0$의 실근은 존재하지 않는다.

따라서 이 이차방정식의 판별식을 D라 하면

$\dfrac{D}{4} = (-1)^2 - 3(k-3) < 0 \qquad \therefore k > \dfrac{10}{3}$

3-1 답 $\dfrac{1}{4}$

|해결 전략| 먼저 곡선 위의 점 $(1, 1)$에서의 접선의 방정식을 구한다.

$f(x) = 2x^3 - 4x + 3$으로 놓으면 $f'(x) = 6x^2 - 4$이므로
$f'(1) = 2$

따라서 점 $(1, 1)$에서의 접선의 방정식은
$y - 1 = 2(x - 1) \qquad \therefore y = 2x - 1$

이 접선의 x절편과 y절편이 각각 $\dfrac{1}{2}$, -1이므로 접선과 x축 및 y축으로 둘러싸인 도형의 넓이는

$\dfrac{1}{2} \times \dfrac{1}{2} \times 1 = \dfrac{1}{4}$

3-2 답 2

|해결 전략| 먼저 곡선 위의 점 $(2, 4a)$에서의 접선의 방정식을 구한다.

$f(x) = ax^2$으로 놓으면 $f'(x) = 2ax$이므로
$f'(2) = 4a$

따라서 점 $(2, 4a)$에서의 접선의 방정식은
$y - 4a = 4a(x - 2)$

$\therefore y = 4ax - 4a$

이 접선의 x절편과 y절편이 각각 1, $-4a$이고 접선과 x축 및 y축으로 둘러싸인 도형의 넓이가 4이므로

$\dfrac{1}{2} \times 1 \times 4a = 4 \qquad \therefore a = 2$

4-1 답 ⑤

|해결 전략| $g(0) = 0 \times f(0) + 0 = 0$이므로 곡선 $y = g(x)$ 위의 점 $(0, 0)$에서의 접선의 방정식을 구한다.

$g(x) = xf(x) + 3x^2$에서 $g'(x) = f(x) + xf'(x) + 6x$
$g(0) = 0$, $g'(0) = f(0) = 1$이므로 곡선 $y = g(x)$ 위의 점 $(0, 0)$에서의 접선의 방정식은 $y = x$

따라서 $a = 1$, $b = 0$이므로 $a + b = 1$

> **LECTURE**
>
> 두 함수 $f(x)$, $g(x)$가 미분가능할 때
> $\{f(x) \pm g(x)\}' = f'(x) \pm g'(x)$ (복호동순)
> $\{f(x)g(x)\}' = f'(x)g(x) + f(x)g'(x)$

4-2 답 18

|해결 전략| $Aa + B = 0$이 a에 대한 항등식이면 $A = 0$, $B = 0$임을 이용한다.

$y = x^3 + ax^2 + (2a+1)x + a + 5$를 a에 대하여 내림차순으로 정리하면

$a(x+1)^2 + (x^3 + x + 5 - y) = 0$

이 등식이 a에 대한 항등식이므로

$x + 1 = 0$, $x^3 + x + 5 - y = 0$

$\therefore x = -1$, $y = 3$

따라서 주어진 곡선은 a의 값에 관계없이 항상 점 $(-1, 3)$을 지난다.

$f(x) = x^3 + ax^2 + (2a+1)x + a + 5$로 놓으면

$f'(x) = 3x^2 + 2ax + 2a + 1$

점 $(-1, 3)$에서의 접선의 기울기는

$f'(-1) = 3 - 2a + 2a + 1 = 4$

이므로 구하는 접선의 방정식은

$y - 3 = 4(x + 1) \qquad \therefore y = 4x + 7$

따라서 $m = 4$, $n = 7$이므로

$m + 2n = 4 + 2 \times 7 = 18$

5-1 답 $2\sqrt{2}$

|해결 전략| 접점의 좌표를 구한 후 두 직선 사이의 거리를 구한다.

$f(x) = x^3 - 2x + 4$로 놓으면 $f'(x) = 3x^2 - 2$

접점의 좌표를 $(a, a^3 - 2a + 4)$라 하면 직선 $y = x + 1$에 평행한 접선의 기울기는 1이므로

$f'(a) = 3a^2 - 2 = 1$, $a^2 = 1$

$\therefore a = -1$ 또는 $a = 1$

따라서 접점의 좌표는 $(-1, 5)$ 또는 $(1, 3)$이다.

한편, 접점 $(1, 3)$에서의 접선의 방정식은

$y - 3 = x - 1 \qquad \therefore x - y + 2 = 0$

이때, 두 접선 사이의 거리는 접점 $(-1, 5)$와 직선 $x - y + 2 = 0$ 사이의 거리와 같으므로 구하는 거리는

$\dfrac{|-1 - 5 + 2|}{\sqrt{1^2 + (-1)^2}} = \dfrac{4}{\sqrt{2}} = 2\sqrt{2}$

평행한 두 직선 $ax+by+c=0$, $ax+by+c'=0$ $(c\neq c')$ 사이의 거리

는 $\dfrac{|c-c'|}{\sqrt{a^2+b^2}}$ 임을 이용하여 풀 수도 있다.

접점 $(-1, 5)$에서의 접선의 방정식은 $x-y+6=0$

접점 $(1, 3)$에서의 접선의 방정식은 $x-y+2=0$

따라서 두 접선 사이의 거리는

$$\dfrac{|6-2|}{\sqrt{1^2+(-1)^2}}=\dfrac{4}{\sqrt{2}}=2\sqrt{2}$$

5-2 답 $\dfrac{7\sqrt{5}}{5}$

|해결 전략| 점 (a, a^2)과 직선 $y=2x-8$ 사이의 거리가 최소가 되려면 $f'(a)=2$를 만족시켜야 함을 이용한다.

$f(x)=x^2$으로 놓으면 $f'(x)=2x$

곡선 $y=f(x)$의 접선 중에서 직선 $y=2x-8$과 평행한 접선의 접점의 좌표를 (a, a^2)이라 하면 이 점에서의 접선의 기울기가 2이어야 하므로

$f'(a)=2a=2$ ∴ $a=1$

즉, 접점의 좌표는 $(1, 1)$이고, 점 $(1, 1)$과 직선 $2x-y-8=0$ 사이의 거리가 구하는 최솟값이므로

$$\dfrac{|2-1-8|}{\sqrt{2^2+(-1)^2}}=\dfrac{7}{\sqrt{5}}=\dfrac{7\sqrt{5}}{5}$$

6-1 답 7

|해결 전략| 접점의 좌표를 (a, a^3-5a^2+8a-4)로 놓고 접선의 방정식을 구한 후, 접선이 점 $(3, 0)$을 지남을 이용한다.

$f(x)=x^3-5x^2+8x-4$로 놓으면 $f'(x)=3x^2-10x+8$

접점의 좌표를 (a, a^3-5a^2+8a-4)라 하면 접선의 방정식은

$y-(a^3-5a^2+8a-4)=(3a^2-10a+8)(x-a)$

∴ $y=(3a^2-10a+8)x-2a^3+5a^2-4$

이 직선이 점 $(3, 0)$을 지나므로

$0=(3a^2-10a+8)\times 3-2a^3+5a^2-4$

∴ $a^3-7a^2+15a-10=0$

따라서 세 접점의 x좌표를 α, β, γ라 하면 구하는 합은 삼차방정식의 근과 계수의 관계에 의하여

$$\alpha+\beta+\gamma=-\dfrac{-7}{1}=7$$

삼차방정식의 근과 계수의 관계

삼차방정식 $ax^3+bx^2+cx+d=0$ $(a\neq 0)$의 세 근을 α, β, γ라 하면

$$\alpha+\beta+\gamma=-\dfrac{b}{a}, \ \alpha\beta+\beta\gamma+\gamma\alpha=\dfrac{c}{a}, \ \alpha\beta\gamma=-\dfrac{d}{a}$$

6-2 답 $-\dfrac{1}{2}$

|해결 전략| 접점의 좌표를 (a, a^3-3a+2)로 놓고 접선의 방정식을 구한 후, 접선이 점 $(1, k)$를 지남을 이용한다.

$f(x)=x^3-3x+2$로 놓으면 $f'(x)=3x^2-3$

접점의 좌표를 (a, a^3-3a+2)라 하면 접선의 방정식은

$y-(a^3-3a+2)=(3a^2-3)(x-a)$

∴ $y=(3a^2-3)x-2a^3+2$

이 직선이 점 $(1, k)$를 지나므로 $k=3a^2-3-2a^3+2$

∴ $2a^3-3a^2+1+k=0$ ······ ㉠

방정식 ㉠이 서로 다른 세 실근을 갖고, 이 세 실근이 $m-n$, m, $m+n$이므로 삼차방정식의 근과 계수의 관계에 의하여

$(m-n)+m+(m+n)=\dfrac{3}{2}$ ∴ $m=\dfrac{1}{2}$

따라서 $a=\dfrac{1}{2}$이 방정식 ㉠의 근이므로

$$\dfrac{1}{4}-\dfrac{3}{4}+1+k=0 \quad ∴ k=-\dfrac{1}{2}$$

7-1 답 ⑤

|해결 전략| 곡선 $y=x^2+3x-1$ 위의 점 $(3, 17)$에서의 접선과 곡선 $y=x^3+ax+6$ 위의 $x=t$인 점에서의 접선이 서로 같음을 이용한다.

$f(x)=x^2+3x-1$로 놓으면 $f'(x)=2x+3$

∴ $f'(3)=9$

곡선 $y=f(x)$ 위의 점 $(3, 17)$에서의 접선의 방정식은

$y-17=9(x-3)$ ∴ $y=9x-10$ ······ ㉠

$g(x)=x^3+ax+6$으로 놓으면 $g'(x)=3x^2+a$

곡선 $y=g(x)$에서 접점의 좌표를 (t, t^3+at+6)이라 하면 접선의 방정식은

$y-(t^3+at+6)=(3t^2+a)(x-t)$

∴ $y=(3t^2+a)x-2t^3+6$ ······ ㉡

이때, ㉠과 ㉡이 서로 같아야 하므로

$-2t^3+6=-10$, $t^3=8$ ∴ $t=2$

또, $3t^2+a=9$이므로 $a=9-3\times 2^2=-3$

7-2 답 ④

|해결 전략| 두 곡선의 교점 P의 x좌표를 p라 하면 두 곡선의 접선이 서로 수직이므로 $f'(p)g'(p)=-1$임을 이용한다.

$f(x)=\dfrac{1}{3}x^3+1$, $g(x)=-x^2+x+a$로 놓으면

$f'(x)=x^2$, $g'(x)=-2x+1$

두 곡선의 교점 P의 x좌표를 p라 하면

$f(p)=g(p)$이므로 $\dfrac{1}{3}p^3+1=-p^2+p+a$ ······ ㉠

이때, 점 P에서의 접선의 기울기는 각각 p^2, $-2p+1$이고 $x=p$인 점에서의 두 접선이 서로 수직이므로

$p^2(-2p+1)=-1$, $2p^3-p^2-1=0$

$(p-1)(2p^2+p+1)=0$ ∴ $p=1$ $(∵ 2p^2+p+1>0)$

$p=1$을 ㉠에 대입하면

$$\dfrac{1}{3}+1=-1+1+a \quad ∴ a=\dfrac{4}{3}$$

8-1 답 $c=\dfrac{a+b}{2}$

|해결 전략| $f'(c)=0$을 만족시키는 c를 a, b를 사용하여 나타낸다.

함수 $f(x)=(x-a)(x-b)$는 닫힌구간 $[a, b]$에서 연속이고 열린구간 (a, b)에서 미분가능하며 $f(a)=f(b)=0$이다.

따라서 롤의 정리에 의하여 $f'(c)=0$인 c가 열린구간 (a, b)에 적어도 하나 존재한다.

이때, $f'(x)=(x-b)+(x-a)=2x-(a+b)$이므로

$$f'(c)=2c-(a+b)=0 \quad \therefore c=\dfrac{a+b}{2}$$

LECTURE

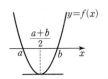

$$f(x)=(x-a)(x-b)$$
$$=x^2-(a+b)x+ab$$
$$=\left(x-\dfrac{a+b}{2}\right)^2-\dfrac{(a+b)^2}{4}+ab$$

이므로 이차함수 $f(x)$에 대하여 닫힌구간 $[a, b]$에서 롤의 정리를 만족시키는 c의 값은 $y=f(x)$의 그래프의 꼭짓점의 x좌표임을 알 수 있다.

8-2 답 $\dfrac{2(\alpha+\beta+\gamma)}{3}$

|해결 전략| $f'(c)=0$을 만족시키는 c를 이차방정식의 근과 계수의 관계를 이용하여 α, β, γ를 사용하여 나타낸다.

함수 $f(x)=(x-\alpha)(x-\beta)(x-\gamma)$는 닫힌구간 $[\alpha, \gamma]$에서 연속이고 열린구간 (α, γ)에서 미분가능하며 $f(\alpha)=f(\gamma)=0$이다.

따라서 롤의 정리에 의하여 $f'(c)=0$인 c가 열린구간 (α, γ)에 적어도 하나 존재한다. 이때,

$$f'(x)=(x-\beta)(x-\gamma)+(x-\alpha)(x-\gamma)+(x-\alpha)(x-\beta)$$
$$=3x^2-2(\alpha+\beta+\gamma)x+\alpha\beta+\beta\gamma+\gamma\alpha$$

이므로 $f'(c)=3c^2-2(\alpha+\beta+\gamma)c+\alpha\beta+\beta\gamma+\gamma\alpha=0$

따라서 이차방정식의 근과 계수의 관계에 의하여 구하는 c의 값의 합은

$$\dfrac{2(\alpha+\beta+\gamma)}{3}$$

9-1 답 3

|해결 전략| 함수 $f(x)$는 닫힌구간 $[1, 2]$에서 연속이고 열린구간 $(1, 2)$에서 미분가능하므로 평균값 정리를 이용한다.

함수 $f(x)$는 닫힌구간 $[1, 2]$에서 연속이고 열린구간 $(1, 2)$에서 미분가능하므로 평균값 정리에 의하여

$$\dfrac{f(2)-f(1)}{2-1}=f(2)-f(1)=f'(c)$$

인 c가 열린구간 $(1, 2)$에 적어도 하나 존재한다.

조건 ㈎에서 $|f'(c)| \leq 1$이므로 $|f(2)-f(1)| \leq 1$

조건 ㈏에서 $f(1)=2$이므로 $|f(2)-2| \leq 1$

$-1 \leq f(2)-2 \leq 1 \quad \therefore 1 \leq f(2) \leq 3$

따라서 $f(2)$의 최댓값은 3이고 최솟값은 1이므로 최댓값과 최솟값의 곱은 3이다.

9-2 답 ⑤

|해결 전략| 각 함수의 그래프를 그려 미분가능성, 연속성을 조사한다.

$$f(1)-f(-1)=2f'(c), \ \text{즉} \ \dfrac{f(1)-f(-1)}{1-(-1)}=f'(c) \quad \cdots\cdots\ ㉠$$

①, ③ 함수 $f(x)$는 $x=0$에서 미분가능하지 않으므로 ㉠을 만족시키는 c가 열린구간 $(-1, 1)$에 존재하지 않는다.

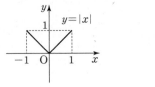 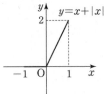

②, ④ 함수 $f(x)$는 $x=0$에서 불연속이므로 ㉠을 만족시키는 c가 열린구간 $(-1, 1)$에 존재하지 않는다.

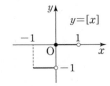 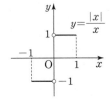

⑤ 함수 $f(x)=|x|^2=x^2$은 닫힌구간 $[-1, 1]$에서 연속이고 열린구간 $(-1, 1)$에서 미분가능하므로 평균값 정리에 의하여 ㉠을 만족시키는 c가 열린구간 $(-1, 1)$에 적어도 하나 존재한다.

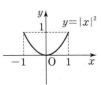

LECTURE

① $f(1)-f(-1)=0$이고 $f'(x)=\begin{cases} 1 & (x>0) \\ -1 & (x<0) \end{cases}$

따라서 $2f'(c)=0$인 c가 존재하지 않는다.

③ $f(1)-f(-1)=2$이고 $f'(x)=\begin{cases} 2 & (x>0) \\ 0 & (x<0) \end{cases}$

따라서 $2f'(c)=2$, 즉 $f'(c)=1$인 c가 존재하지 않는다.

④ $f(1)-f(-1)=2$이고 $f'(x)=0$ (단, $x \neq 0$)

따라서 $2f'(c)=2$, 즉 $f'(c)=1$인 c가 존재하지 않는다.

⑤ $f(1)-f(-1)=0$이고 $f'(x)=2x$

따라서 $c=0$일 때 $2f'(c)=0$, 즉 $f'(c)=0$이므로 주어진 조건을 만족시키는 c가 열린구간 $(-1, 1)$에 존재한다.

10-1 답 3

|해결 전략| 기울기가 평균변화율과 같아지는 접선을 그을 수 있는 곡선 위의 점을 찾는다.

평균변화율 $m=\dfrac{f(b)-f(a)}{b-a}$는 두 점 $(a, f(a))$, $(b, f(b))$를 지나는 직선의 기울기이고, $\displaystyle\lim_{h \to 0}\dfrac{f(c+h)-f(c)}{h}=f'(c)$

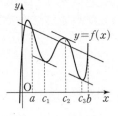

는 $x=c$인 점에서의 접선의 기울기이다.

따라서 오른쪽 그림과 같이 주어진 조건을 만족시키는 실수 c의 개수는 c_1, c_2, c_3의 3이다.

10-2 답 2

|해결 전략| 기울기가 평균변화율과 같아지는 접선을 그을 수 있는 곡선 위의 점을 찾는다.

평균변화율 $m=\dfrac{f(b)-f(a)}{b-a}$는 두 점

$(a, f(a))$, $(b, f(b))$를 지나는 직선의 기울기이고, $\displaystyle\lim_{h\to0}\dfrac{f(c+h)-f(c)}{h}=f'(c)$는

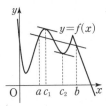

$x=c$인 점에서의 접선의 기울기이다.

따라서 오른쪽 그림과 같이 주어진 조건을 만족시키는 실수 c의 개수는 c_1, c_2의 2이다.

> **LECTURE**
>
> 함수 $y=f(x)$의 그래프 위의 꺾인 점에서는 미분가능하지 않으므로 접선을 그을 수 없음에 유의한다.

11-1 답 5

|해결 전략| 평균변화율을 c에 대한 식으로 바꾸어 그 값의 범위를 구한다.

닫힌구간 $[0, 3]$에 속하는 서로 다른 임의의 두 실수 x_1, x_2에 대하여 함수 $f(x)=x^2-2x$는 닫힌구간 $[x_1, x_2]$에서 연속이고 열린구간 (x_1, x_2)에서 미분가능하므로 평균값 정리에 의하여

$$\frac{f(x_2)-f(x_1)}{x_2-x_1}=f'(c)$$

인 c가 열린구간 (x_1, x_2)에 적어도 하나 존재한다.

이때, $f'(x)=2x-2$이므로

$$X=\left\{\frac{f(x_2)-f(x_1)}{x_2-x_1}\,\middle|\,0\le x_1<x_2\le3\right\}$$

$$=\{f'(c)\,|\,0<c<3\}\ (\because x_1<c<x_2)$$

$$=\{2c-2\,|\,0<c<3\}$$

따라서 집합 X에 속하는 정수의 개수는 -1, 0, 1, 2, 3의 5이다.

11-2 답 -3

|해결 전략| 평균변화율을 c에 대한 식으로 바꾸어 그 값의 범위를 구한다.

닫힌구간 $[0, 2]$에 속하는 서로 다른 임의의 두 실수 x_1, x_2에 대하여 함수 $f(x)=x^3-3x^2+2$는 닫힌구간 $[x_1, x_2]$에서 연속이고 열린구간 (x_1, x_2)에 적어도 하나 존재한다.

$$\frac{f(x_2)-f(x_1)}{x_2-x_1}=f'(c)$$

인 c가 열린구간 (x_1, x_2)에 적어도 하나 존재한다.

이때, $f'(x)=3x^2-6x$이므로

$$X=\left\{\frac{f(x_2)-f(x_1)}{x_2-x_1}\,\middle|\,0\le x_1<x_2\le2\right\}$$

$$=\{f'(c)\,|\,0<c<2\}\ (\because x_1<c<x_2)$$

$$=\{3c^2-6c\,|\,0<c<2\}$$

$g(x)=3x^2-6x=3(x-1)^2-3\ (0<x<2)$

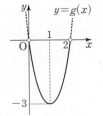

이라 하면 오른쪽 그림에서 $g(x)$의 최솟값은 -3이다.

따라서 집합 X에 속하는 원소의 최솟값은 -3이다.

---

5 | 도함수의 활용 (2)

1 함수의 증가·감소

> **개념 확인** 　　　　　　　　　　112쪽~113쪽
>
> **1** (1) 증가　(2) 감소
> **2** (1) 증가　(2) 감소　(3) 증가　(4) 감소

1 (1) 닫힌구간 $[2, 4]$에 속하는 임의의 두 실수 x_1, x_2에 대하여 $x_1<x_2$일 때

$$f(x_1)-f(x_2)=(2x_1+1)-(2x_2+1)$$
$$=2(x_1-x_2)<0$$

즉, $f(x_1)<f(x_2)$이므로 함수 $f(x)$는 닫힌구간 $[2, 4]$에서 증가한다.

(2) 닫힌구간 $[2, 4]$에 속하는 임의의 두 실수 x_1, x_2에 대하여 $x_1<x_2$일 때

$$f(x_1)-f(x_2)=\frac{1}{x_1}-\frac{1}{x_2}$$
$$=\frac{x_2-x_1}{x_1x_2}>0$$

즉, $f(x_1)>f(x_2)$이므로 함수 $f(x)$는 닫힌구간 $[2, 4]$에서 감소한다.

2 (1) $f(x)=x^2+5x$에서 $f'(x)=2x+5$
열린구간 $(0, \infty)$에서 $f'(x)>0$이므로 함수 $f(x)$는 열린구간 $(0, \infty)$에서 증가한다.

(2) $f(x)=-x^3-x^2$에서 $f'(x)=-3x^2-2x$
열린구간 $(0, \infty)$에서 $f'(x)<0$이므로 함수 $f(x)$는 열린구간 $(0, \infty)$에서 감소한다.

(3) $f(x)=x^3+4x$에서 $f'(x)=3x^2+4$
열린구간 $(0, \infty)$에서 $f'(x)>0$이므로 함수 $f(x)$는 열린구간 $(0, \infty)$에서 증가한다.

(4) $f(x)=-x^4-2x^2$에서 $f'(x)=-4x^3-4x$
열린구간 $(0, \infty)$에서 $f'(x)<0$이므로 함수 $f(x)$는 열린구간 $(0, \infty)$에서 감소한다.

STEP 1 개념 드릴 　　　　　　　　|115쪽|

> **개념 check**
>
> **1-1** $<$, $<$, 증가
> **2-1** $<$, 감소
> **3-1** -2, -2, -2, -2, 감소, -2, 증가

1-2 답 (1) 감소 (2) 증가 (3) 감소

(1) 닫힌구간 $[3, 6]$에 속하는 임의의 두 실수 x_1, x_2에 대하여 $x_1 < x_2$일 때

$$f(x_1) - f(x_2) = (-4x_1^2 + 1) - (-4x_2^2 + 1) = -4x_1^2 + 4x_2^2$$
$$= -4(x_1 + x_2)(x_1 - x_2) > 0$$

즉, $f(x_1) > f(x_2)$이므로 함수 $f(x)$는 닫힌구간 $[3, 6]$에서 감소한다.

(2) 닫힌구간 $[3, 6]$에 속하는 임의의 두 실수 x_1, x_2에 대하여 $x_1 < x_2$일 때

$$f(x_1) - f(x_2) = (x_1^3 - 3) - (x_2^3 - 3) = x_1^3 - x_2^3$$
$$= (x_1 - x_2)(x_1^2 + x_1 x_2 + x_2^2) < 0$$

즉, $f(x_1) < f(x_2)$이므로 함수 $f(x)$는 닫힌구간 $[3, 6]$에서 증가한다.

(3) 닫힌구간 $[3, 6]$에 속하는 임의의 두 실수 x_1, x_2에 대하여 $x_1 < x_2$일 때

$$f(x_1) - f(x_2) = \frac{3}{x_1} - \frac{3}{x_2} = \frac{3(x_2 - x_1)}{x_1 x_2} > 0$$

즉, $f(x_1) > f(x_2)$이므로 함수 $f(x)$는 닫힌구간 $[3, 6]$에서 감소한다.

2-2 답 (1) 감소 (2) 증가 (3) 증가

(1) $f(x) = -x^2 + 2x + 1$에서 $f'(x) = -2x + 2$

열린구간 $(2, \infty)$에서 $f'(x) < 0$이므로 함수 $f(x)$는 열린구간 $(2, \infty)$에서 감소한다.

(2) $f(x) = x^3 - 3x$에서 $f'(x) = 3x^2 - 3$

열린구간 $(2, \infty)$에서 $f'(x) > 0$이므로 함수 $f(x)$는 열린구간 $(2, \infty)$에서 증가한다.

(3) $f(x) = \frac{1}{2}x^4 - 4x$에서 $f'(x) = 2x^3 - 4$

열린구간 $(2, \infty)$에서 $f'(x) > 0$이므로 함수 $f(x)$는 열린구간 $(2, \infty)$에서 증가한다.

3-2 답 (1) 반닫힌 구간 $(-\infty, 1]$에서 감소, 반닫힌 구간 $[1, \infty)$에서 증가
(2) 반닫힌 구간 $(-\infty, 2]$에서 증가, 반닫힌 구간 $[2, \infty)$에서 감소
(3) 반닫힌 구간 $(-\infty, -2]$에서 감소, 반닫힌 구간 $[-2, \infty)$에서 증가

(1) $f(x) = 5(x-1)^2$에서 $f'(x) = 10(x-1)$

$f'(x) = 0$에서 $x = 1$

함수 $f(x)$의 증가, 감소를 표로 나타내면 다음과 같다.

x	$\cdots$	1	$\cdots$
$f'(x)$	$-$	0	$+$
$f(x)$	$\searrow$	0	$\nearrow$

따라서 함수 $f(x)$는 반닫힌 구간 $(-\infty, 1]$에서 감소하고, 반닫힌 구간 $[1, \infty)$에서 증가한다.

(2) $f(x) = -3x^2 + 12x$에서 $f'(x) = -6x + 12 = -6(x-2)$

$f'(x) = 0$에서 $x = 2$

함수 $f(x)$의 증가, 감소를 표로 나타내면 다음과 같다.

x	$\cdots$	2	$\cdots$
$f'(x)$	$+$	0	$-$
$f(x)$	$\nearrow$	12	$\searrow$

따라서 함수 $f(x)$는 반닫힌 구간 $(-\infty, 2]$에서 증가하고, 반닫힌 구간 $[2, \infty)$에서 감소한다.

(3) $f(x) = 4(x+2)^2 - 8$에서 $f'(x) = 8(x+2)$

$f'(x) = 0$에서 $x = -2$

함수 $f(x)$의 증가, 감소를 표로 나타내면 다음과 같다.

x	$\cdots$	-2	$\cdots$
$f'(x)$	$-$	0	$+$
$f(x)$	$\searrow$	-8	$\nearrow$

따라서 함수 $f(x)$는 반닫힌 구간 $(-\infty, -2]$에서 감소하고, 반닫힌 구간 $[-2, \infty)$에서 증가한다.

STEP 2 필수 유형 |116쪽~118쪽|

01-1 답 (1) 반닫힌 구간 $\left(-\infty, -\frac{1}{2}\right]$, $\left[\frac{1}{2}, \infty\right)$에서 증가, 닫힌구간 $\left[-\frac{1}{2}, \frac{1}{2}\right]$에서 감소
(2) 닫힌구간 $[0, 4]$에서 증가, 반닫힌 구간 $(-\infty, 0]$, $[4, \infty)$에서 감소

|해결 전략| 함수 $f(x)$의 증가, 감소를 표로 나타내어 $f(x)$의 증가와 감소를 조사한다.

(1) $f(x) = 4x^3 - 3x + 1$에서

$$f'(x) = 12x^2 - 3 = 3(2x+1)(2x-1)$$

$f'(x) = 0$에서 $x = -\frac{1}{2}$ 또는 $x = \frac{1}{2}$

함수 $f(x)$의 증가, 감소를 표로 나타내면 다음과 같다.

x	$\cdots$	$-\frac{1}{2}$	$\cdots$	$\frac{1}{2}$	$\cdots$
$f'(x)$	$+$	0	$-$	0	$+$
$f(x)$	$\nearrow$	2	$\searrow$	0	$\nearrow$

따라서 함수 $f(x)$는 반닫힌 구간 $\left(-\infty, -\frac{1}{2}\right]$, $\left[\frac{1}{2}, \infty\right)$에서 증가하고, 닫힌구간 $\left[-\frac{1}{2}, \frac{1}{2}\right]$에서 감소한다.

(2) $f(x) = -2x^3 + 12x^2 + 3$에서

$$f'(x) = -6x^2 + 24x = -6x(x-4)$$

$f'(x) = 0$에서 $x = 0$ 또는 $x = 4$

함수 $f(x)$의 증가, 감소를 표로 나타내면 다음과 같다.

x	$\cdots$	0	$\cdots$	4	$\cdots$
$f'(x)$	$-$	0	$+$	0	$-$
$f(x)$	$\searrow$	3	$\nearrow$	67	$\searrow$

따라서 함수 $f(x)$는 닫힌구간 $[0, 4]$에서 증가하고, 반닫힌 구간 $(-\infty, 0]$, $[4, \infty)$에서 감소한다.

01-2 답 -1

|해결 전략| 함수 $f(x)$의 증가, 감소를 표로 나타내어 $f(x)$가 증가하는 구간을 구한다.

$f(x)=-2x^3-3x^2+12x+3$에서

$f'(x)=-6x^2-6x+12=-6(x+2)(x-1)$

$f'(x)=0$에서 $x=-2$ 또는 $x=1$

함수 $f(x)$의 증가, 감소를 표로 나타내면 다음과 같다.

x	$\cdots$	-2	$\cdots$	1	$\cdots$
$f'(x)$	$-$	0	$+$	0	$-$
$f(x)$	$\searrow$	-17	$\nearrow$	10	$\searrow$

따라서 함수 $f(x)$는 닫힌구간 $[-2,\ 1]$에서 증가하므로

$\alpha=-2,\ \beta=1$

$\therefore \alpha+\beta=-1$

다른 풀이

$f(x)=-2x^3-3x^2+12x+3$에서

$f'(x)=-6x^2-6x+12=-6(x+2)(x-1)$

이때, 함수 $f(x)$가 닫힌구간 $[\alpha,\ \beta]$에서 증가하므로 이 구간에서 $f'(x)\geq0$이다. 즉,

$-6(x+2)(x-1)\geq0,\ (x+2)(x-1)\leq0$

$\therefore -2\leq x\leq1$

따라서 $\alpha=-2,\ \beta=1$이므로 $\alpha+\beta=-1$

02-1 답 $-9\leq a\leq0$

|해결 전략| 삼차함수 $f(x)$가 실수 전체의 집합에서 감소하려면 모든 실수 x에 대하여 $f'(x)\leq0$이어야 한다.

$f(x)=-3x^3+ax^2+ax+5$에서 $f'(x)=-9x^2+2ax+a$

함수 $f(x)$가 실수 전체의 집합에서 감소하려면 모든 실수 x에 대하여 $f'(x)\leq0$이어야 한다.

이때, 이차방정식 $f'(x)=0$의 판별식을 D라 하면 $D\leq0$이어야 한다.

따라서 $\dfrac{D}{4}=a^2+9a\leq0$에서 $a(a+9)\leq0$ $\qquad\therefore -9\leq a\leq0$

> **LECTURE**
>
> **삼차함수가 실수 전체의 집합에서 증가 또는 감소하기 위한 조건**
> 함수 $f(x)=ax^3+bx^2+cx+d$ $(a\neq0,\ b,\ c,\ d$는 상수)가 실수 전체의 집합에서
> ❶ 증가하기 위한 조건 → 최고차항의 계수가 양수인 이차함수
> $a>0,\ \underline{f'(x)\geq0}$
>   ➡ $a>0,\ f'(x)=0$의 판별식 $D\leq0$
> ❷ 감소하기 위한 조건 → 최고차항의 계수가 음수인 이차함수
> $a<0,\ \underline{f'(x)\leq0}$
>   ➡ $a<0,\ f'(x)=0$의 판별식 $D\leq0$

02-2 답 4

|해결 전략| 삼차함수 $f(x)$가 열린구간 $(-\infty,\ \infty)$에서 증가하려면 모든 실수 x에 대하여 $f'(x)\geq0$이어야 한다.

$f(x)=2x^3-3ax^2+6ax+2$에서

$f'(x)=6x^2-6ax+6a=6(x^2-ax+a)$

함수 $f(x)$가 열린구간 $(-\infty,\ \infty)$에서 증가하려면 모든 실수 x에 대하여 $f'(x)\geq0$이어야 한다.

이때, 이차방정식 $f'(x)=0$, 즉 $x^2-ax+a=0$의 판별식을 D라 하면 $D\leq0$이어야 한다.

즉, $D=a^2-4a\leq0$에서 $a(a-4)\leq0$

$\therefore 0\leq a\leq4$

따라서 $M=4,\ m=0$이므로 $M+m=4$

03-1 답 (1) $a\geq15$ (2) $a\leq0$

|해결 전략| 삼차함수 $f(x)$가 열린구간에서 증가하려면 그 구간의 모든 x에 대하여 $f'(x)\geq0$이어야 하고, 감소하려면 그 구간의 모든 x에 대하여 $f'(x)\leq0$이어야 한다.

$f(x)=-x^3-3x^2+3ax-1$에서 $f'(x)=-3x^2-6x+3a$

(1) 함수 $f(x)$가 열린구간 $(1,\ 3)$에서 증가하려면 이 구간에서 $f'(x)\geq0$이어야 한다.

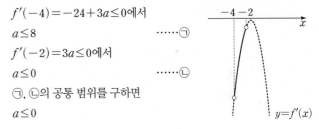

$f'(1)=-9+3a\geq0$에서

$a\geq3$ $\qquad\qquad\cdots\cdots$ ㉠

$f'(3)=-45+3a\geq0$에서

$a\geq15$ $\qquad\qquad\cdots\cdots$ ㉡

㉠, ㉡의 공통 범위를 구하면

$a\geq15$

(2) 함수 $f(x)$가 열린구간 $(-4,\ -2)$에서 감소하려면 이 구간에서 $f'(x)\leq0$이어야 한다.

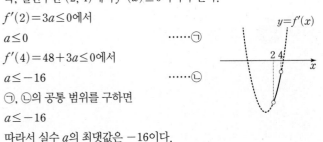

$f'(-4)=-24+3a\leq0$에서

$a\leq8$ $\qquad\qquad\cdots\cdots$ ㉠

$f'(-2)=3a\leq0$에서

$a\leq0$ $\qquad\qquad\cdots\cdots$ ㉡

㉠, ㉡의 공통 범위를 구하면

$a\leq0$

03-2 답 -16

|해결 전략| 삼차함수 $f(x)$가 열린구간 $(2,\ 4)$에서 감소하려면 이 구간의 모든 x에 대하여 $f'(x)\leq0$이어야 한다.

$f(x)=2x^3-6x^2+3ax+5$에서 $f'(x)=6x^2-12x+3a$

열린구간 $(2,\ 4)$에 속하는 임의의 두 실수 $x_1,\ x_2$에 대하여 $x_1<x_2$이면 $f(x_1)>f(x_2)$가 성립하려면 함수 $f(x)$가 열린구간 $(2,\ 4)$에서 감소해야 한다.

즉, 열린구간 $(2,\ 4)$에서 $f'(x)\leq0$이어야 한다.

$f'(2)=3a\leq0$에서

$a\leq0$ $\qquad\qquad\cdots\cdots$ ㉠

$f'(4)=48+3a\leq0$에서

$a\leq-16$ $\qquad\qquad\cdots\cdots$ ㉡

㉠, ㉡의 공통 범위를 구하면

$a\leq-16$

따라서 실수 a의 최댓값은 -16이다.

2 함수의 극대·극소

1 (1) 함수 $f(x)$는 극댓값은 없고, $x=0$의 좌우에서 감소하다가 증가하므로 $f(x)$는 $x=0$에서 극소이며 극솟값은
$$f(0)=-1$$
(2) 함수 $f(x)$는 $x=0$의 좌우에서 증가하다가 감소하므로 $f(x)$는 $x=0$에서 극대이며 극댓값은
$$f(0)=4$$
또, $x=2$의 좌우에서 감소하다가 증가하므로 $f(x)$는 $x=2$에서 극소이며 극솟값은
$$f(2)=0$$

2 (1) $f(x)=x^2-2x$에서
$$f'(x)=2x-2=2(x-1)$$
$f'(x)=0$에서 $x=1$
함수 $f(x)$의 증가, 감소를 표로 나타내면 다음과 같다.

x	$\cdots$	1	$\cdots$
$f'(x)$	$-$	0	$+$
$f(x)$	$\searrow$	-1	$\nearrow$

따라서 함수 $f(x)$는 극댓값은 없고,
$x=1$에서 극소이고 극솟값은 $f(1)=-1$이다.
(2) $f(x)=x^3-6x^2$에서
$$f'(x)=3x^2-12x=3x(x-4)$$
$f'(x)=0$에서 $x=0$ 또는 $x=4$
함수 $f(x)$의 증가, 감소를 표로 나타내면 다음과 같다.

x	$\cdots$	0	$\cdots$	4	$\cdots$
$f'(x)$	$+$	0	$-$	0	$+$
$f(x)$	$\nearrow$	0	$\searrow$	-32	$\nearrow$

따라서 함수 $f(x)$는
$x=0$에서 극대이고 극댓값은 $f(0)=0$,
$x=4$에서 극소이고 극솟값은 $f(4)=-32$이다.

STEP ① 개념 드릴 | 121쪽 |

개념 check

1-1 b, e, b, e
2-1 $0, -1, 1$
3-1 $-1, 1, -1, 1, -1, 7, 1, 1, 7, -1, -1, -1$

1-2 🖉 b, d, f
함수 $f(x)$는 $x=b$, $x=d$, $x=f$의 좌우에서 증가하다가 감소하므로 $f(x)$가 극댓값을 갖는 점의 x좌표는 b, d, f이다.

2-2 🖉 (1) $-10, 0$　(2) $-4, 2$
(1) $f(x)=-x^3-15x^2+6$에서
$$f'(x)=-3x^2-30x=-3x(x+10)$$
따라서 미분가능한 함수 $f(x)$가 $x=a$에서 극값을 가지므로
$f'(a)=-3a(a+10)=0$에서 $a=-10$ 또는 $a=0$
(2) $f(x)=x^3+3x^2-24x$에서
$$f'(x)=3x^2+6x-24=3(x+4)(x-2)$$
따라서 미분가능한 함수 $f(x)$가 $x=a$에서 극값을 가지므로
$f'(a)=3(a+4)(a-2)=0$에서 $a=-4$ 또는 $a=2$

3-2 🖉 (1) 극댓값: 8, 극솟값: 없다.　(2) 극댓값: 44, 극솟값: -81
　　　(3) 극댓값: 1, 극솟값: -31
(1) $f(x)=-x^2+4x+4$에서
$$f'(x)=-2x+4=-2(x-2)$$
$f'(x)=0$에서 $x=2$
함수 $f(x)$의 증가, 감소를 표로 나타내면 다음과 같다.

x	$\cdots$	2	$\cdots$
$f'(x)$	$+$	0	$-$
$f(x)$	$\nearrow$	8	$\searrow$

따라서 함수 $f(x)$는
$x=2$에서 극대이고 극댓값은 $f(2)=8$,
극솟값은 없다.
(2) $f(x)=2x^3-3x^2-36x$에서
$$f'(x)=6x^2-6x-36=6(x+2)(x-3)$$
$f'(x)=0$에서 $x=-2$ 또는 $x=3$
함수 $f(x)$의 증가, 감소를 표로 나타내면 다음과 같다.

x	$\cdots$	-2	$\cdots$	3	$\cdots$
$f'(x)$	$+$	0	$-$	0	$+$
$f(x)$	$\nearrow$	44	$\searrow$	-81	$\nearrow$

따라서 함수 $f(x)$는
$x=-2$에서 극대이고 극댓값은 $f(-2)=44$,
$x=3$에서 극소이고 극솟값은 $f(3)=-81$이다.
(3) $f(x)=-x^3-6x^2+1$에서
$$f'(x)=-3x^2-12x=-3x(x+4)$$
$f'(x)=0$에서 $x=-4$ 또는 $x=0$
함수 $f(x)$의 증가, 감소를 표로 나타내면 다음과 같다.

x	$\cdots$	-4	$\cdots$	0	$\cdots$
$f'(x)$	$-$	0	$+$	0	$-$
$f(x)$	$\searrow$	-31	$\nearrow$	1	$\searrow$

따라서 함수 $f(x)$는
$x=0$에서 극대이고 극댓값은 $f(0)=1$,
$x=-4$에서 극소이고 극솟값은 $f(-4)=-31$이다.

01-1 달 (1) 극댓값: -1, 극솟값: $-\dfrac{7}{3}$

(2) 극댓값: 13, 극솟값: -19, 8

|해결 전략| $f'(x)=0$이 되는 x의 값을 구하고 그 값의 좌우에서 $f'(x)$의 부호가 바뀌는지 조사한다.

(1) $f(x)=-\dfrac{1}{3}x^3+2x^2-3x-1$에서

$f'(x)=-x^2+4x-3=-(x-1)(x-3)$

$f'(x)=0$에서 $x=1$ 또는 $x=3$

함수 $f(x)$의 증가, 감소를 표로 나타내면 다음과 같다.

x	$\cdots$	1	$\cdots$	3	$\cdots$
$f'(x)$	$-$	0	$+$	0	$-$
$f(x)$	$\searrow$	$-\dfrac{7}{3}$	$\nearrow$	-1	$\searrow$

따라서 함수 $f(x)$는

$x=3$에서 극대이고 극댓값은 $f(3)=-1$,

$x=1$에서 극소이고 극솟값은 $f(1)=-\dfrac{7}{3}$이다.

(2) $f(x)=3x^4-8x^3-6x^2+24x$에서

$f'(x)=12x^3-24x^2-12x+24=12(x+1)(x-1)(x-2)$

$f'(x)=0$에서 $x=-1$ 또는 $x=1$ 또는 $x=2$

함수 $f(x)$의 증가, 감소를 표로 나타내면 다음과 같다.

x	$\cdots$	-1	$\cdots$	1	$\cdots$	2	$\cdots$
$f'(x)$	$-$	0	$+$	0	$-$	0	$+$
$f(x)$	$\searrow$	-19	$\nearrow$	13	$\searrow$	8	$\nearrow$

따라서 함수 $f(x)$는

$x=1$에서 극대이고 극댓값은 $f(1)=13$,

$x=-1$, $x=2$에서 극소이고 극솟값은 $f(-1)=-19$, $f(2)=8$

이다.

01-2 달 26

|해결 전략| $f'(x)=0$이 되는 x의 값을 구하고 그 값의 좌우에서 $f'(x)$의 부호가 바뀌는지 조사한다.

$f(x)=x^3+3x^2-9x+2$에서

$f'(x)=3x^2+6x-9=3(x+3)(x-1)$

$f'(x)=0$에서 $x=-3$ 또는 $x=1$

함수 $f(x)$의 증가, 감소를 표로 나타내면 다음과 같다.

x	$\cdots$	-3	$\cdots$	1	$\cdots$
$f'(x)$	$+$	0	$-$	0	$+$
$f(x)$	$\nearrow$	29	$\searrow$	-3	$\nearrow$

따라서 함수 $f(x)$는

$x=-3$에서 극대이고 극댓값은 $M=f(-3)=29$,

$x=1$에서 극소이고 극솟값은 $m=f(1)=-3$

$\therefore M+m=29+(-3)=26$

02-1 달 $-\dfrac{1}{2}$

|해결 전략| 미분가능한 함수 $f(x)$가 $x=-1$, $x=0$에서 극값을 가지므로 $f'(-1)=f'(0)=0$임을 이용하여 a, b의 값을 구한다.

$f(x)=-x^3+ax^2+bx$에서 $f'(x)=-3x^2+2ax+b$

함수 $f(x)$가 $x=-1$, $x=0$에서 극값을 가지므로

$f'(-1)=-3-2a+b=0$ $\qquad$ ……㉠

$f'(0)=b=0$ $\qquad$ ……㉡

㉡을 ㉠에 대입하면 $a=-\dfrac{3}{2}$

따라서 $f(x)=-x^3-\dfrac{3}{2}x^2$이므로 극솟값은

$f(-1)=1-\dfrac{3}{2}=-\dfrac{1}{2}$

다른 풀이

$f(x)=-x^3+ax^2+bx$에서 $f'(x)=-3x^2+2ax+b$

함수 $f(x)$가 $x=-1$, $x=0$에서 극값을 가지므로

$f'(-1)=0$, $f'(0)=0$

즉, 이차방정식 $f'(x)=0$의 두 근이 -1, 0이므로

근과 계수의 관계에 의하여

$-1+0=\dfrac{2a}{3}$, $-1\times0=-\dfrac{b}{3}$

$\therefore a=-\dfrac{3}{2}$, $b=0$

따라서 $f(x)=-x^3-\dfrac{3}{2}x^2$이므로 극솟값은

$f(-1)=1-\dfrac{3}{2}=-\dfrac{1}{2}$

02-2 달 32

|해결 전략| 미분가능한 함수 $f(x)$가 $x=-2$, $x=2$에서 극값을 가지므로 $f'(-2)=f'(2)=0$임을 이용하여 a, b의 값을 구한 후, 극댓값과 극솟값을 구한다.

$f(x)=-x^3+ax^2+bx+c$에서 $f'(x)=-3x^2+2ax+b$

함수 $f(x)$가 $x=-2$, $x=2$에서 극값을 가지므로

$f'(-2)=-12-4a+b=0$ $\qquad$ ……㉠

$f'(2)=-12+4a+b=0$ $\qquad$ ……㉡

㉠, ㉡을 연립하여 풀면

$a=0$, $b=12$

$\therefore f(x)=-x^3+12x+c$

$f'(x)=-3x^2+12=-3(x+2)(x-2)$

$f'(x)=0$에서 $x=-2$ 또는 $x=2$

함수 $f(x)$의 증가, 감소를 표로 나타내면 다음과 같다.

x	$\cdots$	-2	$\cdots$	2	$\cdots$
$f'(x)$	$-$	0	$+$	0	$-$
$f(x)$	$\searrow$	$c-16$	$\nearrow$	$c+16$	$\searrow$

즉, 함수 $f(x)$는

$x=2$에서 극대이고 극댓값은 $f(2)=c+16$,

$x=-2$에서 극소이고 극솟값은 $f(-2)=c-16$이다.

따라서 극댓값과 극솟값의 차는

$(c+16)-(c-16)=32$

03-1 $\boxed{\text{답}}$ (1) $a<-3$ 또는 $a>3$ (2) $-\sqrt{3}\leq a\leq\sqrt{3}$

|해결 전략| 삼차함수 $f(x)$가 극값을 가지려면 이차방정식 $f'(x)=0$이 서로 다른 두 실근을 가져야 하고, 삼차함수 $f(x)$가 극값을 갖지 않으려면 이차방정식 $f'(x)=0$이 중근 또는 허근을 가져야 함을 이용한다.

(1) $f(x)=x^3+ax^2+3x+4$에서 $f'(x)=3x^2+2ax+3$

함수 $f(x)$가 극값을 가지려면 이차방정식 $f'(x)=0$이 서로 다른 두 실근을 가져야 하므로 이차방정식 $f'(x)=0$의 판별식을 D라 하면

$$\frac{D}{4}=a^2-9>0,\ (a-3)(a+3)>0$$

$$\therefore a<-3 \text{ 또는 } a>3$$

(2) $f(x)=x^3-3ax^2+9x+1$에서

$f'(x)=3x^2-6ax+9=3(x^2-2ax+3)$

함수 $f(x)$가 극값을 갖지 않으려면 이차방정식 $f'(x)=0$이 중근 또는 허근을 가져야 하므로 이차방정식 $f'(x)=0$,

즉, $x^2-2ax+3=0$의 판별식을 D라 하면

$$\frac{D}{4}=a^2-3\leq0,\ (a-\sqrt{3})(a+\sqrt{3})\leq0$$

$$\therefore -\sqrt{3}\leq a\leq\sqrt{3}$$

LECTURE

삼차함수 $f(x)=ax^3+bx^2+cx+d$ ($a>0$, b, c, d는 상수)의 그래프의 개형은 다음 세 가지 중 하나이다.

$f'(x)=0$이 서로 다른 두 실근 α, β를 가질 때	$f'(x)=0$이 중근 α를 가질 때	$f'(x)=0$이 서로 다른 두 허근을 가질 때
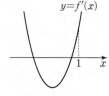		
$f'(x)=0$의 판별식 $D>0$	$f'(x)=0$의 판별식 $D=0$	$f'(x)=0$의 판별식 $D<0$
$f(x)$가 극값을 갖는다.	$f(x)$가 극값을 갖지 않는다.	

04-1 $\boxed{\text{답}}$ $a<-3$ 또는 $-3<a<0$

|해결 전략| 삼차함수 $f(x)$가 $x<1$에서 극댓값과 극솟값을 모두 가지려면 $x<1$에서 이차방정식 $f'(x)=0$이 서로 다른 두 실근을 가져야 함을 이용한다.

$f(x)=x^3-ax^2-(2a+3)x+1$에서

$f'(x)=3x^2-2ax-(2a+3)$

함수 $f(x)$가 $x<1$에서 극댓값과 극솟값을 모두 가지려면 이차방정식 $f'(x)=0$이 $x<1$에서 서로 다른 두 실근을 가져야 하므로

(i) 이차방정식 $f'(x)=0$의 판별식을 D라 하면

$$\frac{D}{4}=a^2+3(2a+3)>0$$

$$(a+3)^2>0 \quad \therefore a\neq-3$$

(ii) $f'(1)=-4a>0$에서 $a<0$

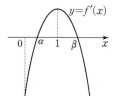

(iii) $y=f'(x)$의 그래프의 축의 방정식은 $x=\dfrac{a}{3}$이므로

$$\dfrac{a}{3}<1\text{에서 }a<3$$

따라서 (i)~(iii)에서 $a<-3$ 또는 $-3<a<0$

04-2 $\boxed{\text{답}}$ $a>\dfrac{3}{2}$

|해결 전략| 삼차함수 $f(x)$가 $0<x<1$에서 극솟값, $x>1$에서 극댓값을 가지려면 이차방정식 $f'(x)=0$의 두 실근 중 한 근은 $0<x<1$에 있고, 다른 한 근은 $x>1$에 있어야 함을 이용한다.

$f(x)=-x^3+a^2x^2-ax$에서 $f'(x)=-3x^2+2a^2x-a$

함수 $f(x)$가 $0<x<1$에서 극솟값, $x>1$에서 극댓값을 가지려면 이차방정식 $f'(x)=0$의 두 실근 중 한 근은 $0<x<1$에 있고, 다른 한 근은 $x>1$에 있어야 한다.

즉, 이차방정식 $f'(x)=0$의 두 실근을 α, β ($\alpha<\beta$)라 하면 $0<\alpha<1<\beta$이어야 하므로

(i) $f'(0)=-a<0$에서 $a>0$

(ii) $f'(1)=2a^2-a-3>0$에서

$(2a-3)(a+1)>0$

$$\therefore a<-1 \text{ 또는 } a>\dfrac{3}{2}$$

따라서 (i), (ii)에서 $a>\dfrac{3}{2}$

$\boxed{\text{참고}}$ 이 문제의 경우에는 (i), (ii)를 만족시키기만 하면 이차방정식 $f'(x)=0$이 서로 다른 두 실근을 반드시 갖게 되므로 판별식을 사용하지 않아도 된다.

05-1 $\boxed{\text{답}}$ $-3, 2$

|해결 전략| 도함수의 그래프가 x축과 만나는 점의 좌우에서 $f'(x)$의 부호가 음 $(-)$에서 양 $(+)$으로 바뀌면 그 점에서 $f(x)$는 극소이다.

도함수 $y=f'(x)$의 그래프가 x축과 만나는 점의 x좌표는

$x=-3$, $x=-1$, $x=2$, $x=4$

함수 $f(x)$의 증가, 감소를 표로 나타내면 다음과 같다.

x	$\cdots$	-3	$\cdots$	-1	$\cdots$	2	$\cdots$	4	$\cdots$
$f'(x)$	$-$	0	$+$	0	$-$	0	$+$	0	$-$
$f(x)$	$\searrow$	극소	$\nearrow$	극대	$\searrow$	극소	$\nearrow$	극대	$\searrow$

따라서 함수 $f(x)$는 $x=-3$, $x=2$에서 극소이다.

05-2 $\boxed{\text{답}}$ 4

|해결 전략| 도함수의 그래프가 x축과 만나는 점의 좌우에서 $f'(x)$의 부호가 양 $(+)$에서 음 $(-)$ 또는 음 $(-)$에서 양 $(+)$으로 바뀌는 x좌표의 개수를 구한다.

도함수 $y=f'(x)$의 그래프가 x축과 만나는 점의 x좌표는

$x=b$, $x=c$, $x=0$, $x=d$, $x=e$, $x=f$

함수 $f(x)$의 증가, 감소를 표로 나타내면 다음과 같다.

x	$\cdots$	b	$\cdots$	c	$\cdots$	0	$\cdots$	d	e	$\cdots$	f	$\cdots$
$f'(x)$	$+$	0	$+$	0	$-$	0	$+$	0	$+$	0	$-$	0	$+$
$f(x)$	$\nearrow$		$\nearrow$	극대	$\searrow$	극소	$\nearrow$		$\nearrow$	극대	$\searrow$	극소	$\nearrow$

즉, 함수 $f(x)$는 $x=c$, $x=e$에서 극댓값, $x=0$, $x=f$에서 극솟값을 갖고, $x=b$, $x=d$의 좌우에서는 $f'(x)$의 부호가 바뀌지 않으므로 극값을 갖지 않는다.

따라서 $f(x)$가 극대 또는 극소가 되는 점은 $x=c$, $x=0$, $x=e$, $x=f$일 때의 4개이다.

3 함수의 그래프

개념 확인   127쪽~129쪽

1 풀이 참조

2 최댓값: $\dfrac{25}{4}$, 최솟값: 0

1 $f(x)=x^3+3x^2+1$에서 $f'(x)=3x^2+6x=3x(x+2)$

$f'(x)=0$에서 $x=-2$ 또는 $x=0$

함수 $f(x)$의 증가, 감소를 표로 나타내면 다음과 같다.

x	$\cdots$	-2	$\cdots$	0	$\cdots$
$f'(x)$	$+$	0	$-$	0	$+$
$f(x)$	$\nearrow$	5	$\searrow$	1	$\nearrow$

함수 $y=f(x)$의 그래프와 y축의 교점의 좌표는 $(0, 1)$
따라서 함수 $y=f(x)$의 그래프의 개형을 그리면 오른쪽 그림과 같다.

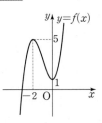

2 $f(x)=-x^2+5x$에서 $f'(x)=-2x+5$

$f'(x)=0$에서 $x=\dfrac{5}{2}$

닫힌구간 $[0, 3]$에서 함수 $f(x)$의 증가, 감소를 표로 나타내면 다음과 같다.

x	0	$\cdots$	$\dfrac{5}{2}$	$\cdots$	3
$f'(x)$		$+$	0	$-$	
$f(x)$	0	$\nearrow$	$\dfrac{25}{4}$	$\searrow$	6

따라서 함수 $f(x)$는 $x=\dfrac{5}{2}$에서 최댓값 $f\left(\dfrac{5}{2}\right)=\dfrac{25}{4}$, $x=0$에서 최솟값 $f(0)=0$을 갖는다.

STEP 1 개념 드릴 |130쪽|

개념 check

1-1 $-2, 2, -2, 2, 17, -15, 0, 1$

2-1 $3, 3, 0, 3, 3, 0, 4, 4, -4$

스스로 check

1-2 풀이 참조

$f(x)=-2x^3-3x^2$에서 $f'(x)=-6x^2-6x=-6x(x+1)$

$f'(x)=0$에서 $x=-1$ 또는 $x=0$

함수 $f(x)$의 증가, 감소를 표로 나타내면 다음과 같다.

x	$\cdots$	-1	$\cdots$	0	$\cdots$
$f'(x)$	$-$	0	$+$	0	$-$
$f(x)$	$\searrow$	-1	$\nearrow$	0	$\searrow$

함수 $y=f(x)$의 그래프와 y축의 교점의 좌표는 $(0, 0)$
따라서 함수 $y=f(x)$의 그래프의 개형을 그리면 오른쪽 그림과 같다.

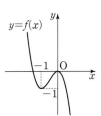

2-2 (1) 최댓값: 64, 최솟값: 0   (2) 최댓값: 64, 최솟값: 50
          (3) 최댓값: 32, 최솟값: 0

$f(x)=2x^3+12x^2$에서 $f'(x)=6x^2+24x=6x(x+4)$

(1) $f'(x)=0$에서 $x=0$ ($\because -1 \le x \le 2$)

닫힌구간 $[-1, 2]$에서 함수 $f(x)$의 증가, 감소를 표로 나타내면 다음과 같다.

x	-1	$\cdots$	0	$\cdots$	2
$f'(x)$		$-$	0	$+$	
$f(x)$	10	$\searrow$	0	$\nearrow$	64

따라서 함수 $f(x)$는 $x=2$에서 최댓값 $f(2)=64$, $x=0$에서 최솟값 $f(0)=0$을 갖는다.

(2) $f'(x)=0$에서 $x=-4$ ($\because -5 \le x \le -3$)

닫힌구간 $[-5, -3]$에서 함수 $f(x)$의 증가, 감소를 표로 나타내면 다음과 같다.

x	-5	$\cdots$	-4	$\cdots$	-3
$f'(x)$		$+$	0	$-$	
$f(x)$	50	$\nearrow$	64	$\searrow$	54

따라서 함수 $f(x)$는 $x=-4$에서 최댓값 $f(-4)=64$, $x=-5$에서 최솟값 $f(-5)=50$을 갖는다.

(3) $f'(x)=0$에서 $x=0$ ($\because -2 \le x \le 1$)

닫힌구간 $[-2, 1]$에서 함수 $f(x)$의 증가, 감소를 표로 나타내면 다음과 같다.

x	-2	$\cdots$	0	$\cdots$	1
$f'(x)$		$-$	0	$+$	
$f(x)$	32	$\searrow$	0	$\nearrow$	14

따라서 함수 $f(x)$는 $x=-2$에서 최댓값 $f(-2)=32$, $x=0$에서 최솟값 $f(0)=0$을 갖는다.

01-1 답 (1) 풀이 참조　(2) 풀이 참조

|해결 전략| 함수의 증가와 감소, 극대와 극소, 좌표축과의 교점을 조사하여 함수
의 그래프의 개형을 그린다.

(1) $f(x)=x^3-6x^2+9x+2$에서
　$f'(x)=3x^2-12x+9=3(x-1)(x-3)$
　$f'(x)=0$에서 $x=1$ 또는 $x=3$
　함수 $f(x)$의 증가, 감소를 표로 나타내면 다음과 같다.

x	$\cdots$	1	$\cdots$	3	$\cdots$
$f'(x)$	$+$	0	$-$	0	$+$
$f(x)$	↗	6	↘	2	↗

함수 $y=f(x)$의 그래프와 y축의 교점의
좌표는 $(0,2)$
따라서 함수 $y=f(x)$의 그래프의 개형을
그리면 오른쪽 그림과 같다.

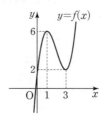

(2) $f(x)=-3x^4+8x^3-3$에서
　$f'(x)=-12x^3+24x^2=-12x^2(x-2)$
　$f'(x)=0$에서 $x=0$ 또는 $x=2$
　함수 $f(x)$의 증가, 감소를 표로 나타내면 다음과 같다.

x	$\cdots$	0	$\cdots$	2	$\cdots$
$f'(x)$	$+$	0	$+$	0	$-$
$f(x)$	↗	-3	↗	13	↘

함수 $y=f(x)$의 그래프와 y축의 교
표는 $(0,-3)$
따라서 함수 $y=f(x)$의 그래프의 개형을
그리면 오른쪽 그림과 같다.

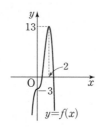

02-1 답 (1) 최댓값: 30, 최솟값: -51　(2) 최댓값: 27, 최솟값: 2

|해결 전략| 닫힌구간 $[a,b]$에서 함수 $f(x)$의 극값, $f(a),f(b)$를 구한 다음 그
크기를 비교하여 최댓값과 최솟값을 구한다.

(1) $f(x)=-x^3+3x^2+9x+3$에서
　$f'(x)=-3x^2+6x+9=-3(x+1)(x-3)$
　$f'(x)=0$에서 $x=3$ $(\because 2\leq x\leq6)$
　닫힌구간 $[2,6]$에서 함수 $f(x)$의 증가, 감소를 표로 나타내면 다
음과 같다.

x	2	$\cdots$	3	$\cdots$	6
$f'(x)$		$+$	0	$-$	
$f(x)$	25	↗	30	↘	-51

따라서 함수 $f(x)$는 $x=3$에서 최댓값 $f(3)=30$,
$x=6$에서 최솟값 $f(6)=-51$을 갖는다.

(2) $f(x)=x^4+8x^3+16x^2+2$에서
　$f'(x)=4x^3+24x^2+32x=4x(x+2)(x+4)$
　$f'(x)=0$에서 $x=-2$ 또는 $x=0$ $(\because -3\leq x\leq1)$
　닫힌구간 $[-3,1]$에서 함수 $f(x)$의 증가, 감소를 표로 나타내면
　다음과 같다.

x	-3	$\cdots$	-2	$\cdots$	0	$\cdots$	1
$f'(x)$		$+$	0	$-$	0	$+$	
$f(x)$	11	↗	18	↘	2	↗	27

따라서 함수 $f(x)$는 $x=1$에서 최댓값 $f(1)=27$,
$x=0$에서 최솟값 $f(0)=2$를 갖는다.

02-2 답 $0<a\leq\dfrac{5}{2}$

|해결 전략| 닫힌구간 $[0,a]$에서 함수 $f(x)$의 증가, 감소를 조사하여 최댓값이
$f(0)$이 되도록 하는 실수 a의 값의 범위를 구한다.

$f(x)=2x^3-5x^2+4$에서 $f'(x)=6x^2-10x=6x\left(x-\dfrac{5}{3}\right)$
$f'(x)=0$에서 $x=0$ 또는 $x=\dfrac{5}{3}$
닫힌구간 $[0,a]$에서 함수 $f(x)$의 증가, 감소를 표로 나타내면 다음
과 같다.

x	0	$\cdots$	$\dfrac{5}{3}$	$\cdots$
$f'(x)$	0	$-$	0	$+$
$f(x)$	4	↘	$-\dfrac{17}{27}$	↗

또, 최댓값이 $f(0)=4$이므로
$f(x)=4$에서 $x=0$ 또는 $x=\dfrac{5}{2}$
따라서 함수 $y=f(x)$의 그래프는 오른쪽
그림과 같으므로 $f(x)$가 최댓값 $f(0)=4$를
갖기 위한 a의 값의 범위는
$0<a\leq\dfrac{5}{2}$ $(\because a>0)$

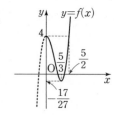

03-1 답 -48

|해결 전략| 함수 $f(x)$의 증가, 감소를 표로 나타내어 최댓값과 최솟값을 a,b에
대한 식으로 나타낸 다음 주어진 값과 비교한다.

$f(x)=ax^3-6ax^2+b$에서 $f'(x)=3ax^2-12ax=3ax(x-4)$
$f'(x)=0$에서 $x=0$ $(\because -1\leq x\leq2)$
$a<0$이므로 닫힌구간 $[-1,2]$에서 함수 $f(x)$의 증가, 감소를 표로
나타내면 다음과 같다.

x	-1	$\cdots$	0	$\cdots$	2
$f'(x)$		$-$	0	$+$	
$f(x)$	$b-7a$	↘	b	↗	$b-16a$

$a<0$일 때 $b-7a<b-16a$이므로 함수 $f(x)$는 $x=2$에서 최댓값
$f(2)=b-16a$, $x=0$에서 최솟값 $f(0)=b$를 갖는다.
이때, 함수 $f(x)$의 최댓값이 3, 최솟값이 -45이므로
$b-16a=3, b=-45$
$\therefore a=-3, b=-45$　$\therefore a+b=-48$

03-2 답 2

|해결 전략| 함수 $f(x)$의 증가, 감소를 표로 나타내어 최댓값과 최솟값을 a에 대한 식으로 나타낸 다음 그 합을 구한다.

$f(x)=2x^3+3ax^2-12a^2x+50$에서

$f'(x)=6x^2+6ax-12a^2=6(x+2a)(x-a)$

$f'(x)=0$에서 $x=a\ (\because a>0,\ 0\leq x\leq 2a)$

$a>0$이므로 닫힌구간 $[0,\ 2a]$에서 함수 $f(x)$의 증가, 감소를 표로 나타내면 다음과 같다.

x	0	$\cdots$	a	$\cdots$	$2a$
$f'(x)$		$-$	0	$+$	
$f(x)$	50	$\searrow$	$-7a^3+50$	$\nearrow$	$4a^3+50$

$a>0$일 때 $50<4a^3+50$이므로 함수 $f(x)$는 $x=2a$에서 최댓값 $f(2a)=4a^3+50$, $x=a$에서 최솟값 $f(a)=-7a^3+50$을 갖는다.

이때, 함수 $f(x)$의 최댓값과 최솟값의 합이 76이므로

$(4a^3+50)+(-7a^3+50)=76$

$-3a^3=-24,\ a^3=8$ $\therefore a=2\ (\because a>0)$

04-1 답 32

|해결 전략| $C(a,\ 6a-a^2)$이라 하고 사다리꼴 OABC의 넓이를 a에 대한 함수로 나타내어 최댓값을 구한다.

$6x-x^2=0$에서 $x(x-6)=0$이므로

$x=0$ 또는 $x=6$ $\therefore A(6,\ 0)$

오른쪽 그림과 같이 점 C의 좌표를 $(a,\ 6a-a^2)(0<a<3)$이라 하면

$B(6-a,\ 6a-a^2)$

사다리꼴 OABC의 넓이를 $S(a)$라 하면

$S(a)=\dfrac{1}{2}\{6+(6-2a)\}(6a-a^2)$

$\quad\ \ =(6-a)(6a-a^2)=a^3-12a^2+36a$

$S'(a)=3a^2-24a+36=3(a-2)(a-6)$

$S'(a)=0$에서 $a=2\ (\because 0<a<3)$

열린구간 $(0,\ 3)$에서 함수 $S(a)$의 증가, 감소를 표로 나타내면 다음과 같다.

a	0	$\cdots$	2	$\cdots$	3
$S'(a)$		$+$	0	$-$	
$S(a)$		$\nearrow$	극대	$\searrow$	

따라서 함수 $S(a)$는 $a=2$에서 극대이면서 최대이므로 사다리꼴 OABC의 넓이의 최댓값은

$S(2)=2^3-12\times2^2+36\times2=32$

참고 $a=0$ 또는 $a=3$일 때, 사다리꼴이 만들어지지 않으므로 $S(0)$, $S(3)$의 값을 계산할 필요가 없다.

04-2 답 128 cm³

|해결 전략| 잘라 내는 정사각형의 한 변의 길이를 x cm라 하고 상자의 부피를 x에 대한 함수로 나타내어 최댓값을 구한다.

잘라 내는 정사각형의 한 변의 길이를 x cm$(0<x<6)$라 하면 직육면체 모양의 상자의 부피 $V(x)$ cm³는

$V(x)=x(12-2x)^2=4x^3-48x^2+144x$

$V'(x)=12x^2-96x+144=12(x-2)(x-6)$

$V'(x)=0$에서 $x=2\ (\because 0<x<6)$

열린구간 $(0,\ 6)$에서 함수 $V(x)$의 증가, 감소를 표로 나타내면 다음과 같다.

x	0	$\cdots$	2	$\cdots$	6
$V'(x)$		$+$	0	$-$	
$V(x)$		$\nearrow$	극대	$\searrow$	

따라서 함수 $V(x)$는 $x=2$에서 극대이면서 최대이므로 상자의 부피의 최댓값은

$V(2)=4\times2^3-48\times2^2+144\times2=128\ (\text{cm}^3)$

STEP ③ 유형 드릴 ——————————| 135쪽~137쪽 |

1-1 답 3

|해결 전략| 함수 $f(x)$가 감소하는 x의 값의 범위가 $-1\leq x\leq1$이므로 이 구간에서 $f'(x)\leq0$인 a의 값을 구한다.

$f(x)=x^3-ax+4$에서 $f'(x)=3x^2-a$

함수 $f(x)$가 감소하는 x의 값의 범위가 $-1\leq x\leq1$이므로 이 구간에서 $3x^2-a\leq0$ ······㉠

부등식 ㉠의 해가 $-1\leq x\leq1$이므로

$3(x+1)(x-1)\leq0$, 즉 $3x^2-3\leq0$ ······㉡

따라서 ㉠=㉡이므로 $a=3$

다른 풀이

$f(x)=x^3-ax+4$에서 $f'(x)=3x^2-a$

함수 $f(x)$가 감소하는 x의 값의 범위가 $-1\leq x\leq1$이므로 이차방정식 $f'(x)=0$의 두 근은 -1, 1이다.

따라서 이차방정식의 근과 계수의 관계에 의하여

$-1\times1=\dfrac{-a}{3}$ $\therefore a=3$

1-2 답 9

|해결 전략| 함수 $f(x)$가 증가하는 x의 값의 범위가 $-1\leq x\leq2$이므로 이 구간에서 $f'(x)\geq0$인 a, b의 값을 구한다.

$f(x)=-x^3+ax^2+bx-2$에서 $f'(x)=-3x^2+2ax+b$

함수 $f(x)$가 증가하는 x의 값의 범위가 $-1\leq x\leq2$이므로 이 구간에서 $-3x^2+2ax+b\geq0$ ······㉠

부등식 ㉠의 해가 $-1\leq x\leq2$이므로

$-3(x+1)(x-2)\geq0$, 즉 $-3x^2+3x+6\geq0$ ······㉡

따라서 ㉠=㉡이므로 $a=\dfrac{3}{2}$, $b=6$ $\therefore 2a+b=9$

2-1 답 $-3\leq a\leq3$

|해결 전략| 삼차함수 $f(x)$의 최고차항의 계수가 음수이므로 역함수가 존재하려면 $f(x)$가 실수 전체의 집합에서 감소해야 한다.

$f(x)=-x^3+ax^2-3x+3$에서 $f'(x)=-3x^2+2ax-3$

함수 $f(x)$의 최고차항의 계수가 음수이므로 역함수가 존재하려면 $f(x)$는 실수 전체의 집합에서 감소해야 한다.

즉, 모든 실수 x에 대하여 $f'(x)=-3x^2+2ax-3\leq0$,
$3x^2-2ax+3\geq0$이어야 한다.

이차방정식 $3x^2-2ax+3=0$의 판별식을 D라 하면 $D\leq0$이어야 하므로

$\dfrac{D}{4}=a^2-9\leq0$, $(a+3)(a-3)\leq0$

$\therefore -3\leq a\leq3$

참고 함수 f의 역함수 f^{-1}가 존재할 필요충분조건은 함수 f가 일대일 대응인 것이다.

2-2 답 $a\geq\dfrac{1}{3}$

|해결 전략| 삼차함수 $f(x)$의 최고차항의 계수가 양수이므로 역함수가 존재하려면 $f(x)$가 실수 전체의 집합에서 증가해야 한다.

$f(x)=x^3+x^2+ax+2$에서 $f'(x)=3x^2+2x+a$

함수 $f(x)$의 최고차항의 계수가 양수이므로 역함수가 존재하려면 $f(x)$는 실수 전체의 집합에서 증가해야 한다.

즉, 모든 실수 x에 대하여 $f'(x)=3x^2+2x+a\geq0$이어야 한다.

이차방정식 $3x^2+2x+a=0$의 판별식을 D라 하면 $D\leq0$이어야 하므로

$\dfrac{D}{4}=1-3a\leq0$ $\therefore a\geq\dfrac{1}{3}$

3-1 답 2

|해결 전략| 삼차함수 $f(x)$는 $x\geq a$에서 일대일함수이고, 최고차항의 계수가 양수이므로 $f(x)$는 $x\geq a$에서 증가해야 한다.

$f(x)=\dfrac{1}{3}x^3-\dfrac{3}{2}x^2+2x+3$에서

$f'(x)=x^2-3x+2=(x-1)(x-2)$

$f'(x)=0$에서 $x=1$ 또는 $x=2$

$x\geq a$에서 임의의 두 실수 x_1, x_2에 대하여 $x_1\neq x_2$이면 $f(x_1)\neq f(x_2)$를 만족시키는 함수 $f(x)$는 일대일함수이고, 함수 $f(x)$의 최고차항의 계수가 양수이므로 $f(x)$는 $x\geq a$에서 증가해야 한다.

즉, $x\geq a$에서 $f'(x)\geq0$이어야 한다.

오른쪽 그림에서 $a\geq2$일 때, $x\geq a$에서 $f'(x)\geq0$이므로 구하는 실수 a의 최솟값은 2이다.

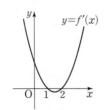

3-2 답 3

|해결 전략| 삼차함수 $f(x)$는 $x\geq a$에서 일대일함수이고, 최고차항의 계수가 음수이므로 $f(x)$는 $x\geq a$에서 감소해야 한다.

$f(x)=-x^3+4x^2+3x+1$에서

$f'(x)=-3x^2+8x+3=-(3x+1)(x-3)$

$f'(x)=0$에서 $x=-\dfrac{1}{3}$ 또는 $x=3$

$x\geq a$에서 임의의 두 실수 x_1, x_2에 대하여 $f(x_1)=f(x_2)$이면 $x_1=x_2$를 만족시키는 함수 $f(x)$는 일대일함수이고, 함수 $f(x)$의 최고차항의 계수가 음수이므로 $f(x)$는 $x\geq a$에서 감소해야 한다.

즉, $x\geq a$에서 $f'(x)\leq0$이어야 한다.

오른쪽 그림에서 $a\geq3$일 때, $x\geq a$에서 $f'(x)\leq0$이므로 구하는 실수 a의 최솟값은 3이다.

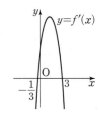

4-1 답 25

|해결 전략| $f'(x)=0$이 되는 x의 값을 구하고 그 값의 좌우에서 $f'(x)$의 부호가 바뀌는지 조사한다.

$f(x)=x^3-12x+11$에서 $f'(x)=3x^2-12=3(x+2)(x-2)$

$f'(x)=0$에서 $x=-2$ 또는 $x=2$

함수 $f(x)$의 증가, 감소를 표로 나타내면 다음과 같다.

x	$\cdots$	-2	$\cdots$	2	$\cdots$
$f'(x)$	$+$	0	$-$	0	$+$
$f(x)$	↗	27	↘	-5	↗

따라서 함수 $f(x)$는 $x=-2$에서 극대이고 극댓값은 $f(-2)=27$이므로 $a=-2$, $b=27$이다.

$\therefore a+b=25$

4-2 답 8

|해결 전략| $f'(x)=0$이 되는 x의 값을 구하고 그 값의 좌우에서 $f'(x)$의 부호가 바뀌는지 조사한다.

$f(x)=-x^4+4x^3-4x^2-6$에서

$f'(x)=-4x^3+12x^2-8x=-4x(x-1)(x-2)$

$f'(x)=0$에서 $x=0$ 또는 $x=1$ 또는 $x=2$

함수 $f(x)$의 증가, 감소를 표로 나타내면 다음과 같다.

x	$\cdots$	0	$\cdots$	1	$\cdots$	2	$\cdots$
$f'(x)$	$+$	0	$-$	0	$+$	0	$-$
$f(x)$	↗	-6	↘	-7	↗	-6	↘

따라서 함수 $f(x)$는 $x=1$에서 극소이고 극솟값은 $f(1)=-7$이므로 $a=1$, $b=-7$이다.

$\therefore a-b=8$

5-1 답 2

|해결 전략| $f'(x)=0$이 되는 x의 값을 찾아 극대, 극소를 판정하고, 극댓값과 극솟값의 합이 4가 되는 k의 값을 구한다.

$f(x)=x^3-3x+k$에서 $f'(x)=3x^2-3=3(x+1)(x-1)$

$f'(x)=0$에서 $x=-1$ 또는 $x=1$

함수 $f(x)$의 증가, 감소를 표로 나타내면 다음과 같다.

x	$\cdots$	-1	$\cdots$	1	$\cdots$
$f'(x)$	$+$	0	$-$	0	$+$
$f(x)$	↗	$k+2$	↘	$k-2$	↗

따라서 함수 $f(x)$는
$x=-1$에서 극대이고 극댓값은 $f(-1)=k+2$,
$x=1$에서 극소이고 극솟값은 $f(1)=k-2$이다.
이때, 극댓값과 극솟값의 합이 4이므로
$(k+2)+(k-2)=4$, $2k=4$ $\therefore k=2$

5-2 답 11

| 해결 전략 | $f'(x)=0$이 되는 x의 값을 찾아 극대, 극소를 판정하고,
(극댓값)$=-$(극솟값)임을 이용한다.
$f(x)=x^3-3x^2-9x+k$에서
$f'(x)=3x^2-6x-9=3(x+1)(x-3)$
$f'(x)=0$에서 $x=-1$ 또는 $x=3$
함수 $f(x)$의 증가, 감소를 표로 나타내면 다음과 같다.

x	$\cdots$	-1	$\cdots$	3	$\cdots$
$f'(x)$		$+$	0	$-$	0	$+$
$f(x)$	$\nearrow$	$k+5$	$\searrow$	$k-27$	$\nearrow$

따라서 함수 $f(x)$는
$x=-1$에서 극대이고 극댓값은 $f(-1)=k+5$,
$x=3$에서 극소이고 극솟값은 $f(3)=k-27$이다.
이때, 극댓값과 극솟값의 절댓값이 같고 그 부호가 서로 다르므로
$k+5=-(k-27)$, $2k=22$ $\therefore k=11$

6-1 답 10

| 해결 전략 | 삼차함수 $f(x)$가 극댓값과 극솟값을 모두 가지려면 이차방정식
$f'(x)=0$이 서로 다른 두 실근을 가져야 한다.
$f(x)=x^3+ax^2+3ax+2$에서 $f'(x)=3x^2+2ax+3a$
함수 $f(x)$가 극댓값과 극솟값을 모두 가지려면 이차방정식
$f'(x)=0$이 서로 다른 두 실근을 가져야 하므로 이차방정식
$f'(x)=0$의 판별식을 D라 하면
$\dfrac{D}{4}=a^2-9a>0$, $a(a-9)>0$ $\therefore a<0$ 또는 $a>9$
따라서 자연수 a의 최솟값은 10이다.

6-2 답 $1\leq a\leq 2$

| 해결 전략 | 삼차함수 $y=f(x)$의 그래프가 k의 값에 관계없이 x축과 한 번만
만나려면 함수 $f(x)$는 극값을 갖지 않아야 하므로 이차방정식 $f'(x)=0$이 중근
또는 허근을 가져야 한다.

함수 $f(x)=x^3+ax^2+\left(a-\dfrac{2}{3}\right)x+k$의 그래프가 실수 k의 값에 관
계없이 x축과 한 번만 만나므로 함수 $f(x)$는 극값을 갖지 않는다.
$f(x)=x^3+ax^2+\left(a-\dfrac{2}{3}\right)x+k$에서 $f'(x)=3x^2+2ax+a-\dfrac{2}{3}$
함수 $f(x)$가 극값을 갖지 않으려면 이차방정식 $f'(x)=0$이 중근 또
는 허근을 가져야 한다.
이차방정식 $f'(x)=0$의 판별식을 D라 하면
$\dfrac{D}{4}=a^2-3\left(a-\dfrac{2}{3}\right)\leq 0$
$a^2-3a+2\leq 0$, $(a-1)(a-2)\leq 0$ $\therefore 1\leq a\leq 2$

❶ 삼차함수 $f(x)=ax^3+bx^2+cx+d\,(a\neq 0,\ b,\ c,\ d$는 상수$)$의 그래
프가 d의 값에 관계없이 x축과 한 번만 만난다.
$\Longleftrightarrow$ 삼차함수 $f(x)$는 극값을 갖지 않는다.
❷ 삼차함수 $f(x)=ax^3+bx^2+cx+d\,(a\neq 0,\ b,\ c,\ d$는 상수$)$의 그래
프가 d의 값에 따라 x축과 한 번 또는 두 번 또는 세 번 만난다.
$\Longleftrightarrow$ 삼차함수 $f(x)$는 극값을 갖는다.
$\Longleftrightarrow$ 삼차함수 $f(x)$는 극댓값과 극솟값을 모두 갖는다.

7-1 답 -2

| 해결 전략 | 삼차함수 $f(x)$가 $x>0$에서 극댓값과 극솟값을 모두 가지려면
$x>0$에서 이차방정식 $f'(x)=0$이 서로 다른 두 실근을 가져야 함을 이용한다.
$f(x)=x^3+3(a-1)x^2-3(a-3)x+3$에서
$f'(x)=3x^2+6(a-1)x-3(a-3)$
함수 $f(x)$가 $x>0$에서 극댓값과 극솟값을 모두 가지려면 이차방정
식 $f'(x)=0$이 $x>0$에서 서로 다른 두 실근을 가져야 하므로
(i) 이차방정식 $f'(x)=0$의 판별식을 D라

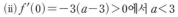

하면
$\dfrac{D}{4}=9(a-1)^2+9(a-3)>0$
$9a^2-9a-18>0$, $9(a+1)(a-2)>0$
 $\therefore a<-1$ 또는 $a>2$
(ii) $f'(0)=-3(a-3)>0$에서 $a<3$
(iii) $y=f'(x)$의 그래프의 축의 방정식은 $x=-(a-1)$이므로
  $-(a-1)>0$에서 $a<1$
따라서 (i)~(iii)에서 $a<-1$이므로 가장 큰 정수 a는 -2이다.

다른 풀이

$f(x)=x^3+3(a-1)x^2-3(a-3)x+3$에서
$f'(x)=3x^2+6(a-1)x-3(a-3)$
함수 $f(x)$가 $x>0$에서 극댓값과 극솟값을 모두 가지려면 이차방정식
$f'(x)=0$이 $x>0$에서 서로 다른 두 양의 근을 가져야 한다. 즉,
(i) $f'(x)=0$의 판별식 $D>0$
(ii) $(f'(x)=0$의 두 근의 합$)>0$
(iii) $(f'(x)=0$의 두 근의 곱$)>0$
이 성립해야 한다.
(i)에서 $\dfrac{D}{4}=9(a-1)^2+9(a-3)>0$ $\therefore a<-1$ 또는 $a>2$
(ii)에서 $-2(a-1)>0$ $\therefore a<1$
(iii)에서 $-(a-3)>0$ $\therefore a<3$
따라서 (i)~(iii)에서 $a<-1$이므로 가장 큰 정수 a는 -2이다.

7-2 답 1

| 해결 전략 | 삼차함수 $f(x)$가 $-1\leq x\leq 1$에서 극솟값, $x\geq 2$에서 극댓값을 가
지려면 이차방정식 $f'(x)=0$의 두 실근 중 한 근은 $-1\leq x\leq 1$에 있고, 다른 한
근은 $x\geq 2$에 있어야 함을 이용한다.
$f(x)=-x^3-2ax^2+4a^2x$에서 $f'(x)=-3x^2-4ax+4a^2$
함수 $f(x)$가 $-1\leq x\leq 1$에서 극솟값, $x\geq 2$에서 극댓값을 가지려면
이차방정식 $f'(x)=0$의 두 실근 중 한 근은 $-1\leq x\leq 1$에 있고, 다
른 한 근은 $x\geq 2$에 있어야 한다.
즉, 이차방정식 $f'(x)=0$의 두 실근을 α, $\beta\,(\alpha<\beta)$라 하면

$-1 \leq \alpha \leq 1$, $\beta \geq 2$이어야 하므로

(i) $f'(-1) = 4a^2 + 4a - 3 \leq 0$에서

$\quad (2a+3)(2a-1) \leq 0$

$\quad \therefore -\dfrac{3}{2} \leq a \leq \dfrac{1}{2}$

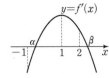

(ii) $f'(1) = 4a^2 - 4a - 3 \geq 0$에서

$\quad (2a-3)(2a+1) \geq 0$

$\quad \therefore a \leq -\dfrac{1}{2}$ 또는 $a \geq \dfrac{3}{2}$

(iii) $f'(2) = 4a^2 - 8a - 12 \geq 0$에서

$\quad 4(a+1)(a-3) \geq 0$ $\quad \therefore a \leq -1$ 또는 $a \geq 3$

따라서 (i)~(iii)에서 $-\dfrac{3}{2} \leq a \leq -1$이므로 정수 a는 -1의 1개이다.

8-1 ①

|해결 전략| $f'(x)$의 부호와 그 변화를 보고 $y = f(x)$의 그래프를 해석해 본다.

ㄱ. 열린구간 $(-\infty, 2)$에서 $f'(x) > 0$이므로 함수 $f(x)$는 이 구간에서 증가한다.

ㄴ. $x = 2$의 좌우에서 $f'(x)$의 부호가 바뀌지 않으므로 함수 $f(x)$는 $x = 2$에서 극값을 갖지 않는다.

ㄷ. 모든 실수 x에 대하여 $f'(x) \geq 0$이므로 함수 $f(x)$는 증가함수이다. 따라서 함수 $y = f(x)$의 그래프는 x축과 오직 한 점에서 만난다.

따라서 옳은 것은 ㄱ이다.

> **LECTURE**
>
> ❶ 증가와 감소
> ➡ $f'(x)$의 부호를 살펴본다.
> (1) $f'(x) > 0$인 구간에서 $f(x)$는 증가
> (2) $f'(x) < 0$인 구간에서 $f(x)$는 감소
> ❷ 극대와 극소
> ➡ $f'(x) = 0$이 되는 점의 좌우에서 $f'(x)$의 부호의 변화를 살펴본다.
> (1) $x = a$의 좌우에서 $f'(x)$의 부호가 양$(+)$에서 음$(-)$으로 바뀌면 $f(x)$는 $x = a$에서 극댓값을 갖는다.
> (2) $x = a$의 좌우에서 $f'(x)$의 부호가 음$(-)$에서 양$(+)$으로 바뀌면 $f(x)$는 $x = a$에서 극솟값을 갖는다.

8-2 ④

|해결 전략| $f'(x)$의 부호와 그 변화를 보고 $y = f(x)$의 그래프를 해석해 본다.

ㄱ. $x = \alpha$, $x = \beta$의 좌우에서 $f'(x)$의 부호가 바뀌므로 함수 $f(x)$는 $x = \alpha$, $x = \beta$에서 극값을 갖는다. 즉, 함수 $f(x)$가 극값을 갖는 점의 개수는 2이다.

ㄴ. $x = \alpha$의 좌우에서 $f'(x)$의 부호가 양$(+)$에서 음$(-)$으로 바뀌므로 함수 $f(x)$는 $x = \alpha$에서 극댓값을 갖는다.

ㄷ. 열린구간 (α, β)에서 $f'(x) < 0$이므로 함수 $f(x)$는 이 구간에서 감소한다.

따라서 옳은 것은 ㄴ, ㄷ이다.

9-1 ①

|해결 전략| $y = f'(x)$의 그래프를 이용하여 함수 $f(x)$의 증감표를 만든 후 함수 $f(x)$가 증가 또는 감소하는 구간, 극값을 갖는 x의 값 등을 찾아 $y = f(x)$의 그래프의 개형을 유추해 본다.

$y = f'(x)$의 그래프가 x축과 만나는 점의 x좌표가 -1, 1이므로 $f'(x) = 0$에서 $x = -1$ 또는 $x = 1$

함수 $f(x)$의 증가, 감소를 표로 나타내면 다음과 같다.

x	$\cdots$	-1	$\cdots$	1	$\cdots$
$f'(x)$	$-$	0	$+$	0	$+$
$f(x)$	↘	극소	↗		↗

함수 $f(x)$는 $x < -1$일 때 감소하고, $x > -1$일 때 증가하므로 $x = -1$에서 극소이다.

한편, $x = 1$의 좌우에서는 $f'(x)$의 부호가 바뀌지 않으므로 함수 $f(x)$는 $x = 1$에서 극값을 갖지 않는다.

따라서 함수 $y = f(x)$의 그래프의 개형이 될 수 있는 것은 ①이다.

9-2 ②

|해결 전략| $y = f'(x)$의 그래프를 이용하여 함수 $f(x)$의 증감표를 만든 후 함수 $f(x)$가 증가 또는 감소하는 구간, 극값을 갖는 x의 값 등을 찾아 $y = f(x)$의 그래프의 개형을 유추해 본다.

$y = f'(x)$의 그래프가 x축과 만나는 점의 x좌표가 -2, 0, 2이므로 $f'(x) = 0$에서 $x = -2$ 또는 $x = 0$ 또는 $x = 2$

함수 $f(x)$의 증가, 감소를 표로 나타내면 다음과 같다.

x	$\cdots$	-2	$\cdots$	0	$\cdots$	2	$\cdots$
$f'(x)$	$+$	0	$-$	0	$-$	0	$+$
$f(x)$	↗	극대	↘		↘	극소	↗

함수 $f(x)$는 $x < -2$일 때 증가하고, $-2 < x < 0$일 때 감소하므로 $x = -2$에서 극대, $0 < x < 2$일 때 감소하고, $x > 2$일 때 증가하므로 $x = 2$에서 극소이다.

한편, $x = 0$의 좌우에서는 $f'(x)$의 부호가 바뀌지 않으므로 함수 $f(x)$는 $x = 0$에서 극값을 갖지 않는다.

따라서 함수 $y = f(x)$의 그래프의 개형이 될 수 있는 것은 ②이다.

10-1 176

|해결 전략| 닫힌구간 $[a, b]$에서 함수 $f(x)$의 극값, $f(a)$, $f(b)$를 구한 다음 그 크기를 비교하여 최댓값과 최솟값을 구한다.

$f(x) = -x^3 - 3x^2 + 72x$에서

$f'(x) = -3x^2 - 6x + 72 = -3(x+6)(x-4)$

$f'(x) = 0$에서 $x = 4$ $(\because 0 \leq x \leq 5)$

닫힌구간 $[0, 5]$에서 함수 $f(x)$의 증가, 감소를 표로 나타내면 다음과 같다.

x	0	$\cdots$	4	$\cdots$	5
$f'(x)$		$+$	0	$-$	0
$f(x)$	0	↗	176	↘	160

따라서 함수 $f(x)$는 $x = 4$에서 최댓값 $f(4) = 176$, $x = 0$에서 최솟값 $f(0) = 0$을 가지므로 최댓값과 최솟값의 합은 $176 + 0 = 176$

10-2 32

|해결 전략| 닫힌구간 $[a, b]$에서 함수 $f(x)$의 극값, $f(a)$, $f(b)$를 구한 다음 그 크기를 비교하여 최댓값과 최솟값을 구한다.

$f(x) = x^4 - 6x^2 - 8x + 10$에서

$f'(x) = 4x^3 - 12x - 8 = 4(x+1)^2(x-2)$

$f'(x) = 0$에서 $x = -1$ 또는 $x = 2$

닫힌구간 $[-2, 3]$에서 함수 $f(x)$의 증가, 감소를 표로 나타내면 다음과 같다.

x	-2	$\cdots$	-1	$\cdots$	2	$\cdots$	3
$f'(x)$		$-$	0	$-$	0	$+$	0
$f(x)$	18	$\searrow$	13	$\searrow$	-14	$\nearrow$	13

따라서 함수 $f(x)$는 $x=-2$에서 최댓값 $f(-2)=18$, $x=2$에서 최솟값 $f(2)=-14$를 가지므로 최댓값과 최솟값의 차는
$18-(-14)=32$

11-1 답 4

|해결 전략| 문제의 조건을 만족시키는 a의 값의 범위를 구한 후, 함수 $f(x)$의 증가, 감소를 표로 나타내어 a의 값과 함수 $f(x)$의 최댓값을 구한다.

$f(x)=-ax^3+3x^2$에서 $f'(x)=-3ax^2+6x=-3x(ax-2)$

$f'(x)=0$에서 $x=0$ 또는 $x=\dfrac{2}{a}$

$\dfrac{2}{a}\geq 4$, 즉 $0<a\leq\dfrac{1}{2}$이면 $0\leq x\leq 4$에서 $f'(x)\geq 0$이므로 닫힌구간 $[0, 4]$에서의 최솟값은 $f(0)=0$이 되어야 한다.

그런데 닫힌구간 $[0, 4]$에서의 최솟값은 -16이므로 $0<\dfrac{2}{a}<4$, 즉 $a>\dfrac{1}{2}$이다.

닫힌구간 $[0, 4]$에서 함수 $f(x)$의 증가, 감소를 표로 나타내면 다음과 같다.

x	0	$\cdots$	$\dfrac{2}{a}$	$\cdots$	4
$f'(x)$	0	$+$	0	$-$	
$f(x)$	0	$\nearrow$	$\dfrac{4}{a^2}$	$\searrow$	$48-64a$

함수 $f(x)$는 $x=4$에서 최솟값 -16을 가지므로
$f(4)=48-64a=-16$ $\therefore a=1$
따라서 $f(x)=-x^3+3x^2$이고, $x=2$에서 최대이므로 함수 $f(x)$의 최댓값은 $f(2)=-2^3+3\times 2^2=4$

11-2 답 -4

|해결 전략| 문제의 조건을 만족시키는 a의 값의 범위를 구한 후, 함수 $f(x)$의 증가, 감소를 표로 나타내어 a의 값과 함수 $f(x)$의 최솟값을 구한다.

$f(x)=ax^3-6x^2$에서 $f'(x)=3ax^2-12x=3x(ax-4)$

$f'(x)=0$에서 $x=0$ 또는 $x=\dfrac{4}{a}$

$\dfrac{4}{a}\geq a$, 즉 $a^2\leq 4$이면 $0\leq x\leq a$에서 $f'(x)\leq 0$이므로 닫힌구간 $[0, a]$에서의 최댓값은 $f(0)=0$이 되어야 한다.

그런데 닫힌구간 $[0, a]$에서의 최댓값은 16이므로 $0<\dfrac{4}{a}<a$이다.

닫힌구간 $[0, a]$에서 함수 $f(x)$의 증가, 감소를 표로 나타내면 다음과 같다.

x	0	$\cdots$	$\dfrac{4}{a}$	$\cdots$	a
$f'(x)$		$-$	0	$+$	
$f(x)$	0	$\searrow$	$-\dfrac{32}{a^2}$	$\nearrow$	a^4-6a^2

함수 $f(x)$는 $x=a$에서 최댓값 16을 가지므로
$f(a)=a^4-6a^2=16$, $(a+2\sqrt{2})(a-2\sqrt{2})(a^2+2)=0$
$\therefore a=2\sqrt{2}\ (\because a>0)$
따라서 $f(x)=2\sqrt{2}x^3-6x^2$이고, $x=\sqrt{2}$에서 최소이므로 함수 $f(x)$의 최솟값은 $f(\sqrt{2})=2\sqrt{2}\times(\sqrt{2})^3-6\times(\sqrt{2})^2=-4$

12-1 답 32

|해결 전략| 잘라 내는 부분의 한 변의 길이를 x로 놓고 삼각기둥의 부피를 x에 대한 함수로 나타내어 최댓값을 구한다.

오른쪽 그림과 같이 정삼각형의 꼭짓점으로부터 거리가 $x\ (0<x<6)$인 부분까지 잘라 낸다고 하면 삼각기둥의 밑면은 한 변의 길이가 $12-2x$인 정삼각형이므로 그 넓이는
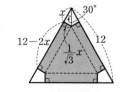
$\dfrac{\sqrt{3}}{4}(12-2x)^2=\sqrt{3}(6-x)^2$

이때, 상자의 높이는 $x\tan 30°=\dfrac{1}{\sqrt{3}}x$이므로 상자의 부피를 $V(x)$라 하면
$V(x)=\sqrt{3}(6-x)^2\times\dfrac{1}{\sqrt{3}}x=x(x-6)^2$
$V'(x)=(x-6)^2+x\times 2(x-6)=3(x-2)(x-6)$
$V'(x)=0$에서 $x=2\ (\because 0<x<6)$
열린구간 $(0, 6)$에서 함수 $V(x)$의 증가, 감소를 표로 나타내면 다음과 같다.

x	0	$\cdots$	2	$\cdots$	6
$V'(x)$		$+$	0	$-$	
$V(x)$		$\nearrow$	극대	$\searrow$	

따라서 함수 $V(x)$는 $x=2$에서 극대이면서 최대이므로 상자의 부피의 최댓값은 $V(2)=2\times(-4)^2=32$

12-2 답 80 cm

|해결 전략| 원뿔의 높이를 h cm, 밑면의 반지름의 길이를 r cm로 놓고 원뿔의 부피를 h에 대한 함수로 나타내어 최댓값을 구한다.

오른쪽 그림과 같이 원뿔의 높이를 h cm $(0<h<120)$, 밑면의 반지름의 길이를 r cm라 하면
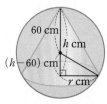
$r^2+(h-60)^2=60^2$, $r^2=120h-h^2$
원뿔의 부피를 $V(h)$ cm³라 하면
$V(h)=\dfrac{1}{3}\pi r^2 h=\dfrac{1}{3}\pi(120h-h^2)h=\dfrac{1}{3}\pi(120h^2-h^3)$
$V'(h)=\dfrac{1}{3}\pi(240h-3h^2)=\pi h(80-h)$
$V'(h)=0$에서 $h=80\ (\because 0<h<120)$
열린구간 $(0, 120)$에서 함수 $V(h)$의 증가, 감소를 표로 나타내면 다음과 같다.

h	0	$\cdots$	80	$\cdots$	120
$V'(h)$		$+$	0	$-$	
$V(h)$		$\nearrow$	극대	$\searrow$	

따라서 함수 $V(h)$는 $h=80$에서 극대이면서 최대이므로 원뿔의 높이는 80 cm이다.

6 | 도함수의 활용 (3)

1 방정식과 부등식에의 활용

개념 확인   140쪽~141쪽

1 (1) 1   (2) 2
2 (1) 풀이 참조   (2) 풀이 참조

1 (1) $f(x)=-x^3+3x^2-5$로 놓으면

$f'(x)=-3x^2+6x=-3x(x-2)$

$f'(x)=0$에서 $x=0$ 또는 $x=2$

함수 $f(x)$의 증가, 감소를 표로 나타내면 다음과 같다.

x	$\cdots$	0	$\cdots$	2	$\cdots$
$f'(x)$	$-$	0	$+$	0	$-$
$f(x)$	$\searrow$	-5	$\nearrow$	-1	$\searrow$

따라서 함수 $y=f(x)$의 그래프는
오른쪽 그림과 같이 x축과 한 점에
서 만나므로 주어진 방정식의 서로
다른 실근의 개수는 1이다.

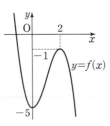

(2) $f(x)=2x^3-6x-4$로 놓으면

$f'(x)=6x^2-6=6(x+1)(x-1)$

$f'(x)=0$에서 $x=-1$ 또는 $x=1$

함수 $f(x)$의 증가, 감소를 표로 나타내면 다음과 같다.

x	$\cdots$	-1	$\cdots$	1	$\cdots$
$f'(x)$	$+$	0	$-$	0	$+$
$f(x)$	$\nearrow$	0	$\searrow$	-8	$\nearrow$

따라서 함수 $y=f(x)$의 그래프는 오
른쪽 그림과 같이 x축과 서로 나른
두 점에서 만나므로 주어진 방정식의
서로 다른 실근의 개수는 2이다.

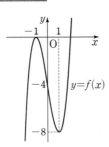

2 (1) $f(x)=x^3-3x+2$로 놓으면

$f'(x)=3x^2-3=3(x+1)(x-1)$

$f'(x)=0$에서 $x=-1$ 또는 $x=1$

$x \geq -1$에서 함수 $f(x)$의 증가, 감소를 표로 나타내면 다음과
같다.

x	-1	$\cdots$	1	$\cdots$
$f'(x)$	0	$-$	0	$+$
$f(x)$	4	$\searrow$	0	$\nearrow$

함수 $y=f(x)$의 그래프는 오른쪽
그림과 같고, $x \geq -1$일 때 $f(x)$
는 $x=1$에서 최솟값 0을 가지므로
$f(x)=x^3-3x+2 \geq 0$
따라서 $x \geq -1$일 때, 부등식
$x^3-3x+2 \geq 0$이 성립한다.

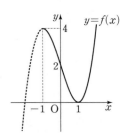

(2) $f(x)=x^4-4x^3+27$로 놓으면

$f'(x)=4x^3-12x^2=4x^2(x-3)$

$f'(x)=0$에서 $x=0$ 또는 $x=3$

함수 $f(x)$의 증가, 감소를 표로 나타내면 다음과 같다.

x	$\cdots$	0	$\cdots$	3	$\cdots$
$f'(x)$	$-$	0	$-$	0	$+$
$f(x)$	$\searrow$	27	$\searrow$	0	$\nearrow$

함수 $y=f(x)$의 그래프는 오른쪽 그
림과 같고, $f(x)$는 $x=3$에서 최솟값
0을 가지므로
$f(x)=x^4-4x^3+27 \geq 0$
따라서 모든 실수 x에 대하여 부등식
$x^4-4x^3+27 \geq 0$이 성립한다.

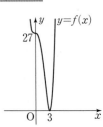

STEP 1 개념 드릴 | 142쪽 |

개념 check

1-1 $-1, 0, 1, -1, 0, 1,$ 세, $3, -1, 1$
2-1 $0, 2, 0, 2, 6, 2, 2, 2, 2$

스스로 check

1-2 답 (1) 3   (2) 2   (3) 4   (4) 3

(1) $f(x)=x^3-12x-2$로 놓으면

$f'(x)=3x^2-12=3(x+2)(x-2)$

$f'(x)=0$에서 $x=-2$ 또는 $x=2$

함수 $f(x)$의 증가, 감소를 표로 나타내면 다음과 같다.

x	$\cdots$	-2	$\cdots$	2	$\cdots$
$f'(x)$	$+$	0	$-$	0	$+$
$f(x)$	$\nearrow$	14	$\searrow$	-18	$\nearrow$

따라서 함수 $y=f(x)$의 그래프는 오
른쪽 그림과 같이 x축과 서로 다른 세
점에서 만나므로 주어진 방정식의 서
로 다른 실근의 개수는 3이다.

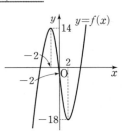

(2) $f(x)=2x^3+3x^2$으로 놓으면

$f'(x)=6x^2+6x=6x(x+1)$

$f'(x)=0$에서 $x=-1$ 또는 $x=0$

함수 $f(x)$의 증가, 감소를 표로 나타내면 다음과 같다.

x	$\cdots$	-1	$\cdots$	0	$\cdots$
$f'(x)$	$+$	0	$-$	0	$+$
$f(x)$	$\nearrow$	1	$\searrow$	0	$\nearrow$

따라서 함수 $y=f(x)$의 그래프는 오른쪽 그림과 같이 x축과 서로 다른 두 점에서 만나므로 주어진 방정식의 서로 다른 실근의 개수는 2이다.

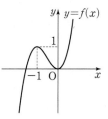

(3) $f(x)=-x^4+4x^2-1$로 놓으면

$f'(x)=-4x^3+8x=-4x(x+\sqrt{2})(x-\sqrt{2})$

$f'(x)=0$에서 $x=-\sqrt{2}$ 또는 $x=0$ 또는 $x=\sqrt{2}$

함수 $f(x)$의 증가, 감소를 표로 나타내면 다음과 같다.

x	$\cdots$	$-\sqrt{2}$	$\cdots$	0	$\cdots$	$\sqrt{2}$	$\cdots$
$f'(x)$	$+$	0	$-$	0	$+$	0	$-$
$f(x)$	$\nearrow$	3	$\searrow$	-1	$\nearrow$	3	$\searrow$

따라서 함수 $y=f(x)$의 그래프는 오른쪽 그림과 같이 x축과 서로 다른 네 점에서 만나므로 주어진 방정식의 서로 다른 실근의 개수는 4이다.

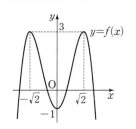

(4) $f(x)=3x^4-4x^3-12x^2$으로 놓으면

$f'(x)=12x^3-12x^2-24x=12x(x+1)(x-2)$

$f'(x)=0$에서 $x=-1$ 또는 $x=0$ 또는 $x=2$

함수 $f(x)$의 증가, 감소를 표로 나타내면 다음과 같다.

x	$\cdots$	-1	$\cdots$	0	$\cdots$	2	$\cdots$
$f'(x)$	$-$	0	$+$	0	$-$	0	$+$
$f(x)$	$\searrow$	-5	$\nearrow$	0	$\searrow$	-32	$\nearrow$

따라서 함수 $y=f(x)$의 그래프는 오른쪽 그림과 같이 x축과 서로 다른 세 점에서 만나므로 주어진 방정식의 서로 다른 실근의 개수는 3이다.

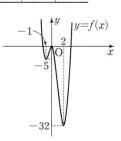

2-2 📖 (1) 풀이 참조 (2) 풀이 참조

(1) $x^3-x^2 \geq x-1$에서 $x^3-x^2-x+1 \geq 0$

$f(x)=x^3-x^2-x+1$로 놓으면

$f'(x)=3x^2-2x-1=(3x+1)(x-1)$

$f'(x)=0$에서 $x=1$ ($\because x \geq 0$)

$x \geq 0$에서 함수 $f(x)$의 증가, 감소를 표로 나타내면 다음과 같다.

x	0	$\cdots$	1	$\cdots$
$f'(x)$		$-$	0	$+$
$f(x)$	1	$\searrow$	0	$\nearrow$

함수 $y=f(x)$의 그래프는 오른쪽 그림과 같고, $x \geq 0$일 때 $f(x)$는 $x=1$에서 최솟값 0을 가지므로

$f(x)=x^3-x^2-x+1 \geq 0$

따라서 $x \geq 0$일 때, 부등식

$x^3-x^2 \geq x-1$이 성립한다.

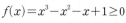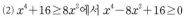

(2) $x^4+16 \geq 8x^2$에서 $x^4-8x^2+16 \geq 0$

$f(x)=x^4-8x^2+16$으로 놓으면

$f'(x)=4x^3-16x=4x(x+2)(x-2)$

$f'(x)=0$에서 $x=-2$ 또는 $x=0$ 또는 $x=2$

함수 $f(x)$의 증가, 감소를 표로 나타내면 다음과 같다.

x	$\cdots$	-2	$\cdots$	0	$\cdots$	2	$\cdots$
$f'(x)$	$-$	0	$+$	0	$-$	0	$+$
$f(x)$	$\searrow$	0	$\nearrow$	16	$\searrow$	0	$\nearrow$

함수 $y=f(x)$의 그래프는 오른쪽 그림과 같고, $f(x)$는 $x=-2$ 또는 $x=2$에서 최솟값 0을 가지므로

$f(x)=x^4-8x^2+16 \geq 0$

따라서 모든 실수 x에 대하여 부등식

$x^4+16 \geq 8x^2$이 성립한다.

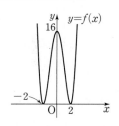

STEP **2** 필수 유형 ——————— | 143쪽~147쪽 |

01-1 📖 3

| 해결 전략 | 함수 $y=f(x)$의 그래프와 x축의 교점의 개수를 구한다.

$f(x)=-2x^3+6x^2-6$으로 놓으면

$f'(x)=-6x^2+12x=-6x(x-2)$

$f'(x)=0$에서 $x=0$ 또는 $x=2$

함수 $f(x)$의 증가, 감소를 표로 나타내면 다음과 같다.

x	$\cdots$	0	$\cdots$	2	$\cdots$
$f'(x)$	$-$	0	$+$	0	$-$
$f(x)$	$\searrow$	-6	$\nearrow$	2	$\searrow$

따라서 함수 $y=f(x)$의 그래프는 오른쪽 그림과 같이 x축과 서로 다른 세 점에서 만나므로 주어진 방정식의 서로 다른 실근의 개수는 3이다.

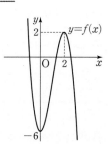

다른 풀이

위의 풀이에서 극댓값은 $f(2)=2$, 극솟값은 $f(0)=-6$이므로

$f(2) \times f(0)=2 \times (-6)=-12<0$

따라서 주어진 방정식의 서로 다른 실근의 개수는 3이다.

01-2 답 2

|해결 전략| 함수 $y=f(x)$의 그래프와 x축의 교점의 개수를 구한다.

$f(x)=3x^4-8x^3-6x^2+24x+2$로 놓으면

$f'(x)=12x^3-24x^2-12x+24=12(x+1)(x-1)(x-2)$

$f'(x)=0$에서 $x=-1$ 또는 $x=1$ 또는 $x=2$

함수 $f(x)$의 증가, 감소를 표로 나타내면 다음과 같다.

x	$\cdots$	-1	$\cdots$	1	$\cdots$	2	$\cdots$
$f'(x)$	$-$	0	$+$	0	$-$	0	$+$
$f(x)$	$\searrow$	-17	$\nearrow$	15	$\searrow$	10	$\nearrow$

따라서 함수 $y=f(x)$의 그래프는 오른쪽 그림과 같이 x축과 서로 다른 두 점에서 만나므로 주어진 방정식의 서로 다른 실근의 개수는 2이다.

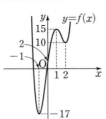

02-1 답 $-16<k<16$

|해결 전략| 함수 $y=f(x)$의 그래프와 직선 $y=k$의 교점의 개수가 3이 되도록 하는 실수 k의 값의 범위를 구한다.

$f(x)=-x^3+12x$로 놓으면

$f'(x)=-3x^2+12=-3(x+2)(x-2)$

$f'(x)=0$에서 $x=-2$ 또는 $x=2$

함수 $f(x)$의 증가, 감소를 표로 나타내면 다음과 같다.

x	$\cdots$	-2	$\cdots$	2	$\cdots$
$f'(x)$	$-$	0	$+$	0	$-$
$f(x)$	$\searrow$	-16	$\nearrow$	16	$\searrow$

따라서 함수 $y=f(x)$의 그래프는 오른쪽 그림과 같고, 주어진 방정식이 서로 다른 세 실근을 가지려면 함수 $y=f(x)$의 그래프와 직선 $y=k$가 서로 다른 세 점에서 만나야 하므로

$-16<k<16$

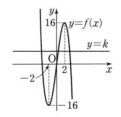

다른 풀이

$-x^3+12x=k$에서 $-x^3+12x-k=0$

$f(x)=-x^3+12x-k$로 놓으면

$f'(x)=-3x^2+12=-3(x+2)(x-2)$

$f'(x)=0$에서 $x=-2$ 또는 $x=2$

함수 $f(x)$의 증가, 감소를 표로 나타내면 다음과 같다.

x	$\cdots$	-2	$\cdots$	2	$\cdots$
$f'(x)$	$-$	0	$+$	0	$-$
$f(x)$	$\searrow$	$-16-k$	$\nearrow$	$16-k$	$\searrow$

극댓값은 $f(2)=16-k$, 극솟값은 $f(-2)=-16-k$이므로 주어진 방정식이 서로 다른 세 실근을 가지려면

$f(2)\times f(-2)=(16-k)(-16-k)<0$, 즉 $(k-16)(k+16)<0$ 이어야 한다.

$\therefore -16<k<16$

02-2 답 (1) $-7<k<20$ (2) $k=-7$ 또는 $k=20$
(3) $k<-7$ 또는 $k>20$

|해결 전략| 함수 $y=f(x)$의 그래프와 직선 $y=k$의 교점의 개수를 이용하여 조건을 만족시키는 실수 k의 값 또는 k의 값의 범위를 구한다.

$2x^3-3x^2-12x+k=0$에서 $-2x^3+3x^2+12x=k$

$f(x)=-2x^3+3x^2+12x$로 놓으면

$f'(x)=-6x^2+6x+12=-6(x+1)(x-2)$

$f'(x)=0$에서 $x=-1$ 또는 $x=2$

함수 $f(x)$의 증가, 감소를 표로 나타내면 다음과 같다.

x	$\cdots$	-1	$\cdots$	2	$\cdots$
$f'(x)$	$-$	0	$+$	0	$-$
$f(x)$	$\searrow$	-7	$\nearrow$	20	$\searrow$

따라서 함수 $y=f(x)$의 그래프는 다음 그림과 같다.

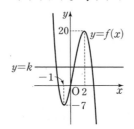

(1) 주어진 방정식이 서로 다른 세 실근을 가지려면 함수 $y=f(x)$의 그래프와 직선 $y=k$가 서로 다른 세 점에서 만나야 하므로
$-7<k<20$

(2) 주어진 방정식이 한 실근과 중근을 가지려면 함수 $y=f(x)$의 그래프와 직선 $y=k$가 서로 다른 두 점에서 만나야 하므로
$k=-7$ 또는 $k=20$

(3) 주어진 방정식이 한 실근과 두 허근을 가지려면 함수 $y=f(x)$의 그래프와 직선 $y=k$가 한 점에서 만나야 하므로
$k<-7$ 또는 $k>20$

다른 풀이

$f(x)=2x^3-3x^2-12x+k$로 놓으면

$f'(x)=6x^2-6x-12=6(x+1)(x-2)$

$f'(x)=0$에서 $x=-1$ 또는 $x=2$

함수 $f(x)$의 증가, 감소를 표로 나타내면 다음과 같다.

x	$\cdots$	-1	$\cdots$	2	$\cdots$
$f'(x)$	$+$	0	$-$	0	$+$
$f(x)$	$\nearrow$	$7+k$	$\searrow$	$-20+k$	$\nearrow$

극댓값은 $f(-1)=7+k$, 극솟값은 $f(2)=-20+k$이므로

(1) 주어진 방정식이 서로 다른 세 실근을 가지려면
$f(-1)\times f(2)=(7+k)(-20+k)<0$, 즉 $(k+7)(k-20)<0$ 이어야 한다.
$\therefore -7<k<20$

(2) 주어진 방정식이 한 실근과 중근을 가지려면
$f(-1)\times f(2)=(7+k)(-20+k)=0$ 이어야 한다.
$\therefore k=-7$ 또는 $k=20$

(3) 주어진 방정식이 한 실근과 두 허근을 가지려면
$f(-1)\times f(2)=(7+k)(-20+k)>0$, 즉 $(k+7)(k-20)>0$ 이어야 한다.
$\therefore k<-7$ 또는 $k>20$

03-1 답 $k>32$

|해결 전략| 함수 $y=f(x)$의 그래프와 직선 $y=k$의 교점의 x좌표가 오직 한 개의 양수가 되도록 하는 실수 k의 값의 범위를 구한다.

$x^3-12x^2+36x-k=0$에서 $x^3-12x^2+36x=k$

$f(x)=x^3-12x^2+36x$로 놓으면

$f'(x)=3x^2-24x+36=3(x-2)(x-6)$

$f'(x)=0$에서 $x=2$ 또는 $x=6$

함수 $f(x)$의 증가, 감소를 표로 나타내면 다음과 같다.

x	$\cdots$	2	$\cdots$	6	$\cdots$
$f'(x)$	$+$	0	$-$	0	$+$
$f(x)$	$\nearrow$	32	$\searrow$	0	$\nearrow$

따라서 함수 $y=f(x)$의 그래프는 오른쪽 그림과 같고, 주어진 방정식이 오직 한 개의 양의 실근을 가지려면 함수 $y=f(x)$의 그래프와 직선 $y=k$의 교점의 x좌표가 오직 한 개의 양수이어야 하므로

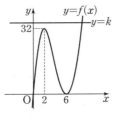

$k>32$

03-2 답 (1) $k=-2$ 또는 $k=2$ (2) $-2<k<0$
(3) $0<k<2$ (4) $k<-2$

|해결 전략| 함수 $y=f(x)$의 그래프와 직선 $y=k$의 교점의 x좌표의 부호를 이용하여 조건을 만족시키는 실수 k의 값의 범위를 구한다.

$-x^3+3x+k=0$에서 $x^3-3x=k$

$f(x)=x^3-3x$로 놓으면

$f'(x)=3x^2-3=3(x+1)(x-1)$

$f'(x)=0$에서 $x=-1$ 또는 $x=1$

함수 $f(x)$의 증가, 감소를 표로 나타내면 다음과 같다.

x	$\cdots$	-1	$\cdots$	1	$\cdots$
$f'(x)$	$+$	0	$-$	0	$+$
$f(x)$	$\nearrow$	2	$\searrow$	-2	$\nearrow$

따라서 함수 $y=f(x)$의 그래프는 다음 그림과 같다.

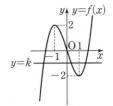

(1) 주어진 방정식이 한 개의 양의 실근과 한 개의 음의 실근을 가지려면 함수 $y=f(x)$의 그래프와 직선 $y=k$의 교점의 x좌표가 한 개는 양수이고, 다른 한 개는 음수이어야 하므로
$k=-2$ 또는 $k=2$

(2) 주어진 방정식이 서로 다른 두 개의 양의 실근과 한 개의 음의 실근을 가지려면 함수 $y=f(x)$의 그래프와 직선 $y=k$의 교점의 x좌표가 두 개는 양수이고, 다른 한 개는 음수이어야 하므로
$-2<k<0$

(3) 주어진 방정식이 한 개의 양의 실근과 서로 다른 두 개의 음의 실근을 가지려면 함수 $y=f(x)$의 그래프와 직선 $y=k$의 교점의 x좌표가 두 개는 음수이고, 다른 한 개는 양수이어야 하므로
$0<k<2$

(4) 주어진 방정식이 오직 한 개의 음의 실근을 가지려면 함수 $y=f(x)$의 그래프와 직선 $y=k$의 교점의 x좌표가 오직 한 개의 음수이어야 하므로
$k<-2$

04-1 답 (1) $k\geq54$ (2) $k\leq10$

|해결 전략| (1) $x\geq-3$에서 $(f(x)$의 최솟값$)\geq0$인 실수 k의 값의 범위를 구한다.
(2) $2<x<5$에서 함수 $f(x)$가 감소하므로 $f(2)\leq0$인 실수 k의 값의 범위를 구한다.

(1) $f(x)=x^3-27x+k$로 놓으면

$f'(x)=3x^2-27=3(x+3)(x-3)$

$f'(x)=0$에서 $x=-3$ 또는 $x=3$

$x\geq-3$에서 함수 $f(x)$의 증가, 감소를 표로 나타내면 다음과 같다.

x	-3	$\cdots$	3	$\cdots$
$f'(x)$	0	$-$	0	$+$
$f(x)$	$54+k$	$\searrow$	$-54+k$	$\nearrow$

$x\geq-3$일 때, 함수 $f(x)$는 $x=3$에서 최솟값 $-54+k$를 가진다.
따라서 $x\geq-3$일 때 $f(x)\geq0$이려면 $f(3)\geq0$이어야 하므로
$-54+k\geq0$ $\therefore k\geq54$

(2) $f(x)=-x^3-x^2+x+k$로 놓으면

$f'(x)=-3x^2-2x+1=-(3x-1)(x+1)$

$2<x<5$에서 $f'(x)=0$인 x의 값이 없으므로 함수 $f(x)$는 최댓값이 없다.

$2<x<5$일 때, $f'(x)<0$이므로 함수 $f(x)$는 $2<x<5$에서 감소한다.

따라서 $2<x<5$일 때 $f(x)<0$이려면 $f(2)\leq0$이어야 하므로
$f(2)=-10+k\leq0$ $\therefore k\leq10$

04-2 답 -8

|해결 전략| $0\leq x\leq3$에서 $(f(x)$의 최댓값$)\leq0$인 실수 k의 최댓값을 구한다.

$-x^3-x^2+8x+k\leq5x^2-7x$에서 $-x^3-6x^2+15x+k\leq0$

$f(x)=-x^3-6x^2+15x+k$로 놓으면

$f'(x)=-3x^2-12x+15=-3(x-1)(x+5)$

$f'(x)=0$에서 $x=1$ ($\because 0\leq x\leq3$)

$0\leq x\leq3$에서 함수 $f(x)$의 증가, 감소를 표로 나타내면 다음과 같다.

x	0	$\cdots$	1	$\cdots$	3
$f'(x)$		$+$	0	$-$	
$f(x)$	k	$\nearrow$	$8+k$	$\searrow$	$-36+k$

$0\leq x\leq3$일 때, 함수 $f(x)$는 $x=1$에서 최댓값 $8+k$를 가진다.
즉, $0\leq x\leq3$일 때 $f(x)\leq0$이려면 $f(1)\leq0$이어야 하므로
$8+k\leq0$ $\therefore k\leq-8$
따라서 실수 k의 최댓값은 -8이다.

05-1 답 $k\leq-16$

|해결 전략| $(f(x)$의 최댓값$)\leq0$인 실수 k의 값의 범위를 구한다.

$f(x)=-x^4+8x^2+k$로 놓으면

$f'(x)=-4x^3+16x=-4x(x+2)(x-2)$

$f'(x)=0$에서 $x=-2$ 또는 $x=0$ 또는 $x=2$

함수 $f(x)$의 증가, 감소를 표로 나타내면 다음과 같다.

x	$\cdots$	-2	$\cdots$	0	$\cdots$	2	$\cdots$
$f'(x)$	$+$	0	$-$	0	$+$	0	$-$
$f(x)$	↗	$16+k$	↘	k	↗	$16+k$	↘

함수 $f(x)$는 $x=-2$ 또는 $x=2$에서 최댓값 $16+k$를 가진다.
따라서 모든 실수 x에 대하여 $f(x)\le 0$이려면 $f(-2)=f(2)\le 0$이어야 하므로
$16+k\le 0$ $\therefore k\le -16$

05-2 답 -32

|해결 전략| ($f(x)$의 최솟값)≥ 0인 실수 k의 값의 범위를 구한다.
$3x^4-4x^3\ge 12x^2+k$에서 $3x^4-4x^3-12x^2-k\ge 0$
$f(x)=3x^4-4x^3-12x^2-k$로 놓으면
$f'(x)=12x^3-12x^2-24x=12x(x+1)(x-2)$
$f'(x)=0$에서 $x=-1$ 또는 $x=0$ 또는 $x=2$
함수 $f(x)$의 증가, 감소를 표로 나타내면 다음과 같다.

x	$\cdots$	-1	$\cdots$	0	$\cdots$	2	$\cdots$
$f'(x)$	$-$	0	$+$	0	$-$	0	$+$
$f(x)$	↘	$-5-k$	↗	$-k$	↘	$-32-k$	↗

함수 $f(x)$는 $x=2$에서 최솟값 $-32-k$를 가진다.
따라서 모든 실수 x에 대하여 $f(x)\ge 0$이려면 $f(2)\ge 0$이어야 하므로
$-32-k\ge 0$ $\therefore k\le -32$
$\therefore a=-32$

② 속도와 가속도

개념 확인   148쪽
1 (1) $v=11$, $a=4$ (2) $v=14$, $a=14$

1 (1) $v=\dfrac{dx}{dt}=4t+3$, $a=\dfrac{dv}{dt}=4$이므로
$t=2$에서의 점 P의 속도와 가속도는
$v=4\times 2+3=11$, $a=4$

(2) $v=\dfrac{dx}{dt}=3t^2+2t-2$, $a=\dfrac{dv}{dt}=6t+2$이므로
$t=2$에서의 점 P의 속도와 가속도는
$v=3\times 2^2+2\times 2-2=14$, $a=6\times 2+2=14$

STEP ① 개념 드릴 ─────────────── |149쪽|

개념 check
1-1 $3t^2-6t$, $6t-6$, 3, 6, -3, 6, 6, 0
2-1 $3t^2-4t$, 3, 4, 15
3-1 (1) $8\pi t$, 8π, 16π (2) $4\pi t^2$, 4π, 16π

스스로 check
1-2 답 (1) $v=6$, $a=2$ (2) $v=-1$, $a=-12$ (3) $v=3$, $a=10$

(1) $v=\dfrac{dx}{dt}=2t+2$, $a=\dfrac{dv}{dt}=2$이므로
$t=2$에서의 점 P의 속도와 가속도는
$v=2\times 2+2=6$, $a=2$

(2) $v=\dfrac{dx}{dt}=-6t^2+5$, $a=\dfrac{dv}{dt}=-12t$이므로
$t=1$에서의 점 P의 속도와 가속도는
$v=-6\times 1^2+5=-1$, $a=-12$

(3) $v=\dfrac{dx}{dt}=3t^2-8t$, $a=\dfrac{dv}{dt}=6t-8$이므로
$t=3$에서의 점 P의 속도와 가속도는
$v=3\times 3^2-8\times 3=3$, $a=6\times 3-8=10$

2-2 답 (1) -1 (2) 20

(1) $\dfrac{dl}{dt}=6t^2-2t-5$이므로 $t=1$에서의 고무줄의 길이의 변화율은
$6\times 1^2-2\times 1-5=-1$

(2) $\dfrac{dl}{dt}=12t^2+8$이므로 $t=1$에서의 고무줄의 길이의 변화율은
$12\times 1^2+8=20$

3-2 답 (1) 32π (2) 32π

(1) 구의 겉넓이를 S라 하면
$S=4\pi(2t)^2=16\pi t^2$ $\therefore \dfrac{dS}{dt}=32\pi t$
따라서 $t=1$에서의 구의 겉넓이의 변화율은
$32\pi\times 1=32\pi$

(2) 구의 부피를 V라 하면
$V=\dfrac{4}{3}\pi(2t)^3=\dfrac{32}{3}\pi t^3$ $\therefore \dfrac{dV}{dt}=32\pi t^2$
따라서 $t=1$에서의 구의 부피의 변화율은
$32\pi\times 1^2=32\pi$

STEP ② 필수 유형 ─────────── |150쪽~154쪽|

01-1 답 (1) 속도: -30, 가속도: -42 (2) 1

|해결 전략| (1) 위치를 미분하면 속도, 속도를 미분하면 가속도임을 이용한다.
(2) 수직선 위를 움직이는 점 P가 운동 방향을 바꾸는 순간의 속도는 0임을 이용한다.

(1) 시각 t에서의 점 P의 속도를 v, 가속도를 a라 하면
$v=\dfrac{dx}{dt}=-12t^2+6t+6$, $a=\dfrac{dv}{dt}=-24t+6$
따라서 $t=2$에서의 점 P의 속도와 가속도는
$v=-12\times 2^2+6\times 2+6=-30$, $a=-24\times 2+6=-42$

(2) 점 P가 운동 방향을 바꾸는 순간의 속도는 0이므로
$v=-12t^2+6t+6=-6(t-1)(2t+1)=0$에서
$t=1$ ($\because t>0$)
$0<t<1$일 때 $v>0$, $t>1$일 때 $v<0$이므로 점 P는 $t=1$에서 운동 방향을 바꾼다.

01-2 답 -18

| 해결 전략 | 위치를 미분하면 속도, 속도를 미분하면 가속도임을 이용한다.

시각 t에서의 점 P의 속도를 v라 하면

$$v=\frac{dx}{dt}=6t^2-42t+60=6(t-2)(t-5)$$

$6(t-2)(t-5)=0$에서 $t=2$ 또는 $t=5$

원점을 출발한 점 P의 속도가 처음으로 0이 되는 순간은 $t=2$일 때이고, 시각 t에서의 점 P의 가속도를 a라 하면

$$a=\frac{dv}{dt}=12t-42$$

따라서 $t=2$에서의 점 P의 가속도는

$$a=12\times2-42=-18$$

02-1 답 (1) 2초, 45 m (2) -30 m/s

| 해결 전략 | (1) 속도가 0일 때의 t의 값을 구한 다음 그 시각에서의 높이를 구한다.
(2) 높이가 0일 때의 t의 값을 구한 다음 그 시각에서의 물체의 속도를 구한다.

물체의 t초 후의 속도를 v m/s라 하면

$$v=\frac{dh}{dt}=-10t+20$$

(1) 최고 높이에 도달했을 때의 속도는 $v=0$이므로

$\quad v=-10t+20=0$에서 $t=2$

$\quad$ 따라서 물체가 최고 높이에 도달할 때까지 걸린 시간은 2초이고, 최고 높이는

$\quad h=-5\times2^2+20\times2+25=45\,(\text{m})$

(2) 물체가 지면에 떨어질 때의 높이는 $h=0$이므로

$\quad -5t^2+20t+25=0$에서 $-5(t-5)(t+1)=0$

$\quad \therefore t=5\ (\because t>0)$

$\quad$ 따라서 물체가 지면에 떨어지는 순간, 즉 $t=5$일 때 물체의 속도는

$\quad v=-10\times5+20=-30\,(\text{m/s})$

참고 물체가 지면과 수직으로 운동하는 경우, $v>0$일 때 물체는 위로 올라가고, $v<0$일 때 물체는 아래로 내려오므로 최고점에 도달하는 순간의 속도는 $v=0$이다.

02-2 답 16 m/s

| 해결 전략 | 높이가 0일 때의 t의 값을 구한 다음 그 시각에서의 물로켓의 속력을 구한다.

물로켓이 지면에 떨어질 때의 높이는 $h=0$이므로

$-2t^2+16t=0$에서 $-2t(t-8)=0$

$\therefore t=8\ (\because t>0)$

물로켓의 t초 후의 속도를 v m/s라 하면

$$v=\frac{dh}{dt}=-4t+16$$

$t=8$일 때, 물로켓의 속도는

$v=-4\times8+16=-16\,(\text{m/s})$

따라서 물로켓이 지면에 떨어지는 순간의 속력은

$|v|=|-16|=16\,(\text{m/s})$

03-1 답 ㄱ, ㄴ

| 해결 전략 | (가속도)=(속도 $v(t)$의 그래프의 기울기)임을 이용하여 구하고, 운동 방향은 $v(t)$의 부호를 확인한다.

ㄱ. $0<t<5$에서 점 P의 최고 속도는 3이다.

ㄴ. 점 P의 가속도는 $v'(t)$이고, $4<t<5$에서 $v'(t)>0$이므로 가속도는 양의 값이다.

ㄷ. $t=3$과 $4<t<5$의 어느 한 점의 좌우에서 $v(t)$의 부호가 바뀌므로 점 P는 운동 방향을 2번 바꾼다.

따라서 옳은 것은 ㄱ, ㄴ이다.

03-2 답 ㄱ, ㄴ, ㄷ

| 해결 전략 | (속도)=(위치 $x(t)$의 그래프의 접선의 기울기)임을 이용한다.

ㄱ. $x(2)=0$이므로 $t=2$일 때, 점 P는 원점을 지난다.

ㄴ. $3<t<4$에서 $v(t)=x'(t)>0$이므로 점 P는 양의 방향으로 움직인다.

ㄷ. $v(1)=x'(1)=0$이므로 $t=1$일 때, 점 P의 속도는 0이다.

따라서 옳은 것은 ㄱ, ㄴ, ㄷ이다.

LECTURE

수직선 위를 움직이는 점 P의 시각 t에서의 위치 $x(t)$의 그래프가 주어질 때

$t=a$일 때 점 P의 속도 ➡ $t=a$일 때 접선의 기울기 $x'(a)$

04-1 답 (1) 2 m/s (2) 1 m/s

| 해결 전략 | (1) 그림자 끝이 t초 동안 움직이는 거리 x를 t에 대한 함수로 나타낸 후 그림자 끝이 움직이는 속도는 $\dfrac{dx}{dt}$임을 이용한다.

(2) 그림자의 길이 l을 t에 대한 함수로 나타낸 후 그림자의 길이의 변화율은 $\dfrac{dl}{dt}$임을 이용한다.

(1) 학생이 1 m/s의 속도로 걸어가므로 t초 동안 움직이는 거리는 t m

$\quad$ 그림자 끝이 t초 동안 움직이는 거리를

$\quad x$ m라 하면 오른쪽 그림에서

$\quad \triangle ABC \infty \triangle DEC$이므로

$\quad \overline{AB}:\overline{DE}=\overline{BC}:\overline{EC}$

$\quad 3:1.5=x:(x-t)$

$\quad 3x-3t=1.5x,\ 1.5x=3t$

$\quad \therefore x=2t$

$\quad$ 따라서 그림자 끝이 움직이는 속도는

$\quad \dfrac{dx}{dt}=2\,(\text{m/s})$

(2) t초 후의 그림자의 길이를 l m라 하면

$\quad l=\overline{BC}-\overline{BE}=x-t=2t-t=t$

$\quad$ 따라서 그림자의 길이의 변화율은

$\quad \dfrac{dl}{dt}=1\,(\text{m/s})$

04-2 답 $\dfrac{5}{2}$

| 해결 전략 | $\overline{OC}$의 길이 l을 t에 대한 함수로 나타낸 후 $\overline{OC}$의 길이의 변화율은 $\dfrac{dl}{dt}$임을 이용한다.

t초 후의 두 점 A, B의 좌표는 각각 A$(4t, 0)$, B$(0, 3t)$이므로

선분 AB의 중점 C의 좌표는 $\left(2t, \dfrac{3}{2}t\right)$

$\overline{OC}=l$이라 하면

$$l=\sqrt{(2t)^2+\left(\dfrac{3}{2}t\right)^2}=\dfrac{5}{2}t \ (\because t>0)$$

따라서 $\overline{OC}$의 길이의 변화율은

$$\dfrac{dl}{dt}=\dfrac{5}{2}$$

05-1 [답] $80 \ \text{cm}^2/\text{s}$

|해결 전략| 정사각형의 넓이 S를 t에 대한 함수로 나타낸 후 정사각형의 넓이의 변화율은 $\dfrac{dS}{dt}$임을 이용한다.

각 변의 길이가 $2 \ \text{cm/s}$씩 늘어나므로 t초 후의 정사각형의 한 변의 길이는 $(10+2t) \ \text{cm}$

t초 후의 정사각형의 넓이를 $S \ \text{cm}^2$라 하면

$$S=(10+2t)^2$$

시각 t에 대한 정사각형의 넓이 S의 변화율은

$$\dfrac{dS}{dt}=2(10+2t)\times 2=8(5+t)$$

정사각형의 넓이가 $400 \ \text{cm}^2$가 될 때 한 변의 길이는 $20 \ \text{cm}$이므로

$10+2t=20$에서 $t=5$

따라서 $t=5$일 때, 정사각형의 넓이의 변화율은

$$8(5+5)=80 \ (\text{cm}^2/\text{s})$$

05-2 [답] $42\pi \ \text{cm}^3/\text{s}$

|해결 전략| 원기둥의 부피 V를 t에 대한 함수로 나타낸 후 원기둥의 부피의 변화율은 $\dfrac{dV}{dt}$임을 이용한다.

밑면의 반지름의 길이는 $1 \ \text{cm/s}$씩 늘어나고, 높이는 $2 \ \text{cm/s}$씩 줄어들므로 t초 후의 원기둥의 밑면의 반지름의 길이는 $(4+t) \ \text{cm}$, 높이는 $(16-2t) \ \text{cm}$

t초 후의 원기둥의 부피를 $V \ \text{cm}^3$라 하면

$$V=\pi(4+t)^2(16-2t)=(-2t^3+96t+256)\pi$$

시각 t에 대한 원기둥의 부피 V의 변화율은

$$\dfrac{dV}{dt}=(-6t^2+96)\pi$$

높이가 $10 \ \text{cm}$가 될 때의 시각은

$16-2t=10$에서 $t=3$

따라서 $t=3$일 때, 원기둥의 부피의 변화율은

$$(-6\times 3^2+96)\pi=42\pi \ (\text{cm}^3/\text{s})$$

STEP ❸ 유형 드릴 ──────── |155쪽~157쪽|

1-1 [답] -3

|해결 전략| 함수 $y=f(x)$의 그래프와 직선 $y=k$의 교점의 개수가 4가 되도록 하는 정수 k의 값을 구한다.

$f(x)=3x^4-6x^2$으로 놓으면

$$f'(x)=12x^3-12x=12x(x+1)(x-1)$$

$f'(x)=0$에서 $x=-1$ 또는 $x=0$ 또는 $x=1$

함수 $f(x)$의 증가, 감소를 표로 나타내면 다음과 같다.

x	$\cdots$	-1	$\cdots$	0	$\cdots$	1	$\cdots$
$f'(x)$	$-$	0	$+$	0	$-$	0	$+$
$f(x)$	$\searrow$	-3	$\nearrow$	0	$\searrow$	-3	$\nearrow$

따라서 함수 $y=f(x)$의 그래프는 오른쪽 그림과 같고, 주어진 방정식이 서로 다른 네 실근을 가지려면 함수 $y=f(x)$의 그래프와 직선 $y=k$가 서로 다른 네 점에서 만나야 하므로

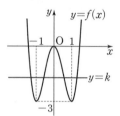

$$-3<k<0$$

따라서 정수 k는 $-2, -1$이므로 그 합은

$$-2+(-1)=-3$$

1-2 [답] 0

|해결 전략| 함수 $y=f(x)$의 그래프와 직선 $y=k$의 교점의 개수가 2가 되도록 하는 정수 k의 최댓값을 구한다.

$-x^4+4x^3-4x^2-k=0$에서 $-x^4+4x^3-4x^2=k$

$f(x)=-x^4+4x^3-4x^2$으로 놓으면

$$f'(x)=-4x^3+12x^2-8x=-4x(x-1)(x-2)$$

$f'(x)=0$에서 $x=0$ 또는 $x=1$ 또는 $x=2$

함수 $f(x)$의 증가, 감소를 표로 나타내면 다음과 같다.

x	$\cdots$	0	$\cdots$	1	$\cdots$	2	$\cdots$
$f'(x)$	$+$	0	$-$	0	$+$	0	$-$
$f(x)$	$\nearrow$	0	$\searrow$	-1	$\nearrow$	0	$\searrow$

따라서 함수 $y=f(x)$의 그래프는 오른쪽 그림과 같고, 주어진 방정식이 서로 다른 두 실근을 가지려면 함수 $y=f(x)$의 그래프와 직선 $y=k$가 서로 다른 두 점에서 만나야 하므로

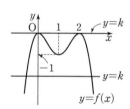

$$k=0 \text{ 또는 } k<-1$$

따라서 정수 k의 최댓값은 0이다.

2-1 [답] 1

|해결 전략| $h(x)=f(x)-g(x)$로 놓고, 함수 $y=h(x)$의 그래프와 x축의 교점의 개수를 구한다.

$h(x)=f(x)-g(x)$로 놓으면

$$h'(x)=f'(x)-g'(x)$$

$h'(x)=0$, 즉 $f'(x)=g'(x)$에서 $x=0$ 또는 $x=2$

함수 $h(x)$의 증가, 감소를 표로 나타내면 다음과 같다.

x	$\cdots$	0	$\cdots$	2	$\cdots$
$h'(x)$	$+$	0	$-$	0	$+$
$h(x)$	$\nearrow$	$f(0)-g(0)=-1$	$\searrow$	$f(2)-g(2)$	$\nearrow$

따라서 함수 $y=h(x)$의 그래프는 오른쪽
그림과 같이 x축과 한 점에서 만나므로 방
정식 $h(x)=0$, 즉 $f(x)-g(x)=0$의 서
로 다른 실근의 개수는 1이다.

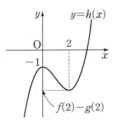

2-2 답 2

|해결 전략| $h(x)=f(x)-g(x)$로 놓고, 함수 $y=h(x)$의 그래프와 x축의 교
점의 개수를 구한다.

$h(x)=f(x)-g(x)$로 놓으면

$h'(x)=f'(x)-g'(x)$

$h'(x)=0$, 즉 $f'(x)=g'(x)$에서 $x=1$ 또는 $x=3$

함수 $h(x)$의 증가, 감소를 표로 나타내면 다음과 같다.

x	$\cdots$	1	$\cdots$	3	$\cdots$
$h'(x)$	$-$	0	$+$	0	$-$
$h(x)$	$\searrow$	$f(1)-g(1)=0$	$\nearrow$	$f(3)-g(3)$	$\searrow$

따라서 함수 $y=h(x)$의 그래프는 오른쪽
그림과 같이 x축과 서로 다른 두 점에서
만나므로 방정식 $h(x)=0$, 즉
$f(x)-g(x)=0$의 서로 다른 실근의 개수
는 2이다.

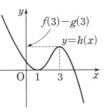

3-1 답 -1

|해결 전략| 함수 $y=f(x)$의 그래프와 직선 $y=k$의 교점의 x좌표가 오직 한 개
의 양수 또는 오직 한 개의 음수가 되도록 하는 실수 k의 값의 범위를 구한다.

$2x^3-3x^2-k=0$에서 $2x^3-3x^2=k$

$f(x)=2x^3-3x^2$으로 놓으면

$f'(x)=6x^2-6x=6x(x-1)$

$f'(x)=0$에서 $x=0$ 또는 $x=1$

함수 $f(x)$의 증가, 감소를 표로 나타내면 다음과 같다.

x	$\cdots$	0	$\cdots$	1	$\cdots$
$f'(x)$	$+$	0	$-$	0	$+$
$f(x)$	$\nearrow$	0	$\searrow$	-1	$\nearrow$

주어진 방정식이 오직 한 개의 양의 실근
또는 오직 한 개의 음의 실근을 가지려면
함수 $y=f(x)$의 그래프와 직선 $y=k$의
교점의 x좌표가 오직 한 개의 양수 또는
오직 한 개의 음수이어야 하므로

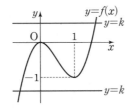

$k>0$ 또는 $k<-1$

따라서 $a=0$, $b=-1$이므로 $a+b=-1$

3-2 답 1

|해결 전략| 함수 $y=f(x)$의 그래프와 직선 $y=k$의 교점의 x좌표가 오직 두 개
의 양수가 되도록 하는 정수 k의 개수를 구한다.

$3x^4-2x^3=3x^2-k$에서 $-3x^4+2x^3+3x^2=k$

$f(x)=-3x^4+2x^3+3x^2$으로 놓으면

$f'(x)=-12x^3+6x^2+6x=-6x(x-1)(2x+1)$

$f'(x)=0$에서 $x=-\dfrac{1}{2}$ 또는 $x=0$ 또는 $x=1$

함수 $f(x)$의 증가, 감소를 표로 나타내면 다음과 같다.

x	$\cdots$	$-\dfrac{1}{2}$	$\cdots$	0	$\cdots$	1	$\cdots$
$f'(x)$	$+$	0	$-$	0	$+$	0	$-$
$f(x)$	$\nearrow$	$\dfrac{5}{16}$	$\searrow$	0	$\nearrow$	2	$\searrow$

주어진 방정식이 오직 서로 다른 두 개
의 양의 실근을 가지려면 함수 $y=f(x)$
의 그래프와 직선 $y=k$의 교점의 x좌표
가 오직 두 개의 양수이어야 하므로

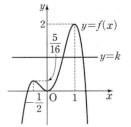

$\dfrac{5}{16}<k<2$

따라서 정수 k는 1의 1개이다.

4-1 답 4

|해결 전략| $h(x)=f(x)-g(x)$로 놓고, $-2 \le x \le 2$에서
$(h(x)$의 최솟값$)\ge0$인 실수 k의 최솟값을 구한다.

$h(x)=f(x)-g(x)$로 놓으면

$h(x)=(5x^3-6x+k)-3x^3=2x^3-6x+k$

$h'(x)=6x^2-6=6(x+1)(x-1)$

$h'(x)=0$에서 $x=-1$ 또는 $x=1$

$-2 \le x \le 2$에서 함수 $h(x)$의 증가, 감소를 표로 나타내면 다음과
같다.

x	-2	$\cdots$	-1	$\cdots$	1	$\cdots$	2
$h'(x)$		$+$	0	$-$	0	$+$	
$h(x)$	$-4+k$	$\nearrow$	$4+k$	$\searrow$	$-4+k$	$\nearrow$	$4+k$

$-2 \le x \le 2$일 때, 함수 $h(x)$는 $x=-2$ 또는 $x=1$에서 최솟값
$-4+k$를 가진다.

즉, $-2 \le x \le 2$일 때 $h(x)\ge0$이려면 $h(-2)=h(1)\ge0$이어야 하
므로

$-4+k\ge0$ $\quad \therefore k\ge4$

따라서 실수 k의 최솟값은 4이다.

4-2 답 1

|해결 전략| $h(x)=f(x)-g(x)$로 놓고, $x \le 2$에서 $(h(x)$의 최댓값$)\le0$인
실수 k의 값의 범위를 구한다.

$h(x)=f(x)-g(x)$로 놓으면

$h(x)=(x^3-2x+k)-(3x^2-2x+1)=x^3-3x^2+k-1$

$h'(x)=3x^2-6x=3x(x-2)$

$h'(x)=0$에서 $x=0$ 또는 $x=2$

$x \le 2$에서 함수 $h(x)$의 증가, 감소를 표로 나타내면 다음과 같다.

x	$\cdots$	0	$\cdots$	2
$h'(x)$	$+$	0	$-$	0
$h(x)$	$\nearrow$	$-1+k$	$\searrow$	$-5+k$

$x \le 2$일 때, 함수 $h(x)$는 $x=0$에서 최댓값 $-1+k$를 가진다.

따라서 $x \le 2$일 때 $h(x)\le0$이려면 $h(0)\le0$이어야 하므로

$-1+k\le0$ $\quad \therefore k\le1$

$\therefore a=1$

5-1 답 3

|해결 전략| $(f(x)$의 최댓값$)\leq 0$인 실수 a의 최댓값을 구한다.

$-x^4+4x+a^2\leq 4a$에서 $-x^4+4x+a^2-4a\leq 0$

$f(x)=-x^4+4x+a^2-4a$로 놓으면

$f'(x)=-4x^3+4=-4(x-1)(x^2+x+1)$

이때, $x^2+x+1=\left(x+\dfrac{1}{2}\right)^2+\dfrac{3}{4}>0$이므로

$f'(x)=0$에서 $x=1$

함수 $f(x)$의 증가, 감소를 표로 나타내면 다음과 같다.

x	$\cdots$	1	$\cdots$
$f'(x)$	$+$	0	$-$
$f(x)$	$\nearrow$	a^2-4a+3	$\searrow$

함수 $f(x)$는 $x=1$에서 최댓값 a^2-4a+3을 가진다.

따라서 모든 실수 x에 대하여 $f(x)\leq 0$이려면 $f(1)\leq 0$이어야 하므로

$a^2-4a+3\leq 0$, $(a-1)(a-3)\leq 0$

$\therefore 1\leq a\leq 3$

따라서 실수 a의 최댓값은 3이다.

5-2 답 $a<-1$

|해결 전략| $h(x)=f(x)-g(x)$로 놓고, $(h(x)$의 최솟값$)>0$인 실수 a의 값의 범위를 구한다.

함수 $y=f(x)$의 그래프가 함수 $y=g(x)$의 그래프보다 항상 위쪽에 있으려면 모든 실수 x에 대하여 $f(x)>g(x)$이어야 한다.

$h(x)=f(x)-g(x)$로 놓으면

$h(x)=(x^4-a)-2x^2=x^4-2x^2-a$

$h'(x)=4x^3-4x=4x(x+1)(x-1)$

$h'(x)=0$에서 $x=-1$ 또는 $x=0$ 또는 $x=1$

함수 $h(x)$의 증가, 감소를 표로 나타내면 다음과 같다.

x	$\cdots$	-1	$\cdots$	0	$\cdots$	1	$\cdots$
$h'(x)$	$-$	0	$+$	0	$-$	0	$+$
$h(x)$	$\searrow$	$-1-a$	$\nearrow$	$-a$	$\searrow$	$-1-a$	$\nearrow$

함수 $h(x)$는 $x=-1$ 또는 $x=1$에서 최솟값 $-1-a$를 가진다.

따라서 모든 실수 x에 대하여 $h(x)>0$이려면 $h(-1)=h(1)>0$이어야 하므로

$-1-a>0$ $\therefore a<-1$

LECTURE

두 함수 $f(x), g(x)$에 대하여

❶ 어떤 구간에서 함수 $y=f(x)$의 그래프가 함수 $y=g(x)$의 그래프보다 항상 위쪽에 있다.
➡ 그 구간에서 항상 $f(x)>g(x)$이다.

❷ 어떤 구간에서 함수 $y=f(x)$의 그래프가 함수 $y=g(x)$의 그래프보다 항상 아래쪽에 있다.
➡ 그 구간에서 항상 $f(x)<g(x)$이다.

6-1 답 16

|해결 전략| 두 점 P, Q의 속도가 같아지는 순간은 $P'(t)=Q'(t)$일 때임을 이용한다.

시각 t에서의 두 점 P, Q의 속도를 각각 v_P, v_Q라 하면

$v_P=P'(t)=t^2+9$, $v_Q=Q'(t)=6t$

이때, 두 점 P, Q의 속도가 같아지려면 $v_P=v_Q$이므로

$t^2+9=6t$, $(t-3)^2=0$

$\therefore t=3$

$t=3$에서의 두 점 P, Q의 위치는

$P(3)=\dfrac{1}{3}\times 3^3+9\times 3-10=26$, $Q(3)=3\times 3^2-17=10$

따라서 구하는 두 점 P, Q 사이의 거리는

$26-10=16$

6-2 답 3

|해결 전략| $P'(2)=Q'(2)$임을 이용하여 k의 값을 구한다.

시각 t에서의 두 점 P, Q의 속도를 각각 v_P, v_Q라 하면

$v_P=P'(t)=4t^3-18t^2+24t$, $v_Q=Q'(t)=2kt-4$

$t=2$에서의 점 P의 속도는 $v_P=4\times 2^3-18\times 2^2+24\times 2=8$

$t=2$에서의 점 Q의 속도는 $v_Q=2k\times 2-4=4k-4$

$t=2$에서의 두 점 P, Q의 속도가 같으므로

$8=4k-4$ $\therefore k=3$

7-1 답 속도: -12, 가속도: -14

|해결 전략| 원점을 지나는 순간의 위치는 0임을 이용하여 속도, 가속도를 구한다.

점 P가 원점을 지나는 순간은 $x=0$일 때이므로

$-t^3+2t^2+3t=0$에서 $-t(t+1)(t-3)=0$

$\therefore t=3\ (\because t>0)$

점 P가 출발 후 다시 원점을 지나는 순간은 $t=3$일 때이고, 시각 t에서의 점 P의 속도를 v, 가속도를 a라 하면

$v=\dfrac{dx}{dt}=-3t^2+4t+3$, $a=\dfrac{dv}{dt}=-6t+4$

따라서 $t=3$에서의 점 P의 속도와 가속도는

$v=-3\times 3^2+4\times 3+3=-12$, $a=-6\times 3+4=-14$

7-2 답 속도: 3, 가속도: 8

|해결 전략| 원점을 지나는 순간의 위치는 0임을 이용하여 속도, 가속도를 구한다.

점 P가 원점을 지나는 순간은 $x=0$일 때이므로

$t^3-5t^2+6t=0$에서 $t(t-2)(t-3)=0$

$\therefore t=2$ 또는 $t=3\ (\because t>0)$

점 P가 출발 후 마지막으로 원점을 지나는 순간은 $t=3$일 때이고, 시각 t에서의 점 P의 속도를 v, 가속도를 a라 하면

$v=\dfrac{dx}{dt}=3t^2-10t+6$, $a=\dfrac{dv}{dt}=6t-10$

따라서 $t=3$에서의 점 P의 속도와 가속도는

$v=3\times 3^2-10\times 3+6=3$, $a=6\times 3-10=8$

8-1 답 48

|해결 전략| 전기차가 정지할 때의 속도는 0임을 이용한다.

전기차가 제동을 건 지 t초 후의 속도를 v m/s라 하면

$$v = \frac{dx}{dt} = 24 - 6t$$

전기차가 정지할 때의 속도는 $v = 0$이므로

$24 - 6t = 0$에서 $t = 4$

즉, 제동을 건 후 전기차가 멈추는 것은 4초 후이다.

이때, 4초 동안 전기차가 움직인 거리는

$24 \times 4 - 3 \times 4^2 = 48$ (m)

따라서 목적지로부터 전방 48 m인 지점에서 제동을 걸어야 하므로

$a = 48$

> **LECTURE**
>
> 어떤 열차가 제동을 건 후 t초 동안 움직인 거리를 x m라 하면
>
> (1) 제동을 건 지 t초 후의 속도 ➡ $\dfrac{dx}{dt}$
>
> (2) 열차가 정지할 때의 속도 ➡ 0

8-2 답 128

|해결 전략| 열차가 정지할 때의 속도는 0임을 이용한다.

열차가 제동을 건 지 t초 후의 속도를 v m/s라 하면

$$v = \frac{dx}{dt} = 32 - 4t$$

열차가 정지할 때의 속도는 $v = 0$이므로

$32 - 4t = 0$에서 $t = 8$

즉, 제동을 건 후 열차가 멈추는 것은 8초 후이다.

이때, 8초 동안 열차가 움직인 거리는

$32 \times 8 - 2 \times 8^2 = 128$ (m)

따라서 목적지로부터 전방 128 m인 지점에서 제동을 걸어야 하므로

$a = 128$

9-1 답 15

|해결 전략| 지면과 수직하게 위로 던진 물체가 최고 높이에 도달할 때는 (속도)$=0$, 지면에 떨어질 때는 (높이)$=0$임을 이용한다.

공의 t초 후의 속도를 v m/s라 하면

$$v = \frac{dh}{dt} = -10t + 30$$

공이 최고 높이에 도달할 때의 속도는 $v = 0$이므로

$v = -10t + 30 = 0$에서 $t = 3$

따라서 공이 최고 높이에 도달할 때까지 걸린 시간은 3초이므로
최고 높이는

$h = -5 \times 3^2 + 30 \times 3 = 45$ (m) $\therefore a = 45$

한편, 공이 지면에 떨어질 때의 높이는 $h = 0$이므로

$-5t^2 + 30t = 0$에서 $-5t(t-6) = 0$

$\therefore t = 6$ ($\because t > 0$)

$t = 6$일 때, 공의 속도는

$v = -10 \times 6 + 30 = -30$ (m/s)

따라서 공이 지면에 떨어지는 순간의 속력은

$|v| = |-30| = 30$ (m/s) $\therefore b = 30$

$\therefore a - b = 45 - 30 = 15$

9-2 답 -46

|해결 전략| 지면과 수직하게 위로 던진 물체가 최고 높이에 도달할 때는 (속도)$=0$, 지면에 떨어질 때는 (높이)$=0$임을 이용한다.

돌의 t초 후의 속도를 v m/s라 하면

$$v = \frac{dh}{dt} = -10t + 40$$

돌이 최고 높이에 도달할 때의 속도는 $v = 0$이므로

$v = -10t + 40 = 0$에서 $t = 4$

따라서 돌이 최고 높이에 도달할 때까지 걸린 시간은 4초이므로

$a = 4$

한편, 돌이 지면에 떨어질 때의 높이는 $h = 0$이므로

$-5t^2 + 40t + 45 = 0$에서 $-5(t+1)(t-9) = 0$

$\therefore t = 9$ ($\because t > 0$)

돌이 지면에 떨어지는 순간, 즉 $t = 9$일 때 돌의 속도는

$v = -10 \times 9 + 40 = -50$ (m/s) $\therefore b = -50$

$\therefore a + b = 4 + (-50) = -46$

10-1 답 c

|해결 전략| 속도 $v(t)$에 대하여 $v(a) = 0$이고 $t = a$의 좌우에서 $v(t)$의 부호가 바뀌면 $t = a$에서 운동 방향을 바꾼 것임을 이용한다.

시각 t에서의 점 P의 속도를 $v(t)$라 하면 $t = a$, $t = c$일 때,

$v(a) = x'(a) = 0$, $v(c) = x'(c) = 0$이고, 그 좌우에서 $v(t)$의 부호가 바뀌므로 점 P는 $t = a$, $t = c$일 때 운동 방향을 바꾼다.

따라서 점 P가 운동 방향을 두 번째로 바꾼 시각은 $t = c$이다.

10-2 답 ③

|해결 전략| 시각 t에서의 점 P의 가속도는 시각 t에서의 $y = v(t)$의 그래프의 접선의 기울기와 같음을 이용한다.

시각 t에서의 점 P의 가속도를 $a(t)$라 하면

$$a(t) = \frac{dv}{dt}$$이므로 시각 t에서의 점 P의 가속도는 시각 t에서의

$y = v(t)$의 그래프의 접선의 기울기와 같다.

이때, $a(t_1) > 0$, $a(t_2) = 0$, $a(t_3) < 0$, $a(t_4) = 0$, $a(t_5) > 0$이므로 시각 t_3에서의 가속도가 가장 작다.

11-1 답 $-24 \text{ cm}^2/\text{s}$

|해결 전략| 직사각형의 넓이 S를 t에 대한 함수로 나타낸 후 직사각형의 넓이의 변화율은 $\dfrac{dS}{dt}$임을 이용한다.

가로의 길이는 2 cm/s씩 늘어나고, 세로의 길이는 1 cm/s씩 줄어들므로 t초 후의 직사각형의 가로의 길이는 $(10 + 2t)$ cm, 세로의 길이는 $(15 - t)$ cm

t초 후의 직사각형의 넓이를 S cm²라 하면

$S = (10 + 2t)(15 - t) = -2t^2 + 20t + 150$

시각 t에 대한 직사각형의 넓이 S의 변화율은

$$\frac{dS}{dt} = -4t + 20$$

직사각형의 넓이가 128 cm²가 될 때의 시각은

$-2t^2 + 20t + 150 = 128$에서

$t^2-10t-11=0$, $(t+1)(t-11)=0$ ∴ $t=11$ (∵ $t>0$)

따라서 $t=11$일 때, 직사각형의 넓이의 변화율은

$-4\times11+20=-24\,(\text{cm}^2/\text{s})$

11-2 답 $150\pi\,\text{cm}^2/\text{s}$

|해결 전략| 가장 바깥쪽 물결의 넓이 S를 t에 대한 함수로 나타낸 후 가장 바깥쪽 물결의 넓이의 변화율은 $\dfrac{dS}{dt}$임을 이용한다.

반지름의 길이가 $5\,\text{cm/s}$씩 늘어나므로 t초 후의 가장 바깥쪽 물결의 반지름의 길이는 $5t\,\text{cm}$

t초 후의 가장 바깥쪽 물결의 넓이를 $S\,\text{cm}^2$라 하면

$S=\pi(5t)^2=25\pi t^2$

시각 t에 대한 가장 바깥쪽 물결의 넓이 S의 변화율은

$\dfrac{dS}{dt}=25\pi\times2t=50\pi t$

따라서 $t=3$일 때, 가장 바깥쪽 물결의 넓이의 변화율은

$50\pi\times3=150\pi\,(\text{cm}^2/\text{s})$

12-1 답 $32\pi\,\text{cm}^3/\text{s}$

|해결 전략| 물의 부피 V를 t에 대한 함수로 나타낸 후 물의 부피의 변화율은 $\dfrac{dV}{dt}$임을 이용한다.

수면의 높이가 $2\,\text{cm/s}$씩 올라가므로 t초 후의 수면의 높이는 $2t\,\text{cm}$

이때, 수면의 반지름의 길이를 $r\,\text{cm}$라 하면 오른쪽 그림에서 △ABC∽△DBE이므로

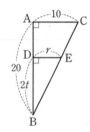

$20:10=2t:r$, $20t=20r$ ∴ $r=t$

t초 후의 물의 부피를 $V\,\text{cm}^3$라 하면

$V=\dfrac{1}{3}\pi t^2\times2t=\dfrac{2}{3}\pi t^3$

시각 t에 대한 물의 부피 V의 변화율은

$\dfrac{dV}{dt}=\dfrac{2}{3}\pi\times3t^2=2\pi t^2$

따라서 $t=4$일 때, 물의 부피의 변화율은

$2\pi\times4^2=32\pi\,(\text{cm}^3/\text{s})$

12-2 답 $108\,\text{cm}^3/\text{s}$

|해결 전략| 정육면체의 부피 V를 t에 대한 함수로 나타낸 후 정육면체의 부피의 변화율은 $\dfrac{dV}{dt}$임을 이용한다.

각 모서리의 길이가 $1\,\text{cm/s}$씩 늘어나므로

t초 후의 정육면체의 한 모서리의 길이는 $(4+t)\,\text{cm}$

t초 후의 정육면체의 부피를 $V\,\text{cm}^3$라 하면 $V=(4+t)^3$

시각 t에 대한 정육면체의 부피 V의 변화율은

$\dfrac{dV}{dt}=3(4+t)^2$

정육면체의 부피가 $216\,\text{cm}^3$가 될 때의 시각은

$(4+t)^3=216=6^3$에서 $t=2$

따라서 $t=2$일 때, 정육면체의 부피의 변화율은

$3(4+2)^2=108\,(\text{cm}^3/\text{s})$

7 | 부정적분

1 부정적분의 정의

개념 확인 160쪽~161쪽

1 (1) $f(x)=4x+1$ (2) $f(x)=-3x^2+6x$

2 (1) x^2+3x (2) x^2+3x+C

1 (1) $\displaystyle\int f(x)dx=2x^2+x+C$에서

$f(x)=(2x^2+x+C)'=4x+1$

(2) $\displaystyle\int f(x)dx=-x^3+3x^2+C$에서

$f(x)=(-x^3+3x^2+C)'=-3x^2+6x$

2 (1) $\dfrac{d}{dx}\displaystyle\int f(x)dx=f(x)=x^2+3x$

(2) $\displaystyle\int\left\{\dfrac{d}{dx}f(x)\right\}dx=f(x)+C=x^2+3x+C$

STEP 1 개념 드릴 | 162쪽 |

개념 check

1-1 $12x^2+1,\ 4x^3-1,\ 4x^3,\ 4x^3+x,\ x^4-x$

2-1 (1) $6x,\ 6x+C$ (2) $5x^2,\ 5x^2+C$ (3) $3x^4,\ 3x^4+C$

3-1 (1) $6x+4$ (2) $-2x^2+2x$ (3) $12x^2-6x+10$

스스로 check

1-2 답 $5x^4+1,\ x^5+x$

각 함수의 도함수를 구하면

$(5x^4+1)'=20x^3$, $\left(x^5-\dfrac{1}{4}\right)'=5x^4$, $(x^5+x)'=5x^4+1$,

$(x^5-2)'=5x^4$, $(x^5)'=5x^4$

따라서 $5x^4$의 부정적분이 아닌 것은 $5x^4+1,\ x^5+x$

2-2 답 (1) $11x+C$ (2) $-3x+C$ (3) $2x^2+C$

(4) $-x^6+C$ (5) x^9+x^3+C

(1) $(11x)'=11$이므로 $\displaystyle\int11dx=11x+C$

(2) $(-3x)'=-3$이므로 $\displaystyle\int(-3)dx=-3x+C$

(3) $(2x^2)'=4x$이므로 $\displaystyle\int4xdx=2x^2+C$

(4) $(-x^6)'=-6x^5$이므로 $\int(-6x^5)dx=-x^6+C$

(5) $(x^9+x^3)'=9x^8+3x^2$이므로 $\int(9x^8+3x^2)dx=x^9+x^3+C$

3-2 답 (1) $f(x)=-2x+3$ (2) $f(x)=12x+\dfrac{3}{4}$

(3) $f(x)=21x^2+\dfrac{2}{3}$ (4) $f(x)=20x^3+10x-1$

(1) $\int f(x)dx=-x^2+3x+C$에서

$\quad f(x)=(-x^2+3x+C)'=-2x+3$

(2) $\int f(x)dx=6x^2+\dfrac{3}{4}x+C$에서

$\quad f(x)=\left(6x^2+\dfrac{3}{4}x+C\right)'=12x+\dfrac{3}{4}$

(3) $\int f(x)dx=7x^3+\dfrac{2}{3}x+C$에서

$\quad f(x)=\left(7x^3+\dfrac{2}{3}x+C\right)'=21x^2+\dfrac{2}{3}$

(4) $\int f(x)dx=5x^4+5x^2-x+C$에서

$\quad f(x)=(5x^4+5x^2-x+C)'=20x^3+10x-1$

STEP ② 필수 유형 ————————— | 163쪽~164쪽 |

01-1 답 1

| 해결 전략 | $\int f(x)dx=F(x)+C$이면 $f(x)=F'(x)$임을 이용한다.

$\int(2x^3-3x^2+ax+1)dx=bx^4-x^3+x^2+cx-2$에서

$2x^3-3x^2+ax+1=(bx^4-x^3+x^2+cx-2)'$
$\qquad\qquad\qquad\qquad=4bx^3-3x^2+2x+c$

이때, $2=4b$, $a=2$, $1=c$이므로

$a=2$, $b=\dfrac{1}{2}$, $c=1$ $\therefore abc=2\times\dfrac{1}{2}\times1=1$

01-2 답 -10

| 해결 전략 | $\int f(x)dx=F(x)+C$이면 $f(x)=F'(x)$임을 이용한다.

$\int xf(x)dx=-2x^3+x^2$에서

$xf(x)=(-2x^3+x^2)'$
$\qquad=-6x^2+2x=x(-6x+2)$
$\therefore f(x)=-6x+2$
$\therefore f(2)=-12+2=-10$

02-1 답 2

| 해결 전략 | $\dfrac{d}{dx}\int f(x)dx=f(x)$임을 이용한다.

$\dfrac{d}{dx}\int(x^3+ax^2+3)dx=x^3+ax^2+3$이므로 주어진 등식은

$x^3+ax^2+3=bx^3-2x^2+c$

따라서 $a=-2$, $b=1$, $c=3$이므로
$a+b+c=-2+1+3=2$

02-2 답 $\dfrac{3}{2}$

| 해결 전략 | $\dfrac{d}{dx}\int f(x)dx=f(x)$임을 이용한다.

$\dfrac{d}{dx}\int(x+4)dx=x+4$이므로 주어진 등식은

$x+4=2x^2-2x+5$
$2x^2-3x+1=0$, $(2x-1)(x-1)=0$
$\therefore x=\dfrac{1}{2}$ 또는 $x=1$

따라서 주어진 등식을 만족시키는 모든 x의 값의 합은

$\dfrac{1}{2}+1=\dfrac{3}{2}$

② 부정적분의 계산

개념 확인 　　　　　　　　　　　　　165쪽~166쪽

1 (1) $\dfrac{1}{5}x^5+C$ (2) $\dfrac{1}{8}x^8+C$

2 (1) x^3+x^2+x+C (2) $\dfrac{1}{2}x^4+\dfrac{1}{2}x^2-4x+C$

1 (1) $\displaystyle\int x^4dx=\dfrac{1}{4+1}x^{4+1}+C=\dfrac{1}{5}x^5+C$

(2) $\displaystyle\int x^7dx=\dfrac{1}{7+1}x^{7+1}+C=\dfrac{1}{8}x^8+C$

2 (1) $\displaystyle\int(3x^2+2x+1)dx$

$\quad=\displaystyle\int3x^2dx+\int2xdx+\int1dx$

$\quad=3\displaystyle\int x^2dx+2\int xdx+\int dx$

$\quad=3\left(\dfrac{1}{3}x^3+C_1\right)+2\left(\dfrac{1}{2}x^2+C_2\right)+(x+C_3)$

$\quad=x^3+x^2+x+3C_1+2C_2+C_3$
$\quad=x^3+x^2+x+C$

(2) $\displaystyle\int(2x^3+x-4)dx$

$\quad=\displaystyle\int2x^3dx+\int xdx-\int4dx$

$\quad=2\displaystyle\int x^3dx+\int xdx-4\int dx$

$\quad=2\left(\dfrac{1}{4}x^4+C_1\right)+\left(\dfrac{1}{2}x^2+C_2\right)-4(x+C_3)$

$\quad=\dfrac{1}{2}x^4+\dfrac{1}{2}x^2-4x+2C_1+C_2-4C_3$

$\quad=\dfrac{1}{2}x^4+\dfrac{1}{2}x^2-4x+C$

개념 check

1-1 (1) 14, 14, 15, 15 (2) 25, 25, 26, 26
2-1 +, −, −6, x^3, x^4
3-1 (1) 1, 1, x (2) $x-1$, $x-1$, x, 2, 2

스스로 check

1-2 답 (1) $\dfrac{1}{11}x^{11}+C$ (2) $\dfrac{1}{61}x^{61}+C$

(1) $\displaystyle\int x^3 \times x^7 dx = \int x^{10} dx = \dfrac{1}{10+1}x^{10+1}+C$

$\qquad = \dfrac{1}{11}x^{11}+C$

(2) $\displaystyle\int (x^{15})^4 dx = \int x^{60} dx = \dfrac{1}{60+1}x^{60+1}+C$

$\qquad = \dfrac{1}{61}x^{61}+C$

2-2 답 (1) $-x^4+x^3+C$ (2) $3x^3-3x^2+x+C$

(1) $\displaystyle\int (-4x^3+3x^2)dx = \int (-4x^3)dx + \int 3x^2 dx$

$\qquad = -4\displaystyle\int x^3 dx + 3\int x^2 dx$

$\qquad = -x^4+x^3+C$

(2) $\displaystyle\int (9x^2-6x+1)dx = \int 9x^2 dx - \int 6x dx + \int 1 dx$

$\qquad = 9\displaystyle\int x^2 dx - 6\int x dx + \int dx$

$\qquad = 3x^3-3x^2+x+C$

3-2 답 (1) $\dfrac{1}{4}x^4-\dfrac{4}{3}x^3+x^2-8x+C$ (2) $\dfrac{1}{3}x^3-x^2+x+C$

$\qquad$ (3) $2x^4-x+C$ (4) $-\dfrac{1}{2}x^2-3x+C$

(1) $\displaystyle\int (x^2+2)(x-4)dx = \int (x^3-4x^2+2x-8)dx$

$\qquad = \displaystyle\int x^3 dx - \int 4x^2 dx + \int 2x dx - \int 8 dx$

$\qquad = \displaystyle\int x^3 dx - 4\int x^2 dx + 2\int x dx - 8\int dx$

$\qquad = \dfrac{1}{4}x^4-\dfrac{4}{3}x^3+x^2-8x+C$

(2) $\displaystyle\int (x-1)^2 dx = \int (x^2-2x+1)dx$

$\qquad = \displaystyle\int x^2 dx - \int 2x dx + \int 1 dx$

$\qquad = \displaystyle\int x^2 dx - 2\int x dx + \int dx$

$\qquad = \dfrac{1}{3}x^3-x^2+x+C$

다른 풀이

$\displaystyle\int (x-1)^2 dx = \dfrac{1}{3}(x-1)^3+C$

LECTURE

$(x+a)^n$ 꼴의 부정적분

n이 0 또는 양의 정수이고 a는 상수, C는 적분상수일 때,

$\displaystyle\int (x+a)^n dx = \dfrac{1}{n+1}(x+a)^{n+1}+C$

(3) $\displaystyle\int (2x-1)(4x^2+2x+1)dx = \int (8x^3-1)dx$

$\qquad = \displaystyle\int 8x^3 dx - \int 1 dx$

$\qquad = 8\displaystyle\int x^3 dx - \int dx$

$\qquad = 2x^4-x+C$

(4) $\displaystyle\int \dfrac{x^2-9}{3-x}dx = \int \dfrac{(x+3)(x-3)}{-(x-3)}dx$

$\qquad = \displaystyle\int (-x-3)dx$

$\qquad = \displaystyle\int (-x)dx - \int 3 dx$

$\qquad = -\displaystyle\int x dx - 3\int dx$

$\qquad = -\dfrac{1}{2}x^2-3x+C$

01-1 답 0

해결 전략 부정적분의 실수배, 합, 차의 성질을 이용한다.

$f(x) = \displaystyle\int (x^2-x+1)(3x+2)dx - \int (x^2-x+1)(2x+1)dx$

$\quad = \displaystyle\int (x^2-x+1)\{(3x+2)-(2x+1)\}dx$

$\quad = \displaystyle\int (x^2-x+1)(x+1)dx$

$\quad = \displaystyle\int (x^3+1)dx$

$\quad = \dfrac{1}{4}x^4+x+C$

이때, $f(0) = \dfrac{3}{4}$이므로 $C = \dfrac{3}{4}$

따라서 $f(x) = \dfrac{1}{4}x^4+x+\dfrac{3}{4}$이므로

$f(-1) = \dfrac{1}{4}-1+\dfrac{3}{4} = 0$

01-2 답 11

|해결 전략| 부정적분의 실수배, 합, 차의 성질을 이용한다.

$f(x)=\int(1+2x+3x^2+\cdots+10x^9)dx$

$\qquad=x+x^2+x^3+\cdots+x^{10}+C$

이때, $f(0)=1$이므로 $C=1$

따라서 $f(x)=x+x^2+x^3+\cdots+x^{10}+1$이므로

$f(1)=\underbrace{1+1+1+\cdots+1+1}_{11개}=11$

02-1 답 $\dfrac{1}{2}$

|해결 전략| $f(x)=\int f'(x)dx$임을 이용한다.

$f(x)=\int f'(x)dx$

$\qquad=\int(-x+1)dx$

$\qquad=-\dfrac{1}{2}x^2+x+C$

이때, $f(2)=2$이므로

$-2+2+C=2$에서 $C=2$

따라서 $f(x)=-\dfrac{1}{2}x^2+x+2$이므로

$f(-1)=-\dfrac{1}{2}-1+2=\dfrac{1}{2}$

02-2 답 $\dfrac{11}{2}$

|해결 전략| $f(x)+g(x)=\int\{f'(x)+g'(x)\}dx$임을 이용한다.

$f(x)+g(x)=\int\{f'(x)+g'(x)\}dx$

$\qquad\qquad=\int\{(2x+1)+(3x^2-x+1)\}dx$

$\qquad\qquad=\int(3x^2+x+2)dx$

$\qquad\qquad=x^3+\dfrac{1}{2}x^2+2x+C$

이때, $f(0)+g(0)=2$이므로 $C=2$

따라서 $f(x)+g(x)=x^3+\dfrac{1}{2}x^2+2x+2$이므로

$f(1)+g(1)=1+\dfrac{1}{2}+2+2=\dfrac{11}{2}$

> **LECTURE**
>
> 미분가능한 두 함수 $f(x),g(x)$에 대하여
> $\{f(x)+g(x)\}'=f'(x)+g'(x)$이므로
> $\int\{f'(x)+g'(x)\}dx=f(x)+g(x)$

03-1 답 $f(x)=-3x^2+2x+4$

|해결 전략| 양변을 x에 대하여 미분한 후 $F'(x)=f(x)$임을 이용하여 $f'(x)$를 구한다.

$F(x)=xf(x)+2x^3-x^2$의 양변을 x에 대하여 미분하면

$F'(x)=f(x)+xf'(x)+6x^2-2x$

$F'(x)=f(x)$이므로

$f(x)=f(x)+xf'(x)+6x^2-2x$

$xf'(x)=-6x^2+2x=x(-6x+2)$

$\therefore f'(x)=-6x+2$

$\therefore f(x)=\int(-6x+2)dx=-3x^2+2x+C$

이때, $f(1)=3$이므로 $-3+2+C=3$에서 $C=4$

$\therefore f(x)=-3x^2+2x+4$

> **LECTURE**
>
> **함수의 곱의 미분법**
> 두 함수 $f(x),g(x)$가 미분가능할 때
> $\{f(x)g(x)\}'=f'(x)g(x)+f(x)g'(x)$

03-2 답 -5

|해결 전략| 양변을 x에 대하여 미분한 후 $F'(x)=f(x)$임을 이용하여 $f'(x)$를 구한다.

$F(x)-xf(x)=-3x^4+5x^2$의 양변을 x에 대하여 미분하면

$F'(x)-f(x)-xf'(x)=-12x^3+10x$

$F'(x)=f(x)$이므로

$f(x)-f(x)-xf'(x)=-12x^3+10x$

$xf'(x)=12x^3-10x=x(12x^2-10)$

$\therefore f'(x)=12x^2-10$

$\therefore f(x)=\int(12x^2-10)dx=4x^3-10x+C$

이때, $f(-1)=1$이므로 $-4+10+C=1$에서 $C=-5$

따라서 $f(x)=4x^3-10x-5$이므로

$f(0)=-5$

> **다른 풀이**

$F(x)-xf(x)=-3x^4+5x^2$의 양변에 $x=0$을 대입하면

$F(0)=0$

$f(x)$는 삼차함수이므로

$f(x)=ax^3+bx^2+cx+d(a\neq0,b,c,d$는 상수$)$라 하면

$F(x)=\dfrac{a}{4}x^4+\dfrac{b}{3}x^3+\dfrac{c}{2}x^2+dx+C$

$F(0)=0$이므로 $C=0$

이때, $F(x)-xf(x)=-3x^4+5x^2$이므로

$\dfrac{a}{4}x^4+\dfrac{b}{3}x^3+\dfrac{c}{2}x^2+dx-x(ax^3+bx^2+cx+d)=-3x^4+5x^2$

미정계수법에 의하여

$\dfrac{a}{4}-a=-3,\dfrac{b}{3}-b=0,\dfrac{c}{2}-c=5$

$\therefore a=4,b=0,c=-10$

$f(-1)=-a+b-c+d=-4+10+d=1$에서 $d=-5$

따라서 $f(x)=4x^3-10x-5$이므로

$f(0)=-5$

04-1 답 14

|해결 전략| 구간별로 $f'(x)$의 부정적분을 구하고, 함수 $f(x)$가 $x=0$에서 연속임을 이용하여 적분상수 사이의 관계식을 구한다.

$f'(x)=\begin{cases} -x+2 & (x>0) \\ x^2+1 & (x<0) \end{cases}$ 이고 $f(x)$가 연속함수이므로

$f(x)=\begin{cases} -\dfrac{1}{2}x^2+2x+C_1 & (x\geq 0) \\ \dfrac{1}{3}x^3+x+C_2 & (x<0) \end{cases}$

함수 $f(x)$는 $x=0$에서 연속이므로

$\lim\limits_{x\to 0+}\left(-\dfrac{1}{2}x^2+2x+C_1\right)=\lim\limits_{x\to 0-}\left(\dfrac{1}{3}x^3+x+C_2\right)$

에서 $C_1=C_2$

따라서

$f(2)=-2+4+C_1=2+C_1$

$f(-3)=-9-3+C_2=-12+C_2$

이므로

$f(2)-f(-3)=(2+C_1)-(-12+C_2)=14\ (\because C_1=C_2)$

04-2 답 $-\dfrac{5}{2}$

|해결 전략| 구간별로 $f'(x)$의 부정적분을 구하고, 함수 $f(x)$가 $x=0$에서 연속임을 이용하여 적분상수를 구한다.

$f'(x)=\begin{cases} -x+2 & (x\geq 0) \\ 2 & (x<0) \end{cases}$ 이므로

$f(x)=\begin{cases} -\dfrac{1}{2}x^2+2x+C_1 & (x\geq 0) \\ 2x+C_2 & (x<0) \end{cases}$

함수 $y=f(x)$의 그래프가 점 $(1, 1)$을 지나므로 $f(1)=1$에서

$-\dfrac{1}{2}+2+C_1=1 \quad \therefore C_1=-\dfrac{1}{2}$

함수 $f(x)$는 $x=0$에서 연속이므로

$\lim\limits_{x\to 0+}\left(-\dfrac{1}{2}x^2+2x-\dfrac{1}{2}\right)=\lim\limits_{x\to 0-}(2x+C_2)$

에서 $C_2=-\dfrac{1}{2}$

따라서 $f(x)=\begin{cases} -\dfrac{1}{2}x^2+2x-\dfrac{1}{2} & (x\geq 0) \\ 2x-\dfrac{1}{2} & (x<0) \end{cases}$ 이므로

$f(-1)=-2-\dfrac{1}{2}=-\dfrac{5}{2}$

05-1 답 -20

|해결 전략| 극대인 점을 찾아 $f'(x)$의 부정적분에서 적분상수를 구한다.

$f'(x)=3x(x-4)$이므로

$f'(x)=0$에서 $x=0$ 또는 $x=4$

x	$\cdots$	0	$\cdots$	4	$\cdots$
$f'(x)$	$+$	0	$-$	0	$+$
$f(x)$	↗	극대	↘	극소	↗

함수 $f(x)$는 $x=0$에서 극댓값을 가지므로 $f(0)=12$

이때,

$f(x)=\displaystyle\int 3x(x-4)dx$

$\qquad =\displaystyle\int(3x^2-12x)dx=x^3-6x^2+C$

이므로 $f(0)=12$에서 $C=12$

따라서 $f(x)=x^3-6x^2+12$이므로 $f(x)$의 극솟값은

$f(4)=64-96+12=-20$

05-2 답 20

|해결 전략| $f'(x)=a(x+1)(x-1)(a>0)$로 놓고 주어진 극값을 이용한다.

함수 $y=f'(x)$의 그래프가 $x=-1$, $x=1$에서 x축과 만나고 아래로 볼록하므로 $f'(x)=a(x+1)(x-1)(a>0)$로 놓으면

$f'(x)=0$에서 $x=-1$ 또는 $x=1$

x	$\cdots$	-1	$\cdots$	1	$\cdots$
$f'(x)$	$+$	0	$-$	0	$+$
$f(x)$	↗	극대	↘	극소	↗

함수 $f(x)$는 $x=-1$에서 극댓값을 가지고, $x=1$에서 극솟값을 가지므로 $f(-1)=4$, $f(1)=0$

이때,

$f(x)=\displaystyle\int a(x+1)(x-1)dx$

$\qquad =\displaystyle\int(ax^2-a)dx=\dfrac{1}{3}ax^3-ax+C$

이므로

$f(-1)=4$에서 $-\dfrac{1}{3}a+a+C=4$

$\therefore \dfrac{2}{3}a+C=4$ ......㉠

$f(1)=0$에서 $\dfrac{1}{3}a-a+C=0$

$\therefore -\dfrac{2}{3}a+C=0$ ......㉡

㉠, ㉡을 연립하여 풀면 $a=3$, $C=2$

따라서 $f(x)=x^3-3x+2$이므로

$f(3)=27-9+2=20$

STEP **③** 유형 드릴 ─────── |173쪽~175쪽|

1-1 답 -1

|해결 전략| 함수 $f(x)$의 한 부정적분이 $F(x)$이면 $F'(x)=f(x)$임을 이용한다.

$F(x)=ax^3-2x+1$에서

$F'(x)=f(x)=3ax^2-2$

$f(0)=b$에서 $b=-2$

또, $f'(x)=6ax$이므로 $f'(1)=6$에서

$6a=6$ ∴ $a=1$

∴ $a+b=1+(-2)=-1$

1-2 답 14

|해결 전략| $\int F(x)dx=f(x)g(x)$이면 $F(x)=\{f(x)g(x)\}'$임을 이용한다.

$\int F(x)dx=f(x)g(x)$에서

$F(x)=\{f(x)g(x)\}'=f'(x)g(x)+f(x)g'(x)$

$f(x)=2x+1$에서 $f'(x)=2$

$g(x)=3x^2-2x$에서 $g'(x)=6x-2$

따라서 $f(1)=3$, $f'(1)=2$, $g(1)=1$, $g'(1)=4$이므로

$F(1)=f'(1)g(1)+f(1)g'(1)$

$\qquad =2\times1+3\times4=14$

2-1 답 1

|해결 전략| $\int\left\{\dfrac{d}{dx}f(x)\right\}dx=f(x)+C$임을 이용한다.

$f(x)=\int\left\{\dfrac{d}{dx}(3x^2-4x)\right\}dx=3x^2-4x+C$

$f(1)=2$이므로 $3-4+C=2$에서 $C=3$

따라서 $f(x)=3x^2-4x+3$이므로 $f(x)=0$의 모든 근의 곱은

이차방정식의 근과 계수의 관계에 의하여

$\dfrac{3}{3}=1$

2-2 답 $-\dfrac{1}{6}$

|해결 전략| $\int\left\{\dfrac{d}{dx}f(x)\right\}dx=f(x)+C$임을 이용한다.

$f(x)=\int\left\{\dfrac{d}{dx}(6x^2+x+2)\right\}dx=6x^2+x+2+C$

$f(1)=4$이므로 $6+1+2+C=4$에서 $C=-5$

따라서 $f(x)=6x^2+x-3$이므로 $f(x)=0$의 모든 근의 합은

이차방정식의 근과 계수의 관계에 의하여 $-\dfrac{1}{6}$이다.

3-1 답 1

|해결 전략| $\dfrac{d}{dx}\int f(x)dx=f(x)$, $\int\left\{\dfrac{d}{dx}f(x)\right\}dx=f(x)+C$임을 이용한다.

$g(x)=\dfrac{d}{dx}\int f(x)dx=f(x)=x+1$

$h(x)=\int\left\{\dfrac{d}{dx}f(x)\right\}dx=f(x)+C=x+1+C$

$g(0)+h(0)=3$에서

$1+(1+C)=3$ ∴ $C=1$

따라서 $h(x)=x+2$이므로

$h(2)-g(2)=(2+2)-(2+1)=1$

3-2 답 -2

|해결 전략| $\dfrac{d}{dx}\int f(x)dx=f(x)$, $\int\left\{\dfrac{d}{dx}f(x)\right\}dx=f(x)+C$임을 이용한다.

$g(x)=\dfrac{d}{dx}\int f(x)dx=f(x)=-x^2+2$

$h(x)=\int\left\{\dfrac{d}{dx}f(x)\right\}dx=f(x)+C=-x^2+2+C$

$g(1)+h(1)=4$에서

$(-1+2)+(-1+2+C)=4$ ∴ $C=2$

따라서 $h(x)=-x^2+4$이므로

$g(-1)-h(-1)=(-1+2)-(-1+4)=-2$

4-1 답 16

|해결 전략| 부정적분의 실수배, 합, 차의 성질을 이용한다.

$f(x)=\int(3x-1)^2dx$

$\qquad =\int(9x^2-6x+1)dx=3x^3-3x^2+x+C$

이때, $f(1)=3$이므로 $3-3+1+C=3$ ∴ $C=2$

따라서 $f(x)=3x^3-3x^2+x+2$이므로

$f(2)=24-12+2+2=16$

다른 풀이

$f(x)=\int(3x-1)^2dx=\dfrac{1}{3}\times\dfrac{1}{3}(3x-1)^3+C$

$\qquad =\dfrac{(3x-1)^3}{9}+C$

이때, $f(1)=3$이므로 $\dfrac{2^3}{9}+C=3$ ∴ $C=\dfrac{19}{9}$

따라서 $f(x)=\dfrac{(3x-1)^3}{9}+\dfrac{19}{9}$이므로

$f(2)=\dfrac{5^3}{9}+\dfrac{19}{9}=16$

LECTURE

$(ax+b)^n$ 꼴의 부정적분

n이 0 또는 양의 정수이고 $a(a\neq0)$, b는 상수, C는 적분상수일 때,

$\int(ax+b)^ndx=\dfrac{1}{a}\times\dfrac{1}{n+1}(ax+b)^{n+1}+C$

4-2 답 -1

|해결 전략| 부정적분의 실수배, 합, 차의 성질을 이용한다.

$f(x)=\int(1+2x+3x^2+\cdots+nx^{n-1})dx$

$\qquad =x+x^2+x^3+\cdots+x^n+C$

이때, $f(0)=-1$이므로 $C=-1$

또, $f(1)=7$이므로 $\underbrace{1+1+1+\cdots+1}_{n개}-1=7$ ∴ $n=8$

따라서 $f(x)=x+x^2+x^3+\cdots+x^8-1$이므로

$f(-1)=(-1+1-1+\cdots+1)-1=-1$

5-1 답 3

|해결 전략| $xf(x)=\int\{f(x)+xf'(x)\}dx$임을 이용한다.

$\{xf(x)\}'=f(x)+xf'(x)$이므로

$$xf(x)=\int\{f(x)+xf'(x)\}dx$$
$$=\int(x^2+2x+3)dx$$
$$=\frac{1}{3}x^3+x^2+3x+C$$

이때, $f(x)$는 다항함수이므로 양변에 $x=0$을 대입하면 $C=0$

$$\therefore xf(x)=\frac{1}{3}x^3+x^2+3x$$
$$=x\left(\frac{1}{3}x^2+x+3\right)$$

따라서 $f(x)=\frac{1}{3}x^2+x+3$이므로

$$f(0)=3$$

5-2 답 $\frac{1}{4}x^4-\frac{1}{6}x^3+\frac{1}{2}x^2+x+C$

|해결 전략| $f(x)=\int f'(x)dx$와 $f(0)=1$을 이용하여 함수 $f(x)$를 구한 후 $f(x)$의 부정적분을 구한다.

$f'(x)=3x^2-x+1$이므로

$$f(x)=\int f'(x)dx$$
$$=\int(3x^2-x+1)dx$$
$$=x^3-\frac{1}{2}x^2+x+C_1$$

이때, $f(0)=1$이므로 $C_1=1$

따라서 $f(x)=x^3-\frac{1}{2}x^2+x+1$이므로 함수 $f(x)$의 부정적분은

$$\int f(x)dx=\int\left(x^3-\frac{1}{2}x^2+x+1\right)dx$$
$$=\frac{1}{4}x^4-\frac{1}{6}x^3+\frac{1}{2}x^2+x+C$$

6-1 답 0

|해결 전략| 양변을 x에 대하여 미분한 후 $F'(x)=f(x)$임을 이용하여 $f'(x)$를 구한다.

$xf(x)-F(x)=\frac{1}{4}x^4-2x^2$의 양변을 x에 대하여 미분하면

$$f(x)+xf'(x)-f(x)=x^3-4x$$
$$xf'(x)=x^3-4x=x(x^2-4)$$
$$\therefore f'(x)=x^2-4$$
$$\therefore f(x)=\int(x^2-4)dx=\frac{1}{3}x^3-4x+C$$

이때, $f(0)=3$이므로 $C=3$

따라서 $f(x)=\frac{1}{3}x^3-4x+3$이므로

$$f(3)=9-12+3=0$$

다른 풀이

$xf(x)-F(x)=\frac{1}{4}x^4-2x^2$의 양변에 $x=0$을 대입하면

$$F(0)=0$$

$f(x)$는 삼차함수이므로

$f(x)=ax^3+bx^2+cx+d(a\neq0,b,c,d$는 상수)라 하면

$$F(x)=\frac{a}{4}x^4+\frac{b}{3}x^3+\frac{c}{2}x^2+dx+C$$

$F(0)=0$이므로 $C=0$

이때, $xf(x)-F(x)=\frac{1}{4}x^4-2x^2$이므로

$$x(ax^3+bx^2+cx+d)-\left(\frac{a}{4}x^4+\frac{b}{3}x^3+\frac{c}{2}x^2+dx\right)=\frac{1}{4}x^4-2x^2$$

미정계수법에 의하여

$$a-\frac{a}{4}=\frac{1}{4},\ b-\frac{b}{3}=0,\ c-\frac{c}{2}=-2$$
$$\therefore a=\frac{1}{3},\ b=0,\ c=-4$$

$f(0)=3$에서 $d=3$

따라서 $f(x)=\frac{1}{3}x^3-4x+3$이므로

$$f(3)=9-12+3=0$$

6-2 답 $\frac{1}{2}$

|해결 전략| 양변을 x에 대하여 미분한 후 $\frac{d}{dx}\int f(x)dx=f(x)$임을 이용하여 $f'(x)$를 구한다.

$\int f(x)dx=xf(x)+x^2$의 양변을 x에 대하여 미분하면

$$f(x)=f(x)+xf'(x)+2x$$
$$xf'(x)=-2x\qquad\therefore f'(x)=-2$$
$$\therefore f(x)=\int(-2)dx=-2x+C$$

이때, $f(0)=1$이므로 $C=1$

따라서 $f(x)=-2x+1$이므로 직선 $y=f(x)$의 x절편은 $\frac{1}{2}$이다.

다른 풀이

함수 $f(x)$는 일차함수이므로

$$f(x)=ax+b\ (a\neq0,b\text{는 상수})\qquad\qquad\cdots\cdots\text{㉠}$$

$\int f(x)dx=xf(x)+x^2$에 ㉠을 대입하면

$$\int(ax+b)dx=x(ax+b)+x^2$$
$$\frac{a}{2}x^2+bx+C=(a+1)x^2+bx$$

미정계수법에 의하여 $\frac{a}{2}=a+1,\ C=0$ $\qquad\therefore a=-2$

$f(0)=1$에서 $b=1$

따라서 $f(x)=-2x+1$이므로 직선 $y=f(x)$의 x절편은 $\frac{1}{2}$이다.

7-1 답 -1

|해결 전략| 구간별로 $f'(x)$의 부정적분을 구하고, 함수 $f(x)$가 $x=0$에서 연속임을 이용하여 적분상수를 구한다.

$f'(x) = x - |x| = \begin{cases} 0 & (x \geq 0) \\ 2x & (x < 0) \end{cases}$ 이므로

$f(x) = \begin{cases} C_1 & (x \geq 0) \\ x^2 + C_2 & (x < 0) \end{cases}$

$f(0) = 1$이므로 $C_1 = 1$

함수 $f(x)$는 $x = 0$에서 연속이므로

$\lim_{x \to 0+} C_1 = \lim_{x \to 0-} (x^2 + C_2)$에서 $C_1 = C_2$

$\therefore C_2 = 1 \; (\because C_1 = 1)$

$\therefore f(x) = \begin{cases} 1 & (x \geq 0) \\ x^2 + 1 & (x < 0) \end{cases}$

이때, $f(a) = 2$를 만족시키는 a는 0보다 작아야 하므로

$f(a) = a^2 + 1 = 2$, $a^2 = 1$

$\therefore a = -1$

7-2 답 $-\dfrac{3}{2}$

| 해결 전략 | 구간별로 $f'(x)$의 부정적분을 구하고, 함수 $f(x)$가 $x = 1$, $x = -1$에서 연속임을 이용하여 적분상수를 구한다.

$f'(x) = \begin{cases} 1 & (x \geq 1) \\ x & (-1 < x < 1) \\ 1 & (x < -1) \end{cases}$ 이고 $f(x)$가 연속함수이므로

$f(x) = \begin{cases} x + C_1 & (x \geq 1) \\ \dfrac{1}{2}x^2 + C_2 & (-1 \leq x < 1) \\ x + C_3 & (x < -1) \end{cases}$

$f(0) = 0$이므로 $\dfrac{1}{2} \times 0 + C_2 = 0$에서 $C_2 = 0$

함수 $f(x)$는 $x = 1$, $x = -1$에서 연속이므로

$\lim_{x \to 1+} (x + C_1) = \lim_{x \to 1-} \left(\dfrac{1}{2}x^2 + C_2 \right)$에서

$1 + C_1 = \dfrac{1}{2} + C_2$ $\quad \therefore C_1 = -\dfrac{1}{2} \; (\because C_2 = 0)$

또, $\lim_{x \to -1+} \left(\dfrac{1}{2}x^2 + C_2 \right) = \lim_{x \to -1-} (x + C_3)$에서

$\dfrac{1}{2} + C_2 = -1 + C_3$ $\quad \therefore C_3 = \dfrac{3}{2} \; (\because C_2 = 0)$

따라서 $f(x) = \begin{cases} x - \dfrac{1}{2} & (x \geq 1) \\ \dfrac{1}{2}x^2 & (-1 \leq x < 1) \\ x + \dfrac{3}{2} & (x < -1) \end{cases}$ 이므로

(i) $a \geq 1$일 때

$a - \dfrac{1}{2} = 0$ $\quad \therefore a = \dfrac{1}{2}$ (모순)

(ii) $-1 \leq a < 1$일 때

$\dfrac{1}{2}a^2 = 0$ $\quad \therefore a = 0$

(iii) $a < -1$일 때

$a + \dfrac{3}{2} = 0$ $\quad \therefore a = -\dfrac{3}{2}$

(i), (ii), (iii)에서 $f(a) = 0$을 만족시키는 모든 실수 a의 값의 합은

$0 + \left(-\dfrac{3}{2} \right) = -\dfrac{3}{2}$

8-1 답 1

| 해결 전략 | 곡선 $y = f(x)$ 위의 임의의 점 $(x, f(x))$에서의 접선의 기울기는 $f'(x)$임을 이용한다.

곡선 $y = f(x)$ 위의 임의의 점 $(x, f(x))$에서의 접선의 기울기는 $f'(x)$이므로 $f'(x) = 2x - 3$

$\therefore f(x) = \int f'(x) dx$

$\qquad = \int (2x - 3) dx$

$\qquad = x^2 - 3x + C$

이때, $f(1) = 1$이므로 $1 - 3 + C = 1$에서 $C = 3$

따라서 $f(x) = x^2 - 3x + 3$이므로

$f(2) = 4 - 6 + 3 = 1$

8-2 답 7

| 해결 전략 | 곡선 $y = f(x)$ 위의 임의의 점 $(x, f(x))$에서의 접선의 기울기는 $f'(x)$임을 이용한다.

곡선 $y = f(x)$ 위의 임의의 점 $(x, f(x))$에서의 접선의 기울기는 $f'(x)$이므로 $f'(x) = -3x^2 + 1$

직선 $y = x + 1$과 곡선 $y = f(x)$의 접점의 좌표를 (a, b)라 하면 $f'(a) = 1$이므로 $f'(x) = -3x^2 + 1$에서

$-3a^2 + 1 = 1$, $3a^2 = 0$ $\quad \therefore a = 0$

또, $b = a + 1$이므로 $b = 1$

$f(x) = \int f'(x) dx$

$\qquad = \int (-3x^2 + 1) dx$

$\qquad = -x^3 + x + C$

이고, 곡선 $y = f(x)$가 점 $(0, 1)$을 지나므로

$f(0) = 1$에서 $C = 1$

따라서 $f(x) = -x^3 + x + 1$이므로

$f(-2) = 8 - 2 + 1 = 7$

9-1 답 6

| 해결 전략 | $\lim_{x \to 1} \dfrac{f(x) - f(1)}{x - 1} = f'(1)$임을 이용한다.

$f(x) = \int (4x^3 + 2x) dx$의 양변을 x에 대하여 미분하면

$f'(x) = \dfrac{d}{dx} \int (4x^3 + 2x) dx = 4x^3 + 2x$

$\therefore \lim_{x \to 1} \dfrac{f(x) - f(1)}{x - 1} = f'(1)$

$\qquad\qquad\qquad\quad = 4 + 2 = 6$

LECTURE

함수 $y = f(x)$의 $x = a$에서의 미분계수는

$f'(a) = \lim_{h \to 0} \dfrac{f(a+h) - f(a)}{h} = \lim_{x \to a} \dfrac{f(x) - f(a)}{x - a}$

9-2 답 16

|해결 전략| $\lim\limits_{h \to 0} \dfrac{f(a+h)-f(a)}{h}=f'(a)$임을 이용하여

$\lim\limits_{h \to 0} \dfrac{f(2+h)-f(2-h)}{h}$를 미분계수를 사용하여 나타낸다.

$f(x)=\int(x^2+2x)dx$의 양변을 x에 대하여 미분하면

$f'(x)=\dfrac{d}{dx}\int(x^2+2x)dx=x^2+2x$

$\therefore \lim\limits_{h \to 0} \dfrac{f(2+h)-f(2-h)}{h}$

$=\lim\limits_{h \to 0} \dfrac{f(2+h)-f(2)+f(2)-f(2-h)}{h}$

$=\lim\limits_{h \to 0} \dfrac{f(2+h)-f(2)}{h}+\lim\limits_{h \to 0} \dfrac{f(2-h)-f(2)}{-h}$

$=f'(2)+f'(2)=2f'(2)$

$=2(4+4)=2 \times 8=16$

10-1 답 $-\dfrac{1}{3}$

|해결 전략| 극대인 점을 찾아 $f'(x)$의 부정적분에서 적분상수를 구한다.

$f'(x)=x^2-1=(x+1)(x-1)$이므로

$f'(x)=0$에서 $x=-1$ 또는 $x=1$

x	$\cdots$	-1	$\cdots$	1	$\cdots$
$f'(x)$	$+$	0	$-$	0	$+$
$f(x)$	↗	극대	↘	극소	↗

함수 $f(x)$는 $x=-1$에서 극댓값을 가지므로 $f(-1)=1$

이때,

$f(x)=\int(x^2-1)dx=\dfrac{1}{3}x^3-x+C$

이므로 $f(-1)=1$에서

$-\dfrac{1}{3}+1+C=1 \qquad \therefore C=\dfrac{1}{3}$

따라서 $f(x)=\dfrac{1}{3}x^3-x+\dfrac{1}{3}$이므로 $f(x)$의 극솟값은

$f(1)=\dfrac{1}{3}-1+\dfrac{1}{3}=-\dfrac{1}{3}$

10-2 답 $\dfrac{7}{3}$

|해결 전략| $f'(x)=a(x+2)(x-2)\,(a>0)$로 놓고 주어진 극값을 이용한다.

함수 $y=f'(x)$의 그래프가 $x=-2$, $x=2$에서 x축과 만나고 아래로 볼록하므로

$f'(x)=a(x+2)(x-2)\,(a>0)$

로 놓으면

$f'(x)=0$에서 $x=-2$ 또는 $x=2$

x	$\cdots$	-2	$\cdots$	2	$\cdots$
$f'(x)$	$+$	0	$-$	0	$+$
$f(x)$	↗	극대	↘	극소	↗

함수 $f(x)$는 $x=2$에서 극솟값을 가지므로

$f(2)=-3$

이때, $f'(0)=-2$이므로

$-4a=-2 \qquad \therefore a=\dfrac{1}{2}$

$\therefore f(x)=\int \dfrac{1}{2}(x+2)(x-2)dx=\int\left(\dfrac{1}{2}x^2-2\right)dx$

$\qquad =\dfrac{1}{6}x^3-2x+C$

$f(2)=-3$에서

$\dfrac{4}{3}-4+C=-3 \qquad \therefore C=-\dfrac{1}{3}$

따라서 $f(x)=\dfrac{1}{6}x^3-2x-\dfrac{1}{3}$이므로 $f(x)$의 극댓값은

$f(-2)=-\dfrac{4}{3}+4-\dfrac{1}{3}=\dfrac{7}{3}$

11-1 답 ③

|해결 전략| $f'(x)$의 부정적분을 구하고, $f(0)$의 값을 대입하여 적분상수를 구한다.

$f'(x)=-0.2x(x-8)=-\dfrac{1}{5}x^2+\dfrac{8}{5}x$이므로

$f(x)=\int\left(-\dfrac{1}{5}x^2+\dfrac{8}{5}x\right)dx=-\dfrac{1}{15}x^3+\dfrac{4}{5}x^2+C$

이때, $f(0)=10$이므로 $C=10$

따라서 $f(x)=-\dfrac{1}{15}x^3+\dfrac{4}{5}x^2+10$이므로

$f(10)=-\dfrac{10^3}{15}+\dfrac{4}{5} \times 10^2+10$

$\qquad =\dfrac{70}{3}=23.3 \cdots$

따라서 제품 10단위를 생산하는 데 필요한 총비용은 23만 원이다.

11-2 답 ②

|해결 전략| $f'(x)$의 부정적분을 구하고, $f(0)$의 값을 대입하여 적분상수를 구한다.

$f'(x)=\dfrac{1}{2}x+3000$이므로

$f(x)=\int\left(\dfrac{1}{2}x+3000\right)dx=\dfrac{1}{4}x^2+3000x+C$

이때, $f(0)=50000$이므로 $C=50000$

따라서 $f(x)=\dfrac{1}{4}x^2+3000x+50000$이므로

$f(100)=\dfrac{10^4}{4}+3000 \times 100+50000$

$\qquad =2500+300000+50000$

$\qquad =352500$

따라서 100개의 수공예품을 만드는 데 들어가는 비용은 352500원이다.

8 |정적분

1 정적분

1 (1) 5   (2) 13

2 (1) 0   (2) −8

3 (1) 6   (2) 8

1 (1) $\int_2^3 2x\,dx = \left[x^2\right]_2^3 = 9-4 = 5$

(2) $\int_1^2 (4t^3-2)\,dt = \left[t^4-2t\right]_1^2 = (16-4)-(1-2) = 13$

2 (1) $\int_3^3 (-4x)\,dx = 0$

(2) $\int_2^1 (3x^2+1)\,dx = -\int_1^2 (3x^2+1)\,dx = -\left[x^3+x\right]_1^2$

$= -\{(8+2)-(1+1)\} = -8$

3 (1) $\int_0^1 (3-x)\,dx + \int_0^1 (3+x)\,dx = \int_0^1 6\,dx = \left[6x\right]_0^1$

$= 6-0 = 6$

(2) $\int_{-1}^0 2x\,dx + \int_0^3 2x\,dx = \int_{-1}^3 2x\,dx = \left[x^2\right]_{-1}^3$

$= 9-1 = 8$

STEP 1 개념 드릴 | 182쪽 |

개념 check

1-1 $\dfrac{2}{3},\ \dfrac{3}{2},\ -\dfrac{9}{2}$

2-1 (1) 0   (2) 3, 3, $-\dfrac{28}{3}$

3-1 (1) $3x^2+2x,\ x^3+x^2,\ 12$ (2) +, 3, 3, 44

스스로 check

1-2 답 (1) 2   (2) $\dfrac{51}{2}$

(1) $\int_{-2}^0 (2x+3)\,dx = \left[x^2+3x\right]_{-2}^0 = 0-(4-6) = 2$

(2) $\int_{-2}^1 (t-3)(2t-1)\,dt = \int_{-2}^1 (2t^2-7t+3)\,dt$

$= \left[\dfrac{2}{3}t^3-\dfrac{7}{2}t^2+3t\right]_{-2}^1$

$= \left(\dfrac{2}{3}-\dfrac{7}{2}+3\right)-\left(-\dfrac{16}{3}-14-6\right)$

$= \dfrac{51}{2}$

2-2 답 (1) 0   (2) $\dfrac{11}{3}$

(1) $\int_1^1 (-x^2+2x-1)\,dx = 0$

(2) $\int_0^{-1} (-2x^2+6x)\,dx = -\int_{-1}^0 (-2x^2+6x)\,dx$

$= \int_{-1}^0 (2x^2-6x)\,dx$

$= \left[\dfrac{2}{3}x^3-3x^2\right]_{-1}^0$

$= 0-\left(-\dfrac{2}{3}-3\right)$

$= \dfrac{11}{3}$

3-2 답 (1) $\dfrac{15}{2}$ (2) 6

(1) $\int_1^2 (4x^2+2)\,dx - \int_1^2 (x^2+x)\,dx = \int_1^2 (3x^2-x+2)\,dx$

$= \left[x^3-\dfrac{1}{2}x^2+2x\right]_1^2$

$= (8-2+4)-\left(1-\dfrac{1}{2}+2\right)$

$= \dfrac{15}{2}$

(2) $-\int_0^{-1} (3x^2-2x)\,dx + \int_0^2 (3x^2-2x)\,dx$

$= \int_{-1}^0 (3x^2-2x)\,dx + \int_0^2 (3x^2-2x)\,dx$

$= \int_{-1}^2 (3x^2-2x)\,dx = \left[x^3-x^2\right]_{-1}^2$

$= (8-4)-(-1-1) = 6$

STEP 2 필수 유형 | 183쪽~184쪽 |

01-1 답 (1) $7\sqrt{3}-3$ (2) $-\dfrac{103}{12}$ (3) $\dfrac{116}{3}$ (4) 0

| 해결 전략 | 닫힌구간 $[a, b]$에서 연속인 함수 $f(x)$의 한 부정적분을 $F(x)$라 하면 $\int_a^b f(x)\,dx = \left[F(x)\right]_a^b = F(b)-F(a)$임을 이용한다.

(1) $\int_0^{\sqrt{3}} (4x^2-2x+3)\,dx = \left[\dfrac{4}{3}x^3-x^2+3x\right]_0^{\sqrt{3}}$

$= \left(\dfrac{4}{3}\times 3\sqrt{3}-3+3\sqrt{3}\right)-0$

$= 7\sqrt{3}-3$

(2) $\int_{-2}^{-1} (x^2+1)(x-1)\,dx = \int_{-2}^{-1} (x^3-x^2+x-1)\,dx$

$= \left[\dfrac{1}{4}x^4-\dfrac{1}{3}x^3+\dfrac{1}{2}x^2-x\right]_{-2}^{-1}$

$= \left(\dfrac{1}{4}+\dfrac{1}{3}+\dfrac{1}{2}+1\right)-\left(4+\dfrac{8}{3}+2+2\right)$

$= -\dfrac{103}{12}$

(3) $\displaystyle\int_1^3 \frac{y^3-27}{y-3}dy=\int_1^3 \frac{(y-3)(y^2+3y+9)}{y-3}dy$

$\qquad\qquad\qquad = \int_1^3 (y^2+3y+9)dy$

$\qquad\qquad\qquad = \left[\frac{1}{3}y^3+\frac{3}{2}y^2+9y\right]_1^3$

$\qquad\qquad\qquad = \left(9+\frac{27}{2}+27\right)-\left(\frac{1}{3}+\frac{3}{2}+9\right)$

$\qquad\qquad\qquad = \frac{116}{3}$

(4) $\displaystyle\int_{-1}^{-1}(x+1)^5 dx=0$

01-2 답 0

| 해결 전략 | 정적분 $\int_a^b f(x)dx$의 값을 계산한 후 문제에서 주어진 조건을 이용하여 k의 값을 구한다.

$\displaystyle\int_0^1 (x^2+2x+k)dx=\left[\frac{1}{3}x^3+x^2+kx\right]_0^1$

$\qquad\qquad\qquad\qquad = \left(\frac{1}{3}+1+k\right)-0$

$\qquad\qquad\qquad\qquad = \frac{4}{3}+k$

이때, $\displaystyle\int_0^1 (x^2+2x+k)dx=\frac{4}{3}$이므로 $\frac{4}{3}+k=\frac{4}{3}$

$\therefore k=0$

02-1 답 $2\sqrt{2}$

| 해결 전략 | $\int_a^b \{f(x)-g(x)\}dx=\int_a^b f(x)dx-\int_a^b g(x)dx$임을 이용한다.

$\displaystyle\int_0^k (x+1)^2 dx-\int_0^k (x-1)^2 dx=\int_0^k \{(x+1)^2-(x-1)^2\}dx$

$\qquad\qquad\qquad\qquad\qquad = \int_0^k 4x\,dx=\left[2x^2\right]_0^k$

$\qquad\qquad\qquad\qquad\qquad = 2k^2=16$

$k^2=8$이므로

$k=2\sqrt{2}\ (\because k>0)$

02-2 답 2

| 해결 전략 | $\int_a^b f(x)dx=\int_a^c f(x)dx+\int_c^b f(x)dx$임을 이용한다.

$\displaystyle\int_{-1}^0 f(x)dx=\int_{-1}^2 f(x)dx+\int_2^0 f(x)dx$

$\qquad\qquad\quad = \int_{-1}^2 f(x)dx-\int_0^2 f(x)dx$

$\qquad\qquad\quad = \int_{-1}^2 f(x)dx-\left\{\int_0^1 f(x)dx+\int_1^2 f(x)dx\right\}$

$\qquad\qquad\quad = \int_{-1}^2 f(x)dx-\int_0^1 f(x)dx-\int_1^2 f(x)dx$

$\qquad\qquad\quad = 5-1-2=2$

② 정적분의 기하적 의미

1 (1) 60   (2) 0

2 (1) 5   (2) 5

3 (1) 2   (2) $\dfrac{16}{3}$

4 2, 0, 2

1 (1) $\displaystyle\int_0^4 f(x)dx=\int_0^4 (3x^2-1)dx$

$\qquad\qquad\quad = \left[x^3-x\right]_0^4$

$\qquad\qquad\quad = 64-4=60$

(2) $\displaystyle\int_{-1}^1 f(x)dx=\int_{-1}^0 (-2x-1)dx+\int_0^1 (3x^2-1)dx$

$\qquad\qquad\quad = \left[-x^2-x\right]_{-1}^0+\left[x^3-x\right]_0^1$

$\qquad\qquad\quad = \{0-(-1+1)\}+\{(1-1)-0\}$

$\qquad\qquad\quad = 0+0=0$

2 (1) $|2x|=\begin{cases} -2x & (x\le 0) \\ 2x & (x\ge 0) \end{cases}$ 이므로

$\displaystyle\int_{-2}^1 |2x|dx=\int_{-2}^0 (-2x)dx+\int_0^1 2x\,dx$

$\qquad\qquad\quad = \left[-x^2\right]_{-2}^0+\left[x^2\right]_0^1$

$\qquad\qquad\quad = 4+1=5$

(2) $|x+2|=\begin{cases} -x-2 & (x\le -2) \\ x+2 & (x\ge -2) \end{cases}$ 이므로

$\displaystyle\int_{-3}^1 |x+2|dx=\int_{-3}^{-2} (-x-2)dx+\int_{-2}^1 (x+2)dx$

$\qquad\qquad\quad = \left[-\frac{1}{2}x^2-2x\right]_{-3}^{-2}+\left[\frac{1}{2}x^2+2x\right]_{-2}^1$

$\qquad\qquad\quad = \left\{(-2+4)-\left(-\frac{9}{2}+6\right)\right\}$

$\qquad\qquad\qquad +\left\{\left(\frac{1}{2}+2\right)-(2-4)\right\}$

$\qquad\qquad\quad = 5$

3 (1) $\displaystyle\int_{-1}^1 (2x+1)dx=\int_{-1}^1 2x\,dx+\int_{-1}^1 1\,dx$

$\qquad\qquad\quad = 0+2\int_0^1 1\,dx=2\left[x\right]_0^1$

$\qquad\qquad\quad = 2(1-0)=2$

(2) $\displaystyle\int_{-2}^2 (3x^3+x^2)dx=\int_{-2}^2 3x^3 dx+\int_{-2}^2 x^2 dx$

$\qquad\qquad\quad = 0+2\int_0^2 x^2 dx=2\left[\frac{1}{3}x^3\right]_0^2$

$\qquad\qquad\quad = 2\left(\frac{8}{3}-0\right)$

$\qquad\qquad\quad = \frac{16}{3}$

4 한 주기의 정적분의 값은 항상 같으므로

$$\int_0^2 f(x)dx = \int_2^4 f(x)dx = \int_{-2}^0 f(x)dx = 2$$

STEP ① 개념 드릴 ㅣ191쪽~192쪽ㅣ

개념 check

1-1 (1) x^2+1, $\frac{1}{3}x^3+x$, $\frac{32}{3}$ (2) $2x$, 1, x^2, 1, $\frac{13}{3}$

2-1 $\frac{1}{2}$, $\frac{1}{2}$, $\frac{1}{2}$, $\frac{1}{2}$, $-x^2+x$, $\frac{5}{2}$

3-1 $5x^4$, $5x^4$, x^5, 28, 56

4-1 (1) 2, 2, 1 (2) 0, $\frac{1}{2}$ (3) 3, 3, 3, $\frac{3}{2}$

스스로 check

1-2 답 (1) $\frac{3}{2}$ (2) $\frac{3}{2}$ (3) 8

(1) $\int_{-1}^0 f(x)dx = \int_{-1}^0 (x+2)dx$

$\qquad = \left[\frac{1}{2}x^2+2x\right]_{-1}^0$

$\qquad = 0-\left(-\frac{3}{2}\right) = \frac{3}{2}$

(2) $\int_{-2}^{-1} f(x)dx = \int_{-2}^{-1} (-x)dx$

$\qquad = \left[-\frac{1}{2}x^2\right]_{-2}^{-1}$

$\qquad = -\frac{1}{2}-(-2) = \frac{3}{2}$

(3) $\int_{-3}^1 f(x)dx = \int_{-3}^{-1} (-x)dx + \int_{-1}^1 (x+2)dx$

$\qquad = \left[-\frac{1}{2}x^2\right]_{-3}^{-1} + \left[\frac{1}{2}x^2+2x\right]_{-1}^1$

$\qquad = \left\{-\frac{1}{2}-\left(-\frac{9}{2}\right)\right\} + \left\{\left(\frac{1}{2}+2\right)-\left(\frac{1}{2}-2\right)\right\}$

$\qquad = 4+4 = 8$

2-2 답 (1) $\frac{17}{2}$ (2) $\frac{13}{4}$ (3) $\frac{5}{6}$

(1) $|x-3| = \begin{cases} -x+3 & (x\leq 3) \\ x-3 & (x\geq 3) \end{cases}$ 이므로

$\int_{-1}^4 |x-3|dx$

$= \int_{-1}^3 (-x+3)dx + \int_3^4 (x-3)dx$

$= \left[-\frac{1}{2}x^2+3x\right]_{-1}^3 + \left[\frac{1}{2}x^2-3x\right]_3^4$

$= \left\{\left(-\frac{9}{2}+9\right)-\left(-\frac{1}{2}-3\right)\right\} + \left\{(8-12)-\left(\frac{9}{2}-9\right)\right\}$

$= 8+\frac{1}{2} = \frac{17}{2}$

(2) $\left|-x+\frac{1}{2}\right| = \begin{cases} -x+\frac{1}{2} & \left(x\leq\frac{1}{2}\right) \\ x-\frac{1}{2} & \left(x\geq\frac{1}{2}\right) \end{cases}$ 이므로

$\int_0^3 \left|-x+\frac{1}{2}\right|dx$

$= \int_0^{\frac{1}{2}} \left(-x+\frac{1}{2}\right)dx + \int_{\frac{1}{2}}^3 \left(x-\frac{1}{2}\right)dx$

$= \left[-\frac{1}{2}x^2+\frac{1}{2}x\right]_0^{\frac{1}{2}} + \left[\frac{1}{2}x^2-\frac{1}{2}x\right]_{\frac{1}{2}}^3$

$= \left\{\left(-\frac{1}{8}+\frac{1}{4}\right)-0\right\} + \left\{\left(\frac{9}{2}-\frac{3}{2}\right)-\left(\frac{1}{8}-\frac{1}{4}\right)\right\}$

$= \frac{1}{8}+\frac{25}{8} = \frac{13}{4}$

(3) $|3x+1| = \begin{cases} -3x-1 & \left(x\leq-\frac{1}{3}\right) \\ 3x+1 & \left(x\geq-\frac{1}{3}\right) \end{cases}$ 이므로

$\int_{-1}^0 |3x+1|dx$

$= \int_{-1}^{-\frac{1}{3}} (-3x-1)dx + \int_{-\frac{1}{3}}^0 (3x+1)dx$

$= \left[-\frac{3}{2}x^2-x\right]_{-1}^{-\frac{1}{3}} + \left[\frac{3}{2}x^2+x\right]_{-\frac{1}{3}}^0$

$= \left\{\left(-\frac{1}{6}+\frac{1}{3}\right)-\left(-\frac{3}{2}+1\right)\right\} + \left\{0-\left(\frac{1}{6}-\frac{1}{3}\right)\right\}$

$= \frac{2}{3}+\frac{1}{6} = \frac{5}{6}$

3-2 답 (1) $\frac{10}{3}$ (2) 20

(1) $\int_{-1}^1 (5x^4+2x^2+5x)dx = \int_{-1}^1 (5x^4+2x^2)dx$

$\qquad = 2\int_0^1 (5x^4+2x^2)dx$

$\qquad = 2\left[x^5+\frac{2}{3}x^3\right]_0^1 = 2\left\{\left(1+\frac{2}{3}\right)-0\right\}$

$\qquad = 2\times\frac{5}{3} = \frac{10}{3}$

(2) $\int_{-2}^2 (x^3+3x^2-2x+1)dx = \int_{-2}^2 (3x^2+1)dx$

$\qquad = 2\int_0^2 (3x^2+1)dx$

$\qquad = 2\left[x^3+x\right]_0^2 = 2(10-0)$

$\qquad = 2\times 10 = 20$

4-2 답 (1) 12 (2) 4 (3) 8

(1) $\int_0^9 f(x)dx = \int_0^3 f(x)dx + \int_3^6 f(x)dx + \int_6^9 f(x)dx$

$\qquad = 3\int_0^3 f(x)dx = 3\times 4 = 12$

(2) 한 주기의 정적분의 값은 항상 같으므로

$\int_2^5 f(x)dx = \int_0^3 f(x)dx = 4$

(3) $\int_1^7 f(x)dx = \int_1^{1+2\times3} f(x)dx = 2\int_1^3 f(x)dx = 2\times 4 = 8$

01-1 답 $-\dfrac{37}{6}$

| 해결 전략 | $\displaystyle\int_a^b f(x)dx=\int_a^c f(x)dx+\int_c^b f(x)dx$임을 이용하여 적분 구간을 나누어 정적분의 값을 구한다.

$$\int_{-1}^3 f(x)dx=\int_{-1}^0 f(x)dx+\int_0^1 f(x)dx+\int_1^3 f(x)dx$$
$$=\int_{-1}^0 (x-2)dx+\int_0^1 (x^2-2)dx+\int_1^3 (-1)dx$$
$$=\left[\frac{1}{2}x^2-2x\right]_{-1}^0+\left[\frac{1}{3}x^3-2x\right]_0^1+\left[-x\right]_1^3$$
$$=\left\{0-\left(\frac{1}{2}+2\right)\right\}+\left\{\left(\frac{1}{3}-2\right)-0\right\}+\{(-3)-(-1)\}$$
$$=-\frac{37}{6}$$

01-2 답 13

| 해결 전략 | $\displaystyle\int_a^b f(x)dx=\int_a^c f(x)dx+\int_c^b f(x)dx$임을 이용하여 적분 구간을 나누어 정적분의 값을 구한다.

$f(x)=\begin{cases}3 & (x\le 0)\\ -x+3 & (x\ge 0)\end{cases}$ 이므로

$$\int_{-3}^2 f(x)dx=\int_{-3}^0 3\,dx+\int_0^2 (-x+3)dx$$
$$=\left[3x\right]_{-3}^0+\left[-\frac{1}{2}x^2+3x\right]_0^2$$
$$=\{0-(-9)\}+\{(-2+6)-0\}=13$$

02-1 답 (1) -1 (2) $\dfrac{5}{2}$ (3) 4

| 해결 전략 | 절댓값 기호 안의 식의 값이 0이 되는 x의 값을 경계로 적분 구간을 나누어 정적분의 값을 구한다.

(1) $|x|-1=\begin{cases}-x-1 & (x\le 0)\\ x-1 & (x\ge 0)\end{cases}$ 이므로

$$\int_{-1}^1 (|x|-1)dx=\int_{-1}^0 (-x-1)dx+\int_0^1 (x-1)dx$$
$$=\left[-\frac{1}{2}x^2-x\right]_{-1}^0+\left[\frac{1}{2}x^2-x\right]_0^1$$
$$=\left\{0-\left(-\frac{1}{2}+1\right)\right\}+\left\{\left(\frac{1}{2}-1\right)-0\right\}=-1$$

(2) $\dfrac{|x^2-1|}{x+1}=\begin{cases}\dfrac{x^2-1}{x+1} & (x\le -1 \text{ 또는 } x\ge 1)\\[2mm] \dfrac{-(x^2-1)}{x+1} & (-1\le x\le 1)\end{cases}$ 이므로

$$\int_0^3 \frac{|x^2-1|}{x+1}dx=\int_0^1 \frac{-(x^2-1)}{x+1}dx+\int_1^3 \frac{x^2-1}{x+1}dx$$
$$=\int_0^1 \frac{-(x+1)(x-1)}{x+1}dx+\int_1^3 \frac{(x+1)(x-1)}{x+1}dx$$
$$=\int_0^1 (-x+1)dx+\int_1^3 (x-1)dx$$
$$=\left[-\frac{1}{2}x^2+x\right]_0^1+\left[\frac{1}{2}x^2-x\right]_1^3$$
$$=\left\{\left(-\frac{1}{2}+1\right)-0\right\}+\left\{\left(\frac{9}{2}-3\right)-\left(\frac{1}{2}-1\right)\right\}=\frac{5}{2}$$

(3) $x|x-1|=\begin{cases}-x(x-1) & (x\le 1)\\ x(x-1) & (x\ge 1)\end{cases}$ 이므로

$$\int_{-1}^3 x|x-1|dx$$
$$=\int_{-1}^1 \{-x(x-1)\}dx+\int_1^3 x(x-1)dx$$
$$=\int_{-1}^1 (-x^2+x)dx+\int_1^3 (x^2-x)dx$$
$$=\left[-\frac{1}{3}x^3+\frac{1}{2}x^2\right]_{-1}^1+\left[\frac{1}{3}x^3-\frac{1}{2}x^2\right]_1^3$$
$$=\left\{\left(-\frac{1}{3}+\frac{1}{2}\right)-\left(\frac{1}{3}+\frac{1}{2}\right)\right\}+\left\{\left(9-\frac{9}{2}\right)-\left(\frac{1}{3}-\frac{1}{2}\right)\right\}$$
$$=4$$

03-1 답 1

| 해결 전략 | 짝수 차수의 항 또는 상수항으로만 이루어진 함수는 $\displaystyle\int_{-a}^a f(x)dx=2\int_0^a f(x)dx$를 만족시키고, 홀수 차수의 항으로만 이루어진 함수는 $\displaystyle\int_{-a}^a f(x)dx=0$을 만족시킨다.

$$\int_{-2}^2 (x-1)(x+k)dx=\int_{-2}^2 \{x^2+(k-1)x-k\}dx$$
$$=2\int_0^2 (x^2-k)dx$$
$$=2\left[\frac{1}{3}x^3-kx\right]_0^2$$
$$=2\times\left(\frac{8}{3}-2k\right)=\frac{4}{3}$$

즉, $\dfrac{8}{3}-2k=\dfrac{2}{3}$이므로 $2k=2$

$\therefore k=1$

03-2 답 -4

| 해결 전략 | $f(-x)=f(x)$를 만족시키는 함수 $f(x)$는 우함수이고 $\displaystyle\int_{-a}^a f(x)dx=2\int_0^a f(x)dx$임을 이용한다.

$$\int_{-1}^1 (2x-1)f(x)dx=\int_{-1}^1 2xf(x)dx-\int_{-1}^1 f(x)dx$$
$$=2\int_{-1}^1 xf(x)dx-\int_{-1}^1 f(x)dx$$

$g(x)=xf(x)$로 놓으면

$g(-x)=-xf(-x)=-xf(x)=-g(x)$

따라서 $f(x)$는 우함수이고 $xf(x)$는 기함수이므로

$$\int_{-1}^1 f(x)dx=2\int_0^1 f(x)dx=4,\quad \int_{-1}^1 xf(x)=0$$
$$\therefore \int_{-1}^1 (2x-1)f(x)dx=2\int_{-1}^1 xf(x)dx-\int_{-1}^1 f(x)dx$$
$$=-\int_{-1}^1 f(x)dx$$
$$=-4$$

LECTURE

우함수와 기함수의 연산
(우함수)$\pm$(우함수)$=$(우함수), (기함수)$\pm$(기함수)$=$(기함수)
(우함수)$\times$(우함수)$=$(우함수), (기함수)$\times$(기함수)$=$(우함수)
(우함수)$\times$(기함수)$=$(기함수)

04-1 답 $\dfrac{64}{3}$

|해결 전략| 주기가 p인 함수 $f(x)$에 대하여
$\displaystyle\int_a^b f(x)dx=\int_{a+np}^{b+np}f(x)dx$ (n은 정수)임을 이용한다.

함수 $f(x)$가 모든 실수 x에 대하여 $f(x+4)=f(x)$이므로
$$\int_{-2}^2 f(x)dx=\int_2^6 f(x)dx \qquad\cdots\cdots\text{㉠}$$
이때, $f(x)=-x^2+4$가 우함수이므로
$$\int_{-2}^2 f(x)dx=2\int_0^2 f(x)dx \qquad\cdots\cdots\text{㉡}$$
㉠, ㉡에 의하여
$$\begin{aligned}
\int_{-2}^6 f(x)dx&=\int_{-2}^2 f(x)dx+\int_2^6 f(x)dx\\
&=4\int_0^2 f(x)dx\\
&=4\int_0^2 (-x^2+4)dx\\
&=4\left[-\frac{1}{3}x^3+4x\right]_0^2\\
&=4\left\{\left(-\frac{8}{3}+8\right)-0\right\}=\frac{64}{3}
\end{aligned}$$

04-2 답 $\dfrac{16}{3}$

|해결 전략| 정적분의 값을 구할 때는 계산하기 간단한 적분 구간을 선택하여 계산한다.

함수 $f(x)$가 모든 실수 x에 대하여 $f(x+2)=f(x)$이므로
$$\int_{-4}^{-2}f(x)dx=\int_{-2}^0 f(x)dx=\int_0^2 f(x)dx=\int_2^4 f(x)dx$$
또, $f(x)=-x^2+2x\,(0\le x\le 2)$이므로
$$\begin{aligned}
\int_0^2 f(x)dx&=\int_0^2(-x^2+2x)dx=\left[-\frac{1}{3}x^3+x^2\right]_0^2\\
&=\left(-\frac{8}{3}+4\right)-0=\frac{4}{3}
\end{aligned}$$
$$\therefore \int_{-4}^4 f(x)dx=4\int_0^2 f(x)dx=4\times\frac{4}{3}=\frac{16}{3}$$

3 정적분으로 정의된 함수

개념 확인　　　　　　　　　　　197쪽~199쪽

1 (1) $3x^2+1$　(2) $2x$
2 $f(x)=6x^2-6x$
3 $F(0),\,0,\,-2$

---

1 (1) $\dfrac{d}{dx}\displaystyle\int_1^x(3t^2+1)dt=3x^2+1$

(2) $\dfrac{d}{dx}\displaystyle\int_x^{x+1}f(t)dt=f(x+1)-f(x)$이므로
$$\begin{aligned}
\frac{d}{dx}\int_x^{x+1}(t^2-t)dt&=\{(x+1)^2-(x+1)\}-(x^2-x)\\
&=2x
\end{aligned}$$

2 주어진 식의 양변을 x에 대하여 미분하면
$$f(x)=6x^2-6x$$

3 $F'(t)=3t^2-2$라 하면
$$\begin{aligned}
\lim_{x\to0}\frac{1}{x}\int_0^x(3t^2-2)dt&=\lim_{x\to0}\frac{F(x)-F(0)}{x}\\
&=F'(0)=-2
\end{aligned}$$

STEP 1 개념 드릴　　　　　　　　　　|200쪽|

개념 check
1-1 (1) x^3+2x^2+4　(2) $x+2,\,4x$
2-1 (1) $4x+1$　(2) $2x,\,2x$
3-1 (1) $F(1),\,1,\,1,\,-2$　(2) $F(1),\,1,\,1,\,0$

스스로 check

1-2 답 (1) $2x+1$　(2) $5x^3-x^2$　(3) $2x+4$

(1) $\dfrac{d}{dx}\displaystyle\int_1^x(2t+1)dt=2x+1$

(2) $\dfrac{d}{dx}\displaystyle\int_{-2}^x(5t^3-t^2)dt=5x^3-x^2$

(3) $\dfrac{d}{dx}\displaystyle\int_x^{x+1}f(t)dt=f(x+1)-f(x)$이므로
$$\begin{aligned}
\frac{d}{dx}\int_x^{x+1}(t^2+3t)dt&=\{(x+1)^2+3(x+1)\}-(x^2+3x)\\
&=2x+4
\end{aligned}$$

2-2 답 (1) $f(x)=3x^2+10x-2$　(2) $f(x)=18x^2-4x+9$

(1) $\displaystyle\int_0^x f(t)dt=x^3+5x^2-2x$의 양변을 x에 대하여 미분하면
$$f(x)=3x^2+10x-2$$

(2) $\displaystyle\int_{\frac{1}{3}}^x f(t)dt=(2x^2+3)(3x-1)$의 양변을 x에 대하여 미분하면
$$\begin{aligned}
f(x)&=4x(3x-1)+(2x^2+3)\times3\\
&=18x^2-4x+9
\end{aligned}$$

3-2 답 (1) -4　(2) -2

(1) $f(t)=t^2-8$로 놓고, $F'(t)=f(t)$라 하면
$$\begin{aligned}
\lim_{x\to2}\frac{1}{x-2}\int_2^x(t^2-8)dt&=\lim_{x\to2}\frac{F(x)-F(2)}{x-2}\\
&=F'(2)=f(2)=-4
\end{aligned}$$

8 정적분　**077**

(2) $f(t)=t^3+t^2-4$로 놓고, $F'(t)=f(t)$라 하면

$$\lim_{x\to 0}\frac{1}{x}\int_1^{1+x}(t^3+t^2-4)dt=\lim_{x\to 0}\frac{F(1+x)-F(1)}{x}$$
$$=F'(1)=f(1)=-2$$

STEP ② 필수 유형 ———————— | 201쪽~204쪽 |

01-1 답 -2

|해결 전략| $\int_0^2 tf(t)dt=k$ (k는 상수)로 놓고 k의 값을 구한다.

$$\int_0^2 tf(t)dt=k \text{ (k는 상수)} \quad\cdots\cdots\ \text{㉠}$$

로 놓으면 $f(x)=x^2+3x+k$

$f(t)=t^2+3t+k$를 ㉠에 대입하면

$$\int_0^2 t(t^2+3t+k)dt=k, \int_0^2(t^3+3t^2+kt)dt=k$$

$$\left[\frac{1}{4}t^4+t^3+\frac{k}{2}t^2\right]_0^2=k, (4+8+2k)-0=k$$

$\therefore k=-12$

따라서 $f(x)=x^2+3x-12$이므로

$f(2)=4+6-12=-2$

01-2 답 -6

|해결 전략| $\int_{-1}^2 f'(t)dt=k$ (k는 상수)로 놓고 k의 값을 구한다.

$$\int_{-1}^2 f'(t)dt=k \text{ (k는 상수)} \quad\cdots\cdots\ \text{㉠}$$

로 놓으면 $f(x)=-x^3+2x+k$

$\therefore f'(x)=-3x^2+2$

$f'(t)=-3t^2+2$를 ㉠에 대입하면

$$\int_{-1}^2(-3t^2+2)dt=k, \left[-t^3+2t\right]_{-1}^2=k$$

$(-8+4)-(1-2)=k \quad\therefore k=-3$

따라서 $f(x)=-x^3+2x-3$이므로

$$\int_{-1}^1 f(x)dx=\int_{-1}^1(-x^3+2x-3)dx$$
$$=2\int_0^1(-3)dx=2\left[-3x\right]_0^1=-6$$

02-1 답 $-\dfrac{4}{3}$

|해결 전략| $\int_a^x f(t)dt$ (a는 상수)를 포함한 등식은 양변을 x에 대하여 미분한다.

$\int_1^x f(t)dt=x^3-2x+1$의 양변을 x에 대하여 미분하면

$f(x)=3x^2-2$

$f(a)=2$에서 $3a^2-2=2, a^2=\dfrac{4}{3}$

$\therefore a=-\dfrac{2}{\sqrt{3}}$ 또는 $a=\dfrac{2}{\sqrt{3}}$

따라서 모든 실수 a의 값의 곱은 $-\dfrac{4}{3}$이다.

02-2 답 -8

|해결 전략| $\int_a^x(x-t)f(t)dt$ (a는 상수)를 포함한 등식은

$\int_a^x(x-t)f(t)dt=x\int_a^x f(t)dt-\int_a^x tf(t)dt$로 변형한 후 양변을 x에 대하여 미분한다.

$\int_2^x(x-t)f(t)dt=ax^3+12x+b$에서

$$x\int_2^x f(t)dt-\int_2^x tf(t)dt=ax^3+12x+b \quad\cdots\cdots\ \text{㉠}$$

㉠의 양변을 x에 대하여 미분하면

$$\int_2^x f(t)dt+xf(x)-xf(x)=3ax^2+12$$

$$\therefore \int_2^x f(t)dt=3ax^2+12 \quad\cdots\cdots\ \text{㉡}$$

㉠에 $x=2$를 대입하면 $0=8a+24+b$

㉡에 $x=2$를 대입하면 $0=12a+12$

$\therefore a=-1, b=-16$

㉡의 양변을 x에 대하여 미분하면 $f(x)=6ax=-6x$

$\therefore f\left(\dfrac{1}{3}\right)=-2 \qquad \therefore \dfrac{ab}{f\left(\frac{1}{3}\right)}=\dfrac{(-1)\times(-16)}{-2}=-8$

03-1 답 $\dfrac{1}{4}$

|해결 전략| 양변을 x에 대하여 미분하고 $f'(x)=0$을 만족시키는 x의 값의 좌우에서 $f'(x)$의 부호를 조사하여 증감표를 만든다.

$f(x)=\int_0^x t(t-1)(t-2)dt$의 양변을 x에 대하여 미분하면

$f'(x)=x(x-1)(x-2)$

$f'(x)=0$에서 $x=0$ 또는 $x=1$ 또는 $x=2$

x	$\cdots$	0	$\cdots$	1	$\cdots$	2	$\cdots$
$f'(x)$	$-$	0	$+$	0	$-$	0	$+$
$f(x)$	$\searrow$	극소	$\nearrow$	극대	$\searrow$	극소	$\nearrow$

따라서 함수 $f(x)$는 $x=1$에서 극대이므로 극댓값은

$$f(1)=\int_0^1 t(t-1)(t-2)dt=\int_0^1(t^3-3t^2+2t)dt$$
$$=\left[\frac{1}{4}t^4-t^3+t^2\right]_0^1=\frac{1}{4}$$

> **LECTURE**
>
> **함수의 극대와 극소의 판정**
>
> 미분가능한 함수 $f(x)$에 대하여 $f'(a)=0$이고, $x=a$의 좌우에서 $f'(x)$의 부호가
>
> 양($+$)에서 음($-$)으로 바뀌면 ➡ $f(x)$는 $x=a$에서 극대이다.
>
> 음($-$)에서 양($+$)으로 바뀌면 ➡ $f(x)$는 $x=a$에서 극소이다.

03-2 답 $-\dfrac{1}{6}$

|해결 전략| $f(x)=\int_x^{x+1}g(t)dt$의 양변을 x에 대하여 미분하면

$f'(x)=g(x+1)-g(x)$임을 이용한다.

$f(x)=\int_x^{x+1}t(t-1)dt$의 양변을 x에 대하여 미분하면

$f'(x)=(x+1)x-x(x-1)=2x$

$f'(x)=0$에서 $x=0$

x	$\cdots$	0	$\cdots$
$f'(x)$	$-$	0	$+$
$f(x)$	$\searrow$	극소	$\nearrow$

따라서 함수 $f(x)$는 $x=0$에서 극소이므로 극솟값은

$f(0)=\int_0^1 t(t-1)dt=\int_0^1(t^2-t)dt$

$=\left[\dfrac{1}{3}t^3-\dfrac{1}{2}t^2\right]_0^1=\left(\dfrac{1}{3}-\dfrac{1}{2}\right)-0=-\dfrac{1}{6}$

04-1 답 -2

|해결 전략| 미분계수의 정의 $f'(a)=\lim\limits_{x\to a}\dfrac{f(x)-f(a)}{x-a}$를 이용하여 함수의 극한값을 구한다.

$f(x)=x^3-2x+1$에서 $f(t)$의 한 부정적분을 $F(t)$라 하면

$\lim\limits_{x\to-1}\dfrac{1}{x+1}\int_x^{-1}f(t)dt=-\lim\limits_{x\to-1}\dfrac{1}{x+1}\int_{-1}^x f(t)dt$

$=-\lim\limits_{x\to-1}\dfrac{F(x)-F(-1)}{x-(-1)}$

$=-F'(-1)=-f(-1)$

$=-(-1+2+1)$

$=-2$

04-2 답 (1) 4 (2) $\dfrac{3}{4}$

|해결 전략| 미분계수의 정의

$f'(a)=\lim\limits_{h\to 0}\dfrac{f(a+h)-f(a)}{h}=\lim\limits_{x\to a}\dfrac{f(x)-f(a)}{x-a}$를 이용하여 함수의 극한값을 구한다.

(1) $f(x)=3x^2-x$로 놓고, $f(x)$의 한 부정적분을 $F(x)$라 하면

$\lim\limits_{h\to 0}\dfrac{1}{h}\int_{1-h}^{1+h}(3x^2-x)dx$

$=\lim\limits_{h\to 0}\dfrac{F(1+h)-F(1-h)}{h}$

$=\lim\limits_{h\to 0}\dfrac{\{F(1+h)-F(1)\}+\{F(1)-F(1-h)\}}{h}$

$=\lim\limits_{h\to 0}\dfrac{F(1+h)-F(1)}{h}+\lim\limits_{h\to 0}\dfrac{F(1-h)-F(1)}{-h}$

$=2F'(1)=2f(1)=2(3-1)=4$

(2) $f(t)=2t-1$로 놓고, $f(t)$의 한 부정적분을 $F(t)$라 하면

$\lim\limits_{x\to 2}\dfrac{1}{x^2-4}\int_2^x(2t-1)dt$

$=\lim\limits_{x\to 2}\dfrac{F(x)-F(2)}{x^2-4}$

$=\lim\limits_{x\to 2}\left\{\dfrac{F(x)-F(2)}{x-2}\times\dfrac{1}{x+2}\right\}$

$=\dfrac{1}{4}F'(2)=\dfrac{1}{4}f(2)=\dfrac{1}{4}(4-1)=\dfrac{3}{4}$

1-1 답 3

|해결 전략| 닫힌구간 $[a,b]$에서 연속인 함수 $f(x)$의 한 부정적분을 $F(x)$라 하면 $\int_a^b f(x)dx=\Big[F(x)\Big]_a^b=F(b)-F(a)$임을 이용한다.

$\int_0^2 f(x)dx=\int_0^2(x^3-kx)dx=\left[\dfrac{1}{4}x^4-\dfrac{k}{2}x^2\right]_0^2=4-2k$

이때, $f(1)=1-k$이므로 $4-2k=1-k$

$\therefore k=3$

1-2 답 1

|해결 전략| 닫힌구간 $[a,b]$에서 연속인 함수 $f(x)$의 한 부정적분을 $F(x)$라 하면 $\int_a^b f(x)dx=\Big[F(x)\Big]_a^b=F(b)-F(a)$임을 이용한다.

$\int_{-1}^2(3kx^2-2x+1)dx=\Big[kx^3-x^2+x\Big]_{-1}^2$

$=(8k-4+2)-(-k-1-1)=9k$

따라서 $9k<10$을 만족시키는 정수 k의 최댓값은 1이다.

2-1 답 $\dfrac{19}{3}$

|해결 전략| 적분 구간이 같은 두 정적분은 하나의 정적분으로 나타내어 계산한다.

$\int_1^2(x^2-3x)dx+\int_1^2 3(x^2+x-1)dx$

$=\int_1^2\{(x^2-3x)+3(x^2+x-1)\}dx$

$=\int_1^2(4x^2-3)dx=\left[\dfrac{4}{3}x^3-3x\right]_1^2=\dfrac{19}{3}$

2-2 답 4

|해결 전략| $\int_a^b f(x)dx=\int_a^c f(x)dx+\int_c^b f(x)dx$임을 이용한다.

$\int_{-1}^1 f(x)dx=-1,\ \int_5^{-2}f(x)dx=-5,\ \int_{-2}^{-1}f(x)dx=2$에서

$\int_1^5 f(x)dx=\int_1^{-1}f(x)dx+\int_{-1}^{-2}f(x)dx+\int_{-2}^5 f(x)dx$

$=-\int_{-1}^1 f(x)dx-\int_{-2}^{-1}f(x)dx-\int_5^{-2}f(x)dx$

$=-(-1)-2-(-5)=4$

3-1 답 $-\dfrac{3}{2}$

|해결 전략| $\int_a^b f(y)dy=\int_a^b f(x)dx$임을 이용한다.

$f(x)=x^2-3x+1$에서

$\int_{-2}^3 f(x)dx+\int_0^{-2}f(y)dy=\int_0^{-2}f(x)dx+\int_{-2}^3 f(x)dx$

$=\int_0^3 f(x)dx=\int_0^3(x^2-3x+1)dx$

$=\left[\dfrac{1}{3}x^3-\dfrac{3}{2}x^2+x\right]_0^3=-\dfrac{3}{2}$

3-2 답 $\dfrac{3}{2}$

|해결 전략| $\int_a^b f(t)dt=\int_a^b f(x)dx$임을 이용한다.

$$\int_0^k \dfrac{x^3}{x+1}dx-\int_k^0 \dfrac{1}{t+1}dt=\int_0^k \dfrac{x^3}{x+1}dx-\int_k^0 \dfrac{1}{x+1}dx$$

$$=\int_0^k \dfrac{x^3}{x+1}dx+\int_0^k \dfrac{1}{x+1}dx$$

$$=\int_0^k \dfrac{x^3+1}{x+1}dx$$

$$=\int_0^k \dfrac{(x+1)(x^2-x+1)}{x+1}dx$$

$$=\int_0^k (x^2-x+1)dx$$

$$=\left[\dfrac{1}{3}x^3-\dfrac{1}{2}x^2+x\right]_0^k$$

$$=\dfrac{1}{3}k^3-\dfrac{1}{2}k^2+k$$

이때, $\dfrac{1}{3}k^3-\dfrac{1}{2}k^2+k=k$이므로

$$\dfrac{1}{3}k^3-\dfrac{1}{2}k^2=0,\ 2k^3-3k^2=0,\ k^2(2k-3)=0$$

$$\therefore k=\dfrac{3}{2}\ (\because k>0)$$

4-1 답 $\dfrac{1}{4}$

|해결 전략| $\int_a^b f(x)dx=\int_a^c f(x)dx+\int_c^b f(x)dx$임을 이용하여 적분 구간을 나누어 정적분의 값을 구한다.

$f(x)=\begin{cases} -x & (x\le 0) \\ x^2+x & (x\ge 0) \end{cases}$ 이므로

$$\int_{-1}^1 xf(x)dx=\int_{-1}^0 xf(x)dx+\int_0^1 xf(x)dx$$

$$=\int_{-1}^0 (-x^2)dx+\int_0^1 (x^3+x^2)dx$$

$$=\left[-\dfrac{1}{3}x^3\right]_{-1}^0+\left[\dfrac{1}{4}x^4+\dfrac{1}{3}x^3\right]_0^1=\dfrac{1}{4}$$

4-2 답 15

|해결 전략| $\int_a^b f(x)dx=\int_a^c f(x)dx+\int_c^b f(x)dx$임을 이용하여 적분 구간을 나누어 정적분의 값을 구한다.

$f(x)=\begin{cases} 2x+4 & (x\le 0) \\ 4 & (x\ge 0) \end{cases}$ 이므로

$$\int_{-1}^3 f(x)dx=\int_{-1}^0 (2x+4)dx+\int_0^3 4dx$$

$$=\left[x^2+4x\right]_{-1}^0+\left[4x\right]_0^3=15$$

5-1 답 19

|해결 전략| 절댓값 기호 안의 식의 값이 0이 되는 x의 값을 경계로 적분 구간을 나누어 정적분의 값을 구한다.

$f(x)=\begin{cases} |x| \\ x^2-x \end{cases}\begin{array}{l} (x\le 2) \\ (x\ge 2) \end{array}=\begin{cases} -x & (x\le 0) \\ x & (0\le x\le 2) \\ x^2-x & (x\ge 2) \end{cases}$ 이므로

$$\int_{-1}^3 f(x)dx=\int_{-1}^0 (-x)dx+\int_0^2 xdx+\int_2^3 (x^2-x)dx$$

$$=\left[-\dfrac{1}{2}x^2\right]_{-1}^0+\left[\dfrac{1}{2}x^2\right]_0^2+\left[\dfrac{1}{3}x^3-\dfrac{1}{2}x^2\right]_2^3=\dfrac{19}{3}$$

이때, $\int_{-1}^3 f(x)dx=k$이므로 $k=\dfrac{19}{3}$ $\therefore 3k=19$

5-2 답 $\dfrac{3}{2}$

|해결 전략| 절댓값 기호 안의 식의 값이 0이 되는 x의 값을 경계로 적분 구간을 나누어 정적분의 값을 구한다.

$|2x^2-2x|=\begin{cases} 2x^2-2x & (x\le 0\ 또는\ x\ge 1) \\ -2x^2+2x & (0\le x\le 1) \end{cases}$ 이므로

$$\int_0^a |2x^2-2x|dx=\int_0^1 (-2x^2+2x)dx+\int_1^a (2x^2-2x)dx$$

$$=\left[-\dfrac{2}{3}x^3+x^2\right]_0^1+\left[\dfrac{2}{3}x^3-x^2\right]_1^a$$

$$=\left\{\left(-\dfrac{2}{3}+1\right)-0\right\}+\left\{\left(\dfrac{2}{3}a^3-a^2\right)-\left(\dfrac{2}{3}-1\right)\right\}$$

$$=\dfrac{2}{3}a^3-a^2+\dfrac{2}{3}$$

이때, $\int_0^a |2x^2-2x|dx=\dfrac{2}{3}$이므로

$$\dfrac{2}{3}a^3-a^2+\dfrac{2}{3}=\dfrac{2}{3},\ a^2\left(\dfrac{2}{3}a-1\right)=0$$

$$\therefore a=\dfrac{3}{2}\ (\because a>1)$$

6-1 답 -3

|해결 전략| 짝수 차수의 항 또는 상수항으로만 이루어진 함수는 $\int_{-a}^a f(x)dx=2\int_0^a f(x)dx$를 만족시키고, 홀수 차수의 항으로만 이루어진 함수는 $\int_{-a}^a f(x)dx=0$을 만족시킨다.

$$\int_{-a}^a (-3x^2+x)dx=2\int_0^a (-3x^2)dx=2\left[-x^3\right]_0^a=-2a^3$$

즉, $-2a^3=54$이므로 $a^3=-27$ $\therefore a=-3\ (\because a는\ 실수)$

6-2 답 -1

|해결 전략| $f(-x)=f(x)$를 만족시키는 함수 $f(x)$는 우함수이고 $f(-x)=-f(x)$를 만족시키는 함수 $f(x)$는 기함수이다.

$f(-x)=f(x)$에서 $f(x)$는 우함수, $g(-x)=-g(x)$에서 $g(x)$는 기함수이다.
$f(x)$는 y축에 대하여 대칭인 함수 $g(x)$는 원점에 대하여 대칭인 함수

$\int_{-3}^3 f(x)dx=4$이므로 $2\int_0^3 f(x)dx=4$ $\therefore \int_0^3 f(x)dx=2$

$\int_{-3}^0 g(x)dx=3$이므로 $\int_0^3 g(x)dx=-\int_{-3}^0 g(x)dx=-3$

$\therefore \int_0^3 f(x)dx+\int_0^3 g(t)dt=\int_0^3 f(x)dx+\int_0^3 g(x)dx=2-3=-1$

7-1 답 15

|해결 전략| 주기가 p인 함수 $f(x)$에 대하여 $\int_a^b f(x)dx=\int_{a+np}^{b+np} f(x)dx$ (n은 정수)임을 이용한다.

함수 $f(x)$가 모든 실수 x에 대하여 $f(x+2)=f(x)$이므로

$$\int_2^4 f(x)dx=\int_4^6 f(x)dx=\int_6^8 f(x)dx=5$$

$$\therefore \int_2^8 f(x)dx=\int_2^4 f(x)dx+\int_4^6 f(x)dx+\int_6^8 f(x)dx$$

$$=3\int_2^4 f(x)dx$$

$$=3\times 5=15$$

7-2 답 28

|해결 전략| $f(-x)=f(x)$이면 함수 $f(x)$는 우함수이고, 그래프는 y축에 대하여 대칭이므로 $\int_{-a}^0 f(x)dx=\int_0^a f(x)dx$이다.

조건 (가)에서 $f(-x)=f(x)$이므로

$$\int_{-1}^0 f(x)dx=\int_0^1 f(x)dx=4$$

조건 (나)에서 $f(x+2)=f(x)$이므로

$$\int_{-1}^0 f(x)dx=\int_1^2 f(x)dx=\int_3^4 f(x)dx=\int_5^6 f(x)dx=4$$

$$\int_0^1 f(x)dx=\int_2^3 f(x)dx=\int_4^5 f(x)dx=4$$

$$\therefore \int_{-1}^6 f(x)dx=7\int_{-1}^0 f(x)dx=7\times 4=28$$

8-1 답 $-\dfrac{2}{3}$

|해결 전략| $\int_{-1}^1 (2t+1)f(t)dt=k$($k$는 상수)로 놓고 k의 값을 구한다.

$$\int_{-1}^1 (2t+1)f(t)dt=k \,(k는 상수) \qquad \cdots\cdots \text{㉠}$$

로 놓으면 $f(x)=3x^2+k$

$f(t)=3t^2+k$를 ㉠에 대입하면

$$\int_{-1}^1 (2t+1)(3t^2+k)dt=k$$

$$\int_{-1}^1 (6t^3+3t^2+2kt+k)dt=2\int_0^1 (3t^2+k)dt$$

$$=2\Big[t^3+kt\Big]_0^1=2(1+k)=k$$

$k=-2$이므로 $f(x)=3x^2-2$

이때, $3x^2-2=0$을 만족시키는 x의 값은 $x=\sqrt{\dfrac{2}{3}}$ 또는 $x=-\sqrt{\dfrac{2}{3}}$

따라서 곡선 $y=f(x)$가 x축과 만나는 두 점의 x좌표의 곱은 $-\dfrac{2}{3}$이다.

8-2 답 6

|해결 전략| $\int_0^1 f(t)dt=a$, $\int_0^x f(t)dt=b$(a,b는 상수)로 놓고 a,b의 값을 구한다.

$$\int_0^1 f(t)dt=a \,(a는 상수) \qquad \cdots\cdots \text{㉠}$$

$$\int_0^2 f(t)dt=b \,(b는 상수) \qquad \cdots\cdots \text{㉡}$$

로 놓으면 $f(x)=x^2+2ax+b$

㉠에서

$$\int_0^1 (t^2+2at+b)dt=\Big[\frac{1}{3}t^3+at^2+bt\Big]_0^1=\frac{1}{3}+a+b=a$$

$$\therefore b=-\frac{1}{3}$$

㉡에서

$$\int_0^2 (t^2+2at+b)dt=\Big[\frac{1}{3}t^3+at^2+bt\Big]_0^2=\frac{8}{3}+4a+2b=b$$

$$4a+b+\frac{8}{3}=0 \qquad \therefore a=-\frac{7}{12}$$

따라서 $f(x)=x^2-\dfrac{7}{6}x-\dfrac{1}{3}$이므로 $f(-2)=6$

9-1 답 $\dfrac{16}{3}$

|해결 전략| $\int_x^{x+a} f(t)dt=g(x)$(a는 상수)의 양변을 x에 대하여 미분하면 $f(x+a)-f(x)=g'(x)$임을 이용한다.

$f(x)=\int_x^{x+1}(t^2-t)dt$의 양변을 x에 대하여 미분하면

$$f'(x)=\{(x+1)^2-(x+1)\}-(x^2-x)=2x$$

$$\therefore \int_0^2 xf'(x)dx=\int_0^2 x(2x)dx=\int_0^2 2x^2dx=\Big[\frac{2}{3}x^3\Big]_0^2=\frac{16}{3}$$

9-2 답 58

|해결 전략| $\int_a^x f(t)dt=g(x)$(a는 상수)의 양변을 x에 대하여 미분하면 $f(x)=g'(x)$임을 이용한다.

$\int_a^x f(t)dt=2x^3+3x$에서 a는 실수이므로 양변을 x에 대하여 미분하면

$$f(x)=6x^2+3$$

$$\therefore \int_1^3 f(x)dx=\int_1^3 (6x^2+3)dx=\Big[2x^3+3x\Big]_1^3=58$$

다른 풀이

$$\int_a^x f(t)dt=2x^3+3x \qquad \cdots\cdots \text{㉠}$$

㉠의 양변에 $x=1$을 대입하면 $\int_a^1 f(t)dt=2+3=5$

㉠의 양변에 $x=3$을 대입하면 $\int_a^3 f(t)dt=54+9=63$

$$\therefore \int_1^3 f(x)dx=\int_1^a f(x)dx+\int_a^3 f(x)dx$$

$$=-\int_a^1 f(x)dx+\int_a^3 f(x)dx$$

$$=-5+63=58$$

10-1 답 $-\dfrac{1}{2}$

|해결 전략| $\int_a^x f(t)dt=g(x)$(a는 상수)의 양변에 $x=a$를 대입하면 $\int_a^a f(t)dt=g(a)=0$이고, 양변을 x에 대하여 미분하면 $f(x)=g'(x)$임을 이용한다.

$$xf(x)=x^3+\int_1^x f(t)dt \qquad \cdots\cdots \text{㉠}$$

㉠의 양변에 $x=1$을 대입하면

$$f(1)=1+\int_1^1 f(t)dt \qquad \therefore f(1)=1$$

또, ㉠의 양변을 x에 대하여 미분하면

$$f(x)+xf'(x)=3x^2+f(x) \qquad \therefore f'(x)=3x$$

$$\therefore f(x)=\int f'(x)dx=\int 3x\,dx=\frac{3}{2}x^2+C$$

이때, $f(1)=1$이므로 $\dfrac{3}{2}+C=1 \qquad \therefore C=-\dfrac{1}{2}$

따라서 $f(x)=\dfrac{3}{2}x^2-\dfrac{1}{2}$이므로 $f(0)=-\dfrac{1}{2}$

10-2 답 14

|해결 전략| $\int_a^x (x-t)f(t)dt\,(a$는 상수$)$를 포함한 등식은

$\int_a^x (x-t)f(t)dt=x\int_a^x f(t)dt-\int_a^x tf(t)dt$로 변형한 후 양변을 x에 대하여 미분한다.

$\int_0^x (x-t)f(t)dt=3x^3-2x^2$에서

$$x\int_0^x f(t)dt-\int_0^x tf(t)dt=3x^3-2x^2 \qquad \cdots\cdots \text{㉠}$$

㉠의 양변을 x에 대하여 미분하면

$$\int_0^x f(t)dt+xf(x)-xf(x)=9x^2-4x$$

$$\therefore \int_0^x f(t)dt=9x^2-4x \qquad \cdots\cdots \text{㉡}$$

㉡의 양변을 x에 대하여 미분하면 $f(x)=18x-4$

$$\therefore f(1)=14$$

11-1 답 2

|해결 전략| 미분가능한 함수 $f(x)$가 $x=a$에서 극값을 가지면 $f'(a)=0$임을 이용한다.

$f(x)=\int_1^x (-3t^2+at+b)dt$의 양변을 x에 대하여 미분하면

$$f'(x)=-3x^2+ax+b$$

함수 $f(x)$는 $x=0$에서 극솟값 0을 가지므로 $f'(0)=0$, $f(0)=0$

$f'(0)=0$에서 $b=0$

$f(0)=0$에서

$$f(0)=\int_1^0 (-3t^2+at)dt=\left[-t^3+\frac{a}{2}t^2\right]_1^0$$

$$=0-\left(-1+\frac{a}{2}\right)=-\frac{a}{2}+1=0$$

$$\therefore a=2 \qquad \therefore a+b=2$$

11-2 답 $\dfrac{4}{3}$

|해결 전략| 양변을 x에 대하여 미분하고 $f'(x)=0$을 만족시키는 x의 값의 좌우에서 $f'(x)$의 부호를 조사하여 증감표를 만든다.

$f(x)=\int_{-1}^x (t^2-2t)dt$의 양변을 x에 대하여 미분하면

$$f'(x)=x^2-2x$$

$f'(x)=x(x-2)=0$에서 $x=0\ (\because -1\le x\le 1)$

x	-1	$\cdots$	0	$\cdots$	1
$f'(x)$		$+$	0	$-$	
$f(x)$		↗	극대	↘	

$$f(-1)=\int_{-1}^{-1}(t^2-2t)dt=0$$

$$f(0)=\int_{-1}^0 (t^2-2t)dt=\left[\frac{1}{3}t^3-t^2\right]_{-1}^0=\frac{4}{3}$$

$$f(1)=\int_{-1}^1 (t^2-2t)dt=2\int_0^1 t^2\,dt=2\left[\frac{1}{3}t^3\right]_0^1=\frac{2}{3}$$

즉, $-1\le x\le 1$에서 함수 $f(x)$는 $x=0$에서 극대이면서 최대이므로 최댓값은 $\dfrac{4}{3}$이고, 최솟값은 0이다.

따라서 최댓값과 최솟값의 합은 $\dfrac{4}{3}+0=\dfrac{4}{3}$

> **LECTURE**
>
> **함수의 최댓값과 최솟값**
> 함수 $f(x)$가 닫힌구간 $[a,\,b]$에서 연속이면 그 닫힌구간에서 반드시 최댓값과 최솟값을 갖는다. 이때, 이 닫힌구간에서 $f(x)$의 극값, $f(a)$, $f(b)$ 중에서 가장 큰 값이 최댓값, 가장 작은 값이 최솟값이 된다.

12-1 답 $2\sqrt{5}$

|해결 전략| 미분계수의 정의 $f'(a)=\lim\limits_{x\to 0}\dfrac{f(a+x)-f(a)}{x}$를 이용하여 함수의 극한값을 구한다.

$f(t)=\sqrt{3t^2+2}$로 놓고, $f(t)$의 한 부정적분을 $F(t)$라 하면

$$\lim_{x\to 0}\frac{1}{x}\int_1^{1+2x}\sqrt{3t^2+2}\,dt=\lim_{x\to 0}\frac{F(1+2x)-F(1)}{x}$$

$$=2\lim_{x\to 0}\frac{F(1+2x)-F(1)}{2x}$$

$$=2F'(1)=2f(1)=2\sqrt{5}$$

12-2 답 $3\sqrt{3}$

|해결 전략| 구하고자 하는 넓이를 x에 대한 식으로 나타내고, 미분계수의 정의 $f'(a)=\lim\limits_{x\to a}\dfrac{f(x)-f(a)}{x-a}$를 이용하여 함수의 극한값을 구한다.

삼각형 ABC의 넓이는 $\dfrac{\sqrt{3}}{4}\times 4^2=4\sqrt{3}$

선분 AD의 길이는 $4-x$이므로

삼각형 ADE의 넓이는 $\dfrac{\sqrt{3}}{4}(4-x)^2$

따라서 사각형 BCED의 넓이는

$$S(x)=4\sqrt{3}-\frac{\sqrt{3}}{4}(4-x)^2$$

$T(x)$를 함수 $S(x)$의 한 부정적분이라 하면

$$T'(x)=S(x)$$

$$\therefore \lim_{x\to 2}\frac{1}{x-2}\int_2^x S(t)dt=\lim_{x\to 2}\frac{T(x)-T(2)}{x-2}$$

$$=T'(2)=S(2)$$

$$=4\sqrt{3}-\sqrt{3}=3\sqrt{3}$$

9 | 정적분의 활용

1 넓이

1 (1) 오른쪽 그림에서 구하는 넓이는

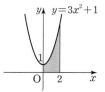

$$\int_0^2 (3x^2+1)\,dx = \Big[x^3+x\Big]_0^2 = 10$$

(2) 곡선 $y=x^2-4x$와 x축의 교점의
x좌표는 $x^2-4x=0$에서
$x(x-4)=0$
∴ $x=0$ 또는 $x=4$
따라서 구하는 넓이는

$$\int_{-1}^0 (x^2-4x)\,dx - \int_0^2 (x^2-4x)\,dx$$

$$= \Big[\frac{1}{3}x^3-2x^2\Big]_{-1}^0 - \Big[\frac{1}{3}x^3-2x^2\Big]_0^2$$

$$= \frac{7}{3}-\Big(-\frac{16}{3}\Big) = \frac{23}{3}$$

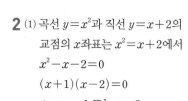

2 (1) 곡선 $y=x^2$과 직선 $y=x+2$의
교점의 x좌표는 $x^2=x+2$에서
$x^2-x-2=0$
$(x+1)(x-2)=0$
∴ $x=-1$ 또는 $x=2$
따라서 구하는 넓이는

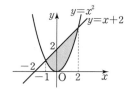

$$\int_{-1}^2 \{(x+2)-x^2\}\,dx = \int_{-1}^2 (-x^2+x+2)\,dx$$

$$= \Big[-\frac{1}{3}x^3+\frac{1}{2}x^2+2x\Big]_{-1}^2 = \frac{9}{2}$$

(2) 두 곡선 $y=x^2$, $y=-x^2+4x$의
교점의 x좌표는 $x^2=-x^2+4x$에서
$2x^2-4x=0$
$2x(x-2)=0$
∴ $x=0$ 또는 $x=2$
따라서 구하는 넓이는

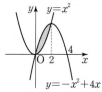

$$\int_0^2 \{(-x^2+4x)-x^2\}\,dx = \int_0^2 (-2x^2+4x)\,dx$$

$$= \Big[-\frac{2}{3}x^3+2x^2\Big]_0^2 = \frac{8}{3}$$

스스로 check

1-2   📋 (1) $\dfrac{4}{3}$ (2) $\dfrac{32}{3}$ (3) $\dfrac{4}{3}$

(1) 곡선 $y=-x^2+2x$와 x축의 교점의
x좌표는 $-x^2+2x=0$에서
$-x(x-2)=0$
∴ $x=0$ 또는 $x=2$
따라서 구하는 넓이는

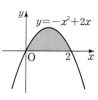

$$\int_0^2 (-x^2+2x)\,dx = \Big[-\frac{1}{3}x^3+x^2\Big]_0^2 = \frac{4}{3}$$

(2) 곡선 $y=x^2-4$와 x축의 교점의 x좌표는
$x^2-4=0$에서
$(x+2)(x-2)=0$
∴ $x=-2$ 또는 $x=2$
따라서 구하는 넓이는

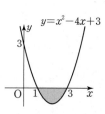

$$-\int_{-2}^2 (x^2-4)\,dx = -2\int_0^2 (x^2-4)\,dx$$

$$= -2\Big[\frac{1}{3}x^3-4x\Big]_0^2$$

$$= -2\times\Big(-\frac{16}{3}\Big) = \frac{32}{3}$$

(3) 곡선 $y=x^2-4x+3$과 x축의 교점의
x좌표는 $x^2-4x+3=0$에서
$(x-1)(x-3)=0$
∴ $x=1$ 또는 $x=3$
따라서 구하는 넓이는

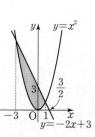

$$-\int_1^3 (x^2-4x+3)\,dx = -\Big[\frac{1}{3}x^3-2x^2+3x\Big]_1^3 = \frac{4}{3}$$

2-2   📋 (1) $\dfrac{32}{3}$ (2) $\dfrac{9}{2}$ (3) 36

(1) 곡선 $y=x^2$과 직선 $y=-2x+3$의 교점
의 x좌표는 $x^2=-2x+3$에서
$x^2+2x-3=0$
$(x+3)(x-1)=0$
∴ $x=-3$ 또는 $x=1$
따라서 구하는 넓이는

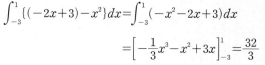

$$\int_{-3}^1 \{(-2x+3)-x^2\}\,dx = \int_{-3}^1 (-x^2-2x+3)\,dx$$

$$= \Big[-\frac{1}{3}x^3-x^2+3x\Big]_{-3}^1 = \frac{32}{3}$$

(2) 곡선 $y=-x^2+4x$와 직선 $y=x$의 교점의 x좌표는 $-x^2+4x=x$에서

$x^2-3x=0$

$x(x-3)=0$

$\therefore x=0$ 또는 $x=3$

따라서 구하는 넓이는

$$\int_0^3\{(-x^2+4x)-x\}dx=\int_0^3(-x^2+3x)dx$$
$$=\left[-\frac{1}{3}x^3+\frac{3}{2}x^2\right]_0^3$$
$$=\frac{9}{2}$$

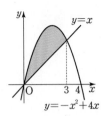

(3) 곡선 $y=x^2-x-5$와 직선 $y=x+3$의 교점의 x좌표는 $x^2-x-5=x+3$에서

$x^2-2x-8=0$

$(x+2)(x-4)=0$

$\therefore x=-2$ 또는 $x=4$

따라서 구하는 넓이는

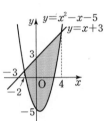

$$\int_{-2}^4\{(x+3)-(x^2-x-5)\}dx=\int_{-2}^4(-x^2+2x+8)dx$$
$$=\left[-\frac{1}{3}x^3+x^2+8x\right]_{-2}^4$$
$$=36$$

3-2 답 (1) $\frac{1}{3}$ (2) $\frac{1}{2}$ (3) $\frac{1}{3}$

(1) 두 곡선 $y=x^2+2x$, $y=-x^2$의 교점의 x좌표는 $x^2+2x=-x^2$에서

$2x^2+2x=0$

$2x(x+1)=0$

$\therefore x=-1$ 또는 $x=0$

따라서 구하는 넓이는

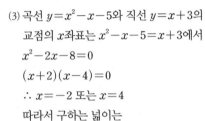

$$\int_{-1}^0\{-x^2-(x^2+2x)\}dx=\int_{-1}^0(-2x^2-2x)dx$$
$$=\left[-\frac{2}{3}x^3-x^2\right]_{-1}^0$$
$$=\frac{1}{3}$$

(2) 두 곡선 $y=-x^2+1$, $y=2x^2-3x+1$의 교점의 x좌표는

$-x^2+1=2x^2-3x+1$에서

$3x^2-3x=0$

$3x(x-1)=0$

$\therefore x=0$ 또는 $x=1$

따라서 구하는 넓이는

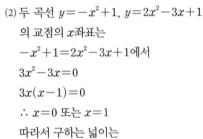

$$\int_0^1\{(-x^2+1)-(2x^2-3x+1)\}dx=\int_0^1(-3x^2+3x)dx$$
$$=\left[-x^3+\frac{3}{2}x^2\right]_0^1$$
$$=\frac{1}{2}$$

(3) 두 곡선 $y=x^2-2x+1$, $y=-x^2+4x-3$의 교점의 x좌표는

$x^2-2x+1=-x^2+4x-3$에서

$2x^2-6x+4=0$

$2(x-1)(x-2)=0$

$\therefore x=1$ 또는 $x=2$

따라서 구하는 넓이는

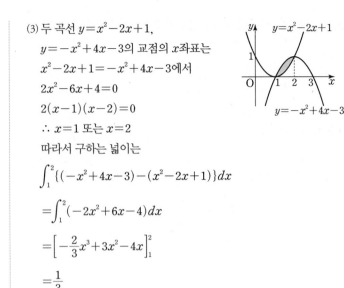

$$\int_1^2\{(-x^2+4x-3)-(x^2-2x+1)\}dx$$
$$=\int_1^2(-2x^2+6x-4)dx$$
$$=\left[-\frac{2}{3}x^3+3x^2-4x\right]_1^2$$
$$=\frac{1}{3}$$

STEP ❷ 필수 유형 ——————— | 215쪽~220쪽 |

01-1 답 4

| 해결 전략 | 닫힌구간 $[0, a]$에서 $x^2-ax\leq0$이므로 $-\int_0^a(x^2-ax)dx=\frac{32}{3}$ 임을 이용한다.

곡선 $y=x^2-ax$와 x축의 교점의 x좌표는

$x^2-ax=0$에서 $x(x-a)=0$

$\therefore x=0$ 또는 $x=a$

이때, $a>0$이므로 곡선 $y=x^2-ax$와 x축으로 둘러싸인 도형의 넓이는

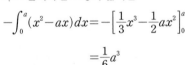

$$-\int_0^a(x^2-ax)dx=-\left[\frac{1}{3}x^3-\frac{1}{2}ax^2\right]_0^a$$
$$=\frac{1}{6}a^3$$

즉, $\frac{1}{6}a^3=\frac{32}{3}$이므로 $a^3=64$

$\therefore a=4\ (\because a>0)$

01-2 답 1

| 해결 전략 | 넓이는 양수이므로 닫힌구간 $[a, b]$에서 $f(x)\geq0$이면 $S=\int_a^b f(x)dx$, $f(x)\leq0$이면 $S=-\int_a^b f(x)dx$임을 이용한다.

곡선 $y=x^2-3x+2$와 x축의 교점의 x좌표는 $x^2-3x+2=0$에서

$(x-1)(x-2)=0$

$\therefore x=1$ 또는 $x=2$

따라서 구하는 넓이는

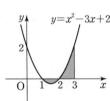

$$-\int_1^2(x^2-3x+2)dx+\int_2^3(x^2-3x+2)dx$$
$$=-\left[\frac{1}{3}x^3-\frac{3}{2}x^2+2x\right]_1^2+\left[\frac{1}{3}x^3-\frac{3}{2}x^2+2x\right]_2^3$$
$$=-\left(-\frac{1}{6}\right)+\frac{5}{6}=1$$

02-1 답 $\dfrac{1}{2}$

|해결 전략| 곡선과 직선의 교점의 x좌표를 구한 후 각 구간별로
{(위쪽 그래프의 식)$-$(아래쪽 그래프의 식)}의 정적분의 값을 구한다.

곡선 $y=x^3$과 직선 $y=x$의 교점의

x좌표는 $x^3=x$에서

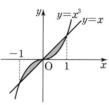

$x(x+1)(x-1)=0$

$\therefore x=-1$ 또는 $x=0$ 또는 $x=1$

따라서 구하는 넓이는

$$\int_{-1}^{0}(x^3-x)dx+\int_{0}^{1}(x-x^3)dx$$

$$=\left[\frac{1}{4}x^4-\frac{1}{2}x^2\right]_{-1}^{0}+\left[\frac{1}{2}x^2-\frac{1}{4}x^4\right]_{0}^{1}$$

$$=\frac{1}{4}+\frac{1}{4}=\frac{1}{2}$$

02-2 답 6

|해결 전략| 곡선과 직선의 교점의 x좌표를 구한 후
{(위쪽 그래프의 식)$-$(아래쪽 그래프의 식)}의 정적분의 값을 구한다.

곡선 $y=x^2$과 직선 $y=kx$의 교점의

x좌표는 $x^2=kx$에서

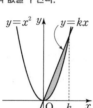

$x(x-k)=0$

$\therefore x=0$ 또는 $x=k$

이때, $k>0$이므로 곡선 $y=x^2$과 직선

$y=kx$로 둘러싸인 도형의 넓이는

$$\int_{0}^{k}(kx-x^2)dx=\left[\frac{k}{2}x^2-\frac{1}{3}x^3\right]_{0}^{k}$$

$$=\frac{1}{6}k^3$$

즉, $\dfrac{1}{6}k^3=36$이므로 $k^3=6^3$

$\therefore k=6 \ (\because k>0)$

03-1 답 (1) 32 (2) $\dfrac{71}{6}$

|해결 전략| 두 곡선의 교점의 x좌표를 구한 후 각 구간별로
{(위쪽 그래프의 식)$-$(아래쪽 그래프의 식)}의 정적분의 값을 구한다.

(1) 두 곡선 $y=2x^2-x$,

$y=-x^2+5x+9$의 교점의 x좌표는

$2x^2-x=-x^2+5x+9$에서

$x^2-2x-3=0$

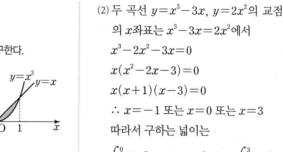

$(x+1)(x-3)=0$

$\therefore x=-1$ 또는 $x=3$

따라서 구하는 넓이는

$$\int_{-1}^{3}\{(-x^2+5x+9)-(2x^2-x)\}dx$$

$$=\int_{-1}^{3}(-3x^2+6x+9)dx$$

$$=\left[-x^3+3x^2+9x\right]_{-1}^{3}$$

$$=32$$

(2) 두 곡선 $y=x^3-3x$, $y=2x^2$의 교점

의 x좌표는 $x^3-3x=2x^2$에서

$x^3-2x^2-3x=0$

$x(x^2-2x-3)=0$

$x(x+1)(x-3)=0$

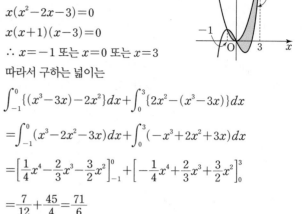

$\therefore x=-1$ 또는 $x=0$ 또는 $x=3$

따라서 구하는 넓이는

$$\int_{-1}^{0}\{(x^3-3x)-2x^2\}dx+\int_{0}^{3}\{2x^2-(x^3-3x)\}dx$$

$$=\int_{-1}^{0}(x^3-2x^2-3x)dx+\int_{0}^{3}(-x^3+2x^2+3x)dx$$

$$=\left[\frac{1}{4}x^4-\frac{2}{3}x^3-\frac{3}{2}x^2\right]_{-1}^{0}+\left[-\frac{1}{4}x^4+\frac{2}{3}x^3+\frac{3}{2}x^2\right]_{0}^{3}$$

$$=\frac{7}{12}+\frac{45}{4}=\frac{71}{6}$$

04-1 답 $\dfrac{27}{4}$

|해결 전략| 먼저 곡선 $y=x^3-1$ 위의 점 $(1, 0)$에서의 접선의 방정식을 구한다.

$y=x^3-1$에서 $y'=3x^2$이므로 곡선 위의 점 $(1, 0)$에서의 접선의 기

울기는 3이고, 접선의 방정식은

$y-0=3(x-1)$　　$\therefore y=3x-3$

곡선 $y=x^3-1$과 접선 $y=3x-3$의 교점

의 x좌표는 $x^3-1=3x-3$에서

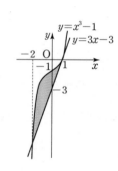

$x^3-3x+2=0$

$(x+2)(x-1)^2=0$

$\therefore x=-2$ 또는 $x=1$

따라서 구하는 넓이는

$$\int_{-2}^{1}\{(x^3-1)-(3x-3)\}dx$$

$$=\int_{-2}^{1}(x^3-3x+2)dx$$

$$=\left[\frac{1}{4}x^4-\frac{3}{2}x^2+2x\right]_{-2}^{1}=\frac{27}{4}$$

04-2 답 $\dfrac{8}{3}$

|해결 전략| 먼저 곡선 $y=-x^2+6x-5$ 위의 점 $(2, 3)$에서의 접선의 방정식을 구한다.

$y=-x^2+6x-5$에서 $y'=-2x+6$이므

로 곡선 위의 점 $(2, 3)$에서의 접선의 기울

기는 2이고, 접선의 방정식은

$y-3=2(x-2)$

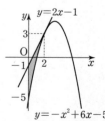

$\therefore y=2x-1$

따라서 구하는 넓이는

$$\int_{0}^{2}\{(2x-1)-(-x^2+6x-5)\}dx=\int_{0}^{2}(x^2-4x+4)dx$$

$$=\left[\frac{1}{3}x^3-2x^2+4x\right]_{0}^{2}=\frac{8}{3}$$

05-1 답 6

|해결 전략| $k > 4$이므로 $\int_0^k f(x)\,dx = 0$임을 이용한다.

곡선 $y = x^2 - 4x$와 x축의 교점의 x좌표는
$x^2 - 4x = 0$에서 $x(x-4) = 0$
$\therefore x = 0$ 또는 $x = 4$
이때, $k > 4$이므로 곡선 $y = x^2 - 4x$와 직선
$x = k$는 오른쪽 그림과 같고 $A = B$이므로
색칠한 두 도형의 넓이가 같다.

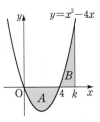

즉, $\int_0^k (x^2 - 4x)\,dx = 0$이므로 $\left[\dfrac{1}{3}x^3 - 2x^2\right]_0^k = 0$

$\dfrac{1}{3}k^3 - 2k^2 = 0$, $\dfrac{1}{3}k^2(k-6) = 0$ $\therefore k = 6\ (\because k > 4)$

05-2 답 $\dfrac{1}{16}$

|해결 전략| 곡선 $y = 3x^2 - x + k$와 x축의 교점의 x좌표를 a, $b\,(b > a > 0)$라 할 때, $\int_0^b f(x)\,dx = 0$임을 이용한다.

곡선 $y = 3x^2 - x + k$와 x축의 교점의
x좌표를 a, $b\,(b > a > 0)$라 하면
$3b^2 - b + k = 0$
$\therefore k = b - 3b^2$ ...... ㉠
이때, $A = B$이면

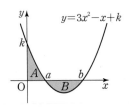

$\int_0^b (3x^2 - x + k)\,dx = 0$이므로

$\left[x^3 - \dfrac{1}{2}x^2 + kx\right]_0^b = 0$, $b^3 - \dfrac{1}{2}b^2 + kb = 0$

$b^3 - \dfrac{1}{2}b^2 + b(b - 3b^2) = 0\ (\because ㉠)$

$4b^3 - b^2 = 0$, $b^2(4b-1) = 0$ $\therefore b = \dfrac{1}{4}\ (\because b > 0)$

$b = \dfrac{1}{4}$을 ㉠에 대입하면 $k = \dfrac{1}{4} - \dfrac{3}{16} = \dfrac{1}{16}$

06-1 답 4

|해결 전략| 곡선 $y = -x^2 + 2x$와 직선 $y = mx$로 둘러싸인 도형의 넓이는 곡선 $y = -x^2 + 2x$와 x축으로 둘러싸인 도형의 넓이의 $\dfrac{1}{2}$배임을 이용한다.

곡선 $y = -x^2 + 2x$와 직선 $y = mx$의 교점
의 x좌표는 $-x^2 + 2x = mx$에서
$x\{x + (-2 + m)\} = 0$
$\therefore x = 0$ 또는 $x = 2 - m$
따라서 오른쪽 그림의 색칠한 도형의 넓이는

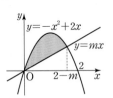

$\int_0^{2-m} \{(-x^2 + 2x) - mx\}\,dx = \int_0^{2-m} \{-x^2 + (2-m)x\}\,dx$

$\qquad = \left[-\dfrac{1}{3}x^3 + \dfrac{1}{2}(2-m)x^2\right]_0^{2-m}$

$\qquad = -\dfrac{1}{3}(2-m)^3 + \dfrac{1}{2}(2-m)^3$

$\qquad = \dfrac{1}{6}(2-m)^3$

한편, 곡선 $y = -x^2 + 2x$와 x축으로 둘러싸인 도형의 넓이는

$\int_0^2 (-x^2 + 2x)\,dx = \left[-\dfrac{1}{3}x^3 + x^2\right]_0^2 = \dfrac{4}{3}$

$\dfrac{1}{6}(2-m)^3 = \dfrac{1}{2} \times \dfrac{4}{3}$이므로 $(2-m)^3 = 4$

2 속도와 거리

개념 확인 　　　　　　　　　　221쪽~222쪽

1 (1) 6　(2) 1

2 10

1 (1) $0 + \int_0^2 (7 - 4t)\,dt = \left[7t - 2t^2\right]_0^2 = 6$

(2) $\int_1^2 (7 - 4t)\,dt = \left[7t - 2t^2\right]_1^2 = 1$

2 $\int_0^4 |6 - 2t|\,dt = \int_0^3 (6 - 2t)\,dt - \int_3^4 (6 - 2t)\,dt$

$\qquad = \left[6t - t^2\right]_0^3 - \left[6t - t^2\right]_3^4 = 9 - (-1) = 10$

다른 풀이

넓이를 이용하여 구하면
$\dfrac{1}{2} \times 3 \times 6 + \dfrac{1}{2} \times 1 \times 2 = 9 + 1 = 10$

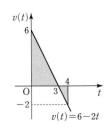

STEP 1 개념 드릴 　　　　　　　|223쪽|

개념 check

1-1 (1) 2, 2, 0　(2) 3, 3, $\dfrac{3}{2}$　(3) 1, 1, 1, 1, 2, $\dfrac{5}{2}$

2-1 (1) 3, 2, 3, 2, $\dfrac{11}{3}$　(2) 2, 2, $\dfrac{4}{3}$　(3) 1, 1, 1, 1, $\dfrac{4}{3}$, 2

스스로 check

1-2 답 (1) $-\dfrac{3}{2}$　(2) $\dfrac{3}{2}$　(3) 4

(1) $0 + \int_0^3 (t - 2)\,dt = \left[\dfrac{1}{2}t^2 - 2t\right]_0^3 = -\dfrac{3}{2}$

(2) $\int_1^4 (t - 2)\,dt = \left[\dfrac{1}{2}t^2 - 2t\right]_1^4 = \dfrac{3}{2}$

(3) $\int_0^4 |t-2|\,dt = -\int_0^2 (t-2)\,dt + \int_2^4 (t-2)\,dt$

$\qquad = -\left[\dfrac{1}{2}t^2 - 2t\right]_0^2 + \left[\dfrac{1}{2}t^2 - 2t\right]_2^4$

$\qquad = -(-2) + 2 = 4$

2-2 답 (1) $-\dfrac{8}{3}$ (2) -3 (3) $\dfrac{23}{3}$

(1) $1 + \int_0^1 (t^2-4)\,dt = 1 + \left[\dfrac{1}{3}t^3 - 4t\right]_0^1 = -\dfrac{8}{3}$

(2) $\int_0^3 (t^2-4)\,dt = \left[\dfrac{1}{3}t^3 - 4t\right]_0^3 = -3$

(3) $\int_0^3 |t^2-4|\,dt = -\int_0^2 (t^2-4)\,dt + \int_2^3 (t^2-4)\,dt$

$\qquad = -\left[\dfrac{1}{3}t^3 - 4t\right]_0^2 + \left[\dfrac{1}{3}t^3 - 4t\right]_2^3$

$\qquad = -\left(-\dfrac{16}{3}\right) + \dfrac{7}{3} = \dfrac{23}{3}$

STEP ② 필수 유형 | 224쪽~226쪽 |

01-1 답 65 m

|해결 전략| 물체가 최고 높이에 도달했을 때의 속도는 0 m/s임을 이용한다.

물체가 최고 높이에 도달했을 때의 속도는 0 m/s이므로

$v(t) = 30 - 10t = 0$에서 $t=3$

$t=0$일 때 지상으로부터의 높이는 20 m이므로 $t=3$일 때 지상으로부터의 높이는

$20 + \int_0^3 (30-10t)\,dt = 20 + \left[30t - 5t^2\right]_0^3 = 20 + 45 = 65\,(\text{m})$

따라서 물체가 최고 높이에 도달했을 때 지상으로부터의 높이는 65 m이다.

01-2 답 2초

|해결 전략| $\int_0^a v(t)\,dt = 0$이 되는 양수 a의 값을 구한다.

$t=a\,(a>0)$일 때 점 P가 다시 원점을 통과한다고 하면 $t=0$에서 $t=a$까지 점 P의 위치의 변화량은 0이므로

$\int_0^a 2(1-t)\,dt = 0,\ \left[2t - t^2\right]_0^a = 0$

$2a - a^2 = 0,\ a(2-a) = 0 \qquad \therefore a = 2\,(\because a>0)$

따라서 점 P가 출발한 후 다시 원점을 통과할 때까지 걸리는 시간은 2초이다.

02-1 답 80 m

|해결 전략| 물체가 최고 높이에 도달했을 때의 속도는 0 m/s임을 이용한다.

물체가 최고 높이에 도달할 때의 속도는 0 m/s이므로

$v(t) = 20 - 10t = 0$에서 $t=2$

따라서 물체가 최고 높이에 도달한 후 4초 동안 움직인 거리는

$\int_2^6 |20 - 10t|\,dt = -\int_2^6 (20-10t)\,dt$

$\qquad = -\left[20t - 5t^2\right]_2^6 = 80\,(\text{m})$

02-2 답 8

|해결 전략| 물체가 운동 방향을 바꿀 때의 속도는 0임을 이용한다.

물체가 운동 방향을 바꿀 때의 속도는 0이므로

$v(t) = t^2 - 6t + 8 = 0$에서 $(t-2)(t-4) = 0$

$\therefore t=2$ 또는 $t=4$

따라서 점 P는 움직이기 시작하여 시각 $t=4$에서 두 번째로 운동 방향을 바꾸므로 두 번째로 운동 방향을 바꿀 때까지 움직인 거리는

$\int_0^4 |t^2 - 6t + 8|\,dt = \int_0^2 (t^2-6t+8)\,dt - \int_2^4 (t^2-6t+8)\,dt$

$\qquad = \left[\dfrac{1}{3}t^3 - 3t^2 + 8t\right]_0^2 - \left[\dfrac{1}{3}t^3 - 3t^2 + 8t\right]_2^4$

$\qquad = \dfrac{20}{3} - \left(-\dfrac{4}{3}\right) = 8$

03-1 답 $\dfrac{3}{2}$

|해결 전략| 속도 $v(t)$의 부호가 바뀔 때 점 P의 운동 방향이 바뀐다.

속도 $v(t)$의 부호가 바뀔 때 점 P의 운동 방향이 바뀌므로 점 P가 출발한 후 운동 방향을 바꾸는 시각은 $t=2$이다.

따라서 점 P가 출발한 후 $t=2$까지 움직인 거리는 오른쪽 그림에서 사다리꼴의 넓이 S와 같으므로

$\int_0^2 |v(t)|\,dt = S = \dfrac{1}{2} \times (1+2) \times 1 = \dfrac{3}{2}$

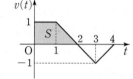

STEP ③ 유형 드릴 | 227쪽~229쪽 |

1-1 답 $\dfrac{1}{8}$

|해결 전략| $a>0$일 때, 닫힌구간 $[0, 4]$에서 $ax(x-4) \le 0$이므로

$-\int_0^4 ax(x-4)\,dx = \dfrac{4}{3}$임을 이용한다.

곡선 $y=ax(x-4)$와 x축의 교점의 x좌표는 $ax(x-4)=0$에서

$x=0$ 또는 $x=4$

이때, $a>0$이므로 곡선 $y=ax(x-4)$와 x축으로 둘러싸인 도형의 넓이는

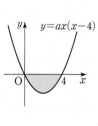

$-\int_0^4 ax(x-4)\,dx = -\int_0^4 (ax^2 - 4ax)\,dx$

$\qquad = -\left[\dfrac{a}{3}x^3 - 2ax^2\right]_0^4 = \dfrac{32}{3}a$

즉, $\dfrac{32}{3}a = \dfrac{4}{3}$이므로 $a = \dfrac{1}{8}$

1-2 답 $\dfrac{4}{3}$

| 해결 전략 | 닫힌구간 $[0, 1]$에서 $-x^2+4x-3\leq0$이므로 구하는 넓이는
$-\displaystyle\int_0^1(-x^2+4x-3)dx$임을 이용한다.

곡선 $y=-x^2+4x-3$과 x축의 교점의

x좌표는 $-x^2+4x-3=0$에서

$-(x-1)(x-3)=0$

$\therefore x=1$ 또는 $x=3$

따라서 구하는 넓이는

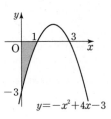

$-\displaystyle\int_0^1(-x^2+4x-3)dx$

$=-\left[-\dfrac{1}{3}x^3+2x^2-3x\right]_0^1$

$=\dfrac{4}{3}$

2-1 답 $\dfrac{9}{4}$

| 해결 전략 | 넓이는 양수이므로 닫힌구간 $[a, b]$에서 $f(x)\geq0$이면
$S=\displaystyle\int_a^b f(x)dx$, $f(x)\leq0$이면 $S=-\displaystyle\int_a^b f(x)dx$임을 이용한다.

곡선 $y=x^3+x^2-2x$와 x축의 교점의

x좌표는 $x^3+x^2-2x=0$에서

$x(x-1)(x+2)=0$

$\therefore x=-2$ 또는 $x=0$ 또는 $x=1$

따라서 오른쪽 그림과 같이 S_1, S_2를

각각 정하면

$S_1=\displaystyle\int_{-2}^0(x^3+x^2-2x)dx=\left[\dfrac{1}{4}x^4+\dfrac{1}{3}x^3-x^2\right]_{-2}^0=\dfrac{8}{3}$

$S_2=-\displaystyle\int_0^1(x^3+x^2-2x)dx=-\left[\dfrac{1}{4}x^4+\dfrac{1}{3}x^3-x^2\right]_0^1=\dfrac{5}{12}$

이므로

$|S_1-S_2|=\dfrac{8}{3}-\dfrac{5}{12}=\dfrac{27}{12}=\dfrac{9}{4}$

2-2 답 -2

| 해결 전략 | 넓이는 양수이므로 닫힌구간 $[a, b]$에서 $f(x)\geq0$이면
$S=\displaystyle\int_a^b f(x)dx$, $f(x)\leq0$이면 $S=-\displaystyle\int_a^b f(x)dx$임을 이용한다.

$a<0$이므로 곡선 $y=8x^3$과 x축 및 두 직선

$x=a$, $x=1$로 둘러싸인 도형의 넓이는

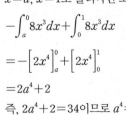
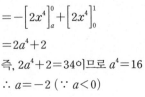

$-\displaystyle\int_a^0 8x^3dx+\displaystyle\int_0^1 8x^3dx$

$=-\left[2x^4\right]_a^0+\left[2x^4\right]_0^1$

$=2a^4+2$

즉, $2a^4+2=34$이므로 $a^4=16$

$\therefore a=-2\ (\because a<0)$

3-1 답 8

| 해결 전략 | 곡선과 직선의 교점의 x좌표를 구한 후 각 구간별로
$\{($위쪽 그래프의 식$)-($아래쪽 그래프의 식$)\}$의 정적분의 값을 구한다.

곡선 $y=x^3-4x+k$와 직선 $y=k$의

교점의 x좌표는 $x^3-4x+k=k$에서

$x(x-2)(x+2)=0$

$\therefore x=-2$ 또는 $x=0$ 또는 $x=2$

따라서 구하는 넓이는

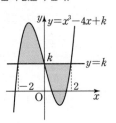

$\displaystyle\int_{-2}^0\{(x^3-4x+k)-k\}dx$

$+\displaystyle\int_0^2\{k-(x^3-4x+k)\}dx$

$=\displaystyle\int_{-2}^0(x^3-4x)dx+\displaystyle\int_0^2(-x^3+4x)dx$

$=\left[\dfrac{1}{4}x^4-2x^2\right]_{-2}^0+\left[-\dfrac{1}{4}x^4+2x^2\right]_0^2$

$=4+4=8$

다른 풀이

곡선 $y=x^3-4x+k$와 직선 $y=k$의 교점의 x좌표는 $x=-2$ 또는 $x=0$ 또
는 $x=2$이므로 곡선 $y=x^3-4x+k$와 직선 $y=k$로 둘러싸인 도형의 넓이는

$\displaystyle\int_{-2}^2|(x^3-4x+k)-k|dx=\displaystyle\int_{-2}^2|x^3-4x|dx$

이때, 함수 $y=|x^3-4x|$의 그래프는 y축에

대하여 대칭이므로

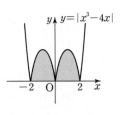

$\displaystyle\int_{-2}^2|x^3-4x|dx=2\displaystyle\int_0^2(-x^3+4x)dx$

$=2\left[-\dfrac{1}{4}x^4+2x^2\right]_0^2$

$=2\times4=8$

3-2 답 8 : 19

| 해결 전략 | 먼저 곡선 $y=3x-x^2$과 x축으로 둘러싸인 도형의 넓이를 구한다.

곡선 $y=3x-x^2$과 x축의 교점의 x좌표는

$3x-x^2=0$에서 $x(3-x)=0$

$\therefore x=0$ 또는 $x=3$

따라서 곡선 $y=3x-x^2$과 x축으로 둘러싸인 도형의 넓이는

$\displaystyle\int_0^3(3x-x^2)dx=\left[\dfrac{3}{2}x^2-\dfrac{1}{3}x^3\right]_0^3=\dfrac{9}{2}$이므로

$\therefore S_1+S_2=\dfrac{9}{2}$ ......㉠

곡선 $y=3x-x^2$과 직선 $y=x$의 교점의 x좌표는

$3x-x^2=x$에서 $x(x-2)=0$ $\therefore x=0$ 또는 $x=2$

따라서 곡선 $y=3x-x^2$과 직선 $y=x$로 둘러싸인 도형의 넓이는

$\displaystyle\int_0^2\{(3x-x^2)-x\}dx=\displaystyle\int_0^2(-x^2+2x)dx$

$=\left[-\dfrac{1}{3}x^3+x^2\right]_0^2=\dfrac{4}{3}$

따라서 $S_1=\dfrac{4}{3}$이므로 이것을 ㉠에 대입하면 $S_2=\dfrac{19}{6}$

$\therefore S_1:S_2=\dfrac{4}{3}:\dfrac{19}{6}=8:19$

4-1 [답] 8

|해결 전략| 먼저 곡선 $y=|x^2-1|$을 그려 본다.

$$|x^2-1|=\begin{cases}x^2-1\ (x\le-1\ \text{또는}\ x\ge1)\\1-x^2\ (-1<x<1)\end{cases}$$

곡선 $y=|x^2-1|$과 직선 $y=3$으로 둘러싸인 도형의 넓이는 곡선 $y=x^2-1$과 직선 $y=3$으로 둘러싸인 도형의 넓이에서 곡선 $y=1-x^2$과 x축으로 둘러싸인 도형의 넓이의 2배를 뺀 것과 같다.

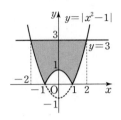

곡선 $y=|x^2-1|$과 직선 $y=3$의 교점의 x좌표는 $|x^2-1|=3$에서

$x^2-1=\pm3$

x는 실수이므로 $x^2=4$

$\therefore\ x=-2$ 또는 $x=2$

따라서 구하는 넓이는

$$\int_{-2}^{2}\{3-(x^2-1)\}dx-2\int_{-1}^{1}(1-x^2)dx$$

$$=\int_{-2}^{2}(4-x^2)dx-2\int_{-1}^{1}(1-x^2)dx$$

$$=2\int_{0}^{2}(4-x^2)dx-4\int_{0}^{1}(1-x^2)dx$$

$$=2\left[4x-\frac{1}{3}x^3\right]_{0}^{2}-4\left[x-\frac{1}{3}x^3\right]_{0}^{1}$$

$$=2\times\frac{16}{3}-4\times\frac{2}{3}=8$$

4-2 [답] $\dfrac{7}{3}$

|해결 전략| 먼저 곡선 $y=x^2$과 직선 $y=1$의 두 교점 Q, R의 좌표를 구한다.

곡선 $y=x^2$ 위의 점 중 y좌표가 1인 점의 x좌표는 $x^2=1$에서

$x=-1$ 또는 $x=1$

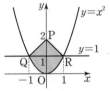

따라서 $Q(-1,1)$, $R(1,1)$로 놓을 수 있다.

두 점 $P(0,2)$, $Q(-1,1)$을 지나는 직선의 방정식은 $y=x+2$이고, 두 점 $P(0,2)$, $R(1,1)$을 지나는 직선의 방정식은 $y=-x+2$이다.

따라서 구하는 넓이는

$$\int_{-1}^{0}\{(x+2)-x^2\}dx+\int_{0}^{1}\{(-x+2)-x^2\}dx$$

$$=\int_{-1}^{0}(-x^2+x+2)dx+\int_{0}^{1}(-x^2-x+2)dx$$

$$=\left[-\frac{1}{3}x^3+\frac{1}{2}x^2+2x\right]_{-1}^{0}+\left[-\frac{1}{3}x^3-\frac{1}{2}x^2+2x\right]_{0}^{1}$$

$$=\frac{7}{6}+\frac{7}{6}=\frac{7}{3}$$

[다른 풀이]

두 직선 PQ, PR는 y축에 대하여 서로 대칭이고, 곡선 $y=x^2$도 y축에 대하여 대칭이므로 곡선 $y=x^2$과 두 선분 PQ, PR로 둘러싸인 도형도 y축에 대하여 대칭이다.

따라서 구하는 넓이는

$$2\int_{0}^{1}\{(-x+2)-x^2\}dx=2\int_{0}^{1}(-x^2-x+2)dx$$

$$=2\left[-\frac{1}{3}x^3-\frac{1}{2}x^2+2x\right]_{0}^{1}$$

$$=2\times\frac{7}{6}=\frac{7}{3}$$

5-1 [답] 6

|해결 전략| 곡선 $y=f(x)$를 y축의 방향으로 2만큼 평행이동한 곡선이 $y=g(x)$이므로 $g(x)-f(x)=2$임을 이용한다.

곡선 $y=f(x)$를 y축의 방향으로 2만큼 평행이동한 곡선은

$y=g(x)=f(x)+2$

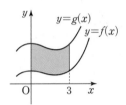

따라서 모든 실수 x에 대하여 $g(x)>f(x)$이므로 구하는 넓이는

$$\int_{0}^{3}\{g(x)-f(x)\}dx$$

$$=\int_{0}^{3}\{f(x)+2-f(x)\}dx$$

$$=\int_{0}^{3}2dx=\left[2x\right]_{0}^{3}=6$$

5-2 [답] 3

|해결 전략| 곡선 $y=f(x)$를 구하고, 두 곡선 $y=x^3$, $y=f(x)$의 교점의 x좌표를 구한 후 두 곡선을 좌표평면 위에 나타낸다.

곡선 $y=x^3$을 y축에 대하여 대칭이동한 곡선은

$y=(-x)^3$, 즉 $y=-x^3$

곡선 $y=-x^3$을 x축의 방향으로 1만큼, y축의 방향으로 1만큼 평행이동한 곡선은

$y=-(x-1)^3+1$

두 곡선 $y=x^3$, $y=-(x-1)^3+1$의 교점의 x좌표는 $x^3=-(x-1)^3+1$에서

$2x^3-3x^2+3x-2=0$

$(x-1)(2x^2-x+2)=0$

이때, 모든 실수 x에 대하여

$2x^2-x+2=2\left(x-\frac{1}{4}\right)^2+\frac{15}{8}>0$

이므로 $x=1$

따라서 구하는 넓이는

$$\int_{1}^{2}\{x^3-f(x)\}dx=\int_{1}^{2}\{x^3+(x-1)^3-1\}dx$$

$$=\int_{1}^{2}(2x^3-3x^2+3x-2)dx$$

$$=\left[\frac{1}{2}x^4-x^3+\frac{3}{2}x^2-2x\right]_{1}^{2}=3$$

6-1 답 $\dfrac{2}{3}$

|해결 전략| 먼저 점 $(0, 1)$에서 곡선 $y=-x^2$에 그은 두 접선의 방정식을 구한다.

$y=-x^2$에서 $y'=-2x$이므로 접점 $(t, -t^2)$에서의 접선의 기울기는 $-2t$이다.

즉, 점 $(t, -t^2)$에서의 접선의 방정식은

$y+t^2=-2t(x-t)$ ······㉠

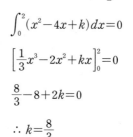

이 접선이 점 $(0, 1)$을 지나므로

$1+t^2=2t^2$에서

$t^2=1$ ∴ $t=-1$ 또는 $t=1$

㉠에 $t=-1$, $t=1$을 각각 대입하면 접선의 방정식은

$y=2x+1$, $y=-2x+1$

따라서 구하는 넓이는

$\displaystyle\int_{-1}^{0}\{(2x+1)-(-x^2)\}dx+\int_{0}^{1}\{(-2x+1)-(-x^2)\}dx$

$\displaystyle=\int_{-1}^{0}(x^2+2x+1)dx+\int_{0}^{1}(x^2-2x+1)dx$

$=\left[\dfrac{1}{3}x^3+x^2+x\right]_{-1}^{0}+\left[\dfrac{1}{3}x^3-x^2+x\right]_{0}^{1}$

$=\dfrac{1}{3}+\dfrac{1}{3}=\dfrac{2}{3}$

다른 풀이

두 직선 $y=2x+1$, $y=-2x+1$은 y축에 대하여 서로 대칭이고, 곡선 $y=-x^2$도 y축에 대하여 대칭이므로 곡선 $y=-x^2$과 두 직선 $y=2x+1$, $y=-2x+1$로 둘러싸인 도형도 y축에 대하여 대칭이다.

따라서 구하는 넓이는

$\displaystyle2\int_{0}^{1}\{(-2x+1)-(-x^2)\}dx=2\int_{0}^{1}(x^2-2x+1)dx$

$=2\left[\dfrac{1}{3}x^3-x^2+x\right]_{0}^{1}=2\times\dfrac{1}{3}=\dfrac{2}{3}$

6-2 답 $\dfrac{16}{3}$

|해결 전략| 먼저 점 $(1, -2)$에서 곡선 $y=x^2-3x+4$에 그은 두 접선의 방정식을 구한다.

$y=x^2-3x+4$에서 $y'=2x-3$이므로 접점 (t, t^2-3t+4)에서의 접선의 기울기는 $2t-3$이다.

즉, 점 (t, t^2-3t+4)에서의 접선의 방정식은

$y-(t^2-3t+4)$
$=(2t-3)(x-t)$ ······㉠

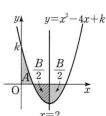

이 접선이 점 $(1, -2)$를 지나므로

$-2-(t^2-3t+4)=(2t-3)(1-t)$에서

$t^2-2t-3=0$, $(t+1)(t-3)=0$

∴ $t=-1$ 또는 $t=3$

㉠에 $t=-1$, $t=3$을 각각 대입하면 접선의 방정식은

$y=-5x+3$, $y=3x-5$

따라서 구하는 넓이는

$\displaystyle\int_{-1}^{1}\{(x^2-3x+4)-(-5x+3)\}dx$

$\displaystyle\qquad+\int_{1}^{3}\{(x^2-3x+4)-(3x-5)\}dx$

$\displaystyle=\int_{-1}^{1}(x^2+2x+1)dx+\int_{1}^{3}(x^2-6x+9)dx$

$\displaystyle=2\int_{0}^{1}(x^2+1)dx+\int_{1}^{3}(x^2-6x+9)dx$

$=2\left[\dfrac{1}{3}x^3+x\right]_{0}^{1}+\left[\dfrac{1}{3}x^3-3x^2+9x\right]_{1}^{3}$

$=2\times\dfrac{4}{3}+\dfrac{8}{3}=\dfrac{16}{3}$

7-1 답 $\dfrac{8}{3}$

|해결 전략| 곡선 $y=x^2-4x+k=(x-2)^2+k-4$가 직선 $x=2$에 대하여 대칭이므로 $\displaystyle\int_{0}^{2}(x^2-4x+k)dx=0$임을 이용한다.

곡선 $y=x^2-4x+k=(x-2)^2+k-4$가 직선 $x=2$에 대하여 대칭이므로 빗금친 부분의 넓이는 $\dfrac{B}{2}$이다.

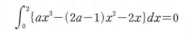

이때, $B=2A$에서 $\dfrac{B}{2}=A$이므로

$\displaystyle\int_{0}^{2}(x^2-4x+k)dx=0$

$\left[\dfrac{1}{3}x^3-2x^2+kx\right]_{0}^{2}=0$

$\dfrac{8}{3}-8+2k=0$

∴ $k=\dfrac{8}{3}$

7-2 답 -1

|해결 전략| $\displaystyle\int_{0}^{2}[ax^2(x-2)-\{-x(x-2)\}]dx=0$임을 이용한다.

두 곡선 $y=ax^2(x-2)$, $y=-x(x-2)$와 x축의 교점의 x좌표는 $x=0$ 또는 $x=2$

따라서 색칠한 두 도형의 넓이가 같으므로

$\displaystyle\int_{0}^{2}[ax^2(x-2)-\{-x(x-2)\}]dx=0$

$\displaystyle\int_{0}^{2}\{ax^3-(2a-1)x^2-2x\}dx=0$

$$\left[\frac{a}{4}x^4-\frac{2a-1}{3}x^3-x^2\right]_0^2=0$$

$$4a-\frac{8}{3}(2a-1)-4=0$$

$$\frac{4}{3}a=-\frac{4}{3}$$

$$\therefore a=-1$$

8-1 답 75 m

|해결 전략| $0+\int_0^5 v(t)dt$의 값을 구한다.

$t=5$일 때 야구공의 높이는

$$0+\int_0^5(40-10t)dt=\left[40t-5t^2\right]_0^5=75\,(\mathrm{m})$$

따라서 야구공을 쏘아 올린 시점에서 5초 후 이 야구공의 지면으로부터의 높이는 75 m이다.

8-2 답 3초 후

|해결 전략| $\int_0^a v(t)dt=0$이 되는 양수 a의 값을 구한다.

$t=a\,(a>0)$일 때 점 P가 출발한 지점을 다시 지난다고 하면 $t=0$에서 $t=a$까지 점 P의 위치의 변화량은 0이므로

$$\int_0^a(t^2-2t)dt=0,\ \left[\frac{1}{3}t^3-t^2\right]_0^a=0$$

$$\frac{1}{3}a^3-a^2=0,\ \frac{1}{3}a^2(a-3)=0$$

$$\therefore a=3\ (\because a>0)$$

따라서 점 P가 출발한 지점을 다시 지나는 것은 출발한 지 3초 후이다.

9-1 답 450 m

|해결 전략| 열차가 정지할 때의 속도는 0 m/s임을 이용한다.

열차가 정지할 때의 속도는 0 m/s이므로

$v(t)=60-4t=0$에서 $t=15$

따라서 열차는 제동을 건 지 15초 후에 정지하므로 제동을 건 후 정지할 때까지 달린 거리는

$$\int_0^{15}|60-4t|\,dt=\int_0^{15}(60-4t)\,dt$$

$$=\left[60t-2t^2\right]_0^{15}$$

$$=450\,(\mathrm{m})$$

9-2 답 575 m

|해결 전략| 물체의 $t=5$에서의 속도는 $v(5)$ m/s임을 이용한다.

물체가 출발한 후 5초 동안 움직인 거리는

$$\int_0^5|3t^2+2t|\,dt=\int_0^5(3t^2+2t)\,dt$$

$$=\left[t^3+t^2\right]_0^5$$

$$=150\,(\mathrm{m})$$

물체의 $t=5$에서의 속도는 $v(5)=3\times5^2+2\times5=85\,(\mathrm{m/s})$ 이므로 이 물체가 $t=5$에서 $t=10$까지 움직인 거리는

$$\int_5^{10}|85|\,dt=\int_5^{10}85\,dt$$

$$=\left[85t\right]_5^{10}$$

$$=425\,(\mathrm{m})$$

따라서 이 물체가 출발한 후 10초 동안 움직인 거리는

$150+425=575\,(\mathrm{m})$

10-1 답 $2+\sqrt{3}$

|해결 전략| $\int_0^a v(t)dt=0$이 되는 양수 a의 값을 구한다.

오른쪽 그림에서 사다리꼴의 넓이를 S라 하면

$$S=\frac{1}{2}\times(1+2)\times1=\frac{3}{2}$$

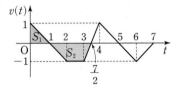

이므로 $t=0$에서 $t=2$까지 물체의 위치의 변화량은 $\frac{3}{2}$이다.

따라서 $t=a\,(a>2)$일 때 물체가 다시 원점을 통과한다고 하면 $t=2$에서 $t=a$까지 물체의 위치의 변화량은 $-\frac{3}{2}$이므로 $v(t)$의 그래프와 t축 및 직선 $t=a$로 둘러싸인 도형의 넓이는

$$\frac{1}{2}(a-2)^2=\frac{3}{2},\ (a-2)^2=3$$

$$\therefore a=2+\sqrt{3}\ (\because a>2)$$

그러므로 이 물체가 다시 원점을 통과하는 시각은 $2+\sqrt{3}$이다.

10-2 답 $\frac{9}{4}$

|해결 전략| 속도 $v(t)$의 부호가 바뀔 때 점 P의 운동 방향이 바뀐다.

속도 $v(t)$의 부호가 바뀔 때 점 P의 운동 방향이 바뀌므로 점 P가 출발한 후 운동 방향을 두 번째로 바꾸는 시각은 $t=\frac{7}{2}$이다.

따라서 점 P가 출발한 후 $t=\frac{7}{2}$까지 움직인 거리는 위의 그림에서 삼각형의 넓이 S_1과 사다리꼴의 넓이 S_2를 더하면 되므로

$$\int_0^{\frac{7}{2}}|v(t)|\,dt=S_1+S_2$$

$$=\frac{1}{2}\times1\times1+\frac{1}{2}\times\left(1+\frac{5}{2}\right)\times1$$

$$=\frac{1}{2}+\frac{7}{4}=\frac{9}{4}$$

Memo

Memo

Memo

Memo

Memo

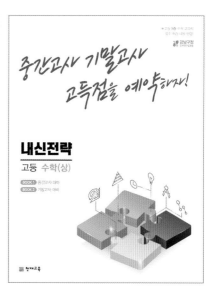

개념 해결의 법칙

정답과 해설

고등 **수학** Ⅱ